O 8º HÁBITO

Da Eficácia à Grandeza

Stephen R. Covey

4ª Edição

O 8º HÁBITO

Da Eficácia à Grandeza

Tradução
Maria José Cyhlar Monteiro
Economista e Professora da Universidade Federal do Rio de Janeiro

Revisão Técnica
FranklinCovey

ELSEVIER

FranklinCovey

EDITORA CAMPUS

Do original:
The 8th Habit
Tradução autorizada do idioma inglês da edição publicada por Free Press – Simon & Shuster, Inc.

Copidesque: Shirley Lima da Silva Braz

Editoração Eletrônica: Estúdio Castellani

Revisão Gráfica: Mariflor Brenlla Rial Rocha eEdna Rocha

Projeto Gráfico
Elsevier Editora Ltda.
A Qualidade da Informação.
Rua Sete de Setembro, 111 – 16º andar
20050-006 Rio de Janeiro RJ Brasil
Telefone: (21) 3970-9300 FAX: (21) 2507-1991
E-mail: *info@elsevier.com.br*
Escritório São Paulo:
Rua Quintana, 753/8º andar
04569-011 Brooklin São Paulo SP
Tel.: (11) 5105-8555

ISBN 85-352-1672-3

Edição original: ISBN 0-684-84665-9

Central de atendimento
Tel: 0800-265340
Rua Sete de Setembro, 111, 16º andar – Centro – Rio de Janeiro
e-mail: info@elsevier.com.br
site: www.campus.com.br

CIP-Brasil. Catalogação-na-fonte.
Sindicato Nacional dos Editores de Livros, RJ

C914o

Covey, Stephen R., 1932-

O 8º Hábito : da eficácia à grandeza / Stephen R. Covey ; tradução Maria José Cyhlar Monteiro. – Rio de Janeiro : Elsevier ; São Paulo : Frankley Covey, 2005 – 4ª Reimpressão.

Tradução de: 8th Habit
Apêndice
ISBN 85-352-1672-3

1. Auto-realização (Psicologia). 2. Sucesso. 3. Satisfação. 4. Vocação. I. Título.

05-0766. CDD 158.1
CDU 159.947

Para os humildes, corajosos, "grandes"
entre nós que são exemplos de que
a liderança é uma escolha, não uma posição

AGRADECIMENTOS

Um dos grandes aprendizados de minha vida é este: quando queremos dar uma nova contribuição, precisamos nos preparar novamente. Embora todos os projetos de texto relevantes que empreendi só fizessem reforçar este princípio, é muito fácil esquecê-lo. Comecei a trabalhar neste livro há cinco anos, pensando que, com base em toda minha vida de estudo, ensino e consultoria no campo da liderança, seria muito fácil "aprontá-lo" em alguns meses. Depois de mais de um ano escrevendo e aplicando em minhas aulas esse conteúdo, minha equipe e eu elaboramos um primeiro rascunho – pensando que já estivesse pronto. Foi nesse momento que vivenciamos o que aqueles que escalam montanhas costumam descobrir: não tínhamos chegado ao pico, apenas ao topo da primeira etapa da subida. Desse novo ponto de vista tão duramente conquistado podíamos ver coisas que nunca tínhamos visto anteriormente – aquelas que só se tornavam visíveis daquela altura. Então, voltamos nossos olhos para a montanha "real" e demos início a uma nova etapa da escalada.

Passamos pela mesma experiência outra dúzia, literalmente, de vezes, pensando a cada vez que tínhamos, por fim, chegado ao "topo"; convencidos sempre de que o livro estava finalmente "pronto" e sendo obrigados a admitir que apenas tínhamos atingido um novo patamar do que tínhamos em mente, e que havia outra subida à nossa frente.

As maiores e mais inspiradoras narrativas de escaladas não são casos de realização individual, mas a história do poder extraordinário de *equipes* unidas, talentosas e preparadas que se mantêm mutuamente dedicadas e que compartilham de uma visão do *objetivo final*. A maioria das equipes que se propõe a escalar o Everest nunca chega ao topo – são muito, muito poucas as que o conseguem. Por um ou outro motivo, a maioria das pessoas e das equipes, quando levadas ao limite por condições extremas, cai ao longo do caminho e opta por retornar ao ponto de partida ou são obrigadas a isso. A história que está por trás dos cinco anos de escalada para a conclusão deste livro não é diferente. Se eu não contasse com a determinação e a dedicação, a paciência, o incentivo e a sinergia das participações de uma equipe notável que me auxiliou neste projeto, o livro não só não teria sido *o que* é, ele nunca teria visto a luz do dia!

É portanto de forma profunda que expresso meus agradecimentos pelas contribuições de:

- Literalmente dezenas de milhares de pessoas que, dos mais variados lugares do mundo, tiveram a atenção de nos dar um feedback honesto e de dividir seus sofrimentos e esperanças reais, permitindo-me participar da escalada de uma "cadeia de montanhas" num aprendizado que resultou em constante reinvenção, insights valiosos e um teste sem-fim da paciência da equipe.
- A Boyd Craig, por estes cinco anos de dedicação extraordinária, capaz, apaixonada e incansável ao desenvolvimento e à editoração deste livro; por gerenciar todas as dimensões deste grande projeto em equipe; por sua liderança e parceria sinergética com nosso editor, nosso agente e nossa empresa; e, acima de tudo, por sua espiritualidade, seu discernimento, sua flexibilidade, sua paciência e seu conhecimento do conteúdo. Minha gratidão também vai para a esposa de Boyd, Michelle Daines Craig, por seu maravilhoso estilo positivo e seu incansável apoio e sacrifício que deram alento à "maratona".
- Ao pessoal de meu escritório e sua equipe de apoio: Patti Pallat, Julie Judd Gillman, Darla Salin, Julie McAllister, Nancy Aldridge, Kara Foster Holmes, Luci Ainsworth, Diane Thompson e Christie Brzezinski - pelo incomum empenho e pela lealdade, sempre dispostos a colaborar com um profissionalismo de classe mundial.
- A meus parceiros dedicados da FranklinCovey, especialmente Bob Whitman e meu filho Sean, pela sua cuidadosa e profunda revisão do manuscrito final e por seu inestimável feedback prático.
- A Edward H. Powley, por sua assistência incansável na revisão da literatura sobre liderança, e a Richard Garcia e Mike Robins, por suas pesquisas persistentes e laboriosas.
- A Tessa Meyer Santiago, por sua assistência editorial nas primeiras versões deste livro.
- A Sherrie Hall Everett, por seus anos de trabalho criando e recriando os gráficos do livro.
- A Brad Anderson, Bruce Neibaur, Micah Merrill e muitos outros colegas talentosos que, no correr dos anos, foram a criativa energia por trás dos premiados filmes incluídos no DVD que acompanha este livro.

- A Greg Link, por seu visionário talento de marketing e sua continuada dedicação à nossa missão.
- A meu filho Stephen, que muito me ensinou sobre confiança, tanto pelo seu exemplo pessoal quanto pelo aprofundamento teórico e prático de seus fundamentos.
- À minha encantadora agente literária, Jan Miller, e sua sócia, Shannon Miser-Marven, por anos de atenção e divulgação.
- A Bob Asahina, o editor que me acompanha há muitos anos, por me lembrar mais uma vez de sair de minha cabeça e sempre começar por onde o leitor está.
- A nossos prezados parceiros editoriais da Simon & Schuster – especialmente Carolyn Reidy, Martha Levin, Suzanne Donahue e Dominick Anfuso –, por estarem sempre aí durante o longo processo de "gravidez e parto", incluindo mais do que uns poucos "falsos alarmes" na escalada.
- À minha querida esposa, Sandra, meus filhos e meus netos, que, embora levados à exaustão por este infindável projeto de livro, optaram por sorrir e incentivar-me, em lugar de torcer meu pescoço. Também a meu amado avô, Stephen L. Richards; meus notáveis pais, Stephen G. e Louise Richards Covey; e a meus queridos irmãos, Irene, Helen Jean, Marilyn e John, que desde a infância até o presente influenciaram profundamente quem sou.
- Ao Deus e Pai de todos nós, por Seu plano de felicidade para *todos* os Seus filhos.

PREFÁCIO À EDIÇÃO BRASILEIRA

Meu contato com as obras de Stephen Covey começou há cerca de doze anos. Desde então, venho me impressionando com seus princípios e ensinamentos, procurando aplicá-los em minha vida pessoal e profissional. Tenho comprovado que, apesar de simples, eles são poderosos e têm a capacidade de nos transformar.

Tive a oportunidade de estar a primeira vez com Covey em janeiro de 2000, e desde então me relaciono profissionalmente direto com ele. Tenho aprendido seus princípios não somente na teoria, mas também na prática, podendo afirmar que Dr. Covey é uma pessoa que realmente vive o que ensina, assim como a equipe que está sob sua liderança. Viajamos juntos em diversas ocasiões, o que me possibilitou notar a grande influência que seus conceitos exercem no mundo – resultando em encontros com grandes líderes, como, por exemplo, os presidentes da Coréia, do México, da China, dos Estados Unidos e vários líderes de países do Oriente e da Europa. Aqui no Brasil, tivemos a oportunidade de nos reunir com o Secretário de Comunicação e Gestão Estratégica do Governo Lula.

Considero *O 8º Hábito* uma obra-prima, pois condensa princípios já comprovados durante a longa jornada de consultoria de Covey, na qual treinou milhares de empresas no mundo todo. Mais uma vez, me impressionei com sua capacidade de trabalhar desde o nível pessoal até as organizações complexas. Acredito que este novo livro, publicado quinze anos depois de *Os 7 Hábitos das Pessoas Altamente Eficazes*, tenha um propósito: fazer com que os indivíduos atinjam a grandeza após terem construído a eficácia – porta de entrada para o campo dos empreendimentos e para a vida. É uma obra que tem o intuito de nos conduzir a um novo mundo e às novas realidades que se afiguram na Era do Conhecimento, em que o homem moderno enfrenta incontáveis desafios no mundo de mudanças rápidas, constantes e complexas.

Estamos testemunhando uma das mais significativas mudanças na História, especialmente dentro das corporações: a transição da Era Industrial para a Era do Conhecimento. Essa transformação implica em não mais enxergar as pessoas como objetos, mas passar a considerá-las completas, feitas das quatro partes extraordinárias de nossa natureza: corpo, mente, emoções e espírito. Segundo o próprio Covey, essas quatro partes correspondem a quatro capacidades ou inteligências: inteligência física ou corporal (sistemas respiratório, circulatório e nervoso), inteligência mental (capacidade crítica, de raciocínio, de pensar abstratamente, de usar a linguagem, de visualização e de compreensão), inteligência emocional (conhecimento que temos de nós mesmos, em nossa autoconsciência, percepção social, empatia e capacidade de nos comunicar com êxito com outras pessoas) e inteligência espiritual (a central e a mais fundamental de todas as inteligências, porque é a fonte de orientação para as outras três).

Os 7 Hábitos das Pessoas Altamente Eficazes continuam se fazendo necessários para encararmos essa nova realidade de mudanças crescentes, já que representam uma estrutura completa de princípios universais e eternos de caráter e eficácia. Porém, o 8º Hábito – Encontre a Sua Voz Interior e Inspire os Outros a Encontrar as Deles – representa uma dimensão maior, que nos leva acima da eficácia e nos coloca no caminho para encontrarmos a grandeza. E é justamente disso que precisamos nesta nova era: muito mais do que nos tornarmos eficazes, precisamos de um sentido, de colaboração, de resultados melhores. Quanto maior o desafio impulsionado pela Era do Conhecimento e quanto mais enraizado estivermos aos 7 Hábitos, traremos à tona maiores e melhores soluções.

O 8º Hábito é a chave para libertar o imenso potencial humano, pois indica um caminho para o cumprimento da promessa de colocar um ponto final na Era Industrial, em que os principais recursos e condutores da prosperidade econômica eram as máquinas e o dinheiro – coisas materiais. Em que as pessoas eram necessárias, mas substituíveis. Em que se podia abrir mão de trabalhadores braçais sem qualquer conseqüência, pois a oferta sempre excedia a procura.

O grande desafio da atualidade e desta obra está justamente em desfazer com êxito esse modelo de gestão. Em suas posições de autoridade, muitos executivos não vêem o verdadeiro valor e potencial de seus encarregados e não possuem um completo e acurado entendimento da natureza humana; eles administram pessoas como se fossem coisas. Essa falta de compreensão também os impede de elevar a motivação, o talento e a genialidade das pessoas. O resultado desse não-reconhecimento é cada vez mais constante: presidentes de empresas perdendo grandes talentos – a paixão, a criatividade e o compromisso de seus funcionários. Em um mundo caracterizado por tão intensa competitividade, pela inerente necessidade de pressa para vender e comprar, pela inovação brilhante e pela alta qualidade, a menos que se consiga que as pessoas engajem voluntariamente seus corações, mentes e espíritos – e não somente seus corpos –, nunca se chegará lá: nunca se sobreviverá, se superará ou se alcançará a grandeza.

Esse novo hábito vem, portanto, para acabar com a frustração, enfraquecimento e desvalorização dos indivíduos. É uma resposta para o sofrimento que as pessoas têm passado em suas vidas profissionais – falta de luz para focar as mais importantes prioridades, perda de paixão, sentimento de inabilidade no trabalho, baixa auto-estima, incapacidade para fazer progressos e distração. Ele faz surgir a sua voz interior – cheia de esperança e inteligência –, e isso também inclui a alma das organizações que irão sobreviver, prosperar e causar um impacto profundo no futuro do mundo.

O 8º Hábito é o caminho para encontrar nossa *voz* e paixão. É um verdadeiro guia para as pessoas em qualquer nível de uma corporação ampliarem seu desempenho e influência, e uma ajuda insubstituível para inspirar o restante da equipe e a organização a fazer o mesmo.

Certamente os leitores se beneficiarão muito ao tomar conhecimento desta obra e praticar os ensinamentos sugeridos por Stephen Covey. Assim como seus livros anteriores – *Os 7 Hábitos das Pessoas Altamente Eficazes*, *Liderança baseada em Princípios*, *Vivendo os 7 Hábitos* e *Primeiro o mais Importante* – foram capazes de influenciar milhões de pessoas, estou certo de que *O 8º Hábito* será capaz de tornar o leitor uma pessoa mais completa e de fazê-lo se relacionar com os outros, reconhecendo que todos temos a capacidade de nos tornarmos grandes e inspirar outros a essa grandeza.

Paulo Kretly
Presidente da FranklinCovey Brasil

SUMÁRIO

EXECUÇÃO – ALINHAR E FORTALECER

A ERA DA SABEDORIA

APÊNDICES

O 8º HÁBITO

Capítulo 1

A DOR

OUÇA AS VOZES:

"Estou aprisionado na rotina."

"Não tenho vida própria. Estou esgotado – exausto."

"Ninguém me dá valor. Meu chefe nem tem idéia de minha capacidade."

"Não me sinto necessário – nem no trabalho, nem para meus filhos adolescentes, nem para meus vizinhos e minha comunidade, nem para minha mulher –, exceto na hora de pagar as contas."

"Estou frustrado e desanimado."

"Não estou conseguindo ganhar o suficiente para pagar as contas. Parece que nunca vou progredir."

"Talvez eu não seja bom o suficiente."

"Não faço diferença."

"Sinto um vazio por dentro. Minha vida não tem sentido, está faltando alguma coisa."

"Estou furioso. Estou apavorado. Não posso perder meu emprego."

"Eu me sinto só."

"Estou estressado, tudo é urgente."

"Tem sempre alguém em cima, estou sufocado."

"Estou cheio da politicagem e da bajulação."

"Estou entediado – só fazendo hora. A maior parte das coisas boas acontece fora do local de trabalho."

"Estou atolado para cumprir as metas. A pressão por resultados é incrível. Simplesmente não tenho tempo nem recursos para fazer tudo o que pedem."

"Com uma esposa que não entende e crianças que não escutam nem obedecem, minha casa não é melhor do que o escritório."

"Não posso mudar as coisas."

• • •

SÃO ESSAS AS VOZES das pessoas no local de trabalho e no lar – vozes de, literalmente, milhões de pais, trabalhadores, fornecedores de serviços, gerentes, profissionais de nível superior e executivos de todo o mundo que estão lutando para torná-lo uma nova realidade. O sofrimento é *pessoal* e profundo. O leitor talvez se identifique com muitos desses comentários. Como Carl Rogers disse: "O que é mais pessoal é mais geral."[1]

Obviamente, algumas pessoas estão empenhadas, participando e energizando seu trabalho... mas são muito poucas. Muitas vezes pergunto em grandes auditórios: "Quantos concordam com que a maior parte da força de trabalho de sua organização tem mais talento, inteligência, capacidade e criatividade do que seus empregos atuais requerem, ou até permitem?" A grande maioria das pessoas levanta a mão, e isso ocorre em grupos de todo o mundo. Mais ou menos o mesmo percentual admite estar sob grande pressão para produzir mais com menos. Pense nisso. As pessoas se deparam com uma nova e crescente pressão para produzir mais com menos num mundo terrivelmente complexo. Contudo, simplesmente não lhes é permitido utilizar uma parte significativa de seu talento e inteligência.

Em nenhum outro lugar esse sofrimento se manifesta de modo mais claro e prático do que na incapacidade das organizações para *concentrar-se* em suas mais altas prioridades e *executá-las*. Usando o que chamamos de Questionário Qx (Quociente de Execução)*, a Harris Interactive, os criadores da Harris Poll fizeram recentemente uma pesquisa com 23 mil empregados em tempo integral de importantes *ramos de atividade*** e *áreas funcionais chaves.**** Veja alguns dos resultados mais impressionantes:

- Apenas 37% disseram entender claramente o que sua organização eatá tentando atingir e por quê.
- Apenas um em cinco estava entusiasmado com as metas de sua equipe e de sua organização.
- Apenas um em cinco trabalhadores disse ter uma visão clara entre suas tarefas e as metas de sua equipe e da organização.

---

* Um sumário dos resultados do estudo com 23 mil trabalhadores, gerentes e executivos aos quais foi aplicado o Questionário Qx se encontra no Apêndice 6.

** Incluem: serviços de hospedagem e alimentação, indústria automotiva, instituições financeiras, comunicações, educação, cuidados com a saúde, militares, administração pública/governo, comércio varejista, serviços tecnológicos e telecomunicações.

*** Nestas se incluem: contabilidade, assistentes administrativos/secretaria, profissionais de publicidade/marketing, executivos, especialistas em computação, educadores, administradores, profissionais financeiros, funcionários públicos, pessoal de saúde e agentes de venda/representantes comerciais.

- Ao final da semana, apenas metade estava satisfeita com o trabalho executado.
- Apenas 15% sentiam que sua organização lhes dava os meios necessários para atingir metas importantes.
- Apenas 15% sentiam que trabalhavam num ambiente de grande confiança.
- Apenas 17% sentiam que suas organizações promoviam comunicações francas, respeitando opiniões diferentes, e que isso resultava em idéias novas e melhores.
- Apenas 10% sentiam que suas organizações consideravam as pessoas responsáveis pelos resultados.
- Apenas 20% dos trabalhadores confiavam plenamente na organização em que trabalhavam.
- Apenas 13% têm relações de trabalho em que há grande confiança e intensa colaboração com outros grupos ou departamentos.

Se, digamos, um time de futebol pensasse da mesma maneira, apenas quatro dos 11 jogadores em campo saberiam de que lado está seu gol. Somente dois dos 11 se preocupariam com isso. Apenas dois dos 11 saberiam em que posição jogam e o que se espera, exatamente, deles. E nove, dos 11, estariam de algum modo competindo com a própria equipe e não com os adversários.

Esses dados nos levam a refletir. Eles estão de acordo com minha própria experiência junto a pessoas de todo tipo de organização ao redor do mundo. Apesar de todos os avanços tecnológicos, da inovação nos produtos e nos mercados mundiais, a maioria das pessoas não está progredindo nas organizações para as quais trabalha. Elas não se sentem nem realizadas nem empolgadas. Estão frustradas. Elas não têm clareza sobre o rumo da organização ou sobre suas prioridades mais altas. Elas se atolam e se distraem. A maioria sente que não pode mudar muita coisa. Dá para imaginar os custos pessoais e organizacionais da incapacidade de empenhar plenamente a paixão, o talento e a inteligência da força de trabalho? É muito maior do que todos os impostos, juros e custos trabalhistas somados!

POR QUE UM 8º HÁBITO?

O mundo mudou profundamente desde que *Os 7 Hábitos das Pessoas Altamente Eficazes* foi publicado em 1989. Os desafios e a complexidade com que nos deparamos em nossas vidas e relacionamentos pessoais, em nossas famílias, em nossas vidas profissionais e em nossas organizações são de uma ordem de grandeza diferente. De fato, muitos assinalam 1989 – o ano em que testemunhamos a queda do Muro de Berlim – como o início da Era da Informação, o nascimento de uma nova realidade, um mar de mudanças de incrível significado – na verdade, uma nova era.

Muitos perguntam se os 7 Hábitos ainda são relevantes na nova realidade de nossos dias. Minha resposta é sempre a mesma: quanto maior a mudança e mais difíceis os desafios, *maior* é sua relevância. Veja, os 7 Hábitos tratam de como nos tornarmos *altamente* eficazes. Eles representam um marco de referência *completo* quanto a princípios universais, atemporais de caráter e de eficácia humana.

Ser uma pessoa ou uma organização *eficaz* não é mais uma opção no mundo de hoje – é o preço que pagamos para entrar em campo. Mas sobreviver, desabrochar, inovar, mostrar excelência e liderança nesta nova realidade nos exigirão ir além da eficácia. O que a nova era exige e demanda é *grandeza*. É *realização*, *execução apaixonada* e *contribuição significativa*. E isso está num plano, ou numa *dimensão*, diferente. São coisas de tipo diferente – tal como o signifi-

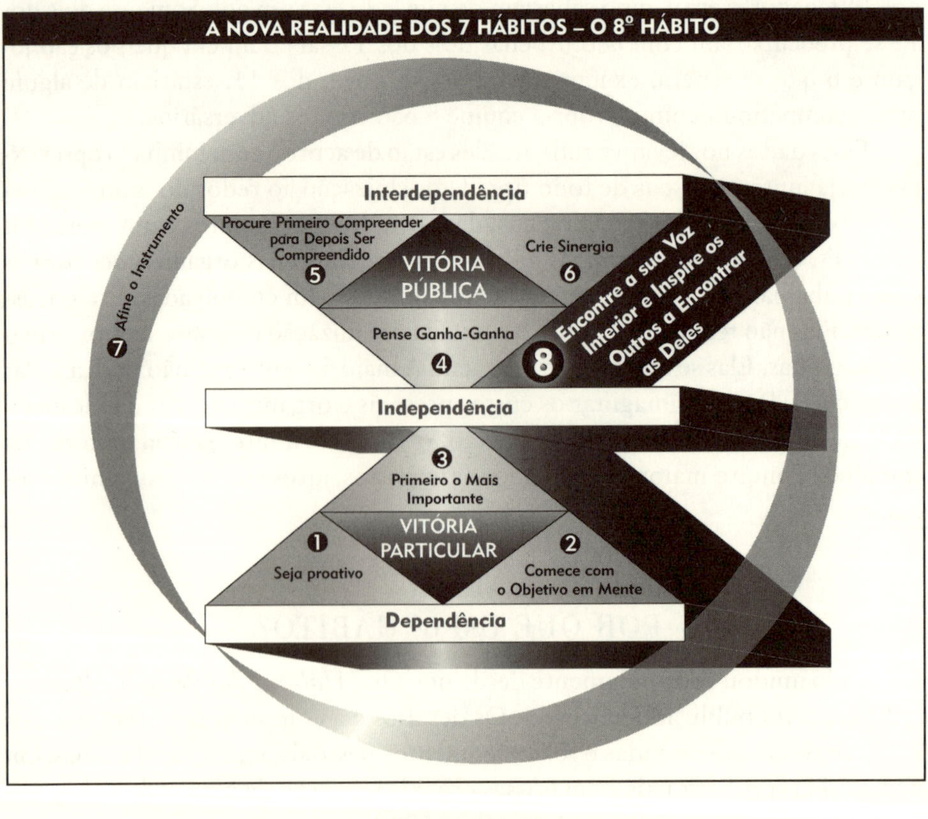

FIGURA 1.1

cado difere em *tipo*, não em *grau*, do sucesso. Recorrer aos níveis mais elevados do gênio e da motivação humanos – o que chamaremos voz – exige uma nova atitude mental, uma nova habilidade, um novo conjunto de ferramentas... um novo hábito.

Portanto, não se trata de acrescentar mais um hábito aos outros sete – como para reparar algum esquecimento. Trata-se de ver e dominar o poder de uma *terceira dimensão* que se junta aos 7 Hábitos e atende o desafio da Nova Era do Trabalhador do Conhecimento. Esse 8º Hábito é *Encontre a sua Voz Interior e Inspire os Outros a Encontrar as Deles*.

O 8º Hábito representa o caminho para o grande lado promissor da realidade dos dias de hoje. Está em forte contraste com a dor e a frustração que acabamos de descrever. De fato, é uma realidade atemporal. É a voz do espírito humano – cheia de esperança e inteligência, resiliente por natureza, ilimitada em seu potencial de servir o bem comum. Essa voz também abrange a alma da organização que sobreviverá, prosperará e terá impacto profundo no futuro do mundo.

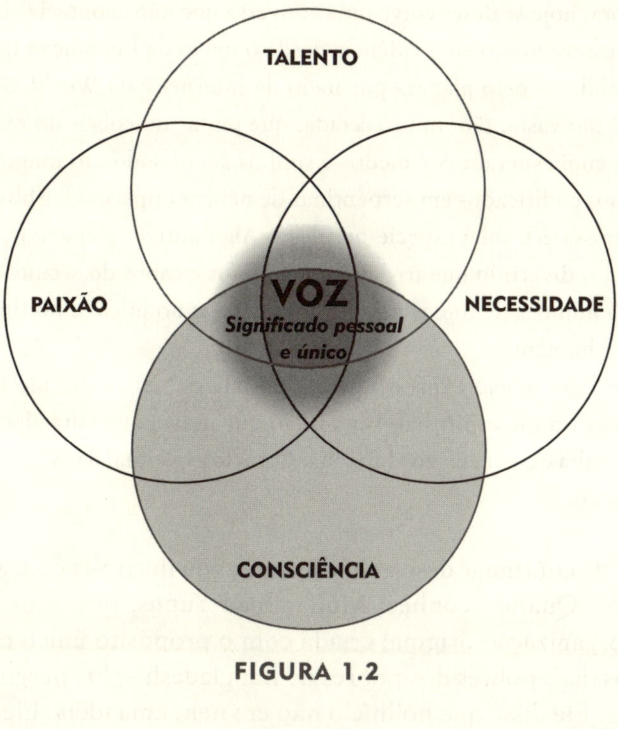

FIGURA 1.2

Voz é *significado pessoal e único* – significado que se revela quando nos deparamos com nossos maiores desafios e que nos coloca à altura deles.

Como ilustra a Figura 1.2, a voz é o nexo entre o *talento* (nossos dons e pontos fortes naturais), a *paixão* (aquelas coisas que nos energizam, empolgam, motivam e inspiram), a *necessidade* (incluindo o que o mundo precisa tanto que nos paga por isso) e a *consciência* (essa pequena voz silenciosa dentro de nós que nos diz o que é certo e nos impele a fazê-lo). Quando nos engajamos num trabalho que usa nosso talento e alimenta nossa paixão – que surge de uma grande necessidade do mundo que nossa consciência nos chama a atender –, é ali que estão nossa voz, nossa vocação, o código de nossa alma.

Há um anseio profundo, inato, quase inexprimível dentro de cada um de nós para encontrar a própria voz na vida. A explosão exponencial e revolucionária da Internet é uma das manifestações modernas mais poderosas. A Internet é talvez o símbolo perfeito do novo mundo, da economia da Informação/do Trabalhador do Conhecimento e das significativas mudanças que ocorreram. Em seu livro de 1999, *O manifesto da economia digital*, os autores Locke, Levine, Searls e Weinberger escreveram:

> Todos nós estamos reencontrando nossas vozes. Aprendendo a falar com o outro. [...] Dentro, fora, hoje se desenvolve uma conversa que não acontecia cinco anos atrás e que não esteve muito em evidência desde o início da Revolução Industrial. Agora, espalhando-se pelo planeta por meio da Internet e da World Wide Web, esta conversa é tão vasta, tão multifacetada, que tentar descobrir do que trata é fútil. Tem a ver com esperanças e medos e sonhos acumulados ao longo de bilhões de anos, sonhos codificados em serpentinas de hélices duplas, o flashback *déjà vu* coletivo de nossa estranha espécie perplexa. Algo antigo, elementar, sagrado, algo muito, muito divertido que irrompeu nos canos e cabos do século XXI.
>
> [...] Há milhões de linhas nesta conversa, mas no início e no fim de cada uma está um ser humano.
>
> Este ardente desejo expresso pela Web fala de um anseio tão intenso que só pode ser visto como espiritual. Um anseio que indica que falta algo em nossas vidas. O que falta é o som da voz humana. O apelo espiritual da Web é a promessa do retorno da voz.[2]

Em lugar de continuar descrevendo a voz, vou ilustrá-la com a história real de um homem. Quando conheci Muhammad Yunus, fundador do Grameen Bank – uma organização original criada com o propósito único de levar o microcrédito aos mais pobres dos pobres de Bangladesh –, lhe perguntei como tivera essa idéia. Ele disse que no início não era nem uma idéia. Ele apenas tinha visto alguém passando necessidade, tentou atendê-la e então evoluiu para uma visão. A visão de Muhammad Yunus de um mundo sem pobreza foi posta em movimento por algo que ocorreu nas ruas de Bangladesh. Quando o entrevistei para minha coluna* sobre Liderança, ele me narrou a história:

Tudo começou há 25 anos. Lecionava economia numa universidade de Bangladesh. O país estava passando por um período de fome. Eu me sentia muito mal. Estava na sala de aula, lecionando as elegantes teorias econômicas com todo o entusiasmo de quem acabara de receber seu diploma de Ph.D. nos Estados Unidos. Mas quando saía à rua me via cercado por seres esqueléticos, pessoas que só esperavam a hora da morte.

Sentia que tudo o que aprendera, o que estava lecionando, tudo eram histórias de faz-de-conta, sem sentido para a vida das pessoas. De modo que comecei a observar como viviam as pessoas de uma aldeia próxima ao campus da universidade. Queria descobrir se havia alguma coisa que pudesse fazer, como ser humano, para impedir, ou adiar, a morte, mesmo nem que fosse de uma única pessoa. Pus de lado a visão do pássaro que vê tudo do alto, do céu. Procurei ver com os olhos da minhoca, tentando enxergar o que estava bem na minha frente, sentindo cheiros, tocando, imaginando se poderia ser feita alguma coisa.

Um incidente em especial me levou numa nova direção. Encontrei uma mulher que estava fazendo banquinhos de bambu. Depois de uma longa conversa, descobri que ela só tirava dois centavos de dólar por dia. Não consegui acreditar que alguém trabalhasse tão arduamente para fazer uns banquinhos tão bonitos e obtivesse tão pouco lucro. Ela explicou que, como ela não tinha dinheiro para comprar o bambu, precisava de um adiantamento do comerciante que, em troca, exigia que ela lhe vendesse toda a produção ao preço que ele estabelecia.

E isso explicava os dois centavos, ela estava praticamente escravizada a esse comerciante. E quanto custava o bambu? "Cerca de 20 centavos, talvez 25, se for de muito boa qualidade", disse a mulher. Pensei, "Há pessoas que sofrem por causa de 20 centavos, será que não se pode fazer nada para melhorar essa situação?". Pensei em lhe dar os 20 centavos, mas então tive uma outra idéia – vou fazer uma lista de pessoas que precisam de quantias assim. Peguei um de meus alunos e percorremos a aldeia por vários dias e fizemos uma lista de 42 pessoas que precisavam dessas quantias. Quando somei o total, levei o maior susto da vida: o total era de 27 dólares! Fiquei envergonhado de fazer parte de uma sociedade que não era capaz de fornecer 27 dólares a 42 seres humanos industriosos e habilidosos.

Para minorar minha vergonha, peguei dinheiro de meu bolso e entreguei ao meu aluno. Disse para ele: "Pegue este dinheiro e entregue para as 42 pessoas que

* *New York Times Syndicate.*

localizamos e diga que é um empréstimo, mas que elas só devolverão quando puderem. E até lá eles podem vender seus produtos para quem lhes pagar melhor.”

> ***Tudo o que é necessário para que o mal triunfe é que os homens bons não façam nada.*[3]**
>
> EDMUND BURKE

Ao receber o dinheiro, eles ficaram empolgados. E vendo esse entusiasmo, pensei, “E agora, o que faço?”. Lembrei da agência bancária situada no campus da universidade e sugeri ao gerente que ele fizesse empréstimos aos pobres que eu conhecera na aldeia. Ele ficou espantado! “O senhor enlouqueceu. É impossível. Como é que vamos emprestar dinheiro para pessoas pobres? Elas não têm condições.” Argumentei com ele e disse: “Pelo menos tente, verifique, é uma quantia tão pequena!” “Não”, ele respondeu. “As regras não permitem. Eles não têm como oferecer garantias e emprestar somas tão pequenas não é rentável.” Ele sugeriu que eu procurasse as autoridades bancárias de Bangladesh.

Segui seu conselho e procurei as autoridades. Todos me diziam o mesmo. Finalmente, depois de vários dias procurando uma solução, decidi me responsabilizar pelos empréstimos. “Serei o avalista, assino qualquer papel que o banco quiser e eles me dão o dinheiro para eu repassar às pessoas que precisam dele.”

Esse foi o começo. Eles me advertiram de que as pessoas que recebessem os empréstimos nunca devolveriam. Respondi: “Vou arriscar.” E o surpreendente foi que eles devolveram cada centavo. Fiquei muito empolgado e voltei para o gerente e disse: “Veja, eles devolvem, não há problema.” Mas sua resposta foi: “Eles estão sendo espertos. Logo eles pegarão mais dinheiro e não o devolverão.” De modo que lhes emprestei mais e eles devolveram. Quando contei para o gerente, ele disse: “Bem, pode ser que isso aconteça nessa aldeia, mas, se o senhor for para outra, não vai funcionar.” E eu corri para repetir a experiência em outras duas aldeias, e funcionou.

De modo que acabou virando uma espécie de briga entre mim, o gerente do banco e seus superiores. Eles insistiam em que se ampliasse a experiência, acabaria vendo que eles não pagavam. Emprestei em cinco aldeias, e eles continuaram devolvendo os empréstimos. Mas o pessoal do banco não deu o braço a torcer. Eles diziam: “Dez aldeias. Cinqüenta aldeias. Cem aldeias.” E era uma luta entre mim e eles. Eles não podiam negar meus resultados, porque eu estava repassando o dinheiro deles, mas eles não se convenciam porque tinham sido treinados a acreditar que as pessoas pobres não são confiáveis. Felizmente, eu não ti-

nha esse treinamento, de modo que podia acreditar no que via, tal como acontecia. Mas, dada a mentalidade do pessoal do banco, eles estavam cegos pelo que acreditavam.

Finalmente me ocorreu a idéia. Por que eu tinha que convencê-los? Tenho plena certeza de que, se emprestamos dinheiro para pessoas pobres, elas devolvem. Por que não criar um banco separado? Fiquei empolgado e elaborei uma proposta e procurei que o governo autorizasse a constituição do banco. Levei dois anos para convencer o governo.

Em 2 de outubro de 1983, nós nos tornamos um banco – um banco formal, independente. E como ficamos empolgados! Agora que tínhamos nosso banco, podíamos nos expandir à vontade. E foi o que fizemos.

> ***Quando estamos inspirados por um grande propósito, um projeto extraordinário, todos os nossos pensamentos ultrapassam seus limites. Nossa mente transcende suas limitações, nossa consciência se expande em todas as direções e nos encontramos num mundo novo, grande e maravilhoso.***
>
> SUTRAS IOGAS DE PATANJALI

O Banco Grameen funciona agora em mais de 46 mil aldeias de Bangladesh, com 1.267 agências e mais de 12 mil funcionários. Já emprestaram mais de US$4,5 bilhões, em operações de US$12 a US$15 e sempre inferiores a US$200. A cada ano emprestam cerca de meio bilhão de dólares. Eles até emprestaram a mendigos para ajudá-los a sair dessa condição, transformando-se em vendedores. Os empréstimos habitacionais são de US$300. São somas pequenas para os que se encontram no mundo empresarial. Mas pensemos no impacto individual: esses US$500 milhões emprestados a cada ano atenderam 3,7 milhões de pessoas, 96% das quais mulheres, uma decisão que mudou suas vidas e as de suas famílias; foram 3,7 milhões de pessoas dispostas a mudar; foram 3,7 milhões de pessoas que sobreviveram a uma noite sem sono para aparecer de manhã, trêmulas mas decididas, na agência do Grameen. No centro desse movimento estavam mulheres que, individualmente ou em grupos promotores de sinergia, optaram por se tornar empresárias autônomas, independentes, produzindo bens em suas residências, em seus quintais, em seus bairros, para poderem ser economicamente viáveis e bem-sucedidas. Elas *encontraram* suas vozes.

Ao estudar e entrevistar alguns dos maiores líderes do mundo, observei que seu senso de visão e voz em geral evolui lentamente. Estou certo de que há exceções. Alguns podem ter uma visão repentina do que é possível. Mas, falando em geral, acho que a visão surge quando as pessoas sentem necessidades humanas e respondem à sua consciência tentando atendê-las. E quando encontram o que necessitam, vêem outra e a atendem, e assim por diante. Pouco a pouco, elas começam a generalizar esse senso de necessidade e começam a pensar em maneiras de institucionalizar seus esforços para torná-los sustentáveis.

Muhammad Yunus é um exemplo de homem que fez exatamente isso: sentiu uma necessidade humana e respondeu à sua *consciência* aplicando seu *talento* e *paixão* para atendê-la – primeiro pessoalmente, depois criando confiança e buscando soluções criativas para os problemas e finalmente institucionalizando a capacidade de satisfazer necessidades humanas por meio de uma organização. Ele encontrou sua voz ao inspirar outros a encontrarem a sua própria. O movimento do microcrédito agora se espalha pelo mundo.

> ***Poucos de nós podem fazer grandes coisas, mas todos nós podemos fazer pequenas coisas com muito amor.***
>
> MADRE TERESA

A DOR – O PROBLEMA – A SOLUÇÃO

Comecei descrevendo o sofrimento da força de trabalho. É sentido por pessoas em todos os níveis de qualquer tipo de organização. É sentido nas famílias, nas comunidades e na sociedade de modo geral.

O propósito deste livro é dar ao leitor um mapa do caminho que o leve dessa dor e frustração à verdadeira realização, à relevância, ao significado e à contribuição no novo panorama de nossos dias – não apenas no trabalho e na organização, mas em toda sua vida. Em resumo, ele o conduzirá até *encontrar sua voz*. Se o leitor assim quiser, ele também o levará a um grande aumento de sua influência, qualquer que seja sua posição – inspirando outros a quem prezamos, sua equipe e sua organização a encontrarem suas vozes e aumentarem *várias vezes* sua eficácia, crescimento e impacto. O leitor descobrirá que essa influência e essa liderança nascem da *escolha*, não da posição ou do status.

A melhor, e muitas vezes única, maneira de sair do sofrimento para uma solução duradoura é entender primeiramente o *problema* fundamental que causa a dor. Neste caso, boa parte do problema está em comportamentos que decorrem de um paradigma, ou visão da natureza humana, incompleto e profundamente falho que mina o sentimento de valor das pessoas e inibe seus talentos e seu potencial.

A *solução* do problema, como em muitos dos significativos avanços na história humana, está numa *quebra* fundamental das velhas formas de pensar. O que este livro promete é que, se o leitor for paciente e pagar o preço do entendimento do problema que está na raiz e depois estabelecer uma trajetória para viver os princípios universais, atemporais, da solução esboçada no livro, sua influência crescerá firmemente, de dentro para fora. O leitor encontrará sua voz e inspirará sua equipe e sua organização a encontrarem as suas próprias num mundo substancialmente mudado.

O Capítulo 1 mostrou brevemente a dolorosa realidade.

O Capítulo 2 identifica o problema central. O entendimento desse problema profundamente enraizado lançará uma luz profunda sobre os desafios com que nos deparamos pessoalmente, na família, nas relações de trabalho e nas organizações em que passamos boa parte de nossas vidas. Representará algum esforço mental – o equivalente a umas 12 páginas. Mas o investimento de sondar o lado humano do que aconteceu nas *organizações* no correr do século passado dará ao leitor o paradigma chave para o resto do livro e começará a lhe dar sabedoria, orientação e energia para lidar com muitos dos mais significativos desafios *pessoais* e *relacionais* e com as oportunidades com que se depara. Portanto, fique conosco, vai valer a pena.

O Capítulo 3 oferece uma visão geral da solução do 8º Hábito, que se desdobrará no restante do livro, e uma breve seção que mostra como tirar maior proveito deste livro.

FILME: *Legado*

Antes de passar ao próximo capítulo, convido o leitor a assistir a um filme de três minutos chamado *Legado*. Ele foi apresentado em cinemas de todos os Estados Unidos. Ele lhe permitirá refletir sobre os elementos centrais de sua voz e de quatro necessidades humanas universais – viver, amar, aprender e deixar um legado. Ele comunicará sutilmente o modelo ou paradigma básico examinado no próximo capítulo – o MODELO DA PESSOA INTEGRAL.

Na maioria dos capítulos deste livro farei referência a um *filme curto* como este, que tenta passar a essência do conteúdo do capítulo. *O leitor encontrará esses filmes – muitos dos quais mereceram prestigiados prêmios nacionais e internacionais – no DVD que acompanha o livro*. Os filmes, alguns tirados da vida real outros fictícios, são poderosos e carregados de emoção. Estou convencido de que eles permitirão ao leitor *ver*, *sentir* e *entender* melhor o conteúdo do livro. Se não estiver interessado em assistir, tudo bem. Pule as referências a ele e prossiga a leitura.

Agora, coloque o DVD em seu aparelho e selecione *Legado* no menu. Aproveite!

Capítulo 2

O PROBLEMA

Quando a infra-estrutura balança, tudo ressoa.[1]

STAN DAVIS

ESTAMOS TESTEMUNHANDO UMA das mais significativas mudanças da história humana. Peter Drucker, um dos maiores pensadores da administração em nosso tempo, diz:

"Em alguns séculos, quando a história de nossos dias for escrita com uma perspectiva de longo prazo, é provável que o fato mais importante que os historiadores destaquem não seja a tecnologia, nem a Internet, nem o comércio eletrônico. Será uma mudança sem precedentes da condição humana. Pela primeira vez, literalmente, um número substancial e crescente de pessoas tem escolhas. Pela primeira vez, elas se gerenciam a si mesmas.

"E a sociedade está totalmente despreparada para isso."[2]

PARA ENTENDER O PROBLEMA CENTRAL e as profundas implicações da afirmação profética de Drucker, precisamos observar em primeiro lugar o contexto da história – a saber, as cinco eras da voz da civilização: a Era do Caçador e do Coletor; a Era Agrícola; a Era Industrial; a Era da Informação/do Trabalhador do Conhecimento; e finalmente, a emergente Era da Sabedoria.

Imagine por um momento que o tempo volta atrás e somos caçadores ou coletores de alimento. A cada dia saímos com arco e flecha, ou com um pedaço de madeira e pedras para arrumar alimento para nossa família. Isso é tudo o que conhecemos, vemos ou fazemos para sobreviver. Agora, imagine que alguém chega e nos convence a nos tornarmos o que chama de "agricultor". Qual seria nossa resposta?

FIGURA 2.1

Vemos como ele cava a terra e joga pequenas sementes e não vemos acontecer nada; vemos que ele rega o solo e arranca ervas daninhas e ainda não vemos acontecer nada. Até que um dia nos deparamos com uma grande safra. Observamos que o rendimento do "agricultor" é 50 vezes maior do que o do caçador/coletor, mesmo dos melhores. Que fazemos? Provavelmente raciocinaremos: "Mesmo querendo, não consigo fazer isso. Não sei como e nem tenho as ferramentas." Simplesmente não saberíamos como trabalhar desse modo.

Agora vemos que o agricultor é tão produtivo que consegue dinheiro suficiente para pagar o estudo dos filhos e lhes oferecer boas oportunidades. E nós apenas sobrevivemos. Pouco a pouco, com grande esforço de aprendizagem, nos tornamos agricultores. Ensinamos nossos filhos e netos a serem agricultores. É o que aconteceu no início da história. Houve um downsizing de 90% entre os caçadores e coletores; eles perderam o emprego.

Passam-se as gerações e chega a Era Industrial. As pessoas constroem fábricas e se especializam, delegam e aumentam a escala. Elas aprendem a levar as matérias-primas a uma linha de montagem com grande eficiência. A produtividade da Era Industrial é 50 vezes maior do que a da agricultura familiar. Então, se fôssemos agricultores produzindo 50 vezes mais do que os caçadores e coletores e de repente víssemos surgir fábricas e uma produção muito maior do que a da agricultura familiar, o que diríamos? Sentiríamos inveja e nos veríamos ameaçados. Mas o que seria necessário para participar da Era Industrial? Um conjunto de qualificações e de ferramentas completamente novos. Mais importante, precisaríamos de uma nova disposição mental – uma nova forma de pensar. A verdade é que a fábrica da Era Industrial produzia 50 vezes mais do que a fazenda familiar e, com o tempo, 90% dos agricultores foram eliminados. Os que sobreviveram na agricultura adotaram o conceito da Era Industrial e passaram a praticar a agricultura industrial. Atualmente, nos Estados Unidos, apenas 3% da população é de agricultores e produz alimentos para todo o país e ainda exporta.

O leitor acha que na Era da Informação/do Trabalhador do Conhecimento superaremos em 50 vezes a produção da Era Industrial? Acredito que sim. Só estamos no começo. Nós a superaremos em 50 vezes – não em duas, nem em três ou em dez vezes, mas em 50. Nathan Myhrvold, ex-principal executivo de tecnologia da Microsoft, diz: "Os melhores desenvolvedores de software são mais produtivos do que os médios, não dez vezes, nem cem vezes, mas mil ou até dez mil vezes."

Um "trabalhador do conhecimento" de qualidade é tão valioso que ao liberar seu potencial dá às organizações uma extraordinária oportunidade de criação de valor. Se isso é verdade, imagine o valor que terá liberando o potencial de seus filhos. O trabalho do conhecimento alavanca todos os outros investimentos feitos por uma organização ou uma família. De fato, os trabalhadores do conhecimento são o elo com todos os demais investimentos da organização. Eles propiciam foco, criatividade e alavancagem para a utilização desses investimentos, de modo a atingir melhor os objetivos da organização.

O leitor acredita que a Era do Trabalhador do Conhecimento acabará por eliminar 90% dos postos de trabalho da Era Industrial? Acredito que sim. As atuais tendências da terceirização e do desemprego são apenas a ponta do iceberg. Na verdade, essas tendências se tornaram uma candente questão política. Mas a realidade é que muitas das perdas de empregos da Era Industrial têm muito menos a ver com as políticas econômicas e os acordos de livre-comércio do que com a impressionante mudança de nossa economia em direção à Era do Trabalhador do Conhecimento. O leitor acha que a nova disposição mental, o novo conjunto de qualificações e o novo conjunto de ferramentas seriam uma ameaça para a força de trabalho atual? Imagine o que se faz necessário. Imagine o que isso representa para *você* – o que será necessário para participar dessa nova era. Imagine o que isso exigirá de sua organização!

Drucker compara a Era Industrial, do trabalhador manual, com a Era do Trabalhador do Conhecimento com estas palavras:

A contribuição mais importante, e de fato a verdadeiramente singular, da administração no século XX foi o aumento de 50 vezes na produtividade do TRABALHADOR MANUAL da indústria de transformação.

A contribuição mais importante que a administração terá que fazer no século XXI é aumentar de forma semelhante a produtividade do TRABALHO e do TRABALHADOR DO CONHECIMENTO.

O ativo mais valioso da empresa do século XX foi seu equipamento de produção. O ativo mais valioso da organização do século XXI, seja ela empresarial ou não, serão os trabalhadores do conhecimento e sua produtividade.[3]

O grande historiador Arnold Toynbee disse que seria bem possível sintetizar a história da sociedade e das instituições em cinco palavras: *Nada fracassa como o sucesso*. Em outras palavras, quando temos um desafio e a reação está à sua altura, isso é chamado sucesso. Mas quando surge um novo desafio, a reação antiga e bem-sucedida não funciona mais. Por isso é chamada de fracasso. Vivemos na Era do Trabalhador do Conhecimento, mas operamos nossas organizações segundo um modelo controlador da Era Industrial, que suprime totalmente o desabrochar do potencial humano. A voz é essencialmente irrelevante. Isto é uma verificação espantosa. A mentalidade da Era Industrial que ainda domina o local de trabalho dos dias de hoje não funciona na Era do Trabalhador do Conhecimento e na nova economia. E a verdade é que as pessoas levam para casa essa mesma mentalidade controladora. De modo que muitas vezes ela domina a forma como nos comunicamos com nossos cônjuges e com que tratamos de criar, motivar e disciplinar nossos filhos.

A MENTALIDADE DE COISAS DA ERA INDUSTRIAL

Os principais ativos e impulsionadores da prosperidade econômica da Era Industrial eram as máquinas e o capital – *coisas*. As pessoas eram necessárias mas substituíveis. Era possível controlar e trocar trabalhadores manuais sem grande conseqüência – a oferta era superior à demanda. Era possível conseguir mais corpos capazes que seguiriam normas rígidas. As pessoas eram como coisas – era possível ser eficiente com elas. Quando tudo o que se quer de uma pessoa é o corpo e não se está interessado em sua mente, seu coração ou seu espírito (que inibiam o livre fluxo dos processos da era das máquinas), a pessoa é reduzida a uma coisa.

Assim, muitas de nossas modernas práticas gerenciais provêm da Era Industrial.

Ela nos fez acreditar que é possível controlar e gerenciar pessoas.

Ela nos deu uma visão contábil que torna as pessoas despesas e as máquinas, ativos. Pense nisso. As pessoas são postas na demonstração de lucros e perdas como uma despesa; os equipamentos entram no balancete como um investimento.

Ela nos deu a filosofia motivacional da cenoura e do chicote – a técnica do Grande Imbecil que motiva com uma cenoura à frente (a recompensa) e conduz, por trás, com um chicote (o medo e a punição).

Ela nos deu a orçamentação centralizada – em que as tendências são extrapoladas para o futuro e as hierarquias e burocracias se voltam para obter as "metas" – um processo reativo obsoleto que gera culturas da bajulação, preocupadas em "gastar para que a gente não perca verba no ano que vem" e em beneficiar o departamento em que trabalhamos.

Todas essas práticas são resquícios da Era Industrial, do tempo dos trabalhadores manuais.

O problema é que os gerentes de hoje ainda aplicam o modelo de controle da Era Industrial aos trabalhadores do conhecimento. Como muitos dos que estão em posições de autoridade não vêem o verdadeiro valor e o potencial de seu pessoal e não entendem de forma completa e acurada a natureza humana, eles *gerenciam as pessoas como se fossem coisas*. Esta falta de compreensão também os impede de tirar partido das motivações mais elevadas, dos talentos e do gênio das pessoas. O que acontece hoje quando tratamos pessoas como coisas? Isso insulta e aliena as pessoas, despersonaliza o trabalho e cria culturas de baixa confiança, sindicalizadas, litigiosas. O que acontece quando tratamos os filhos adolescentes como coisas? Isso também os insulta e aliena, despersonaliza preciosas relações familiares e gera falta de confiança, brigas e revoltas.

A ESPIRAL DESCENDENTE DA CO-DEPENDÊNCIA

O que acontece quando gerenciamos pessoas como se fossem coisas? Elas deixam de acreditar que a liderança pode ser uma escolha. A maioria das pessoas pensa na liderança como se fosse uma posição e, portanto, não se vêem como líderes. Escolher a liderança (influência) pessoal é como ter liberdade para tocar piano. É uma liberdade que tem que ser conquistada – somente então a liderança se torna uma escolha.

Até esse momento, as pessoas pensam que somente os que estão em posição de autoridade devem decidir o que deve ser feito. Elas consentiram, talvez inconscientemente, em ser controladas como coisas. Mesmo quando percebem uma necessidade, elas não tomam a iniciativa de agir. Esperam que alguém, com o título formal, lhes diga o que fazer e então reagem conforme lhes dizem. Conseqüentemente, culpam o líder formal quando as coisas não dão certo e lhe dão o crédito quando tudo vai bem. E recebem agradecimentos por sua "cooperação e apoio".

Essa difundida relutância em tomar a iniciativa, em agir independentemente, apenas alimenta a tendência dos líderes formais para dirigir ou gerenciar seus subordinados. Isso, acreditam, é o que devem fazer para que seus seguidores ajam. E esse ciclo rapidamente se transforma em co-dependência. A fraqueza de cada uma das partes reforça e acaba por justificar o comportamento da outra. Quanto mais o gerente controla, tanto mais ele determina comportamentos que requerem maior controle ou gerenciamento. A cultura co-dependente que se desenvolve acaba por se institucionalizar até o ponto em que ninguém mais assume responsabilidades. Com o tempo, líderes e seguidores confirmam seus papéis num pacto inconsciente. Eles abrem mão de sua autonomia acreditando que os outros devem mudar antes que sua situação possa ser melhorada. Nas famílias, o mesmo ciclo reaparece entre pais e filhos.

A conspiração silenciosa está em todo lugar. Poucos são os que têm a coragem suficiente para reconhecer que caíram na armadilha. Sempre que ouvem a idéia, eles instintivamente olham para fora. Quando falo disso para grandes auditórios, muitas vezes faço uma pausa e, depois de algum tempo, pergunto: "Quantos dos presentes gostam do que ouviram, mas acham que as pessoas que realmente deveriam ouvir isso não estão aqui?" Em geral o público cai na gargalhada, mas a maioria das mãos se levanta.

Talvez também o leitor pense que as pessoas que realmente precisam deste livro não o lerão. Essa idéia já revela co-dependência. Se olharmos para estas idéias pelas fraquezas dos outros, abrimos mão de nossa autonomia e damos poder para que suas fraquezas suguem a iniciativa, a energia e o entusiasmo de nossas vidas.

FILME: *Max & Max*

Antes de nos aprofundarmos, gostaria de ilustrar a natureza do problema que acabamos de examinar com um filme chamado *Max & Max*. É a história ficcional de Max, o cachorro caçador e de Max, o representante do serviço de atendimento ao cliente. É também a história de um chefe, o senhor Harold, que gerencia seus empregados, incluindo o recém-contratado Max, como gerencia seu cachorro Max.

O cenário do filme é o local de trabalho. Mas lembre: todos temos um local de trabalho. No caso de estudantes, professores e pessoal de secretaria, é a instituição de ensino. Em muitos casos é uma empresa, um serviço comunitário ou uma repartição do governo. Para as famílias, é o lar. Para outros, a igreja, a sinagoga ou a mesquita. De modo que não se trata apenas de trabalho, mas de relações humanas e interações entre pessoas unidas por um propósito comum. Sugiro que o leitor transfira o cenário deste filme para qualquer outro ambiente em que conviva com outras pessoas.

Portanto, as pessoas podem ver o filme tanto do ponto de vista organizacional quanto pessoal. Agora convido o leitor a inserir o DVD no aparelho e selecionar *Max & Max*.

PENSE SOBRE O QUE acabou de ver. Max, como muitos de nós ao começar um novo emprego, está cheio de paixão, entusiasmo e energia. Quando toma iniciativas para conquistar e reter clientes, o senhor Harold lhe passa uma bronca. Max é microgerenciado e controlado a tal ponto que perde o ânimo, se torna receoso e perde a visão de seu propósito, de seu potencial e de sua liberdade de escolha. Ele perdeu sua *voz*. Ele jura nunca mais tomar a iniciativa. Max, a pessoa, entra numa relação de co-dependência com o senhor Harold e podemos ver como aos poucos se torna parecido com Max, o cachorro – esperando apenas o próximo comando. Podemos ficar tentados a jogar a culpa do problema no senhor Harold, mas observe que o chefe *dele* o trata da mesma forma que ele trata Max. Esse microgerenciamento insultuoso é uma prática endêmica em toda a empresa. Toda a cultura é co-dependente. Ninguém exerce uma liderança (iniciativa e influência) porque todos acreditam que a liderança é função de uma posição.

A verdade é que a maioria das organizações não é muito diferente daquela em que trabalham Max e o senhor Harold. Mesmo as melhores organizações com que trabalhei nos últimos 40 anos estão cheias de problemas. O sofrimento decorrente desses problemas e o desafio estão se tornando muito mais agudos em função das mudanças que estão tendo lugar no mundo. Tal como *Max & Max*, esses desafios podem ser enquadrados em três categorias: *organizacional*, *relacional* e *pessoal*.

No nível *organizacional*, uma filosofia de gerenciamento controlador que abrange o desempenho, a comunicação, a remuneração/recompensa, o treinamento, a informação e outros sistemas essenciais suprime o talento e a voz humanos. Essa filosofia de controle tem suas raízes na Era Industrial e se tornou a mentalidade gerencial dominante dos que estão em posições de autoridade em todos os ramos de atividade e profissões. É o que chamo de *a Mentalidade de "Coisa" da Era Industrial*.

No nível das *relações*, novamente, a maioria das organizações está eivada de *co-dependência*. Há uma falta da confiança fundamental e, em muitas, a habilidade e a mentalidade para encontrar uma solução dessas diferenças de modo autêntico, criativo, estão ausentes. Embora os sistemas organizacionais e as práticas de controle gerencial contribuam muito para promover a co-dependência, o problema é agravado pelo fato de que muitas pessoas cresceram sendo comparadas a outras no lar e concorrendo com outras na escola, nos esportes e no local de trabalho. Essas influências poderosas geraram uma mentalidade da escassez, de modo que muita gente tem grande dificuldade em ficar realmente feliz com o sucesso dos outros.

No nível *pessoal*, essas organizações estão povoadas de pessoas brilhantes, talentosas e criativas em todos os níveis hierárquicos que se sentem tolhidas, subvalorizadas e pouco inspiradas. Elas estão frustradas e não acreditam ter força para mudar a situação.

O PODER DE UM PARADIGMA

John Gardner disse certa vez, “A maioria das organizações doentes desenvolveu uma cegueira funcional em relação aos próprios defeitos. Elas não sofrem por não poder resolver seus problemas, mas porque não podem *ver* seus problemas”. Einstein disse: “Os principais problemas com que nos deparamos não podem ser resolvidos no mesmo nível de pensamento que tínhamos quando os criamos.”

Essas afirmações ressaltam uma das coisas mais profundas que aprendi na vida: se desejamos fazer *pequenas* mudanças e aprimoramentos incrementais, devemos trabalhar nas práticas, comportamentos ou atitudes. Se queremos fazer aprimoramentos significativos, quânticos, trabalhemos nos *paradigmas*. A palavra *paradigma* deriva da palavra grega *paradeigma*, originalmente um termo científico, hoje usado na linguagem comum para significar uma percepção, uma premissa, uma teoria, um marco de referência ou uma lente através da qual vemos o mundo. É como o mapa de um território ou de uma cidade. Se inexato, não fará diferença o quanto nos empenharmos para achar nosso destino ou como pensemos de modo positivo – continuamos perdidos. Se exato, então a diligência e a atitude têm importância. Mas só então.

Por exemplo, como se tentava curar as pessoas na Idade Média? Por meio das *sangrias*. Qual era o paradigma? O mal estava no sangue, então era preciso extraí-lo. Agora, se não questionamos esse paradigma, o que fazemos? Fazemos mais. Fazemos mais rápido. E fazemos de forma menos dolorosa. Fazemos GQT ou Seis Sigma nas sangrias. Aplicamos controles de qualidade estatísticos, fazemos análise de variância. Elaboramos estudos de viabilidade estratégicos e organizamos brilhantes planos de marketing para poder anunciar “Temos as sangrias de maior qualidade, de classe mundial”. Ou levamos pessoas para as montanhas e as induzimos a saltar de penhascos em queda livre para caírem umas nos braços das outras, para que, quando voltarem à unidade de sangria do hospital, elas possam trabalhar com mais amor e confiança. Ou fazemos o pessoal da unidade de sangria sentar em piscinas aquecidas e explorar suas psiques para que desenvolvam a autenticidade em sua comunicação mútua. Podemos até ensinar os pacientes e os funcionários a pensar de modo positivo, de modo a otimizar a energia positiva quando chegar a hora da sangria.

Dá para imaginar o que ocorreu quando a teoria dos germes foi descoberta – quando Semmelweis na Hungria, Pasteur na França e outros cientistas empíricos concluíram que os germes eram a principal causa das doenças? Isso imediatamente explicou por que as mulheres queriam que seus partos fossem feitos por parteiras. As parteiras eram mais limpas. Elas se lavavam. Isso explicou por que nos campos de batalhas mais homens morriam devido a infecções do que a tiros. As doenças se espalhavam atrás da linha de frente por meio de germes. A teoria dos germes abriu campos de pesquisa inteiramente novos. Ela orienta as práticas de saúde até os dias de hoje.

Esse é o poder de um paradigma adequado. Ele *explica* e, então, *orienta*. Mas o problema está em que os paradigmas, como as tradições, custam a morrer. Paradigmas falhos perduram séculos depois que um outro melhor é descoberto. Por exemplo, embora os livros de história digam que George Washington morreu devido a uma infecção na garganta, provavelmente ele morreu por causa da sangria. A infecção na garganta era o sintoma de alguma outra coisa. Como o paradigma era que o mal estava no sangue, os médicos tiraram grande quantidade de sangue num período de 24 horas. Nós somos aconselhados a não doar mais do que um litro de sangue a cada dois meses, se nossa saúde é boa.

A nova Era do Trabalhador do Conhecimento se alicerça em um novo paradigma, um paradigma totalmente diferente daquele da *coisa* da Era Industrial. Vamos chamá-lo de Paradigma da Pessoa Integral.

O PARADIGMA DA PESSOA INTEGRAL

Essencialmente, há uma razão simples e abrangente pela qual tantas pessoas permanecem insatisfeitas com seu trabalho e as empresas deixam de tirar partido dos grandes talentos, engenhosidade e criatividade de seu pessoal e nunca se tornam organizações verdadeiramente grandes e duradouras. É a falta de um *paradigma completo de quem somos – nossa visão fundamental da natureza humana.*

A realidade fundamental é que os seres humanos não são coisas que precisam ser motivadas e controladas, são seres com quatro dimensões – corpo, mente, coração e espírito.

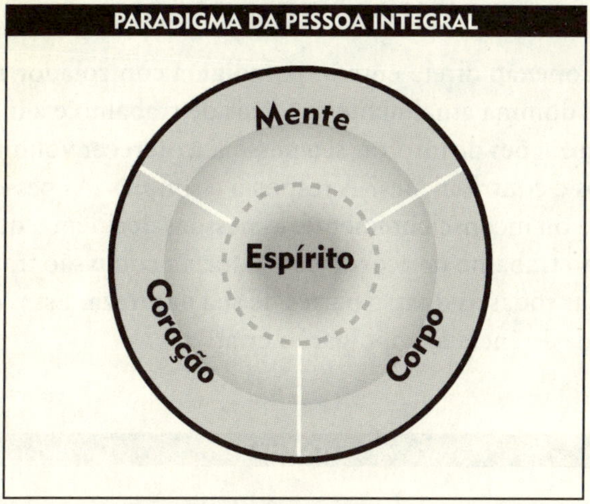

FIGURA 2.2

Se estudarmos as filosofias e religiões, ocidentais e orientais, desde os primeiros registros históricos, encontraremos basicamente as mesmas quatro dimensões: física/econômica, mental, social/emocional e espiritual. Muitas vezes as palavras usadas são diferentes, mas elas refletem as mesmas quatro dimensões universais da vida. Elas também representam *as quatro necessidades e motivações básicas de todas as pessoas* ilustradas no filme do primeiro capítulo: viver (sobrevivência), amar (relacionamentos), aprender (crescimento e desenvolvimento) e deixar um legado (significado e contribuição) – ver Figura 2.3.

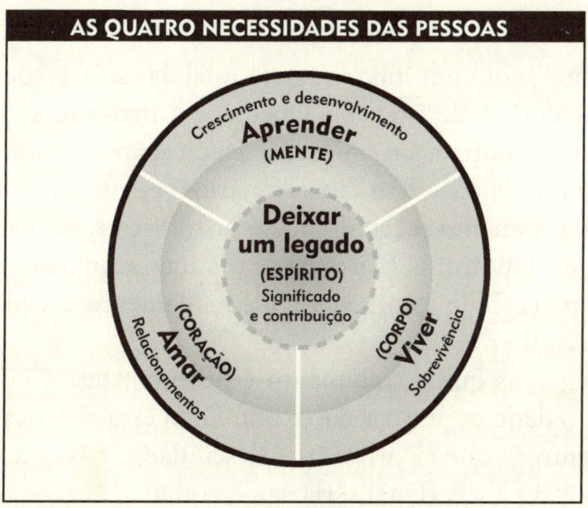

FIGURA 2.3

AS PESSOAS TÊM ESCOLHAS

Então qual é a conexão direta entre o paradigma controlador da "coisa" (pessoa parcial) que domina atualmente os locais de trabalho e a incapacidade dos gerentes e organizações de inspirar seu pessoal a oferecer voluntariamente seus maiores talentos e contribuições? A resposta é simples. As pessoas fazem escolhas. Consciente ou inconscientemente, as pessoas decidem o quanto de si mesmas dedicarão ao trabalho de acordo com a forma como são tratadas e as oportunidades de usar todas as quatro partes de sua natureza. Essas escolhas vão da rebeldia ou da desistência à empolgação criativa.

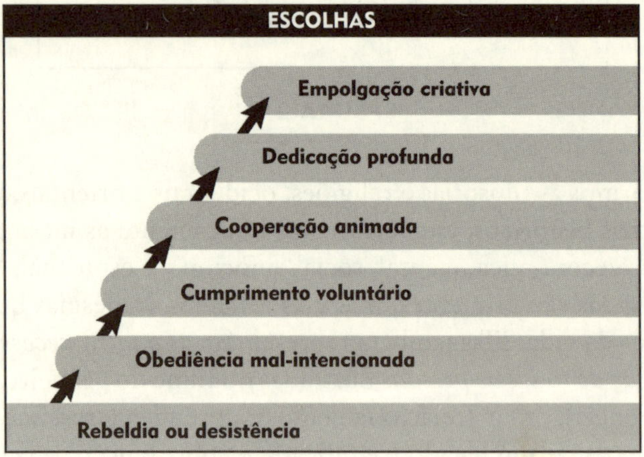

FIGURA 2.4

Consideremos agora por um momento qual das seis opções listadas na Figura 2.4 – Rebeldia ou desistência; Obediência mal-intencionada; Cumprimento voluntário; Cooperação animada; Dedicação profunda; Empolgação criativa – seria a escolhida sob os cinco cenários seguintes:

Primeiro, o tratamento recebido não é justo. Isto é, há muita politicagem na organização, há nepotismo, o sistema de remuneração não é eqüitativo e justo; o pagamento recebido não reflete adequadamente a contribuição dada. Qual seria sua escolha?

Segundo, digamos que o tratamento é justo em termos de remuneração mas o tratamento dado às pessoas não é bom. Isto é, as pessoas não são respeitadas, o tratamento é volúvel, arbitrário, descuidado, talvez ditado em grande parte pelo humor do chefe. Qual seria sua escolha?

Terceiro, digamos que o pagamento é justo e o tratamento bom, mas, quando se faz necessária uma opinião, ela é imposta. Em outras palavras, é dado valor ao corpo e ao coração, mas não à mente. Qual seria sua escolha?

Quarto, digamos agora que a remuneração é justa (corpo), o tratamento bom (coração); há margem para a criatividade (mente), mas nos pedem para cavar um buraco e voltar a enchê-lo ou para elaborar relatórios que ninguém vê ou utiliza. Em outras palavras, o trabalho é sem sentido (espírito). Qual seria sua escolha?

Quinto, digamos agora que o pagamento é justo, o tratamento bom, e há espaço para a criatividade num trabalho que tem significado, mas há muitas mentiras e trapaças na relação com clientes e fornecedores, incluindo outros empregados (espírito). Qual seria sua escolha?

Observemos agora que passamos pelas quatro partes do paradigma da pessoa integral – corpo, mente, coração e finalmente espírito (este dividido em duas partes: a falta de sentido do trabalho e a falta de princípios com que é feito). O essencial é que, quando se negligencia qualquer das quatro partes da natureza humana, se transforma a pessoa em uma coisa. E o que fazemos com as coisas? Temos que controlá-las, gerenciá-las e recorrer à cenoura e ao chicote para motivá-las.

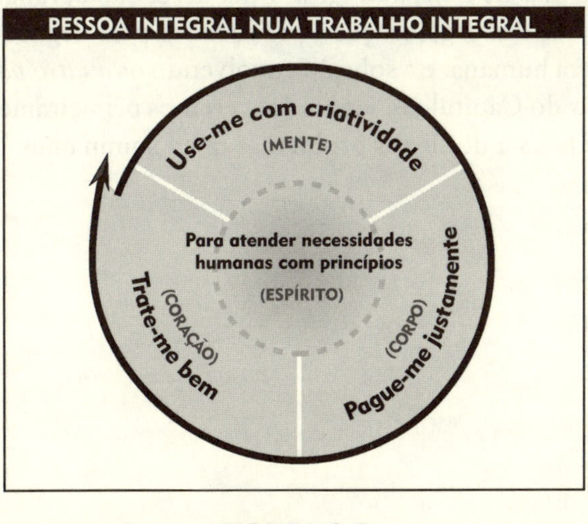

FIGURA 2.5

Fiz essas cinco perguntas a pessoas de todo o mundo em diferentes situações e, quase inevitavelmente, a resposta recaiu nas três categorias inferiores – as pessoas se revoltariam ou desistiriam, obedeceriam mal intencionalmente (querendo dizer que elas fariam o que se lhes pede esperando que não desse certo) ou, na melhor das hipóteses, cumpririam voluntariamente. Mas, na Era da Informação/do Trabalhador do Conhecimento de nossos dias, somente alguém que é respeitado como uma pessoa integral num emprego completo – aquela que *recebe pagamento justo*, é *bem tratada*, é *usada criativamente* e tem oportunidades de *atender necessidades humanas com princípios* (ver Figura 2.5) – faz as três escolhas superiores da cooperação animada, da dedicação profunda ou da criatividade empolgada (ver novamente a Figura 2.4).

Identidade é destino.

Pode-se ver como os problemas centrais do local de trabalho de nossos dias e as soluções essenciais para esses problemas estão em nosso paradigma da natureza humana? Pode-se ver quantas das soluções para os problemas que enfrentamos no lar e na comunidade repousam no mesmo paradigma? Esse paradigma da "coisa" da Era Industrial e todas as práticas que dele decorrem são o equivalente, nos dias de hoje, à sangria. Uma descrição abrangente dos *quatro problemas crônicos* das organizações, provocados pela negligência das quatro partes da natureza humana, e a solução envolvendo os *quatro papéis do líder* serão vistas a partir do Capítulo 6. Contudo, veremos primeiramente a resposta e a solução *individuais* à dor e aos problemas que examinamos.

Capítulo 3

A SOLUÇÃO

Não há nada tão poderoso como uma idéia cujo tempo chegou.
VICTOR HUGO

HENRY DAVID THOREAU escreveu certa vez, "Há mil que golpeiam os ramos do mal para um que ataca suas raízes".[1] Este livro trata de atacar a raiz dos substanciais problemas que enfrentamos.

Começamos pela *dor*; exploramos o *problema* subjacente – que tem raízes pessoais e que envolve um paradigma profundamente arraigado e as tradições do local de trabalho. Agora veremos o contexto para a *solução* e apresentaremos uma visão geral no desdobramento do restante do livro.

TRABALHEI COM ORGANIZAÇÕES de todo o mundo por mais de 40 anos e tenho estudado o que disseram as grandes mentes que examinaram as organizações. Muitas das grandes mudanças culturais – aquelas que criaram grandes organizações que *sustentam* o crescimento, a prosperidade e as contribuições para o mundo no longo prazo – começaram com a escolha de *uma* pessoa. Às vezes, essa pessoa foi o líder formal – o CEO ou presidente. Muitas vezes, *começaram* com outra pessoa – um profissional, um gerente de linha, o assistente de alguém. Qualquer que fosse sua posição, essas pessoas primeiro mudaram *de dentro para fora*. Seu caráter, sua competência, sua iniciativa e sua energia positiva – em resumo, sua autoridade moral – inspiraram e moveram outras pessoas. Elas tinham um profundo senso de identidade, descobriram sua força e seus talentos, usaram-nos para atender necessidades e obtiveram resultados. Isso foi notado. Elas receberam mais responsabilidade. Elas ampliaram a nova responsabilidade e novamente obtiveram resultados. Mais e mais pessoas notaram. O pessoal do topo quis conhecer suas idéias – como elas tinham realizado *tanto*. A cultura foi atraída para a visão delas e para elas.

Pessoas assim não são sugadas ou afundadas durante muito tempo por todas as forças negativas, desmoralizantes, insultantes da organização. E o que é interessante: suas organizações não eram melhores do que a maioria das organizações. Até certo ponto, *todas* elas são uma confusão. Essas pessoas apenas percebem que não podem esperar que o chefe ou a organização mude. Elas se tornam ilhas de excelência num mar de mediocridade. E isso é contagioso.

De onde uma pessoa tira a força interna para nadar contra a corrente e agüentar provocações culturais negativas, interesses egoístas subordinados e desenvolver e sustentar essa visão e determinação?

Elas recorrem à sua verdadeira natureza e a seus dons. Elas os usam para desenvolver a visão das grandes coisas que desejam realizar. Com sabedoria, tomam a iniciativa e cultivam uma grande compreensão das necessidades e oportunidades que estão à sua volta. Elas atendem às necessidades que se enquadram em seu talento singular, que põem em movimento suas motivações mais elevadas e fazem uma diferença. Em resumo, *elas encontram e usam sua voz*. Elas servem e inspiram outras pessoas. Elas aplicam PRINCÍPIOS que governam o crescimento e a prosperidade dos seres humanos E das organizações – princípios que atraem o mais elevado e melhor de uma "pessoa integral" – corpo, mente, coração e espírito. Igualmente significativo, elas também *influenciam e inspiram outros a achar a própria voz* por meio dos mesmos princípios.

Esta solução dividida em duas partes – *Encontre a sua Voz Interior e Inspire os Outros a Encontrar as Deles* – é o mapa que serve a pessoas de QUALQUER nível da organização para maximizar sua realização e influência, para se tornar alguém insubstituível em suas contribuições* e inspirar sua equipe e a organização em sentido mais amplo a fazer o mesmo. Assim, o livro se organiza em torno de duas grandes seções:

1. Encontre a sua Voz Interior
2. Inspire os Outros a Encontrar as Deles

Apresentaremos resumidamente cada uma delas.

---

*Um relatório gratuito que compara sua avaliação da capacidade de sua equipe ou organização para executar suas prioridades mais altas com a de outras em todo o mundo pode ser encontrado [em inglês] em *www.The8thHabit.com/offers*.

ENCONTRE A SUA VOZ INTERIOR

> *No bosque duas estradas divergiam e eu –*
> *Peguei a menos percorrida.*
> *E isso fez toda a diferença.*[2]
>
> ROBERT FROST

A Figura 3.1 ilustra duas trajetórias de vida substancialmente diferentes e é um esboço ou mapa do 8º Hábito: Encontre a sua Voz Interior e Inspire os Outros a Encontrar as Deles. Esta representação gráfica das duas estradas aparecerá no início dos próximos capítulos, até o 14. *Cada nova versão do diagrama destacará o foco do respectivo capítulo.* Desse modo, o leitor poderá ver onde se encontra, onde esteve e para onde ruma.

TODOS ESCOLHEMOS UMA de duas estradas na vida – os velhos e os jovens, os ricos e os pobres, os homens e as mulheres. Uma é a larga, bem percorrida, estrada para a mediocridade; a outra é a estrada para a grandeza e o significado. O leque de possibilidades existentes dentro de cada um desses dois destinos é tão amplo quanto a diversidade de dons e de personalidades encontrada na família humana. Mas os dois destinos contrastam como o dia e a noite.

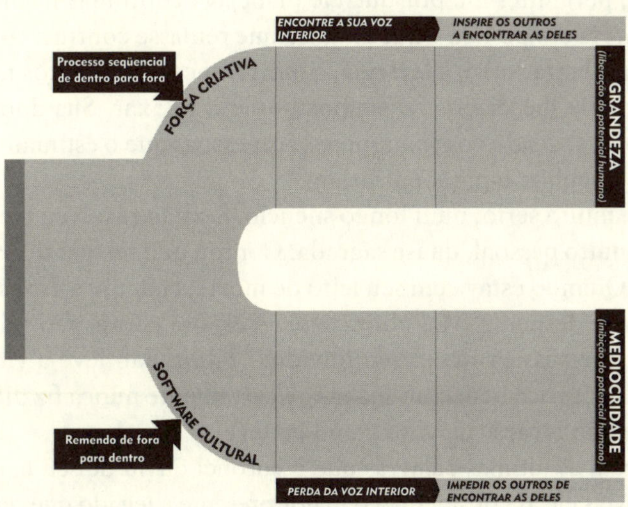

FIGURA 3.1

O caminho para a mediocridade inibe o potencial humano. A trajetória para a grandeza libera e concretiza o potencial humano. A trajetória para a mediocridade é um remendo, um atalho para a vida. O caminho para a grandeza é um processo de crescimento seqüencial de dentro para fora. Os que viajam pela estrada para a mediocridade vivenciam o *software cultural* do ego, da complacência, da mesquinharia, da comparação, da competição e da vitimização. Os viajantes que escolhem o caminho superior para a grandeza se elevam acima das influências culturais negativas e *optam* por se tornar a força criativa de suas vidas. Uma palavra exprime a trajetória para a grandeza: Voz. Os que seguem este caminho encontram a própria voz e inspiram outros a achar a deles. O resto não o consegue nunca.

O EXAME DE CONSCIÊNCIA DO SIGNIFICADO

Bem no fundo de cada um de nós há um anseio interior de viver uma vida de grandeza e contribuição – de importar realmente, de fazer uma verdadeira diferença. Podemos duvidar de nós e de nossa capacidade de fazê-lo, mas quero que o leitor saiba que estou convencido de que *ele pode* viver essa vida. Você tem esse potencial dentro de você. Todos temos. É um direito da família humana que vem do berço.

Certa vez, visitei o comandante de uma base militar que estava verdadeiramente dedicado a empreender uma significativa mudança cultural dentro de sua organização. Ele estava na tropa há mais de 30 anos, era coronel e já poderia se aposentar naquele ano. Depois de lecionar e treinar sua organização por vários meses, perguntei-lhe por que ele planejava continuar na ativa e empreender uma tarefa tão pesada – que exigiria que remasse contra a corrente, resistindo às forças da tradição, à letargia, à indiferença e aos baixos níveis de confiança. Cheguei a lhe dizer: "O senhor poderia relaxar. Sua aposentadoria é boa. Seria homenageado com banquetes. As pessoas que o estimam e os que trabalham com o senhor o parabenizariam."

Ele ficou muito sério, num longo silêncio, e então resolveu me revelar uma experiência muito pessoal, quase sagrada. Contou que seu pai tinha falecido recentemente. Quando estava em seu leito de morte, chamou a esposa e o filho (o coronel) para se despedir. Mal podia falar. A esposa chorava, o filho se aproximou do pai, que sussurrou em seu ouvido: "Filho, não leve a vida que levei. Não agi bem com você nem com sua mãe e certamente nunca fiz diferença. Prometa-me que não levará sua vida como eu levei."

Essas foram as últimas palavras que o coronel ouviu de seu pai, que faleceu logo depois. Mas ele as considerava o maior presente e legado que seu pai poderia ter-lhe dado. Ele se propôs então a fazer diferença, em todas as áreas de sua vida.

MAIS TARDE, O CORONEL me confidenciou que planejara reformar-se e relaxar. Na verdade, secretamente ele esperara que seu sucessor não se saísse tão bem quanto ele e que isso ficasse óbvio e aparente para todos. Mas, quando teve aquele momento de revelação, resolveu não só tornar-se um catalisador da mudança, no sentido de imbuir princípios de firme liderança na cultura de seu comando, como também assegurar que seu sucessor fosse *mais* bem-sucedido do que ele fora. Ao lutar para institucionalizar esses princípios de liderança nas estruturas, nos sistemas e nos processos de sua organização, ele aumentaria a probabilidade de passar seu legado de uma geração de líderes para a seguinte.

Contou ainda que, até aquele momento com seu pai, tomara conscientemente o caminho mais fácil, agindo basicamente como guardião das tradições do passado e que escolhera uma vida de mediocridade. Mas, depois de ouvir seu pai, resolveu, como uma determinação que nunca tivera, viver uma vida de grandeza, uma vida de contribuições reais, uma vida de significado – procuraria fazer de fato uma diferença.

Todos nós podemos decidir conscientemente deixar para trás uma vida de mediocridade e tomar o caminho de uma vida de grandeza – em casa, no trabalho e na comunidade. Não importa quais sejam nossas circunstâncias, essa decisão pode ser tomada por cada um de nós – manifestando essa grandeza seja pela escolha de enfrentar com coragem uma doença incurável, ou simplesmente fazendo diferença na vida de uma criança, propiciando-lhe um senso de valor e potencial, ou tornando-nos catalisadores da mudança numa organização e tomando a frente de uma grande causa social. Todos temos poder para decidir viver uma vida *grande*, ou ainda mais simplesmente, não ter apenas um bom dia, mas um *grande* dia. Não importa por quanto tempo tenhamos seguido a trilha da mediocridade, sempre podemos escolher mudar o nosso caminho. Sempre. Nunca é tarde demais. Podemos encontrar nossa voz.

• • •

UMA VEZ TENDO *optado* por seguir esse "caminho menos percorrido", a maneira de encontrar a sua voz interior é:

1. **Descobrir a sua voz interior** entendendo nossa verdadeira natureza, o que chamo de *três maravilhosos presentes de nascença* (Capítulo 4), e desenvolvendo e usando com integridade a inteligência ligada a cada uma das quatro partes de nossa natureza.
2. **Expressar a sua voz interior** cultivando as mais altas manifestações dessas inteligências humanas – *visão*, *disciplina*, *paixão* e *consciência* (Capítulo 5).

FILME: *Descoberta de um caráter*

Gostaria de passar ao leitor uma poderosa história verídica que incorpora este processo do encontro da própria voz. Há alguns anos, nossa empresa participou com a emissora de TV educativa local da transmissão de uma dramatização que elaboramos e filmamos na Inglaterra. A figura central dessa notável história é um inglês que superou uma infância nas ruas tornando-se um escritor de razoável sucesso com uma confortável residência e uma família amorosa. Contudo, na época em que transcorre a história, ele passava por uma fase de "bloqueio criativo". Parecia que sua imaginação estava desligada. Suas dívidas se acumulavam. Seu editor o pressionava por prazos. Ele estava ficando cada vez mais deprimido. Começou a temer que seus filhos acabassem nas ruas, como tantos que via e como tinha ocorrido com ele – especialmente no período em que seu pai estava preso, condenado por dívidas.

Estava desanimado. Não conseguia dormir. Começou a passar as noites andando pelas ruas de Londres. Via a pobreza, as condições desumanas das crianças que trabalhavam de noite nas fábricas, a terrível luta de pais que tentavam ganhar o sustento de suas famílias. Gradualmente, a realidade do que via começou a incomodá-lo – o impacto do egoísmo e da ganância dos que levavam vantagem dos outros. Uma idéia brotou em seu coração e começou a tomar sua mente. Ele podia fazer algo que fizesse diferença.

Voltou a escrever com uma energia e um entusiasmo que nunca conhecera. A visão da contribuição o apaixonava e o consumia. Deixou de sentir dúvidas e desânimo. Não se preocupava com os próprios problemas financeiros. Queria publicar sua história, torná-la o mais barata possível e pô-la ao alcance do maior número de pessoas possível. Toda sua vida mudara. Encontrou de fato a própria voz.

Convido o leitor a assistir a um filme que dramatiza a experiência real desse homem notável. Insira o DVD em seu aparelho e selecione *Descoberta de um caráter*. Acredito que o resto dessa história o inspirará.

INSPIRE OS OUTROS A ENCONTRAR AS DELES

Uma vez encontrada a sua voz interior, a escolha que expandirá sua influência e aumentará sua contribuição é a opção de inspirar os outros a encontrar as *deles*. Inspirar (do latim, *inspirare*) significa soprar vida em outro. À medida que reconhecemos, respeitamos e criamos formas para que outros dêem voz *às quatro partes de suas naturezas* – física, mental, emocional/social e espiritual –, o gênio, a criatividade, a paixão, o talento e a motivação humanos desabrocham. As organizações que tiverem uma massa crítica de pessoas e equipes que expressam toda sua voz alcançarão um novo patamar no avanço da produtividade, na inovação e na liderança do mercado e da sociedade.

A Segunda Parte de *O 8º Hábito* começa no Capítulo 6. Trata-se de inspirar outros a encontrarem a voz deles. Já que a maior parte do trabalho no mundo é feita em organizações, vamos nos concentrar em princípios que o leitor possa aplicar para influenciar positivamente outras pessoas em qualquer organização (empresas, instituições de ensino, governo, forças armadas, comunidades e até na família).

Muito provavelmente o leitor verá surgir em sua mente muitas perguntas práticas do tipo "tudo bem, mas". Para auxiliá-lo, *encontrará ao fim de cada um dos capítulos restantes uma pequena seção com perguntas freqüentes e minhas respostas*. Espero que lhe sejam úteis, mas, se não estiver interessado, sinta-se à vontade para pulá-las. Ao fim do livro, o leitor também encontrará um "capítulo" dedicado a perguntas e respostas de natureza mais geral e abrangente.

PARA TIRAR O MAIOR PROVEITO DESTE LIVRO: APRENDER ENSINANDO E FAZENDO

Se o leitor quiser aproveitar melhor este livro e iniciar mudanças e progressos poderosos em sua vida e em sua organização, recomendo duas idéias simples. Se fizer essas duas coisas, garanto resultados impressionantes. A primeira é *ensinar* aos outros o que aprender; a segunda é *aplicar* sistematicamente o que aprende – faça-o!

Ensine e compartilhe enquanto avança

Quase todos reconhecem que *se aprende melhor quando se ensina outra pessoa* e que o aprendido é internalizado quando o *vivenciamos*.

Quando lecionava na universidade, conheci um professor visitante, o doutor Walter Gong, de San José, Califórnia. Ele deu um curso de um semestre para o corpo docente que se intitulava "Como Aprimorar Suas Aulas". A essência do seu curso era este grande princípio: *a melhor maneira de fazer as pessoas aprenderem é transformá-las em professores*. Em outras palavras, aprendemos a matéria melhor quando a ensinamos.

Imediatamente comecei a aplicar esse princípio no trabalho e em casa. Quando comecei a lecionar na universidade, minhas turmas tinham de 15 a 30 alunos. Quando comecei a aplicar o princípio do Dr. Gong, verifiquei que conseguiria ensinar eficazmente a muitos mais alunos; de fato, algumas de minhas turmas tinham quase mil estudantes e seu desempenho e suas notas subiram. Por quê? Quando ensinamos, simplesmente aprendemos melhor. Cada estudante se torna um professor e cada professor, um estudante.

Agora, o paradigma comum é que a relação professor-aluno é fundamental – menos alunos significam ensino de melhor qualidade. Mas, se transformamos nossos estudantes em professores, obtemos alavancagem.

Também quando ensinamos ou dividimos o que estamos aprendendo com outras pessoas, implicitamente assumimos um compromisso social de viver o que estamos aprendendo. Isso é a base para aprofundar o aprendizado, a dedicação e a motivação, tornando legítima a mudança e engajando o apoio da equipe. Verificamos também que, ao dividir o que estamos aprendendo criamos uma ligação com as pessoas – principalmente com nossos filhos. Devemos fazer com que eles nos ensinem o que estão aprendendo na escola. Minha esposa, Sandra, e eu verificamos que fazer essa coisa tão simples acaba por eliminar a necessidade de qualquer motivação para seus estudos. Os que ensinam o que estão aprendendo são, de longe, os melhores alunos.

Integrar o que aprendemos em nossa vida

Saber e não fazer é realmente não saber. Aprender e não fazer é não aprender. Em outras palavras, entender alguma coisa mas não aplicá-la é realmente não entendê-la. É somente *fazendo*, *aplicando*, que internalizamos o conhecimento e o entendimento. Por exemplo, é possível estudar tênis como esporte lendo livros e assistindo a palestras, mas, até entrar na quadra, a pessoa não conhece realmente o esporte. Saber e não fazer é não saber.

> ***O autoconhecimento se aprende melhor não pela contemplação mas pela ação. Procure cumprir seu dever e logo descobrirá do que você é feito.***
>
> JOHANN GOETHE

Há pelo menos quatro abordagens que podem ser adotadas para aplicar o que se aprende neste livro:

1. A primeira seria a simples leitura, do início ao fim. Depois decidir o que queremos aplicar à nossa vida e ao nosso trabalho. É o que a maioria das pessoas faz com um livro. Isto reflete o desejo que muitos de nós

sentimos de nos conectar emocional ou mentalmente com o fluxo de idéias de um livro e então deixar-nos levar por elas.

2. A segunda seria ler todo o livro e então usar o entendimento abrangente e a motivação acumulada para voltar a lê-lo – desta vez com a intenção de ir aplicando o que lemos. Pode funcionar muito bem para muitas pessoas.
3. A terceira – aquela que pessoalmente acho que dá os melhores resultados – seria adotar o livro como *um programa anual de crescimento e desenvolvimento pessoal*. Dedique um mês a cada um dos 12 capítulos restantes. Comece lendo o próximo capítulo, ensine o que aprendeu e então aplique-o no restante do mês. Verificará que, se de fato procura aplicar o que aprende em cada capítulo durante um mês, o aproveitamento dos capítulos seguintes aumentará significativamente.
4. A quarta abordagem é uma adaptação da terceira, estabelecendo um cronograma de acordo com nossas preferências. Alguns leitores preferirão destinar mais ou menos do que um mês a cada capítulo. Assim, poderão ler um capítulo novo por semana ou por quinzena, ou até a cada dois meses. Isto aproveita as vantagens da terceira abordagem, dando a flexibilidade para que o leitor a adapte a seus desejos e à sua situação.

Para auxiliar o leitor a aplicar os princípios de cada capítulo do livro, qualquer que seja a abordagem escolhida, criei um site na Internet especial [em inglês] com idéias para aplicação, exercícios e ferramentas. É possível acessar os exercícios em *www.The8thHabit.com/offers*. Também incluí no final do livro uma planilha que auxiliará o leitor a completar o que poderíamos chamar "O Desafio do 8º Hábito". Esse desafio envolve o cumprimento de passos de Desenvolvimento/Ação para cada capítulo:

1. Leia o capítulo.
2. Ensine o conteúdo do capítulo a pelo menos duas pessoas, incluindo colegas de trabalho, familiares, amigos etc.
3. Faça um esforço sincero, coerente, de viver durante um mês os princípios incluídos no capítulo.
4. Relate os resultados e o que aprendeu dessa tentativa de viver as idéias do capítulo a um colega em quem confia, a uma pessoa da família ou a um amigo.

Depois de completar a planilha "Desafio do 8º Hábito", o leitor poderá certificar o que fez em *www.The8thHabit.com/challenge* e receber um reconhecimento especial por suas realizações.

AO PASSAR agora para a Primeira Parte: Encontre a sua Voz Interior, pense nas palavras de Abraham Lincoln: "Os dogmas do passado tranqüilo são inadequados para o turbulento presente." Devemos renovar nossas idéias. Temos que desenvolver não apenas uma nova mentalidade mas um novo conjunto de habilidades e as novas ferramentas que decorrem delas. Isso é difícil, pois nos tira da zona de conforto. Mas surgiu uma nova realidade, uma nova economia, um novo desafio. Esse novo desafio – não apenas sobreviver mas realmente prosperar nessa nova realidade – exige uma nova resposta, um novo hábito. Lembre-se, os hábitos se encontram na interseção do conhecimento, das atitudes e das habilidades. Ao desenvolver essas três dimensões do 8º Hábito, iremos ficando à altura do novo desafio e de nossas possibilidades ilimitadas.

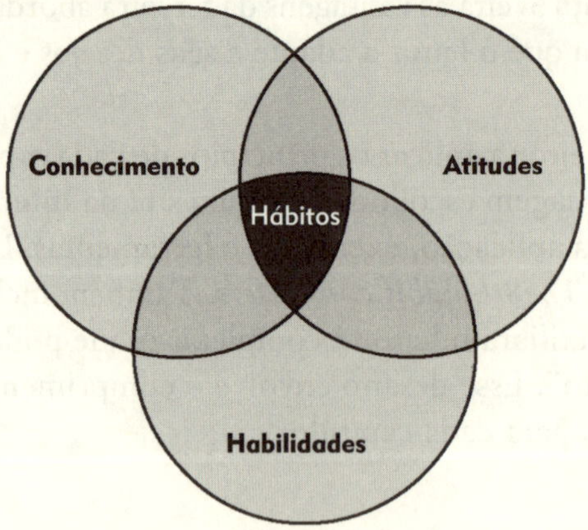

FIGURA 3.2

Parte 1

ENCONTRE A SUA VOZ INTERIOR

Capítulo 4

ENCONTRE A SUA VOZ INTERIOR – PRESENTES DE NASCENÇA NÃO-ABERTOS

Há tantos presentes
Que ainda não foram abertos desde seu nascimento.
Há tantos presentes feitos a mão
Que Deus lhe enviou.
O Amado não cansa de repetir
"Tudo o que tenho é também teu".
Há tantos presentes, querido,
Que ainda não foram abertos desde seu nascimento.[1]

HAFIZ

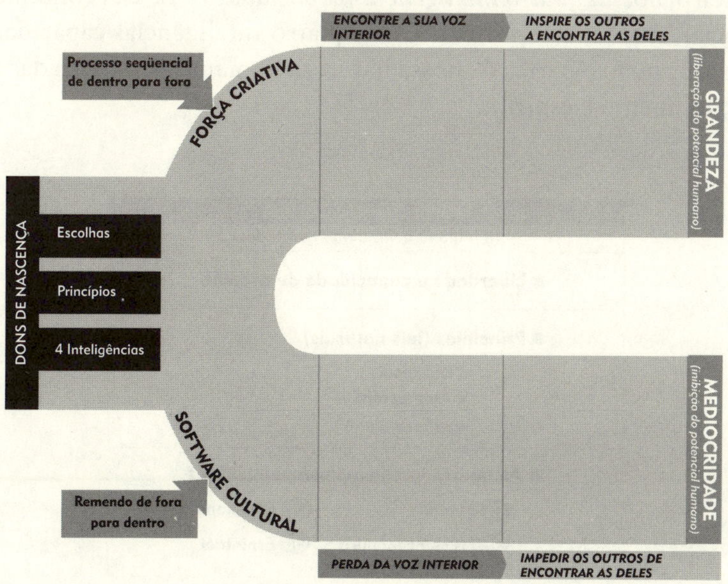

FIGURA 4.1

A FORÇA para *descobrir* a voz interior decorre do potencial que nos coube ao nascer. Latentes e subdesenvolvidas, as sementes da grandeza estavam plantadas. Recebemos magníficos "presentes" ou dons de nascença – talentos, capacidades, privilégios, inteligência, oportunidades – que podem ficar em grande parte dormentes, a menos que tomemos decisões e façamos esforços. Dados esses dons, o potencial da pessoa é impressionante, quase infinito. Realmente não temos idéia da capacidade das pessoas. Um bebê pode ser a criação mais dependente do universo e, em apenas alguns anos, se torna a mais poderosa. Quanto mais usarmos e ampliarmos nossos talentos, mais talentos recebemos e maior se torna nossa capacidade.

> ***Todas as crianças nascem geniais; 9.999 em cada 10.000 são "desgeniadas" rápida e inadvertidamente pelos adultos.***
>
> BUCKMINSTER FULLER

Vejamos nossos três dons mais importantes (Figura 4.2):

Primeiro, *a liberdade e a capacidade de escolha*;

Segundo, *as leis naturais ou princípios*, que são universais e nunca mudam; e

Terceiro, *nossas quatro inteligências/capacidades* – física/econômica, emocional/social, mental e espiritual. Essas quatro inteligências/capacidades correspondem às quatro partes de nossa natureza humana – simbolizadas por corpo, coração, mente e espírito.

DONS DE NASCENÇA

(a maioria deles ainda ignorados)

- **Liberdade e capacidade de escolha**
- **Princípios (leis naturais)**
  - Universais
  - Atemporais
  - Auto-evidentes
- **As quatro inteligências/capacidades**
  - QI Mental
  - QE Emocional/social
  - QF Física/econômica
  - QS Espiritual

FIGURA 4.2

A autora Marianne Williamson falou belamente de como muitas vezes ficamos impressionados, até receosos desses dons de nascença – em grande parte, acredito, pelo senso de responsabilidade que nos impõem:

> Nosso receio mais profundo não é o da inadequação. Nosso receio mais profundo é o de sermos poderosos além da conta. É nossa luz, não nossa escuridão, o que mais nos apavora. Perguntamos a nós próprios, quem sou eu para ser brilhante, maravilhoso, talentoso, fabuloso? Na verdade, por que não sê-lo? Somos filhos de Deus. Fingir sermos pequenos não serve ao mundo. Não é nada iluminador encolher-se para que as outras pessoas não se sintam inseguras à sua volta. Todos fomos feitos para brilhar, como as crianças. Nascemos para manifestar a glória de Deus que há em nós. Não em apenas alguns de nós, mas em todos nós. E se deixamos que nossa própria luz brilhe, inconscientemente estamos dando permissão a outras pessoas para fazerem o mesmo. Quando nos liberamos de nossos medos, nossa presença automaticamente liberta outros.[2]

O PRIMEIRO DOM QUE RECEBEMOS AO NASCER: A LIBERDADE DE ESCOLHA

Durante meio século estive envolvido com o tema deste livro, em muitos contextos diferentes, em várias partes do mundo. Se alguém me perguntar por um tópico, um aspecto, um ponto que pareça ter o maior impacto sobre as pessoas – qual a idéia que ecoa mais profundamente na alma – se alguém perguntar qual ideal foi o mais prático, o mais relevante, o mais oportuno, a despeito das circunstâncias, eu responderia rápido, sem reservas e com a convicção mais profunda de meu coração e de minha alma, que é a *liberdade de escolha*. Quase tanto como a própria vida, a capacidade de escolha é nosso maior dom. Essa capacidade e essa liberdade estão em profundo contraste com a mentalidade da *vitimização* e a cultura da *culpa* tão prevalentes na sociedade de nossos dias.

Fundamentalmente, somos um produto da escolha, não da natureza (genes) ou da criação (educação, ambiente). Certamente os genes e a cultura exercem muitas vezes uma influência poderosa, mas não são determinantes.

> ***A história do homem livre nunca é escrita pela sorte, mas pela escolha – a escolha dele.***[3]
>
> DWIGHT D. EISENHOWER

A essência do ser humano é a capacidade de dirigir a própria vida. Os seres humanos agem; os animais e os "robôs" humanos reagem. O ser humano pode fazer escolhas embasadas em seus valores. Nossa capacidade de escolher o rumo de nossa vida nos permite reinventarmo-nos, mudar nosso futuro e influenciar significativamente o resto da criação. Esse é o dom que possibilita o uso de todos os demais dons; é o dom que nos permite elevar nossas vidas a patamares cada vez mais altos.

No correr dos anos, falando com vários grupos, repetidamente encontrei pessoas que me diziam, basicamente, "Fale mais de minha liberdade e de minha capacidade de escolha. Fale novamente de meu valor e de meu potencial, diga que não preciso me comparar aos outros". Muitos também comentavam, que por mais interessante (ou tediosa) que a palestra tivesse sido, o que, literalmente, eletrificava suas almas era o senso interno da própria liberdade de escolha. Isso era tão delicioso para as pessoas, tão empolgante, que dificilmente se cansavam de refletir sobre isso.

Essa capacidade de escolha significa que *não* somos apenas um produto de nosso passado ou de nossos genes; *não* somos o resultado do tratamento que recebemos das outras pessoas. Sem dúvida elas nos influenciam, mas elas *não* nos determinam. Nós nos autodeterminamos por meio de nossas escolhas. Se abrimos mão do nosso *presente* por causa do *passado*, precisamos também abrir mão de nosso *futuro*?

Uma das experiências mais profundas e reveladoras de minha vida – conceitualmente fundamental para meu trabalho com os 7 Hábitos – teve lugar quando eu passava um ano sabático no Havaí. Um dia, eu estava percorrendo calmamente as estantes de uma biblioteca. Num estado mental profundamente meditativo e reflexivo, puxei um livro. Nele li três frases que me abalaram até o mais íntimo de meu ser:

Entre o estímulo e a resposta há um espaço.
Nesse espaço está nossa liberdade e a capacidade de escolher nossa resposta.
Nessas escolhas estão nosso crescimento e nossa felicidade.

ESTÍMULO E RESPOSTA

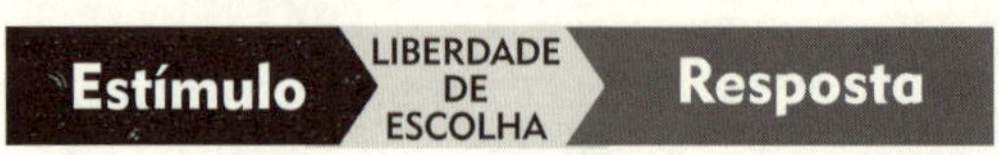

FIGURA 4.3

Intelectualmente, tinha tomado conhecimento em muitas fontes de nossa liberdade de escolher o modo de reagir ao que nos acontece. Mas nesse dia em particular, nesse estado de espírito reflexivo e nessas circunstâncias amenas, a idéia de um espaço entre o que nos acontece e nossa reação me atingiu com a força de uma tonelada de tijolos. A partir daí me convenci de que o *tamanho* do espaço é em grande parte determinado pela nossa herança genética ou biológica e por nossa criação e nossas atuais circunstâncias.

Para muitos de nós, que crescemos com amor incondicional e em circunstâncias favoráveis, o espaço parece muito amplo. Para outros, devido a várias influências genéticas e ambientais, pode ser muito reduzido. Mas o que importa é que há ainda um espaço e que é no *uso* desse espaço que está a oportunidade de ampliá-lo. Algumas pessoas, com um espaço muito amplo, ao se deparar com situações adversas, podem optar por ceder, reduzindo assim o espaço entre o estímulo e a resposta. Outros, com um espaço pequeno, podem nadar contra a corrente de poderosos fatores genéticos, sociais e culturais, com o que expandem sua liberdade, aceleram seu crescimento e aprofundam sua felicidade. As primeiras simplesmente não abrem o mais precioso dos dons de nascença. Gradualmente se tornam uma função de suas condições, mais do que de suas decisões. As últimas, talvez aos tropeços e com um grande esforço persistente, abrem esse dom precioso da liberdade e descobrem a força que libera quase todos os demais dons de nascença.

R.D. Laing, um psiquiatra de grande independência intelectual, mostra nas palavras abaixo como deixamos de levar em conta que temos esse espaço quando matamos nossa capacidade de mudar. Somente os seres humanos têm autoconsciência. Leia, medite e volte a ler esta citação:

> *O espaço do que pensamos e fazemos é limitado pelo que deixamos de observar. E porque deixamos de observar que deixamos de observar, pouco podemos fazer para mudar, até que observemos como a falta de observação molda nossos pensamentos e feitos.*

A consciência de nossa liberdade e capacidade de escolha é afirmativa porque pode estimular nosso senso de possibilidade e de potencial. Pode também ser ameaçadora, até aterrorizante, porque de repente nos tornamos responsáveis. Podemos ser cobrados. Sc no decorrer dos anos nos abrigamos na explicação de nossa situação e de nossos problemas em nome de circunstâncias passadas ou presentes, é realmente assustador pensar de outro modo. De repente, não há mais desculpas.

Não importa o que tenha acontecido, o que esteja acontecendo ou o que venha a acontecer, há um espaço entre essas coisas e nossa resposta a elas. Se há nem que seja uma fração de segundo entre o estímulo e a resposta, esse espaço representa nossa capacidade de escolher nossas reações a qualquer situação.

Certamente há coisas que nos acontecem e sobre as quais não temos escolha. Uma delas é nossa constituição genética. Embora não escolhamos nossos genes, temos a capacidade de escolher como reagir a eles. Se alguém tem uma predisposição genética a dada doença, não quer dizer que necessariamente deva manifestá-la. Usando a autoconsciência e a força de vontade para se exercitar e se alimentar adequadamente, e com o auxílio dos mais avançados conhecimentos médicos, é possível evitar as doenças e os cânceres que afetaram nossos antepassados.

Os que desenvolvem uma capacidade e uma liberdade interna de escolha podem se tornar o que chamo de *figuras de transição* – as que impedem que tendências prejudiciais passem de uma geração para a seguinte (seus filhos e netos).

Recentemente tive o privilégio de receber a premiação da National Fatherhood Initiative. Fiquei profundamente comovido com as palavras que um dos outros premiados proferiu na cerimônia de entrega do prêmio. Seu primeiro comentário foi que esse prêmio era uma grande honra e muito mais importante do que qualquer dos outros prêmios que recebera. Embora os outros fossem o reconhecimento de uma carreira bem-sucedida, ele considerava a presente premiação um indicador de "sucesso" muito mais importante. Ele disse, e estou parafraseando, "Nunca conheci meu pai; meu pai não conheceu o dele; mas meus filhos conhecem o pai deles". Sua afirmação representa verdadeiramente um dos maiores e mais estimáveis sucessos na vida. Indica verdadeira grandeza e sucesso, mas, mais importante ainda, seu papel de figura de transição afetará profundamente as futuras gerações de forma positiva.

Também podemos ser figuras de transição na organização para a qual trabalhamos. Por exemplo, podemos ter um chefe realmente terrível. As condições de trabalho não apenas serem desagradáveis mas também injustas. Contudo, exercendo sabiamente nossa liberdade de escolha, podemos mudar essa situação e influenciar positiva e profundamente o chefe ou pelo menos nos isolar da contaminação emocional pelas fraquezas dos outros. Lembre, se em qualquer momento sua vida emocional é uma função das fraquezas de alguma outra pessoa, você está se diminuindo e dando espaço a essas fraquezas para continuarem prejudicando sua vida. Novamente, o dia de ontem mantém como refém o dia de amanhã.

A seguir, uma história real que ilustra vigorosamente nossa capacidade de escolha. Ela me foi contada pela pessoa corajosa e inspiradora que soube influenciar, e até liderar, um "mau" chefe.

Quando me tornei diretor de recursos humanos, já tinha ouvido histórias de horror sobre meu chefe. Eu estava em seu escritório quando ele perdeu as estribeiras com um empregado da empresa. Jurei naquele momento nunca entrar em contato com seu lado mau. Cumpri o juramento. Sempre falava com ele amavelmente quando o encontrava nos corredores. Entregava à sua secretária todos os relatórios dentro do prazo. Tomava cuidado para não ser o último a sair da sala na hora do almoço, para que ele não me destacasse. Não queria nem jogar golfe com ele para não ter que ganhar dele.

Pouco depois, comecei a me ver em toda minha gloriosa covardia. Estava assoberbado com coisas sobre as quais não tinha controle. Gastava preciosa energia criativa imaginando soluções para problemas que nem tinham acontecido ainda. Como estava apavorado, não dedicava meus melhores esforços para a empresa. Não era um agente de mudança. Na verdade, a única mudança que me atrevia a fazer era ir para outra empresa. Já tinha até marcado uma entrevista.

Envergonhado de mim, cancelei essa entrevista e me concentrei apenas nas coisas que poderia de fato influenciar em 90 dias. Comecei decidindo que eu queria criar uma relação firme com meu chefe. Não precisávamos virar grandes amigos, mas tínhamos que interagir como colegas.

Um dia, o chefe entrou na minha sala. Depois de conversar um pouco e de ter titubeado e repetido as palavras na minha cabeça algumas vezes, disse: "E por falar nisso, o que posso fazer para ajudá-lo a ser mais eficaz?"

Ele ficou perplexo, "O que o senhor está querendo dizer?".

Corajosamente, continuei. "O que posso fazer para diminuir um pouco a pressão que o senhor sente em seu cargo? Minha função é assegurar que seu trabalho seja mais fácil." E abri um largo sorriso nervoso, do tipo não-vá-pensar-que-fiquei-maluco. Nunca esquecerei a cara que fez. Esse foi realmente o começo de nossa relação.

No início, ele só me pedia que fizesse pequenas coisas, coisas que eu não poderia errar, como "Digite este memorando para mim" ou "Se importa em telefonar para essa pessoa?". Passadas seis semanas fazendo isso, ele me procurou e disse: "Sei que com seu histórico o senhor conhece muito bem a composição de nossa folha de pagamentos. Poderia verificar o que é possível fazer em relação ao seguro? Estamos pagando demais, veja se há alguma solução." Foi a primeira vez que me pediu para fazer alguma coisa que tinha um sensível impacto na empresa. Estávamos pagando US$250 mil ao ano em prêmios e consegui reduzi-los *para US$198 mil. E ainda consegui que revissem algumas indenizações que tinham sido mal encaminhadas. E com isso consegui economizar outros US$13 mil.*

Quando tivemos um desentendimento, eu lhe provei que a questão não tinha saído da sala. Mais tarde, ninguém do departamento de marketing comentou o assunto. Logo verifiquei que meu teste de 90 dias estava dando certo. Estava me relacionando bem com ele e minha influência crescia quando eu me concentrava no que poderia ser feito para mudar o ambiente em que trabalhava. Hoje há muita confiança entre nós e sinto que estou contribuindo para alguma coisa.

> ***Um barco navega para o leste e o outro para o oeste,***
> ***Levados pelo mesmo vento.***
> ***É a posição das velas***
> ***E não a ventania***
> ***Que nos dá o rumo.***
> ***Como os ventos no mar, assim é o destino;***
> ***E quando viajamos pela vida,***
> ***É a posição da alma***
> ***Que decide seu rumo,***
> ***Não a calmaria nem a rivalidade.***[4]
>
> ELLA WHEELER WILCOX

Desafio o leitor a pensar profundamente sobre este primeiro dom – a refletir no espaço que existe entre estímulo e resposta, e a usá-lo sabiamente para alargar sua liberdade e crescer continuamente, aprendendo e participando. Finalmente, o exercício desse poder ampliará a resposta até que a própria natureza de suas respostas comece a moldar os estímulos. Criamos, literalmente, o mundo em que vivemos. O grande filósofo e psicólogo William James ensinou sempre que, quando mudamos nossa forma de pensar, mudamos nossas vidas.

O SEGUNDO DOM QUE RECEBEMOS AO NASCER: AS LEIS NATURAIS OU PRINCÍPIOS

Examinamos o uso sábio do espaço entre estímulo e resposta, nossa liberdade de escolha. O que quer dizer "uso sábio"? Onde está a sabedoria? Basicamente, significa viver em função dos *princípios* ou *leis naturais*, em vez de acompanhar os *remendos rápidos* da cultura de nossos dias.

Depois de ter visto a agulha da bússola, aos quatro anos de idade, Einstein entendeu que "tinha que haver algo profundamente escondido por trás das coisas". Isso também se aplica a todos os demais aspectos da vida. Os princípios são *universais*, isto é, eles transcendem a cultura e a geografia. São também *atemporais*, nunca mudam – princípios como justiça, bondade, respeito, honestidade, integridade, serviço, contribuição. Diferentes culturas podem traduzir esses princípios em práticas diferentes e com o tempo podem até ocultar totalmente esses princípios pelo uso equivocado da liberdade. Não obstante, eles estão presentes. Como a lei da gravitação, eles operam constantemente.

Outra coisa que descobri é que esses princípios são *irrefutáveis*. Isto é, eles são auto-evidentes. Por exemplo, nunca poderá haver confiança duradoura sem integridade de caráter. Pense nisso; é uma lei da natureza.

Uma vez, fui assistente de um instrutor de sobrevivência de um grupo de cerca de 30 pessoas. Depois de passar cerca de 24 horas sem nenhum alimento, nem água nem sono, subimos uma montanha e tivemos que atravessar um rio de águas revoltas para chegar ao outro lado, onde estavam a comida e a água. Havia uma corda estendida de uma árvore em uma das margens até outra do outro lado. Candidatei-me a ser o primeiro a fazer a travessia. Pensando ser bem mais forte do que era, comecei a pular e a brincar no meio da corda, em lugar de usar toda minha força para chegar ao outro lado. Quando minhas forças começaram a fraquejar, tentei chegar à outra margem – mas as forças de meu corpo me abandonavam. Recorri a todas as técnicas que conhecia, incluindo a visualização e a força de vontade, sem sucesso. Acabei caindo nas águas revoltas. Quando cheguei a uma praia cerca de 25 metros adiante, todo o grupo ria e gritava, ilustrando vividamente como o "orgulho precede a queda". O corpo é um sistema natural. É regido pelas leis naturais. Não havia atitude mental positiva que pudesse compensar os limites de meu condicionamento muscular.

Gosto da maneira como C.S. Lewis fala dos que dizem que não existem princípios universais:

> Sempre que encontrarmos alguém que diz não acreditar que o Certo e o Errado existem, vemos essa mesma pessoa recuando pouco depois. Ela pode quebrar uma promessa que nos fez, mas, se fizermos o mesmo com ela, logo reclamará "isso não é justo", antes que possamos piscar os olhos. Uma nação pode dizer que os tratados não têm importância, mas, no minuto seguinte, eles entrarão em contradição dizendo que o tratado que desejam deixar de cumprir não é justo. Mas se os tratados não têm importância e se não existem o Certo e o Errado – em outras palavras,

se não há Lei da Natureza –, qual é a diferença entre um tratado justo e outro injusto? Não terão eles se desmascarado e, apesar do que dizem, sabem na realidade o que é a Lei da Natureza como todos os demais?

Parece, então, que somos forçados a acreditar na existência do Certo e do Errado. As pessoas podem às vezes se equivocar sobre isso, assim como erram nas somas, mas não se trata de mera questão de gosto e opinião... Então há dois pontos que quero ressaltar. Primeiro, que os seres humanos, em toda a Terra, têm essa estranha idéia de que devem se comportar de certo modo e não conseguem realmente se livrar dela. Segundo, que na verdade eles não se comportam desse modo. Eles conhecem a Lei da Natureza mas a desrespeitam. Esses dois fatos são o fundamento de todo pensamento claro sobre nós mesmos e o universo em que vivemos.[5]

Autoridade natural e moral

A *autoridade natural* é o domínio das leis naturais. Não podemos ignorar as leis naturais e não temos escolha senão operar de acordo com elas. Todas as ações acarretam conseqüências. Gostemos ou não, quando escolhemos um dos lados do bastão, escolhemos o outro. Se pularmos de um prédio de dez andares não podemos mudar de idéia no quinto andar. A gravitação controla a queda. Essa é a marca da natureza. A natureza também marcou as pessoas com a liberdade e a capacidade de escolher e, portanto, elas têm autoridade ou domínio natural sobre o resto da criação. As espécies ameaçadas só sobrevivem com nosso consentimento. Elas não têm a liberdade e a capacidade de escolher. Falta-lhes consciência delas mesmas. Elas não podem se reinventar. Elas estão totalmente submissas aos seres humanos, que, porque têm autoconsciência, são os únicos com liberdade e capacidade de se reinventar. Isso é autoridade natural.

O que *é autoridade moral*? É o uso de nossa liberdade e capacidade de escolha embasado em princípios. Em outras palavras, se seguimos princípios em nossas relações com as outras pessoas, estamos tirando partido da autorização da natureza. As leis naturais (como a da gravitação) e os princípios (como o respeito, a honestidade, a bondade, a integridade, a doação e a justiça) controlam as conseqüências de nossas escolhas. Tal como poluímos o ar ou a água quando desrespeitamos continuadamente o meio ambiente, também destruímos a confiança quando somos continuamente maus ou desonestos em relação às outras pessoas. Usando com princípios e humildade a liberdade e a capacidade de escolha, a pessoa humilde obtém autoridade moral junto a pessoas, culturas, organizações e sociedades inteiras.

Os *valores* são normas sociais – são pessoais, emocionais, subjetivos e refutáveis. Todos nós temos valores. Até os criminosos têm valores. A pergunta que temos que nos fazer é: *Nossos valores são embasados em princípios?* Em última análise, princípios são leis naturais – são impessoais, factuais, objetivas e auto-evidentes. As conseqüências são regidas por princípios e o comportamento é regido por valores, portanto, valorizemos os princípios!

As pessoas obcecadas por celebridades são um exemplo daqueles cujos valores não se alicerçam em princípios. A popularidade molda seu centro moral. Elas não sabem quem são e não sabem onde está o "norte". Não sabem quais princípios seguir porque suas vidas se fundamentam em valores sociais. Estão divididas entre consciência social e autoconsciência, de um lado, e lei natural e princípios, do outro. Num avião isso é chamado de vertigem, quando perdemos todo senso de referência com o solo (princípios) e ficamos totalmente desorientados. Muitas pessoas passam pela vida numa vertigem ou indefinição moral. Todos conhecemos pessoas assim. Nós as vemos na vida e na cultura popular. Elas nunca pagam o preço de se tornar profundamente centradas ou de ancorar seus valores em princípios imutáveis.

A tarefa central, portanto, é determinar onde está o "norte verdadeiro" e então alinhar tudo nesse sentido. Caso contrário, teremos que conviver com as inevitáveis conseqüências negativas que se seguem. Novamente, elas são inevitáveis porque, mesmo que os valores controlem o comportamento, os princípios controlam as conseqüências do comportamento. A autoridade moral exige o sacrifício dos interesses egoístas do curto prazo e o exercício da coragem para subordinar os valores sociais aos princípios. E nossa consciência é o repositório desses princípios.

FILME: *A lei da colheita*

Convido agora o leitor a assistir a um filme intitulado *A lei da colheita*, que se encontra no DVD que acompanha este livro. Nele, vemos uma simples mas poderosa ilustração de como a Mãe Natureza ensina a inevitável lei da colheita. Todos os resultados duradouros resultam de uma seqüência, são regidos por princípios e vêm de dentro para fora. Ao assistir ao filme, lembremos que o mesmo se aplica à natureza *humana*. Há uma "lei da colheita" que rege o caráter, a grandeza e as relações de todos os seres humanos. E contrasta sensivelmente com nossa cultura dos remendos rápidos, da vitimização e da culpabilização.

O TERCEIRO DOM QUE RECEBEMOS AO NASCER: AS QUATRO INTELIGÊNCIAS/ CAPACIDADES DE NOSSA NATUREZA

Como mencionado anteriormente, as quatro magníficas partes de nossa natureza são corpo, mente, coração e espírito. A cada uma dessas partes corresponde uma capacidade, ou *inteligência*, que todos possuímos; nossa inteligência física ou corporal (QF), nossa inteligência mental (QI), nossa inteligência emocional (QE) e nossa inteligência espiritual (QS). Essas quatro inteligências são o terceiro dom de nascença.

AS QUATRO INTELIGÊNCIAS/CAPACIDADES HUMANAS

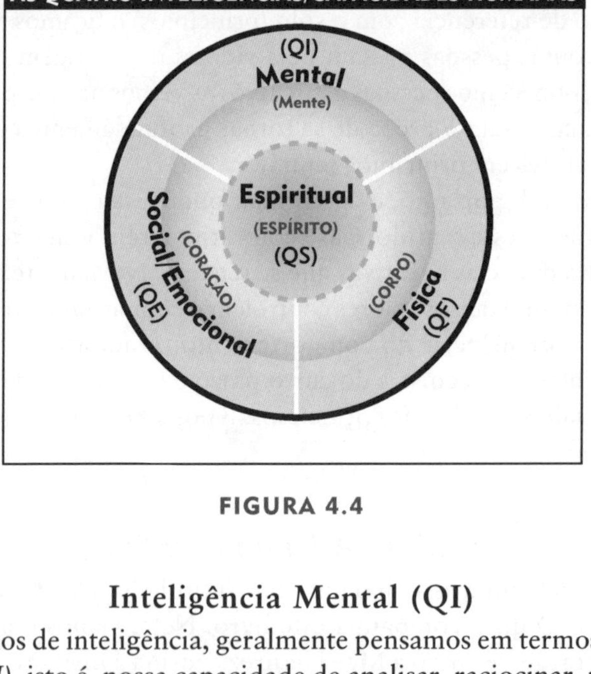

FIGURA 4.4

Inteligência Mental (QI)

Quando falamos de inteligência, geralmente pensamos em termos de *Inteligência Mental (QI)*, isto é, nossa capacidade de analisar, raciocinar, pensar abstratamente, usar a linguagem, visualizar e entender. Mas essa é uma interpretação demasiado estreita.

Inteligência Física (QF)

A *Inteligência Física (QF)* do *corpo* é outro tipo de inteligência da qual estamos implicitamente cientes mas muitas vezes negligenciamos. Basta pensar no que nosso corpo faz sem qualquer esforço consciente. Ele conduz nossos sistemas respiratório, circulatório, nervoso e outros de vital importância. Ele está constantemente rastreando o ambiente, destruindo células doentes e lutando pela sobrevivência.

> O corpo humano é um sistema incrível – cerca de 7 trilhões de células que precisam de um nível surpreendente de coordenação física e bioquímica apenas para virar uma página, tossir ou dirigir um automóvel. Quando pensamos o pouco que temos que pensar nisso, o fato se torna ainda mais impressionante. Quando foi a última vez em que tivemos que lembrar nosso coração de bater, ou nossos pulmões de se expandir e contrair, ou nosso sistema digestivo de secretar as substâncias químicas certas na hora certa? Esses e muitíssimos outros processos são executados inconscientemente a cada instante de nossa vida. A inteligência gerencia todo o sistema, boa parte das vezes de modo inconsciente.[6]
>
> DOC CHILDRE E BRUCE CRYER

Os médicos são os primeiros a reconhecer que o corpo cura a si mesmo. A medicina simplesmente facilita a cura removendo obstáculos, mas também pode criá-los quando funciona contra a inteligência corporal.

Como o corpo equilibra e harmoniza o funcionamento do cérebro, que contém a mente, com o do coração, que simbolicamente representa a inteligência emocional? Nosso corpo é uma máquina portentosa que supera o desempenho do mais avançado dos computadores. Nossa capacidade de agir segundo nossos pensamentos e sentimentos e de fazer as coisas acontecerem não se compara à de nenhuma outra espécie no mundo.

Experimentos controlados de laboratório estão oferecendo novas provas da estreita relação entre o corpo (o físico), a mente (o pensamento) e o coração (os sentimentos).

Placa vista numa loja na área rural da Carolina do Norte:
O cérebro disse: "Sou o órgão mais esperto do corpo."
O coração respondeu: "Quem lhe disse?"[7]

Inteligência Emocional (QE)

A *Inteligência Emocional (QE)* é o autoconhecimento, a autoconsciência, a sensibilidade social, a empatia e a capacidade de nos comunicarmos satisfatoriamente com outras pessoas. É um senso de oportunidade e de adequação social e de coragem para reconhecer fraquezas e expressar e respeitar diferenças. Antes da década de 1990, quando a QE se tornou um tópico badalado, ela era às vezes descrita como a capacidade do lado direito do cérebro, em relação à do lado esquerdo. O lado esquerdo do cérebro era considerado mais analítico, a sede do pensamento linear, da linguagem, do raciocínio e da lógica; o lado direito, o mais criativo, a sede da intuição, das sensações e da visão holística. O fundamental é respeitar os dois lados e exercer a escolha no desenvolvimento e no uso de suas capacidades diferentes. A combinação do pensamento e do sentimento cria um melhor equilíbrio, julgamento e sabedoria.

> ***A intuição dirá à mente pensante para onde olhar a seguir.***
>
> DR. JONAS SALK, DESCOBRIDOR DA VACINA DA PÓLIO

Muitas pesquisas sugerem que no longo prazo a inteligência emocional é um determinante mais acurado do sucesso na comunicação, nos relacionamentos e na liderança do que a inteligência mental. Daniel Goleman, autor e autoridade em QE, diz:

> Para se ter um desempenho destacado em todas as tarefas, em qualquer área, a competência emocional é duas vezes mais importante do que as habilidades puramente cognitivas. Para alcançar o sucesso nos níveis mais altos, nas posições de liderança, a competência emocional é praticamente toda a vantagem... Dado que as competências emocionais respondem por dois terços ou mais dos elementos de um alto desempenho, os dados sugerem que encontrar pessoas com essas qualidades, ou alimentá-las nos empregados existentes, contribui de forma substancial para os resultados financeiros da organização. Quanto? Em ocupações simples, como operação de máquinas ou serviços burocráticos auxiliares, os que se encontram entre o 1% de maior competência emocional são três vezes mais produtivos (em termos de valor). Em ocupações de complexidade média, como assistentes de vendas ou mecânicos, uma pessoa emocionalmente competente é 12 vezes mais produtiva (em termos de valor).[8]

A teoria da inteligência emocional é desestabilizadora para pessoas que ancoraram sua estratégia de sucesso na pura inteligência mental. Por exemplo, uma pessoa pode obter dez pontos numa escala de um a dez de QI, mas sua pontuação emocional pode ser de apenas dois e não saber se relacionar com outras pessoas. Ela pode tentar compensar essa deficiência apoiando-se excessivamente em seu intelecto e em sua posição formal. Mas, ao fazê-lo, muitas vezes exacerba suas fraquezas e, nas interações, também as fraquezas dos outros. Então, elas tentam racionalizar intelectualmente seu comportamento.

> Pegar força emprestada gera fraqueza na pessoa, em outros e nos relacionamentos.

Fortalecer a inteligência emocional é um dos maiores desafios enfrentados por pais e líderes em todos os níveis da organização.

Inteligência Espiritual (QS)

A quarta inteligência é a *espiritual*. Tal como a QE, a QS se incorpora às pesquisas científicas e aos debates filosóficos e psicológicos hegemônicos. A Inteligência Espiritual é a inteligência central e mais fundamental de todas porque é a fonte da orientação das outras três. Ela representa nosso impulso em direção ao sentido e à conexão com o infinito.

Richard Wolman, autor de *Thinking with Your Soul* (*Inteligência Espiritual*), fala assim do "espiritual":

> Por espiritual entendo a antiga e permanente busca de conexão com algo maior e mais digno de confiança do que nosso ego – com nossas almas, com os outros, com os mundos da história e da natureza, com os invisíveis ventos do espírito, com o mistério da vida.[9]

A inteligência espiritual também nos ajuda a discernir os verdadeiros princípios que são parte de nossa consciência e estão simbolizados na bússola. Esta é uma excelente metáfora física para os princípios, porque sempre aponta para o norte. Para manter uma grande autoridade moral, é fundamental seguir sempre princípios que "apontam para o norte".

> ***O espírito do homem é a vela do Senhor.***[10]
> Provérbios 20:27

Veja o que Danah Zohar e Ian Marshall falaram em *SQ: Connecting with Our Spiritual Intelligence* (*QS: Inteligência Espiritual*):

> Diferentemente do QI, encontrado, nos computadores, e do QE, que existe nos mamíferos superiores, o QS é exclusivamente humano e o mais fundamental das três inteligências. Ele se relaciona à necessidade humana de significado, uma questão muito presente na mente dos homens... O QS é que utilizamos para desenvolver nosso anseio e capacidade de sentido, visão e valor. Permite-nos sonhar e progredir. Ele está nas coisas em que acreditamos e no papel que nossas crenças e valores desempenham nas ações que empreendemos. É, essencialmente, o que nos torna humanos.[11]

Semântica e natureza superior da inteligência espiritual

Nos últimos 20 anos, especialmente, foi feita um grande quantidade de estudos, observações e pesquisas sobre inteligência. Há numerosos livros e toda uma literatura sobre o tema. Às vezes, usam-se diferentes palavras para descrever as mesmas coisas. Parte do que chamo inteligência espiritual pode ser chamada por outras pessoas de inteligência emocional, e vice-versa. Reconheço que esta semântica é difícil. Mais uma vez, peço ao leitor para não se prender à definição das palavras, mas a buscar continuamente o sentido subjacente.

O livro de Howard Gardner sobre a teoria das múltiplas inteligências, *Frames of Mind* (*Estruturas da Mente*), é um extraordinário tratamento do conceito de inteligências separadas, embora superpostas. Também foi muito proveitosa a leitura do trabalho de Robert Cooper e Daniel Goleman sobre inteligência emocional. Assisti a várias palestras deles e sei que suas abordagens se embasam em pesquisas e são abrangentes, incluindo alguns dos elementos de que falei ao tratar da inteligência espiritual.

Alguns livros separam nossa inteligência visual das inteligências verbal, analítica, lógica, criativa, econômica e outras. Respeito essas contribuições, acho que podemos enquadrar todas elas nas quatro áreas de corpo, mente, coração e espírito – as quatro dimensões da vida.

Nunca esquecerei de uma experiência que tive no Havaí com a Young Presidents' Organization. Um pequeno grupo de presidentes de empresas se reuniu para um café da manhã com alguns especialistas em gestão e liderança, todos eles autores de best-sellers muito respeitados e citados. Num momento em que não havia estranhos e reinava um grande respeito mútuo, um dos presidentes perguntou com grande humildade: "Os senhores não estão todos falando basicamente da mesma coisa?" Todos, sem exceção, reconheceram que era isso mesmo. Cada um deles tinha sua própria semântica e suas definições e muitas vezes tinha idéias realmente originais que os outros não tinham expressado, mas, em termos dos elementos mais fundamentais, não havia diferenças. Eles falavam mais em termos dos princípios subjacentes do que das práticas.

Em momentos de grande beleza, as emoções podem abalar até as pessoas mais duras e céticas. As endorfinas fluem. Há um relaxamento das tensões. As energias, internas e externas, fluem e se conectam. A experiência não é apenas suave e calma, mas também contém o poder e a criatividade da natureza e do Universo. Criar e trabalhar conscientemente com esses momentos de conexão é exercer o que podemos denominar nossos músculos e nossa inteligência espiritual. O que quero dizer com espiritual? Simplesmente falo de toda a realidade e a dimensão maior mais criativa, mais amorosa, mais poderosa, mais visionária, mais sábia, mais misteriosa do que a existência humana materialista de todos os dias.

Não há teologia ou sistema de crenças que se relacione a este significado do espiritual.[12]

WILLIAM BLOOM

Precisei fazer um grande esforço para evitar o problema semântico e, para isso, sempre procuro estar atento aos significados subjacentes. Mas acredito que há outra dimensão da inteligência que não foi tratada com profundidade em outro lugar. Nesse sentido, é superior às outras inteligências.

Dividirei com o leitor uma experiência que pode ajudar a ver que a inteligência espiritual é a mais alta de nossas capacidades. Fiquei grandemente impressionado com o trabalho do falecido Anwar Sadat, presidente do Egito, quando, junto com o ex-presidente dos Estados Unidos Jimmy Carter e o ex-primeiro-ministro de Israel Menachem Begin, negociaram em Camp David o Acordo de Paz entre Israel e Egito.

> Quando a história do mundo e das instituições, sociedades, comunidades, famílias e indivíduos for finalmente escrita, o tema dominante será o grau em que as pessoas viverão não pela sua consciência socializada mas pela sua consciência divina. Isto é, pela sabedoria intuitiva contida nos princípios ou leis naturais que são ensinados por todas as principais religiões e filosofias duradouras do mundo. Não por geopolítica, economia, governo, guerras, cultura social, arte, educação ou igrejas. A dimensão moral ou espiritual – a fidelidade das pessoas e instituições aos princípios universais, atemporais do certo e do errado – será a suprema força dominadora abrangente e subjacente.

Há alguns anos estava percorrendo Camp David num carrinho de golfe, quando o presidente dos Estados Unidos me mostrou o local exato onde o acordo fora firmado. Foi uma verdadeira experiência emocional para mim. Eu via Sadat como uma pessoa que conhecia o espaço entre estímulo e resposta. Ele tinha desenvolvido um grande espaço quando na juventude estivera solitariamente confinado na cela 54 da prisão central do Cairo. Veja a profundidade do entendimento refletido em suas palavras:

> Quem não for capaz de mudar o próprio tecido de seus pensamentos, nunca será capaz de mudar a realidade e, portanto, nunca fará progressos.[13]

Antes de sua mudança de perspectiva em relação a Israel, Sadat se tornara um presidente extremamente popular, profundamente dedicado à causa árabe. Ele percorreu o Egito fazendo discursos políticos em que afirmava que nunca apertaria a mão de um israelense enquanto perdurasse a ocupação de terras árabes e gritava "Nunca! Nunca! Nunca!". As multidões o seguiam repetindo seu grito, "Nunca! Nunca! Nunca!".

Convidamos a esposa de Sadat, Jehan Sadat, a fazer a palestra de abertura de nosso Simpósio Internacional. Tive o privilégio de almoçar com ela. Perguntei como era conviver com Anwar Sadat, especialmente na época em que tomou a ousada iniciativa de paz de visitar o Knesset, em Jerusalém, atitude que culminou no Acordo de Camp David.

Ela revelou que foi muito difícil aceitar sua mudança de opinião, sobretudo depois de tudo o que ele fizera e dissera. Eis um resumo do seu relato:

Quando estávamos na ala residencial do palácio, perguntei-lhe diretamente:

– Parece que você está pensando em visitar Israel. Verdade?

– Sim.

– Como é que você pode fazer isso depois de tudo o que disse?

– Estava errado, agora vejo que isso é o que deve ser feito.

– Você perderá a liderança e o apoio do mundo árabe.

– Talvez, mas não acredito que aconteça.

– Perderá a presidência de seu país.

– Isso também pode acontecer.

– Pode perder a vida. (E como sabemos, ele foi atingido por uma bala assassina.)

Ele respondeu:

– Minha vida está predeterminada. Não viverei um minuto a mais ou a menos do que o que tiver que ser.

Ela o abraçou e lhe disse que era a pessoa mais formidável que já tinha conhecido.

Então lhe perguntei sobre a volta de Israel. Ela me contou que normalmente se leva 30 minutos para ir do aeroporto ao palácio. Nesse dia, o percurso levou mais de três horas. As estradas e ruas estavam coalhadas de centenas de milhares de pessoas que aclamavam Sadat, apoiando o que estava fazendo – as mesmas pessoas que uma semana atrás aclamavam exatamente o oposto. Ele estava fazendo o que era certo e elas sabiam. A inteligência espiritual é um dote maior do que a inteligência emocional. As pessoas reconheceram que não podemos pensar e viver isoladamente num mundo *inter*dependente.

Sadat tinha subordinado seu ego e seu QE (sensibilidade social, empatia e habilidades sociais) a seu QS (consciência) e os resultados ressoaram por todo o mundo. A liderança de sua inteligência espiritual elevou suas outras inteligências e ele se tornou uma pessoa com substancial autoridade moral.

Esse caminho para a autoridade moral, a realização pessoal e a influência no sentido do bem não é um atributo apenas dos grandes líderes mundiais. O potencial de uma autoridade moral simples, grande e tranqüila está em cada um de nós.

DESENVOLVIMENTO DAS 4 INTELIGÊNCIAS/CAPACIDADES

Como essas quatro dimensões da vida obviamente se sobrepõem, não é possível trabalhar exclusivamente com qualquer uma delas sem afetar, direta ou indiretamente, as demais. Desenvolver e usar essas inteligências traz confiança, força interna e segurança, a capacidade de ser, ao mesmo tempo, corajoso e considerado, e autoridade moral pessoal. Sob muitos aspectos, os esforços para desenvolver essas inteligências influenciarão profundamente nossa capacidade de influenciar outras pessoas e inspirá-las a encontrar sua voz.

Para auxiliar o leitor a fortalecer suas quatro inteligências nativas, preparei um guia de ação, apresentado no Apêndice 1, que mostrará várias formas práticas bem fundamentadas para desenvolver cada uma das inteligências. Embora muitos dos leitores possam considerar que se trata de simples senso comum, é bom lembrar que senso comum não é prática comum, e asseguro que o leitor que concentrar seus esforços nestas áreas encontrará grande paz e força de vontade para sua vida.

> *Por trás de cada vida nobre há princípios que a moldaram.*[14]
>
> GEORGE H. LORIMER

Também verifiquei que quatro simples pressuposições podem tornar nossa vida mais equilibrada, integrada, poderosa. São simples – uma para cada parte de nossa natureza –, mas garanto que quem as aplicar coerentemente, encontrará nelas uma nova fonte de força e integridade à qual recorrer quando for mais necessário.

1. Para o *corpo* – imagine que sofreu um enfarto; agora viva de acordo com isso.
2. Para a *mente* – imagine que a meta de sua vida profissional é de dois anos; agora prepare-se como decorrência disso.
3. Para o *coração* – imagine que outra pessoa pode ouvir tudo o que você fala dela; agora fale de acordo com isso.
4. Para o *espírito* – imagine que você tem um encontro pessoal com seu Criador a cada trimestre; agora viva de acordo com isso.

FILME: *A.B. Combs Elementary*

Quando podemos começar a desenvolver a autoridade moral e a força interior que fluem de nossas quatro inteligências humanas? Ilustrarei isso com o filme a que o leitor tem que assistir. É a história de uma mulher que é diretora da

A.B. Combs Elementary, uma escola primária de Raleigh, Carolina do Norte, uma escola padrão cuja missão é gerar líderes para a sociedade. O filme a revela talvez em seu melhor momento, mas desconfio que haverá muitos outros no futuro.

Mas, antes de assistir ao filme, vou fazer uma pergunta ao leitor: qual é o melhor momento de conhecer o software que nos permite encontrar nossa voz? Qual é o melhor momento da vida para fazer com que o revestimento cultural, o software, entre em harmonia com os dons que constituem nosso "hardware"? Penso que todos concordarão que é nossa infância – especialmente o início de nossa vida no lar. Mas que acontece se as pessoas nasceram em lares desestruturados e adquirem o software da vitimização, da escassez, e as metástases cancerosas da depreciação, da reclamação, da discussão, da comparação e da crítica? Essa vida no lar pode ser corrigida pela escola? Um professor ou um diretor de escola pode se tornar uma família substituta para talvez compensar a disfuncionalidade do lar quando as crianças ainda são muito jovens, impressionáveis e inocentes, quando ainda não foram corrompidas?

As evidências científicas – especialmente da neurociência, que trata de nossa biologia básica e do desenvolvimento do cérebro – mostram que a criança é "equipada para se conectar". Estamos equipados para nos relacionar com outras pessoas, com o sentido moral e espiritual e com abertura para o transcendente. Atender às necessidades básicas de conexão é essencial para a saúde e o desabrochar do ser humano.[15]

DE UM RELATÓRIO DA COMISSÃO DE CRIANÇAS EM RISCO: YMCA DOS EUA, FACULDADE DE MEDICINA DE DARTMOUTH, INSTITUTO PARA OS VALORES AMERICANOS

Melhor ainda, será que é possível fazer uma parceria entre o lar e a escola, para que haja um contínuo reforço e realinhamento dos dois lados com a criança? Será possível imaginar o resultado que seria obtido se software e hardware fossem alinhados nos primeiros anos da infância – o tipo de pessoa que resultaria disso e as realizações que surgiriam em função de seu caráter e competência?

Produzido de maneira muito precária, o filme a que o leitor assistirá mais parece um filme caseiro do que uma produção profissional. Trata de uma grande parceria entre uma escola e as famílias de seus alunos, moldada em grande medida pela liderança de sua diretora, Muriel Thomas Summers.

Muriel acreditava que era possível incluir no currículo da escola elementar (crianças de cinco a dez anos) uma educação do caráter com base em princípios, envolvendo o pessoal administrativo, os professores e famílias na preparação do programa. Ela escolheu *Os 7 Hábitos da Pessoas Altamente Eficazes* como base do currículo. O leitor verá no Guia para a Ação, ao final do livro, como os 7 Hábitos são um poderoso marco de referência para o desenvolvimento das inteligências humanas, especialmente o QE.

Francamente, fiquei um tanto encabulado com este filme e hesitei antes de incluí-lo, pois fala dos Hábitos de "Covey". Quando visitei a escola, ressaltei que os Hábitos nada mais são do que princípios universais, atemporais, pertencentes a toda a humanidade, que organizei de modo a proporcionar um esquema de pensamento seqüencial que pudesse ser transformado em ação. Citei T.S. Eliot, que disse: "Nunca devemos parar de explorar. Ao fim de todas nossas explorações, voltamos ao começo e conhecemos o lugar pela primeira vez."

O leitor observará que no vídeo desta assembléia comemorativa da escola são as crianças que conduzem os trabalhos e falam. Não vemos as famílias, embora elas estivessem presentes – pode-se ouvir o choro de bebês, de modo que sentimos sua presença. Formou-se uma verdadeira parceria e os princípios de responsabilidade, propósito, integridade, ganha-ganha, procurar primeiro compreender, sinergia e afinar o instrumento estão integrados ao currículo geral.

Muitas pessoas consideram que não há uma conexão real entre aprendizado curricular e princípios. Mas todo o conceito que está por trás do 8º Hábito é sinérgico. É a integração de nossas inteligências e capacidades que libera o potencial humano. Perguntei à diretora qual o impacto que a inclusão do treinamento do caráter centrado em princípios exercerá sobre o desempenho escolar. Ela respondeu que seria profundo. Perguntei se tinha alguns dados. Sua resposta: "Sim, 18 meses atrás, 67% de nossos alunos obtiveram uma pontuação igual ou superior aos padrões da avaliação escolar nacional; hoje, 94% de nossos alunos estão acima desse nível." Veja a importância do que disse: as mesmas famílias, as mesmas instalações, o mesmo núcleo curricular e o mesmo material de ensino – somente uma variável: princípios de caráter incluídos e integrados às aulas e às vidas desses alunos. Em 18 meses!

Isso é incorporação de software centrado em princípios e de liberdade de escolha aos dons de nascença! Como seria maravilhoso se isso pudesse estender-se aos lares e às escolas de todas as crianças do mundo; as pessoas que são o futuro. É uma resposta ao dilema expresso pelo fundador e CEO emérito da Visa Internacional, Dee Hock: "O problema não é como levar para nossa mente idéias novas e inovadoras, mas como tirar de lá as idéias velhas."[16]

Uma palavra ainda, antes que o leitor assista ao vídeo. A "Wall of Wonder" [parede das maravilhas] de que se fala e que me pediram para descobrir está pouco nítida e é difícil de distinguir, mas é feita de 560 painéis de cerâmica, cada um deles pintado por uma criança, que se fundem numa montagem de belas cores. No centro, fala-se das quatro partes de nossa natureza, como manifestadas pelas quatro necessidades – viver, amar, aprender, deixar um legado. Todo este filme não foi preparado nem encenado – tudo é autêntico, espontâneo e ocorre em tempo real, como tenho certeza que o leitor poderá constatar desde o início. Nessa escola, estão representantes de 56 nacionalidades diferentes. Quando cheguei, muitas dessas crianças vestiam seus trajes tradicionais e carregavam as bandeiras de seu país de origem. Nunca vi num mesmo lugar tamanha diversidade.

A. B. Combs recebeu numerosos prêmios, incluindo os seguintes:

- National Blue Ribbon School of Excellence (concedido pelo departamento de Educação dos Estados Unidos).
- National Magnet Schools of Excellence Award, por três anos consecutivos (é o prêmio mais destacado dentre os concedidos pela National Magnet Schools of America). Foi uma das cinco primeiras magnet schools (dentre milhares) dos Estados Unidos em termos de excelência escolar, 98% de seus alunos atingiram ou superaram o nível padrão.
- North Carolina School of Excellence (com base no desempenho escolar).
- North Carolina Governor's Entrepreneurial Award (por liderança na educação).
- Ganhadora da premiação National Schools of Character.
- Convidada a presidir a Model Schools Conference, 2004.
- Finalista do 21st Century Award for Educational Excellence, 2004.

Aprecie o filme.

PERGUNTAS E RESPOSTAS

- **Basicamente, somos um produto da natureza (nossos genes) ou da criação (nossa educação e o ambiente em que crescemos)?**

A pergunta parte de uma falsa dicotomia. Fundamenta-se num paradigma, ou mapa da natureza humana, equivocado, o do determinismo. Não somos produto da natureza nem da criação; somos um produto da escolha, porque sempre há um espaço entre estímulo e resposta. À medida que exercemos nossa capacidade de escolha a partir de princípios, o espaço se torna maior. Crianças pequenas e pessoas com deficiências mentais podem não ter esse espaço, mas a grande maioria dos adultos o tem. O determinismo está profundamente enraizado na cultura dos dias de hoje e é grandemente reforçado pelo sentimento aterrorizante de que, se temos escolha, então também somos responsáveis pela situação atual. Até que uma pessoa possa dizer honestamente, "Sou o que sou" e "Estou aqui porque quero estar aqui", essa pessoa não pode afirmar com convicção "Escolho outra coisa".

- **Os líderes nascem ou são feitos, isto é, são condicionados pelo ambiente e pelo treinamento?**

Esta pergunta se alicerça também numa falsa dicotomia, no equivocado paradigma do determinismo. Dado o espaço entre estímulo e resposta, as pessoas têm a possibilidade de escolha; portanto, os líderes nem nascem nem são feitos – isto é, treinados ou criados pelo ambiente. Eles se fazem por meio da escolha das respostas, e se eles as escolhem com base em princípios e desenvolvem uma disciplina cada vez maior, sua liberdade de escolha se amplia. No livro *Geeks and Geezers: How Era, Values and Defining Moments Shape Leaders*, Warren G. Bennis e Robert J. Thomas argumentam que os líderes se fazem, não nascem.[17] O conceito básico é que, em decorrência de uma intensa experiência transformacional, eles fazem escolhas que os capacitam a se tornar líderes. O Dr. Noel Tichy também afirma que os líderes não nascem, eles são ensinados. Novamente, a implicação é que as pessoas *escolhem* ser ensinadas e seguem os ensinamentos. Nos dois casos, os autores estão com a verdade, dizendo que os líderes não são feitos nem nascem, eles se fazem – a liderança é uma função de escolhas.

- **Devemos desenvolver todas as quatro capacidades ou inteligências?**

Sim, porque não é possível desenvolver qualquer delas até seu nível de maturidade e sustentabilidade sem trabalhar em todas elas. Isso é o que significa a integridade. Significa que o *todo* de nossa vida gira em torno de princípios. Nossa capacidade de produzir e de desfrutar é, em última análise, função de nosso caráter, nossa integridade. Isso requer esforço constante para desenvolver as fibras musculares físicas, emocionais/sociais, mentais e espirituais saindo da acomodação para fazer os exercícios que levam a fibra a se quebrar (doer) para ser reconstituída, aumentada e fortalecida depois de um período adequado de repouso e relaxamento. Consulte *The Power of Full Engagement*, de Jim Loehr e Tony Schwartz.[18]

- **E a aposentadoria?**

Aposente-se de seu emprego, mas nunca de projetos significativos. Quem deseja uma vida longa precisa de *eustress*, isto é, um profundo sentido de significação e contribuição a projetos e causas meritórias, especialmente à família. Quem desejar morrer cedo pode se aposentar para jogar golfe e pescar, ficar sentado tomando remédios e, de vez em quando, visitar os netos. Qual a base disto? Veja o livro de Hans Selye, *Stress Without Distress*.

Capítulo 5

EXPRESSE A SUA VOZ INTERIOR – VISÃO, DISCIPLINA, PAIXÃO E CONSCIÊNCIA

É mais poderoso aquele que tem poder sobre si.

LÚCIO SÊNECA

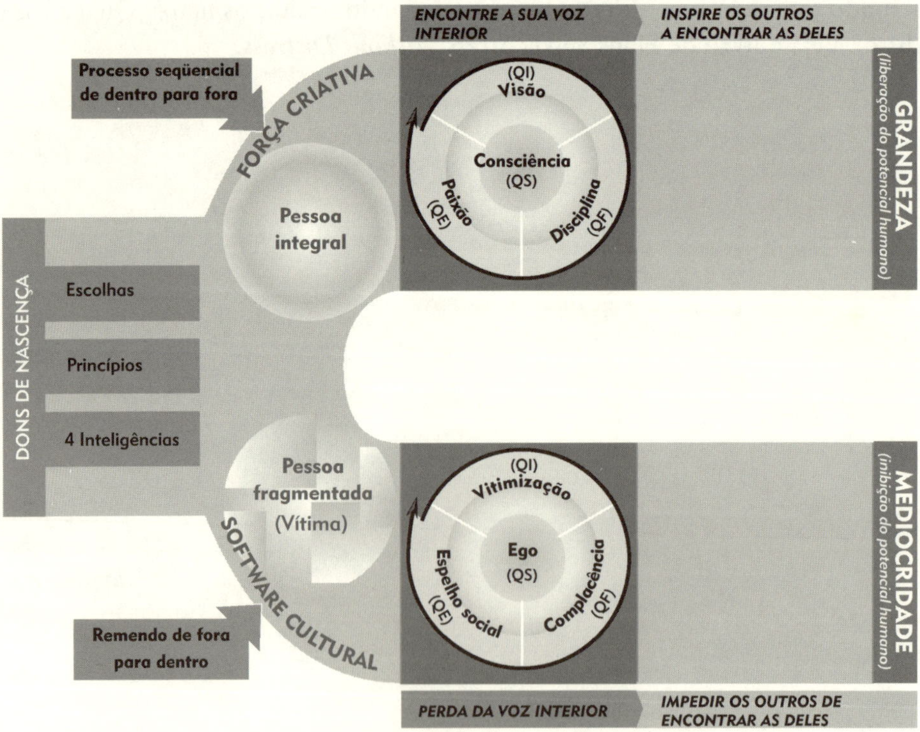

FIGURA 5.1

Quando estudamos a vida de *todos* os grandes realizadores – os que tiveram a maior influência sobre outras pessoas, os que fizeram destacadas contribuições, os que simplesmente fizeram as coisas acontecerem –, encontramos um padrão. Com esforço persistente e luta interior, ampliaram grandemente suas quatro inteligências ou capacidades humanas inatas. As manifestações mais elevadas dessas quatro inteligências são: *visão*, para a mental; *disciplina*, para a física; *paixão*, para a emocional; e *consciência*, para a espiritual. Essas manifestações também representam nossos mais elevados meios de *expressar a própria voz*.

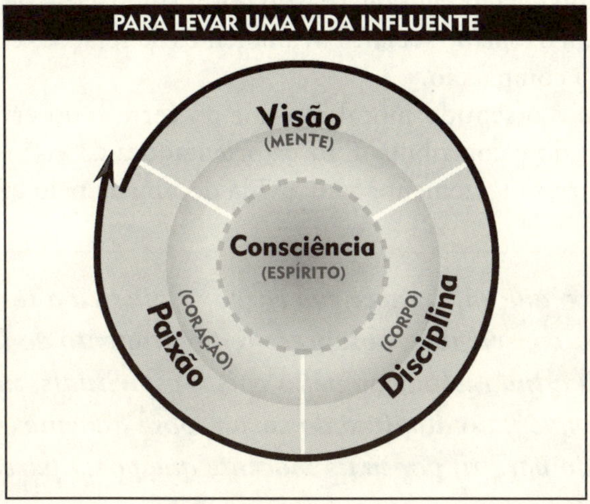

FIGURA 5.2

Visão é ver com os olhos da mente o que é possível nas pessoas, nos projetos, nas causas, nos empreendimentos. A visão ocorre quando nossa mente junta a necessidade com a possibilidade. Como disse William Blake, "O que agora está provado foi uma vez imaginado". Quando as pessoas não têm visão, quando negligenciam o desenvolvimento da capacidade mental de criar, elas ficam presas à tendência humana da *vitimização* (ver o caminho inferior da Figura 5.1).

> ***Aquele que deve governar outros primeiro precisa ser senhor dele mesmo.***[1]
>
> PHILIP MASSINGER

Disciplina é pagar o preço da transformação da visão em realidade. É lidar com os fatos difíceis, pragmáticos, brutais da realidade e fazer o necessário para que as coisas aconteçam. A disciplina surge quando a visão se junta à dedicação. O oposto da disciplina e da dedicação, que inspiram o sacrifício, é a *complacência* – sacrificar o que importa mais na vida pelo prazer ou pela empolgação do momento.

Paixão é o fogo, o desejo, a força da convicção e o impulso que sustenta a disciplina para realizar a visão. A paixão surge quando as necessidades humanas se sobrepõem a um talento humano único. Quando não há uma paixão que flui do encontro e do uso da voz própria para atender grandes propósitos, o espaço é preenchido pela insegurança e pelo borborinho vazio de milhares de vozes que compõem o *espelho social*. Em ambientes de relações e na organização, a paixão inclui a compaixão.

Consciência é o sentido moral interior do certo e do errado, o impulso para buscar sentido e contribuir. É força orientadora da visão, da disciplina e da paixão. Contrasta fortemente com a vida dominada pelo *ego*.

> ***Tudo o que enfraquece tua razão, prejudica a ternura de tua consciência, obscurece teu sentimento de Deus, elimina tua inclinação pelas coisas espirituais, tudo o que aumenta o domínio do corpo sobre a mente, isso é pecado para ti, por mais inocente que possa parecer.***[2]
>
> SUSANA WESLEY (MÃE DE JOHN WESLEY)

Essas quatro palavras – visão, disciplina, paixão e consciência – incorporam essencialmente muitas outras características que descrevem os traços associados a pessoas cuja influência é grande, quer sejam conhecidas por muitos ou por poucos.

Muitas das diferenças nas palavras que usamos para descrever as pessoas que admiramos – no lar, na comunidade, numa empresa ou no governo – são uma simples questão de semântica. A Figura 5.3 apresenta muitos desses traços, listados na massa de icebergs submersos que rotulamos como visão, disciplina, paixão e consciência.

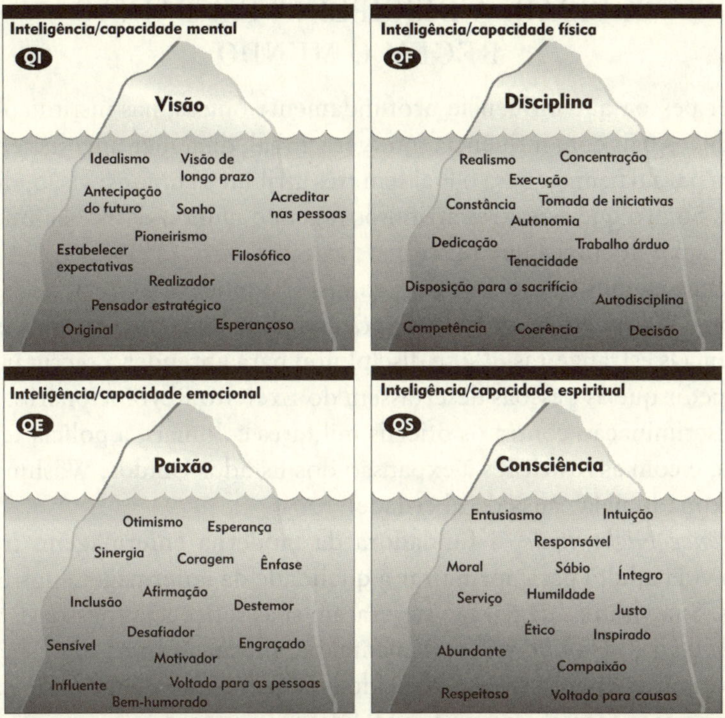

FIGURA 5.3

Os melhores líderes operam em quatro dimensões: visão, realidade, ética e coragem. Estas são as quatro inteligências, as quatro formas de percepção, as linguagens de comunicação exigidas para alcançar resultados significativos e sustentados.

O líder visionário pensa grande, pensa novo, pensa para a frente – e, mais importante, está em contato com a estrutura profunda da consciência humana e do potencial criativo.

É preciso assumir o controle dos padrões que regem nossa mente: nossa visão de mundo, nossas crenças sobre o que merecemos e o que é possível. Esta é a zona da mudança fundamental, da força, da energia – e do verdadeiro significado da coragem.[3]

PETER KOESTENBAUM, FILÓSOFO DA GESTÃO

A VISÃO, A DISCIPLINA E A PAIXÃO REGEM O MUNDO

Qualquer pessoa que influencie profundamente outras, nas instituições ou na sociedade, os pais com influência intergeracional, qualquer um que tenha feito diferença para o bem ou para o mal tem três atributos comuns: visão, disciplina e paixão. Sugiro que estes três atributos regem o mundo desde seu início. Eles representam a liderança que funciona.

Vejamos alguns líderes notáveis da história moderna:

George Washington teve a visão para criar uma nova nação, unida e livre de interferências estrangeiras. Ele se disciplinou para aprender a recrutar, abastecer e impedir que as pessoas desertassem do Exército Revolucionário. Irritado com a discriminação contra os oficiais militares coloniais, a polícia territorial britânica, e com as restrições à expansão dos Estados Unidos, Washington era um apaixonado pela causa da liberdade.

Florence Nightingale, a fundadora da moderna enfermagem, trabalhou toda sua vida adulta para aprimorar a qualidade da enfermagem nos hospitais militares. Sua visão e sua paixão superaram suas reticências pessoais.

Mohandas K. Gandhi foi fundamental para tornar a Índia um Estado independente, embora nunca tivesse exercido qualquer cargo público. Ele não tinha qualquer posição formal a partir da qual liderar as pessoas. Sua autoridade moral criou normas sociais e culturais tão fortes que acabaram por moldar a vontade política. Regeu sua vida por uma clareza sobre a consciência universal que residia nas pessoas, na comunidade internacional e nos próprios britânicos.

Margaret Thatcher foi a primeira mulher a liderar uma grande nação industrializada. Exerceu três mandatos de primeiro-ministro da Grã-Bretanha, a mais longa permanência contínua no cargo durante o século XX. Seus críticos não são poucos, mas ela tinha paixão por levar as pessoas a assumir a disciplina da responsabilidade pessoal e se tornarem autoconfiantes e promoveu apaixonadamente a livre empresa em seu país. Durante o período em que dominou a política britânica contribuiu para tirar o país da recessão.

> ***Ser poderoso é como ser uma lady; se precisamos contar às pessoas que somos uma, não o somos.***
>
> MARGARET THATCHER

Nelson Mandela, ex-presidente da África do Sul, passou quase 27 anos na prisão por sua luta contra o regime do *apartheid*. Mandela era impulsionado mais pela imaginação do que pela memória. Ele visionava um mundo bem além dos limites de sua vivência e de sua memória, que incluía o encarceramento, a injustiça, as batalhas e a desunião tribais. No mais fundo de sua alma ecoava uma crença no valor de todo cidadão da África do Sul.

Madre Teresa se dedicou de todo coração, livre e incondicionalmente, ao serviço dos pobres. Ela inculcou em sua organização, que após seu passamento, cresceu e se fortaleceu, a preservação rigorosamente disciplinada dos votos de pobreza, obediência e castidade.

> *O fruto do silêncio é a ORAÇÃO. O fruto da oração é a FÉ. O fruto da fé é o AMOR. O fruto do amor é a ENTREGA. O fruto da entrega é a PAZ.*[4]
>
> MADRE TERESA

O leitor recorda que mencionei que todos os que realmente fizeram diferença para o bem ou para o *mal* tinham três atributos comuns: visão, disciplina e paixão. Agora vejamos outro líder que com todos esses três atributos obteve resultados de chocante contraste. *Adolf Hitler* transmitiu apaixonadamente sua visão de uma era de mil anos do Terceiro Reich e da superioridade da raça ariana. Ele construiu uma das mais disciplinadas máquinas industriais-militares que o mundo já viu. E ele evidenciou uma brilhante inteligência emocional em sua arrebatada oratória, inspirando nas massas uma dedicação quase fanática e um temor que canalizou para o ódio e a destruição.

Contudo, há uma diferença muito grande entre a liderança que funciona e a que resiste: todos os líderes mencionados lançaram uma base e deram uma contribuição duradoura, exceto um – o último.

> *Uma vez que tenha conquistado realmente o poder, minha primeira e principal tarefa será a aniquilação dos judeus.*[5]
>
> ADOLF HITLER

Quando a consciência governa a visão, a disciplina e a paixão, a liderança resiste e muda o mundo para melhor. Em outras palavras, *a autoridade moral faz funcionar a autoridade formal*. Quando a consciência não rege a visão, a disciplina e a paixão, a liderança não resiste, nem as instituições criadas por essa liderança. Em outras palavras, a autoridade formal sem autoridade moral fracassa.

As palavras "para o bem" significam que ela "eleva", mas também "dura". Hitler tinha visão, disciplina e paixão, mas era levado pelo ego. A falta de consciência provocou sua queda. A visão, a disciplina e a paixão de Gandhi eram impulsionadas pela consciência e ele se entregou à causa e ao povo. Repetindo, ele só tinha autoridade moral, não autoridade formal, e ele foi o pai e o fundador do segundo maior país do mundo.

Quando a visão, a disciplina e a paixão são regidas por uma autoridade formal destituída de consciência ou autoridade moral, elas também mudam o mundo, mas não para o bem e sim para o mal. Em vez de elevar, destrói; em vez de durar, acaba sendo extinta.

Vejamos agora mais de perto cada um destes atributos: a visão, a disciplina, a paixão e a consciência.

VISÃO

Visão é ver um estado futuro com os olhos da mente. A visão se aplica à imaginação. Todas as coisas são criadas duas vezes: primeiro, uma criação mental; depois, uma criação física. A primeira criação, a visão, é o início de reinvenção da própria pessoa ou da organização. Representa desejo, sonhos, esperanças, objetivos e planos. Mas esses sonhos ou visões não são apenas fantasias. São uma realidade ainda não levada à esfera física, como a planta de uma casa antes de sua construção, ou uma partitura à espera de ser executada.

A maioria de nós não imagina ou percebe nosso potencial. William James disse, "A maioria das pessoas vive num círculo muito restrito de seu ser potencial. Todos temos reservas de energia e gênio às quais recorrer e que nem sonhamos ter".

Cada um de nós tem imensos poder e capacidade de reinventar nossa vida. Na história a seguir, o leitor pode observar como uma mulher abalada pela dor foi capaz de criar uma nova visão para sua vida:

Estava com 46 anos quando meu marido, Gordon, soube que estava com câncer. Sem hesitar me aposentei precocemente, para ficar a seu lado. Embora sua morte, 18 meses depois, fosse esperada, sofri demais. Lamentava nossos sonhos não realizados. Aos 48 anos, não tinha razões para viver.

E em minha dor não deixava de me perguntar, por que Deus levou Gordon e não eu? Sentia que Gordon tinha muito mais a oferecer ao mundo do que eu. Exausta de corpo, mente e espírito, tinha que buscar um sentido para minha vida.

Agarrei-me à idéia de que todas as coisas são criadas duas vezes, primeiro na mente e depois no mundo físico. Precisava descobrir que talentos eu tinha. Um teste de avaliação de aptidões me mostrou quais eram minhas maiores habilidades. Para encontrar um equilíbrio em minha vida, foquei as quatro partes de minha natureza. No nível intelectual, descobri que adorava ensinar; nos níveis espiritual e social, queria continuar apoiando a harmonia racial que alcançáramos em nosso casamento birracial; emocionalmente, sabia que precisava dar amor. Quando minha mãe era viva, ela cuidava de crianças gravemente doentes em um hospital, eu queria dar carinho como ela e continuar seu legado de amor incondicional.

Tinha medo de fracassar, mas me dizia que não havia problema em tentar coisas diferentes, como quando experimentamos diferentes chapéus. Se depois de um semestre não gostasse de ensinar, não precisava voltar a fazê-lo. Comecei por ir para a faculdade para poder ensinar no terceiro grau. Fazer faculdade é difícil, mas aos 48 anos é muito mais duro! Estava tão acostumada à pedir a minha secretária para bater documentos que levei um semestre só para aprender a digitar meus trabalhos. Desligar a televisão era um esforço.

Concluí a faculdade e fui ensinar numa instituição historicamente negra em Little Rock, Arkansas. O governador me nomeou para a Comissão Martin Luther King, destinada à melhoria das relações raciais. Acalanto recém-nascidos, filhos de mães viciadas em crack ou contaminadas pela AIDS, nos poucos instantes de vida que lhes restam. Sei que estou lhes dando ternura e isso me traz uma sensação de paz.

Agora, minha vida vai bem. Sinto que Gordon sorri para mim. Antes de morrer, ele me disse repetidas vezes que queria que minha vida fosse cheia de risos, boas lembranças e coisas boas. Como poderia desperdiçar minha vida, com esse projeto em minha consciência? Acho que não poderia. Tenho a obrigação de viver minha vida da melhor forma possível para as pessoas que mais amo – estejam aqui ou do outro lado.

Albert Einstein disse: "A imaginação é mais importante do que o conhecimento." A memória é o passado. É finita. A visão é o futuro. É infinita. A visão é maior do que a história, do que a bagagem, do que as feridas emocionais do passado.

Quando perguntaram a Einstein o que perguntaria a Deus, se tivesse essa possibilidade, ele respondeu: "Como começou o universo? Porque, a partir daí, tudo é apenas matemática." E, depois de pensar um pouco, mudou de idéia. Disse: "Não, iria perguntar. 'Por que o universo foi criado?' Porque então eu saberia o significado de minha vida."

Talvez a mais importante das visões seja o desenvolvimento do eu, um sentimento de nosso destino, de nossa missão especial, um senso de propósito e destino. Ao testar nossa visão pessoal, devemos nos perguntar primeiro: a visão inclui minha voz, minha energia, meu talento especial? Traz um sentimento de "vocação", uma causa que mereça minha dedicação? Para isso, precisamos de uma profunda reflexão, que faça perguntas profundas, e de imaginação.

Sir Laurens van der Post, escritor, cineasta e contador de histórias mundialmente conhecido, disse: "Sem visão todos somos afetados pela insuficiência de dados. Olhamos para a vida de forma míope, isto é, através de nossa própria lente, nosso mundo. A visão nos permite transcender nossa autobiografia, nosso passado, ir além da memória. Isto é especialmente prático nas relações humanas e nos propicia uma magnanimidade de espírito em relação aos outros."

Quando falamos de visão, é importante considerar não apenas a visão do que é possível "lá", mas também a visão do que vemos nas outras pessoas, seu potencial desconhecido. A visão é mais do que realizar coisas, cumprir determinada tarefa, alcançar algum objetivo; é descobrir e expandir nossa opinião sobre os outros, afirmá-los, acreditar neles e ajudá-los a descobrir e realizar o potencial que trazem dentro deles – ajudá-los a encontrar a própria voz.

Em muitas culturas orientais, as pessoas cumprimentam as outras colocando os braços junto ao peito formando um V invertido e inclinando a cabeça. Ao fazer isso, elas estão dizendo, "saúdo a grandeza que há dentro de você". Conheço uma pessoa que, ao encontrar alguém diz, audível ou silenciosamente, "Eu o amo. Qual é seu nome?". Ver as pessoas por meio de seu potencial e de suas melhores ações, em vez de fazê-lo através da lente de seu comportamento atual ou de suas fraquezas, gera uma energia positiva que atinge e envolve o outro. Essa ação de afirmação é também um dos elementos fundamentais para reconstruir relações rompidas. E também é fundamental para o sucesso dos pais.

> ***Tu me carregas e eu te carrego e nós subiremos juntos.***
>
> PROVÉRBIO QUACRE

Há um grande poder em ver as pessoas independentemente de seu comportamento, pois, quando o fazemos, estamos afirmando seu valor fundamental, incondicional. Quando percebemos e admitimos o potencial dos outros é como se lhes apresentássemos um espelho que reflete o que há de melhor neles. Essa visão afirmatória não apenas os liberta para que possam fazer o melhor, como nós também ficamos livres de ter que reagir a um comportamento indesejado. Quando as pessoas se comportam bem abaixo de seu potencial, nossa atitude e nossas palavras afirmativas parecem dizer "isso não está à sua altura".

Há muitos anos, durante uma viagem internacional, fui apresentado a um jovem de seus 18 anos. Ele já tinha passado por momentos muito difíceis, incluindo sérios problemas de uso de drogas e de bebida. Embora ele estivesse procurando dar uma virada em sua vida, quando o encontrei a sós, senti que ele estava buscando uma direção e duvidava dele mesmo. Também percebi que ele era uma pessoa especial, cheia de grandeza e com grande potencial. Antes de me despedir, olhei-o nos olhos e lhe disse que acreditava que ele se tornaria, no correr da vida, uma pessoa de grande influência e que ele tinha dons e potencial pouco comuns.

Quase 20 anos depois, ele se tornou uma das pessoas mais promissoras que conheço. Tem uma família linda e é muito bem-sucedido na profissão. Um amigo meu o visitou recentemente. Durante a conversa, o jovem lhe contou espontaneamente aquele encontro que tivéramos. E disse: "O senhor não imagina como isso influenciou minha vida, ouvir que eu era uma pessoa com um potencial muito maior do que eu imaginava. Isso calou fundo dentro de mim. E fez toda a diferença do mundo."

Cultivar o hábito de olhar as pessoas afirmativamente e comunicar-lhes com freqüência e sinceridade a confiança que temos nelas – particularmente no caso de adolescentes que passam pela segunda crise de identidade – é da maior importância. É um investimento relativamente pequeno de resultados incalculáveis, incríveis. Repetindo: não devemos esquecer o impressionante efeito que exerce sobre nós a afirmação de alguém de que acredita em nós (em nosso potencial) quando não acreditamos em nós (nossa história).

DISCIPLINA

A disciplina é tão importante quanto a visão, embora esteja em segundo lugar na seqüência. A disciplina representa a segunda criação. É a execução, o fazer

> *Quando o frescor da manhã é substituído pelo cansaço do meio-dia, quando os músculos das pernas tremem sob a tensão, a subida parece não ter fim e, de repente, nada acontece como o desejamos – é então que não devemos hesitar.*[6]
>
> DAG HAMMARSKJÖLD

acontecer, o sacrifício de fazer o que for necessário para concretizar a visão. A disciplina é a força de vontade incorporada. Peter Drucker observou certa vez que o primeiro dever de um gerente é definir a realidade. A disciplina define a realidade e a aceita; é a disposição de mergulhar totalmente nela, em vez de negá-la. Aceita os fatos inflexíveis, brutais, das coisas como elas são.

> ***Liderar é a capacidade de traduzir visão em realidade.***
>
> WARREN BENNIS

Sem visão e esperança, a aceitação da realidade pode ser algo deprimente ou desencorajador. Às vezes, a felicidade é definida como a capacidade de subordinar o que desejamos agora ao que desejamos no final. Este sacrifício pessoal, o processo de subordinar o prazer de hoje em prol de um bem maior no longo prazo, isso é exatamente a disciplina.

A maioria das pessoas iguala a disciplina a uma falta de liberdade. "Os 'deves' matam a espontaneidade." "Não há liberdade se 'temos que'." "Quero fazer o que quero. Isso é liberdade, não dever."

Na realidade, o oposto é verdadeiro. Só os disciplinados são verdadeiramente livres. Os indisciplinados são escravos do momento, dos apetites e das paixões.

Você toca piano? Eu não. Não tenho a liberdade de tocar piano. Nunca me disciplinei para isso. Preferia brincar com meus amigos a praticar, como meus pais e professores queriam que fizesse. Penso que nunca me imaginei um pianista. Nunca imaginei o que poderia significar isso, uma espécie de liberdade para criar uma arte magnífica que poderia ser valiosa para mim e para os outros a vida inteira.

E que dizer da liberdade de perdoar, de pedir perdão? E a liberdade de amar incondicionalmente, de ser uma luz, não um juiz – um modelo, não um crítico? Pensemos na disciplina aí envolvida. A disciplina é a conseqüência de sermos "discípulos" de uma pessoa ou de uma causa.

O grande educador Horace Mann disse certa vez: "Falam em vão de felicidade aqueles que nunca subordinam um impulso à obediência a um princípio. Aquele que nunca sacrificou um bem presente em prol de outro futuro, ou um bem pessoal a outro geral, só pode falar de felicidade como o cego fala da cor."

Lembro da luta interna que enfrentei quando, professor de 51 anos, decidi deixar o porto seguro e o conforto da cátedra para estabelecer minha empresa. Se não fosse a visão do bem maior que eu poderia fazer, nunca teria tido a disciplina para fazer o sacrifício e começar o processo de formar uma nova empresa, assumir uma segunda hipoteca e me endividar grandemente. Chegamos a inventar um lema irônico, "A felicidade é um fluxo de caixa positivo", e durante anos suamos para pagar a folha salarial. Talvez nunca agüentássemos esse período difícil se não tivéssemos a visão do que era possível e a disciplina para seguir o caminho traçado.

Acredito sinceramente que a disciplina é um traço comum de todas as pessoas bem-sucedidas. Admiro o trabalho do executivo de seguros Albert E. N. Gray, que passou toda sua vida tentando descobrir um denominador comum para o êxito. Finalmente, chegou à simples, mas profunda, conclusão, de que, embora o trabalho árduo, a boa sorte e a perspicácia nas relações humanas sejam fatores importantes, a pessoa bem-sucedida "formou o hábito de fazer coisas que os que fracassam não gostam de fazer".[7] Pessoas bem-sucedidas também não gostam de fazê-las. Mas esse "não gostar" é dominado pela força de seu propósito.

As pessoas sem disciplina e incapazes de subordinar e sacrificar simplesmente brincam no trabalho. Em certo sentido, cada dia útil se torna um longo baile à fantasia. Passam o dia criando cortinas de fumaça, enviam e-mail detalhando o trabalho que estão fazendo, telefonam relatando o status dos projetos, promovem longas reuniões para discutir como fazer as coisas. Geralmente, as pessoas que gastam seu tempo procurando desculpas não têm foco nem disciplina. Tropeços são inevitáveis; a infelicidade é escolha. Sempre há razões, nunca uma desculpa.

PAIXÃO

A paixão vem do coração e se manifesta como otimismo, empolgação, conexão emocional, determinação. Alimenta um impulso constante. O entusiasmo está profundamente enraizado na capacidade de escolha, mais do que nas circunstâncias. As pessoas entusiastas acreditam que a melhor maneira de prever o futuro é criá-lo. Na verdade, o entusiasmo se torna um imperativo moral, tornando a pessoa parte da solução mais do que parte dos problemas de se sentir desesperançado e desamparado.

Aristóteles disse: "Onde se cruzam os talentos e as necessidades do mundo, é aí que está nossa vocação." Poderíamos dizer: "Ali está nossa paixão, nossa voz" – aquilo que energiza nossa vida e nos impulsiona. É o que alimenta a visão e a disciplina. É o que nos dá força para continuar quando tudo o mais pode nos levar a desistir. Quando o médico perguntou a um paciente quantas horas por semana trabalhava, ele respondeu: "Não sei, quantas horas por semana respiramos?" Quando a vida, o trabalho, a diversão e o amor giram em torno da mesma coisa, aí temos a paixão!

O fundamental para criar paixão em nossa vida é descobrir nossos talentos exclusivos e nosso papel e nosso propósito no mundo. É essencial conhecer-nos antes de decidir que trabalho desejamos fazer.* A máxima grega "conheça-se, controle-se, dedique-se" é preciosamente seqüenciada e sábia. Nossos talentos, nossa missão ou papel na vida são em geral mais detectados do que inventados. Sir Laurens van der Post, escritor, cineasta e contador de histórias mundialmente conhecido, escreveu:

> Temos que olhar para dentro de nós mesmos, para dentro desse container que é nossa alma; veja-a e ouça-a. Até ter ouvido aquilo que sonha por seu intermédio, em outras palavras – respondido à batida na porta, no escuro, você não será capaz de voltar ao momento da vida em que estamos aprisionados, voltar ao nível onde o grande ato da criação se desenrola.

Aqueles que fazem no correr da vida grandes contribuições são os que, embora com receio do que bate à porta, respondem. A coragem é a essência da paixão e, como Harold B. Lee disse certa vez, é "a qualidade de toda virtude agindo em seu patamar mais elevado".[8]

Muitas vezes confundimos as habilidades pessoais com talento. As habilidades, contudo, não são talentos. Mas os talentos requerem habilidades. As pessoas podem ter habilidade e conhecimento em áreas onde seu talento não está. Quando as pessoas têm um emprego que exige suas habilidades mas não seus talentos, as organizações nunca poderão tirar partido de sua paixão ou de sua voz. Essas pessoas parecem trabalhar, mas de tal modo que precisam de supervisão e motivação externas.

Se pudermos contratar pessoas cuja paixão combine com o cargo, elas não precisarão de qualquer supervisão. Elas se gerenciarão melhor do que qualquer supervisor poderia fazer. Seu fogo vem de dentro, não de fora. Sua motivação é interna, não externa. Basta lembrar os momentos em que nos apaixonamos por um projeto, por algo tão fascinante e interessante que mal podemos pensar em outra coisa. Precisamos de gerenciamento ou supervisão nessas horas? Claro que não, a idéia de que alguém nos dissesse como e quando fazê-lo seria um insulto.

---

* No site *www.The8thHabit.com/offers*, o leitor encontrará um e-folheto e um áudio em formato mp3 [em inglês] sobre princípios fundamentais para a carreira, onde há tópicos como "How to Get Any Job You Want".

QUANDO PODEMOS dedicar-nos a um trabalho que junte uma necessidade, nosso talento e nossa paixão, descobrimos novas forças.

CONSCIÊNCIA

> *Trabalhar para manter viva... essa pequena faísca do fogo celestial, a consciência.*[9]
>
> GEORGE WASHINGTON

Já falamos muito neste livro da importância da consciência. Há uma massa de evidências que mostram que a consciência, o senso moral, essa luz interior, é um fenômeno universal. A natureza espiritual ou moral das pessoas é também independente da religião ou de qualquer abordagem religiosa, da cultura, da geografia, da nacionalidade ou da raça. Contudo, todas as principais tradições religiosas do mundo se unem quando se trata de um conjunto básico de princípios ou valores subjacentes.

Emanuel Kant disse: "Constantemente fico admirado por duas coisas; o céu estrelado lá em cima e a lei moral aqui dentro." A consciência é a lei moral interior. É a sobreposição de lei e comportamento moral. Muitos acreditam, como eu, que é a voz de Deus que fala a seus filhos. Outros podem não compartilhar dessa crença mas reconhecem que há um sentimento inato de eqüidade e justiça, um senso inato de certo e errado, do que contribui e do que prejudica, do que é bom e do que é mau, do que é verdadeiro e do que é falso. Certamente, a cultura traduz esse senso moral básico em práticas e palavras diferentes, mas essa tradução não nega o senso subjacente de certo e errado.

Como trabalho em países de diferentes culturas e religiões, já vi essa consciência universal repetidamente revelada. Há realmente um conjunto de valores, um sentimento de *eqüidade*, *honestidade*, *respeito* e *contribuição* que transcende culturas – algo que é atemporal, que está acima das épocas e é também auto-evidente. Repetindo, é tão auto-evidente quanto o fato de que a confiança exige integridade.

Consciência e Ego

A consciência é essa pequena voz interior. É calma. Traz paz. O ego é tirânico, despótico e ditatorial.

O ego se concentra na sobrevivência, nos prazeres e na melhoria de nós próprios excluindo todos os outros e é egoisticamente ambicioso. Vê os relacionamentos em termos de ameaça ou não-ameaça, tal como as criancinhas, que classificam as pessoas em "boas" e "más". A consciência, por outro lado, democratiza e eleva o ego, levando-o a um sentimento mais amplo de grupo, de todo, de comunidade, de maior bem. Vê a vida em termos de servir e contribuir, está atenta à segurança e à realização dos outros.

O ego funciona quando nos deparamos com autênticas crises, mas não tem discernimento para decidir qual a gravidade da crise ou da ameaça. A consciência é cheia de discernimento e distingue o grau da ameaça. Tem um grande repertório de respostas. Tem a paciência e a sabedoria para decidir o que e quando fazer. A consciência vê a vida como um *continuum*. É capaz de adaptações complexas.

O ego não pode dormir. Microgerencia. Tira nossa autonomia. Reduz nossa capacidade. Ao controlar se supera. A consciência respeita profundamente as pessoas e vê seu potencial de autocontrole. A consciência nos fortalece. Reflete o mérito e o valor de todas as pessoas e afirma sua capacidade e sua liberdade para escolher. Então, emerge um autocontrole natural, imposto nem de cima nem de fora.

O ego é ameaçado pelo feedback negativo e pune o mensageiro. Interpreta todas as informações em termos de autopreservação. Censura constantemente a informação. Nega boa parte da realidade. A consciência valoriza o feedback e tenta discernir qualquer verdade que possa conter. Não tem medo das informações e pode interpretar exatamente o que está acontecendo. Não precisa censurar as informações e está aberta ao conhecimento da realidade sob todos os pontos de vista.

O ego é míope e interpreta tudo na vida a partir de sua própria pauta. A consciência é um ecologista social que ouve e sente todo o sistema e o ambiente. Enche o corpo de luz, é capaz de democratizar o ego para refletir mais exatamente o mundo inteiro.

Mais insights sobre a consciência

A consciência é sacrifício – a subordinação de nosso eu ou de nosso ego a um propósito, a uma causa ou a um princípio mais altos. Repetindo, sacrifício significa realmente abrir mão de algo bom em favor de algo melhor. Mas na mente da pessoa que se sacrifica não há realmente sacrifício – só é sacrifício para o observador.

O sacrifício pode assumir muitas formas conforme se manifeste nas quatro dimensões de nossa vida: fazer sacrifícios físicos ou econômicos (corpo); cultivar uma mente aberta e investigativa, despindo-nos de preconceitos (mente). Mostrar profundo respeito e amor pelos outros (coração); e subordinar nossa vontade a uma vontade mais alta para o maior bem (espírito).

> *Uma nova filosofia, um novo modo de vida, não é dado por nada. Tem que ser pago a preço elevado e só se adquire com muita paciência e um grande esforço.*
>
> FYODOR DOSTOIEVSKY

A consciência nos ensina que os fins e os meios são inseparáveis, que os fins na verdade são anteriores aos meios. Emanuel Kant nos ensinou que os meios usados para atingir os fins são tão importantes quanto os próprios fins. Maquiavel nos ensinou o oposto, que os fins justificam os meios.

Vejamos as sete coisas que, de acordo com os ensinamentos de Gandhi, podem nos destruir. Se as estudarmos devagar e com atenção, veremos claramente que cada uma representa um *fim* atingido mediante *meios* sem princípios ou sem valores:

- Riqueza sem trabalho
- Prazer sem consciência
- Conhecimento sem caráter
- Comércio sem moralidade
- Ciência sem humanidade
- Adoração sem sacrifício
- Política sem princípios

Não é interessante observar como cada um desses fins admiráveis pode ser atingido equivocadamente? Mas se alcançamos um fim admirável recorrendo a meios errados, o fim acabará por se tornar pó em nossas mãos.

Em nossos negócios, conhecemos quem é honesto conosco e cumpre suas promessas e responsabilidades. Também conhecemos exatamente os que têm duas caras, são enganadores e desonestos. Mesmo que fechemos um contrato legal com alguém desonesto, será que acreditamos verdadeiramente que ele manterá sua palavra?

OS MANDAMENTOS PARADOXAIS

1. As pessoas são ilógicas, irracionais e autocentradas. Assim mesmo ame-as.

2. Se fizer o bem, as pessoas o acusarão de ocultar motivos egoístas. Assim mesmo faça o bem.

3. Se for bem-sucedido, você ganhará falsos amigos e verdadeiros inimigos. Assim mesmo seja bem-sucedido.

4. O bem que fizer hoje será esquecido amanhã. Assim mesmo faça o bem.

5. A honestidade e a franqueza o tornam vulnerável. Assim mesmo seja franco e honesto.

6. Os maiores homens e mulheres com as melhores idéias podem ser abatidos pelos menores homens e mulheres com as mentes mais medíocres. Assim mesmo pense grande.

7. As pessoas têm consideração pelas vítimas, mas só seguem os bem-sucedidos. Assim mesmo lute por algumas vítimas.

8. O que levamos anos para construir pode ser destruído em instantes. Assim mesmo, construa.

9. As pessoas precisam mesmo de ajuda, mas quando as ajudamos podem nos atacar. Assim mesmo, ajude-as.

10. Dê ao mundo o melhor que tem e levará um soco na cara. Assim mesmo dê ao mundo o melhor que tem.

KENT M. KEITH

É a consciência que constantemente nos diz o valor dos fins e dos meios e como eles são inseparáveis. Mas é o ego que nos diz que os fins justificam os meios, esquecendo que um fim meritório nunca poderá ser atingido por meios desprezíveis. Pode parecer que é possível, há conseqüências não pretendidas que não são vistas ou evidenciadas no início e que destruirão o fim. Por exemplo, uma mãe pode dizer aos filhos para arrumar o quarto e, se o fim desejado for um quarto limpo, será isso que conseguirá. Mas garanto que os meios não só afetarão negativamente a relação, mas o quarto não ficará arrumado se ela viajar por alguns dias.

A sabedoria denota a busca dos melhores fins pelos melhores meios.[10]

FRANCES HUTCHESON

A consciência altera profundamente a visão, a disciplina e a paixão ao nos apresentar ao mundo das relações. Ela nos transfere de um estado independente para outro interdependente. Quando isso acontece, tudo se altera. Percebemos que a sabedoria e os valores precisam ser compartilhados antes que as pessoas se disponham a aceitar a disciplina institucionalizada de estruturas e sistemas que incorporam esses valores compartilhados. Essa visão compartilhada cria disciplina e ordem sem exigi-las. A consciência muitas vezes nos diz o *porquê*, a visão identifica o *que* estamos tentando realizar, a disciplina representa o *como* vamos realizá-lo e a paixão, a força dos sentimentos que estão por trás do porquê, do que e do como.

A CONSCIÊNCIA TRANSFORMA paixão em compaixão. Gera preocupação sincera com os outros, uma combinação de simpatia e empatia, onde a dor de alguém é compartilhada e recebida. A compaixão é a expressão interdependente da paixão. JoAnn C. Jones, colaboradora de *Guidepost*, relata o momento em que um professor da faculdade lhe ensinou a viver e aprender de acordo com as orientações de sua consciência:

> *Estava no segundo ano do curso de enfermagem e o professor passou um teste-surpresa. Eu era uma estudante aplicada e tinha respondido com facilidade as várias perguntas até chegar à última: qual é o nome da faxineira da escola de enfermagem?*
>
> *Só podia ser brincadeira. Já vira várias vezes a faxineira. Era uma mulher alta de cabelos escuros e devia estar por volta dos 50 anos, mas como saberia seu nome? Entreguei a prova deixando a última questão em branco.*
>
> *Antes do fim da aula, um aluno perguntou se a última pergunta valia nota. "Com certeza", disse o professor. "Em suas carreiras vocês vão encontrar muitas pessoas. Todas são importantes. Elas merecem a atenção e o cuidado de vocês, mesmo que tudo o que façam seja sorrir e dar bom-dia."*
>
> *Nunca esquecerei essa lição. Também descobri que o nome dela era Dorothy.*[11]

Quando as pessoas lutam para viver de acordo com sua consciência, obtêm integridade e paz de espírito. William J. H. Boetcker, pastor protestante e palestrante motivacional nascido na Alemanha, disse no início do século XX: "Para manter nosso respeito próprio é melhor desagradar as outras pessoas fazendo o que sabemos ser certo do que agradá-las temporariamente fazendo o que sabemos que é errado." Esse respeito próprio e integridade, por sua vez, geram em quem os possui a capacidade de ser tanto bons quanto corajosos em relação a outras pessoas: *bons*, porque desse modo demonstram maior respeito e reverência pelas outras pessoas, suas opiniões, sentimentos, experiências e convicções; *corajosos*, porque expressamos nossas convicções sem ameaças pessoais. A interação entre opiniões diferentes pode resultar entre terceiras alternativas que são melhores do que as propostas iniciais. Isso é verdadeira sinergia, onde o todo é maior do que a soma das partes.

As pessoas que não vivem de acordo com sua consciência não experimentam essa integridade interna e essa paz de espírito. Elas verificarão que é o ego que controla os relacionamentos. Mesmo que possam fingir ou simular bondade e empatia de tempos em tempos, elas usarão formas sutis de manipulação e poderão até engajar-se em comportamentos bondosos mas ditatoriais.

A vitória privada da integridade é o alicerce da vitória pública do estabelecimento de uma visão, uma disciplina e uma paixão comuns. A liderança se torna um trabalho interdependente mais do que uma interação pouco madura entre dirigentes fortes, independentes, levados pelo ego e seguidores obedientes e dependentes.

FILME: *Stone*

Há um homem em Uganda que ilustra belamente a força que há em permitir que a consciência conduza sabiamente nossa visão, disciplina e paixão. Seu nome é Stone e foi um grande jogador de futebol. O sonho de toda criança ugandense é se tornar um bom jogador de futebol para ser contratado por um clube europeu. Havia europeus cheios de dinheiro observando Stone quando, durante um jogo, alguém lhe deu, propositalmente, um chute que "estourou" o joelho dele. Sua carreira profissional estava acabada.

Stone poderia ter-se tornado uma pessoa revoltada ou vingativa. Ele poderia ter-se tornado alguém ressentido ou então viver de sua celebridade o resto da vida. Mas não foi isso o que fez. Ele escolheu sua resposta. Ele recorreu à sua imaginação (visão) e à sua consciência para inspirar e influenciar garotos e adolescentes "problemáticos" que, de outra forma, poderiam ficar perdidos na vida, sem habilidades que fossem úteis para o mercado, sem modelos de conduta e sem esperança.

Convido o leitor a ver Stone em ação. Quero que sinta seu espírito e perceba seu coração e sua visão. A história de Stone está num pequeno, mas forte, filme, várias vezes premiado, que se encontra no DVD que acompanha este livro. Tenho certeza de que gostará.

Ao assistir ao filme, observe como Stone superou sua tendência cultural de vingança recorrendo aos seus dons de nascença. Veja como ele pagou pessoalmente o preço em termos de sacrifício e disciplina. Veja também como, com incansável paixão, ele buscou os jovens de seu país para que eles pudessem aprender a conduzir sua vidas orientados pela consciência, a partir da visão de se tornar, primeiro, jogadores de futebol, depois economicamente autônomos, e finalmente adultos responsáveis, pais e cidadãos participantes. Observe como eles vão-se tornando cada vez mais independentes de Stone, tornando-se pessoas regidas por princípios (consciência) de profissionalismo, treinamento e participação. Veja finalmente como Stone comunica o valor e o potencial desses jovens de forma tão clara que eles também passam a se ver assim.

Talvez o leitor goste de saber que um colega meu visitou Stone em Uganda, anos depois da realização do filme. Ele contou: "Fiquei impressionado com seu equilíbrio de corpo, mente, coração e espírito. É muito ativo fisicamente, sempre ensinando futebol aos garotos – seis times diferentes por dia! Sua mente é alerta – sempre procurando novas formas de levar adiante sua missão de orientar os jovens rumo a novos horizontes. É cristão, mas mora num bairro muçulmano, e seu senhorio é muçulmano. Suas ações cotidianas levam paz e harmonia ao seu bairro. Socialmente, ele se preocupa com cada criança, pai e pessoas que encontra. Seu caráter e sua profunda integridade me comoveram muito mais do que o filme."

PRIMEIRA PARTE: ENCONTRE A SUA VOZ INTERIOR – SUMÁRIO E DESAFIO FINAL

Ao chegar ao fim desta primeira seção, voltemos atrás e recordemos nossos principais propósitos.

Sabemos que há uma distância dolorosa entre a posse de um grande potencial e a realização concreta de uma vida de grandeza e contribuição – entre estar ciente dos imensos desafios do local de trabalho e desenvolver a força interna e a autoridade moral para superar esses problemas, tornando-nos uma força significativa para sua solução.

Volto a recomendar esta simples maneira de pensar sobre a vida: uma pessoa integral (corpo, mente, coração e espírito) com quatro necessidades básicas (viver, aprender, amar e deixar um legado) e quatro inteligências ou capacidades (física, mental, emocional e espiritual) e suas manifestações mais elevadas (disciplina, visão, paixão, consciência) que, em seu conjunto, representam as quatro dimensões da voz (necessidade, talento, paixão e consciência).

PESSOA INTEGRAL	QUATRO NECESSIDADES	QUATRO INTELIGÊNCIAS/ CAPACIDADES	QUATRO ATRIBUTOS	VOZ
CORPO	**Viver**	**Inteligência física** (QF)	**Disciplina**	**Necessidade** ("Ver" o atendimento de necessidades)
MENTE	**Aprender**	**Inteligência mental** (QI)	**Visão**	**Talento** (Foco disciplinado)
CORAÇÃO	**Amar**	**Inteligência emocional** (QE)	**Paixão**	**Paixão** (Gostar de fazer)
ESPÍRITO	**Deixar um legado**	**Inteligência espiritual** (QS)	**Consciência**	**Consciência** (Fazer o que é certo)

À medida que respeitamos, desenvolvemos, integramos e equilibramos essas quatro inteligências e suas manifestações mais elevadas, a sinergia entre elas acende o fogo interior e encontramos nossa voz. Talvez seja interessante conhecer como cheguei à idéia e à linguagem de "o fogo interior" no livro *Primeiro o mais importante*, escrito em colaboração com Roger e Rebecca Merrill. Anos depois, o Comitê Organizador das Olimpíadas de Inverno de 2002, que tiveram lugar em Salt Lake, me procurou pedindo licença para usar como tema central dos jogos a expressão "Acenda o fogo interior", para retratar o magnífico potencial do espírito humano. Algumas semanas depois dos jogos, o presidente do comitê, Mitt Romney, me disse que foi a primeira vez na história dos jogos olímpicos, em seu conhecimento, que os organizadores conseguiram encontrar um tema identificador duradouro que realmente "deitou raízes" nos corações e mentes dos atletas, dos voluntários e dos espectadores de todo o mundo.

No Capítulo 1, sugeri que a *voz* (ver Figura 5.4) está na interseção do *talento* (dons e forças naturais), da *paixão* (aquilo que naturalmente nos energiza, empolga, motiva e inspira), da *necessidade* (incluindo o que o mundo precisa a ponto de se dispor a pagar por isso) e da *consciência* (essa pequena voz que nos mostra o que é certo e nos impele a fazê-lo). Também disse que, quando nos engajamos num trabalho (profissional, comunitário, familiar) que usa nossos talentos e alimenta nossa paixão – que decorre de uma grande *necessidade* do mundo que a consciência nos leva a atender –, é ali que está nossa voz, nossa vocação, o código de nossa alma.

Talvez o leitor tenha observado a semelhança entre essas quatro dimensões da voz e os quatro atributos da liderança, visão, disciplina, paixão e consciência

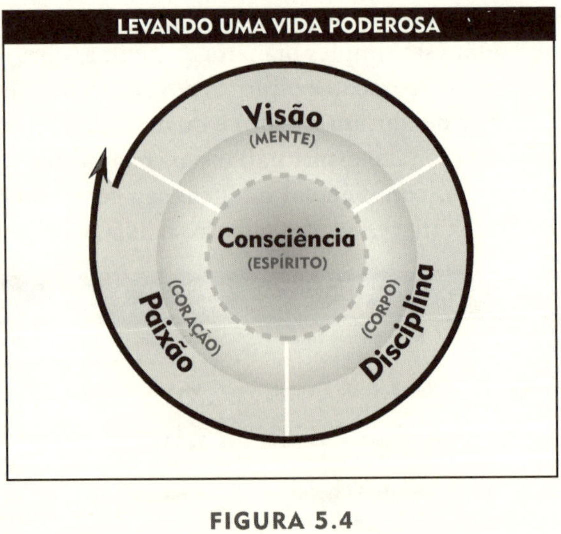

FIGURA 5.4

(ver Figura 5.5). Dois dos termos, paixão e consciência, são idênticos. Os outros dois, *talento* e *necessidade*, são paralelos a *disciplina* e *visão*. De fato, se movermos o círculo da "consciência" (sombreado para indicar seu lugar central, relevante) na Figura 5.4 para o centro, teremos essencialmente o mesmo modelo.

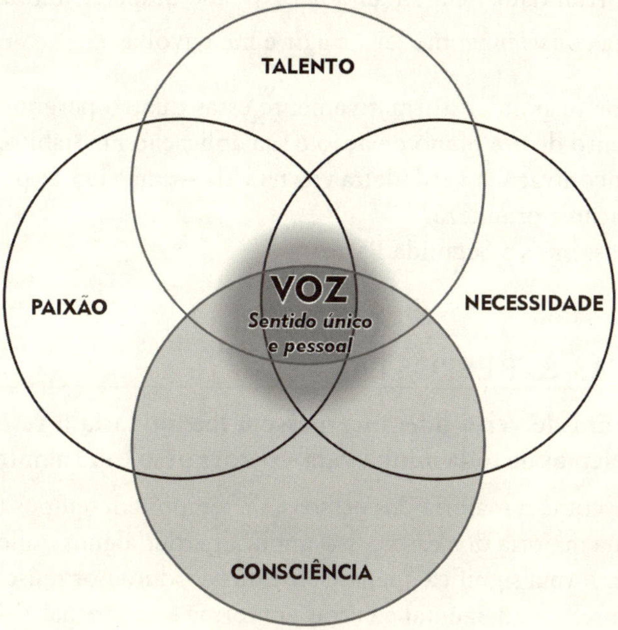

FIGURA 5.5

Essas quatro dimensões da *voz* são belamente ilustradas pela história de Muhammad Yunus. Como ele encontrou sua voz? Primeiro ele sentiu uma *necessidade*. A voz da *consciência* o levou a agir. Como seu talento combinava com a necessidade, ele *disciplinou* seu *talento* para oferecer uma solução. O trabalho envolvido na solução não apenas fez uso de seu talento, mas também arrebatou sua *paixão*. Da *necessidade* surgiu a *visão* – a de multiplicar a capacidade de pessoas e instituições para atender necessidades semelhantes em torno do mundo, e assim inspirá-las a encontrar a voz *delas*.

Ao final da Primeira Parte, quero fazer uma promessa aos leitores e lançar um desafio. A promessa: se o leitor aplicar estes quatro elementos – talento (disciplina), necessidade (visão), paixão e consciência – a qualquer papel de sua vida, ele encontrará sua voz nesse papel. Meu desafio: escolha dois ou três dos principais papéis de sua vida e, para cada um deles, faça-se as seguintes perguntas:

1. Que *necessidade* sinto (em minha família, comunidade, organização em que trabalho)?
2. Tenho algum *talento* verdadeiro que, se disciplinado e aplicado, pode atender à necessidade?
3. A oportunidade de atender à necessidade desperta minha *paixão*?
4. Minha *consciência* me leva a agir e me envolver?

Se o leitor responder afirmativamente estas quatro perguntas e tornar o desenvolvimento de um plano de ação e sua aplicação um hábito, garanto que começará a encontrar sua verdadeira voz na vida – uma vida de profundo significado, satisfação e grandeza.

Agora, passemos à Segunda Parte.

PERGUNTAS & RESPOSTAS

- **Esta maneira de ver a liderança pessoal me ajudaria a resolver um dos grandes problemas de toda minha vida – perder peso e me manter em forma?**

Se o leitor for como a maioria das pessoas, de tempos em tempos tentará entrar em forma e, na maioria dos casos, isso implica perder alguns quilos. Muitas vezes, entrar em forma significa apenas substituir gordura por músculo. Não obstante, nossa tarefa fundamental é entrar em forma e nos tornar fisicamente saudáveis, fortes e bem-dispostos. Essa é a visão. Qual é a disciplina? Em geral, ela envolve um rigoroso programa de exercícios, alimentação adequada, repouso e gerenciamento do estresse. A paixão representa a profundeza do sentimento, o compromisso emocional e o esforço. A consciência nos proporciona as razões, os motivos relevantes da manutenção da boa saúde, para que possamos viver mais, prover adequadamente as necessidades de nossa família, ajudar a criar nossos netos ou simplesmente sentir-nos melhor. Se a motivação for apenas externa – melhorar a aparência, vaidade, chegada do verão, resoluções de Ano Novo etc. –, ela muitas vezes perderá sua força e não conseguirá se sustentar porque a causa não merece tanta dedicação total. Antes de comer um alimento inadequado, acostume-se a dizer internamente: "Minha tentação é emocional e resistir aumentará minha perda de peso e fortalecerá meu caráter. Além disso, não é tão gostoso quanto ser magro."

É muito comum ficarmos desestimulados se fixamos um objetivo de perda de peso e, depois de alguns dias, ou até horas, o abandonamos. Muitos dizem: "Não tenho disciplina." Na minha experiência, o problema não é a disciplina, mas sim que não pagamos ainda o preço com a visão – então também não estamos conectados com nossos valores e motivações mais profundos (consciência), com o que é mais importante para nós. Ilustrarei esta idéia com o caso de um amigo meu:

Trabalhava arduamente visando à minha carreira. Ao chegar aos 45 anos, era bastante bem-sucedido. Também tinha 30 quilos a mais, comia compulsivamente nos períodos de estresse e, por causa do trabalho, não tinha tempo de fazer exercício com regularidade. Quando fez cinco anos, meu filho Logan me deu um livro sobre a beleza da vida saudável. Dentro, a mãe o tinha ajudado a escrever estas palavras: "Papai, como presente de aniversário quero que você esteja saudável. Quero ter você por perto durante muito tempo." Um verdadeiro soco no estômago. Ouch!

O pedido de meu filho mudou completamente minha perspectiva de vida. A alimentação e a falta de exercícios físicos regulares não eram mais uma questão de escolha individual. Vi de repente que estava deixando um legado muito pouco saudável para meus filhos. Estava passando-lhes a idéia de que o corpo não tem importância, de que o autocontrole não tem importância, que a única coisa pela qual valia a pena trabalhar arduamente nesta vida era o dinheiro e o prestígio. Percebi que meu dever para com meus filhos envolvia mais do que apenas cuidar de suas necessidades físicas, financeiras e emocionais. Também envolvia apresentar-lhes modelos saudáveis nos quais pudessem espelhar suas vidas. E eu não estava fazendo isso.

Assim, prometi a mim mesmo manter-me saudável para meus filhos. Não apenas perder peso, mas manter-me saudável. Isso foi fundamental no meu caso. Meu compromisso tinha que ser com algo que tivesse verdadeiro valor para mim. Já tinha experimentado muitas dietas e programas de exercícios. Em geral, isso funcionava até que surgisse um período de estresse. Ter a perda de peso como motivação não era o suficiente no meu caso. Mas meus filhos são muito importantes. Tão importantes que posso decidir fazer escolhas saudáveis. Eu queria ter saúde, energia para brincar com as crianças depois do trabalho, ser capaz de participar do torneio de futebol de salão da empresa e não ficar sem fôlego antes do primeiro tempo. Para atingir esse objetivo, elaborei uma dieta e um programa de exercícios. Eles não eram o fundamental. O fundamental era estar saudável para meus filhos. Decidi dividir meu objetivo com alguém que também quisesse manter-se saudável. Agora, trabalhamos juntos num programa de exercícios. Estou determinado a deixar um tempo livre para cumprir minhas metas. Aprendi a saber quando parar de trabalhar e a estar atento às necessidades de meu corpo.

Faz dois anos que mudei minha forma de pensar. Já não tenho dificuldade em acordar de manhã. Os exercícios são quase uma segunda natureza. Não procuro pretextos para fugir dos exercícios, como fazia no início. É verdade que ainda há dias em que não me saio muito bem. Penso que estou cansado, que meu tendão está machucado, que tenho dor de cabeça, que o calor é muito. Há dias em que desisto de correr. Mas agora é muito mais fácil retomar o ritmo. Como tenho um objetivo muito maior, um compromisso com alguém que amo mais do que a mim mesmo, volto aos eixos com facilidade.

- **E para conseguir um emprego?**

Entrar em forma é, essencialmente, um esforço independente. Conseguir o emprego que desejamos é sem dúvida um esforço interdependente que precisa do efetivo envolvimento da influência de outras pessoas.

Mas pensemos, agora, como conseguir o emprego que queremos do ponto de vista dos mesmos quatro atributos da influência pessoal: visão, disciplina, paixão e consciência. A chave está nos quatro. Negligenciando um deles, teremos muito mais dificuldade em conseguir o emprego que queremos e, se o conseguirmos, muito provavelmente não seremos capazes de sustentar nossos compromissos e dar conta do que é exigido de nós.

Imaginemos que o mercado de trabalho esteja passando por uma fase difícil e que a maioria dos empregadores está demitindo, e não contratando – especialmente no ramo de atividade e na cidade em que queremos trabalhar e morar. Como conseguir o emprego que queremos?

Primeiro, para ter pelo menos uma visão, precisamos saber qual é esse emprego. É preciso usar a disciplina para descobrir o que esse emprego envolve. É preciso disciplina para entender o cargo, a organização em que queremos nos empregar, os requisitos específicos do cargo e o mercado, para poder entender as forças que estão em jogo, incluindo os concorrentes, os desejos e necessidades dos clientes, e as características e tendências do ramo de atividades. Em outras palavras, precisamos pagar o preço para entender os desafios e problemas enfrentados pela organização a que queremos pertencer.

A seguir, temos que identificar onde está nossa paixão, isto é, esse emprego reflete de modo singular nosso talento, nossos dons, interesses, capacidades e qualificações? Sendo assim, nossa consciência acha que esse emprego vale a pena? Podemos nos imaginar trabalhando desse modo?

Depois deste trabalho preliminar, estaremos prontos para a entrevista – não como mais um problema com que o entrevistador terá que lidar, mas como uma solução para os problemas que os executivos estão enfrentando.

É preciso mostrar que entendemos seus principais problemas melhor do que muitas das pessoas que lá estão empregadas. É preciso mostrar um nível de paixão e dedicação para cuidar da situação maior do que a maioria das pessoas lá empregadas. Se necessário, podemos sugerir um período de experiência, mesmo à nossa custa, até que eles se convençam de que somos uma melhor solução para o problema deles do que qualquer outra pessoa que eles estejam entrevistando ou já tenham empregado, simplesmente porque somos líderes. Tomamos a iniciativa de fazer acontecer boas coisas. Não esperamos que nos digam o que fazer. Nem sempre esperamos instruções. Agimos, mas somos ponderados em nossas ações. Somos muito conscientes. Somos muito sensíveis. Mostramos empatia e respeito.

Também nos envolvemos na busca de emprego a partir de nossos princípios. Não há exageros para impressionar, nem fingimentos, nem manipulações, nem mentiras, nem trapaças, nem duplicidade, nem passamos rasteiras em outras pessoas. Ficamos concentrados nas necessidades da organização, em suas preocupações, seus problemas e nas necessidades, preocupações e problemas dos clientes. Falamos essa língua.

Quem quer que adote esse procedimento com um executivo terá sua atenção e, na maioria dos casos, o impressionará com sua preparação, disciplina e disposição para pagar o preço e o sacrifício.

No correr dos anos, tenho dado essa orientação repetidas vezes a muitas pessoas. Um pequeno percentual a adotou e em quase todos os casos conseguiu o emprego que desejava. Também recomendo que as pessoas leiam a última edição de *What Color Is Your Parachute?*, de Richard Bolles, para entender melhor esse processo.

- **Como conseguir a uma vida equilibrada?**

Sucessivos levantamentos indicam que uma das maiores dificuldades da maioria das pessoas é alcançar o equilíbrio de sua vida. As pessoas tendem a concentrar-se tanto no trabalho e em outras atividades prementes que os relacionamentos e as atividades que elas mais apreciam acabam sendo postos de lado. Elas acabam viciadas em urgência.

Ilustrarei uma solução com a história de um homem que caiu no rodamoinho da urgência. Observe que ele demorou a pensar no que era mais importante para ele (consciência, visão e paixão) e então usou esses critérios para decidir de modo criativo como organizar sua vida para que estivesse em harmonia com suas prioridades (disciplina) e alcançasse o equilíbrio que desejava. Observe também que a solução foi encontrada em sinergia com sua esposa. Aqui está a história nas palavras de seu protagonista:

> *Sempre fui muito chegado à minha mãe. Passamos juntos por muita coisa e isso estreitou muito nossa relação. Durante certo tempo, apesar de gostar muito dos mo-*

mentos que passávamos juntos, meus compromissos com o trabalho, a comunidade e minha família me ocupavam completamente. Estava tão atarefado que se passavam semanas sem que eu pelo menos telefonasse para saber notícias dela. E quando dava um jeito de fazer uma visita, mal começávamos a conversar, já estava na hora de ir embora. Outra reunião à qual comparecer, outro prazo a cumprir. Meus contatos com essa maravilhosa mulher iam ficando cada vez mais espaçados.

Minha mãe nunca exigiu visitas mais freqüentes, mas eu não estava satisfeito com a situação. Sabia que minha vida ficaria fora de controle se não conseguisse visitar regularmente minha mãe. Então, minha esposa e eu começamos a pensar numa possível solução. Ela sugeriu que eu agendasse um tempo, mais ou menos toda semana, que atendesse nossa família e minha mãe. Quando consultamos nossas agendas, verificamos que minha mulher tinha ensaio do coral toda quarta-feira. Então, esse horário passou a ser o que eu dedicaria à minha mãe.

Agora, ela sabe que quase toda semana eu a visitarei num dia e horário predeterminados. Não vou sair correndo depois de dez minutos e não seremos interrompidos. Se ela quiser fazer um pouco de exercício, caminharemos juntos. Outras vezes, ela prepara um jantar para mim. Às vezes eu a levo ao shopping, que fica um pouco distante. Não importa o que a gente faça, sempre conversamos, sobre a família, sobre acontecimentos recentes, sobre lembranças do passado.

Todas as noites que passo com minha mãe são um oásis de paz em minha vida atarefada. Digo para minha mulher que essa é uma das melhores idéias que ela já me deu.

Esta pequena história cheia de sentimento é apenas uma ilustração do que podemos fazer quando concentramos nossos corações e mentes naquilo que realmente importa e então vivemos com integridade para realizá-lo. Quando meu pai faleceu, resolvi que iria manter e até fortalecer a relação especial que tinha com minha mãe por causa do novo vazio que havia em sua vida. Resolvi que, embora viajasse muito, iria lhe telefonar diariamente, pelo resto da vida, de qualquer lugar em que me encontrasse. Embora morássemos a uma distância de cem quilômetros, também iria fazer força para visitá-la pelo menos a cada duas semanas. Ela viveu mais dez anos e não tenho palavras para expressar minha profunda gratidão por sua vida e pelos maravilhosos momentos que passamos juntos.

Descobri que, quando nos comunicamos regularmente com outra pessoa, chegamos a um nível de entendimento que atinge todos os matizes. Verifiquei que os telefonemas diários não eram muito diferentes de nossas visitas quinzenais; sentíamo-nos tão próximos e tão autênticos um em relação ao outro como quando estávamos juntos. Era como uma conversa contínua. Não havia grande diferença entre nossos papos pessoais ou telefônicos, o que me surpreendeu porque eu acreditava que nada poderia substituir contatos cara a cara. Tenho certeza que, em certo sentido, isso é correto. Como cada conversa contém o efeito cumulativo das conversas anteriores, há pouco o que atualizar. Antes, podemos dividir vivências e sentimentos profundos mais do que simples acontecimentos. Há nesse tipo de conversa uma cumplicidade que é uma revelação de nosso eu mais íntimo.

Como o cavalheiro da história anterior, também eu me beneficiei imensamente de uma esposa muito companheira e compreensiva que tem a "mentalidade da abundância". Sandra, minha esposa, não vê a vida como uma fatia de bolo em que só há tanto tempo, onde o tempo que eu passava com minha mãe representaria tempo que lhe era subtraído. Ela via o tempo que eu passava com minha mãe como algo que aumentaria a profundidade de nossa relação.

Quando mamãe faleceu, pusemos na lápide um verso do soneto 29 de Shakespeare: "Pois tão doce é lembrar o que valeis...". Recomendo ao leitor a lenta e atenta leitura deste soneto. Deixe que sua imaginação absorva a magnificência e o significado de cada verso:

Quando malquisto da fortuna e do homem
    Comigo a sós lamento o meu estado,
E atiro aos céus os ais que me consomem,
    e olhando para mim maldigo o fado;
Vendo outro ser mais rico de esperança,
    Cobiçando o seu porte e os seus amigos,
Se desejo a arte de um, de outro a bonança;
    Descontente dos sonhos mais antigos;
Se desprezado e cheio de amargura
    Penso um momento em vós, logo, feliz,
(Como a ave que abre as asas para a altura)
    Esqueço a lama que o meu ser maldiz:
Pois tão doce é lembrar o que valeis,
    Que esta sorte eu não troco nem com reis.

Talvez a forma mais elevada de trazer equilíbrio à vida seja a família. A primeira e mais exigente forma de crescimento pessoal também transcorre na família e oferece a maior contribuição à sociedade.

Acredito, como disse um sábio líder, que o trabalho mais importante que fazemos no mundo é aquele que executamos entre as paredes de nosso lar. David O. McKay ensinou: "Nenhum sucesso pode compensar o fracasso no lar".[12] Minhas convicções a respeito da importância da família são tão profundas e fortes que me levaram há alguns anos a escrever o livro *Os 7 Hábitos das Famílias Altamente Eficazes*.

A criação dos filhos é a responsabilidade de liderança mais importante da vida e nos proporcionará os mais altos níveis de felicidade e alegria. E quando a verdadeira liderança – isto é, a visão, a disciplina, a paixão e a consciência – não se manifesta nessa tarefa será fonte das maiores tristezas e desapontamentos.

Fico impressionado como pequenos ajustes feitos no correr da vida, em termos de visão, disciplina, paixão e consciência, podem ter conseqüências tão grandes. Acredito que no futuro todos nós ficaremos tanto admirados quanto entristecidos ao perceber como essas pequenas mudanças poderiam ter gerado resultados tão grandes.

Considero que, para os pais, instilar um sentido de visão e possibilidade na família, exercendo a disciplina e o sacrifício que permitem alcançar essa visão e superar os momentos difíceis com muita paixão, energia e dedicação, tudo de acordo com a consciência, é o melhor e mais essencial teste de liderança. Se parte da visão consiste em ver a cultura familiar transmitida de geração em geração, talvez somente isso baste para que nossas vidas sejam realizadas e prazerosas, mesmo que não façamos mais nada. Mas se falhamos nisso, podemos descobrir que o sucesso em outras áreas não é suficiente para compensar adequadamente nosso fracasso. Muitas vezes, penso nas pungentes palavras de John Greenleaf Whittier: "De todas as tristes palavras saídas da boca e da pena, as mais tristes são estas: poderia ter sido!"[13] Mas alguém também disse: "Nunca é tarde demais para nos tornarmos o que poderíamos ter sido."

Parte 2

INSPIRE OS OUTROS A ENCONTRAR AS VOZES DELES

Capítulo 6

INSPIRE OS OUTROS A ENCONTRAR AS VOZES DELES – O DESAFIO DA LIDERANÇA

Na vida de todos nós, em algum momento,
o fogo interior se apaga.
Então se acende novamente quando
encontramos outro ser humano.
Deveríamos estar gratos a essas pessoas
que reacendem o espírito interior.
ALBERT SCHWEITZER

NA JUVENTUDE TIVE UM encontro com um líder que afetou profundamente o resto de minha vida. Tinha decidido interromper temporariamente os estudos para participar de um serviço voluntário prolongado. Tive um convite para ir à Inglaterra. Exatamente quatro meses e meio depois da minha chegada, o presidente da organização me procurou e disse: "Tenho uma nova tarefa para você. Quero que viaje pelo país dando treinamento a líderes locais." Fiquei assustado. *Quem era eu* para treinar líderes que tinham duas ou três vezes minha idade. Sentindo minhas dúvidas, ele me olhou nos olhos e disse: "Confio muito em você. Você pode incumbir-se da tarefa. Vou lhe passar um material que o ajudará a ensinar a esses líderes e a facilitar a troca mútua de melhores práticas entre eles."

Sua confiança, sua capacidade de ver em mim muito mais do que eu via, sua disposição para me confiar uma responsabilidade que era tão grande desencadearam algo dentro de mim. Aceitei a tarefa e dei o melhor de mim. Utilizei meus recursos físicos, mentais, emocionais e espirituais. Cresci. Vi outros crescerem. Vi padrões nos princípios básicos de liderança. Quanto voltei para casa, estava começando a descobrir o trabalho ao qual queria dedicar minha vida: liberar o potencial humano. Encontrei minha "voz". E foi meu líder que me inspirou a encontrá-la.

Percebi, com o tempo, que eu não era o único que ele tinha tratado desse modo. A maneira como afirmava os outros, sua capacidade de unir-nos numa visão de nosso trabalho que nos inspirava e motivava, sua forma de proporcionar-nos recursos e delegar-nos o papel de verdadeiros líderes com responsabilidade e cobrança se tornaram a norma em toda nossa organização. Começamos a liderar e a servir os outros do mesmo modo e os resultados foram notáveis.

Desde então, verifiquei que os princípios que orientavam sua liderança são comuns aos grandes líderes de qualquer organização, independentemente do nível ou da posição formal da pessoa. No ensino, na consultoria e nas funções de liderança em organizações empresariais, acadêmicas, voluntárias e religiosas – e especialmente na minha família –, aprendi que a influência da liderança é regida por princípios. Quando vivemos de acordo com eles, nossa influência e nossa autoridade moral aumentam e muitas vezes recebemos ainda mais autoridade formal. A parábola bíblica dos talentos ilustra o fato de que, quanto mais usamos e aumentamos os talentos ou dons que nos foram dados, mais dons e talentos nos são concedidos. Mas se eles forem ignorados ou enterrados e não forem desenvolvidos e utilizados, esses mesmos talentos ou dons que nos foram dados se perderão e muitas vezes passarão para outros. Portanto, não apenas acabamos perdendo os talentos, como também influência e oportunidades.

A DEFINIÇÃO DE LIDERANÇA

Dito de forma simples – no nível mais elementar e prático –, *liderar é comunicar às pessoas seu valor e seu potencial de forma tão claras que elas acabem por vê-los em si mesmas*. Pense nesta definição. Não é a essência do tipo de liderança que influencia e é realmente duradoura? Comunicar o valor e o potencial de outras pessoas de modo tão claro, tão forte e tão coerente que elas os vejam em si mesmas é pôr em movimento o processo de *ver, fazer e tornar-se*.

> Liderar é comunicar às pessoas seu valor e seu potencial de forma tão claras que elas acabem por vê-los em si mesmas.

Que forma de pensar sobre o insubstituível *papel dos avós*, e de defini-lo! O papel mais essencial dos avós é transmitir, de todos os modos possíveis, o valor e o potencial de seus filhos, netos e bisnetos de forma clara, para que eles acreditem realmente e possam agir em conseqüência. Se este espírito se espalhar em nossa cultura e em nossa sociedade, o impacto na civilização mundial seria inimaginavelmente magnífico e infindável.

Vejamos mais profundamente o meio mais comum e contínuo – depois dos relacionamentos – de comunicar às pessoas seu valor e seu potencial: *a organização*.

A definição de organização

Ao passar para a Segunda Parte de *O 8º Hábito*, entramos no domínio da liderança. Repetindo, não se trata de liderança como uma posição formal, mas de liderança como a escolha de lidar com as pessoas de forma a comunicar-lhes seu valor e seu potencial de modo tão claro que elas acabem por vê-los em si mesmas. No que diz respeito a este tipo de liderança na *organização*, gostaria de ressaltar quatro pontos bastante simples:

1. No nível mais elementar, uma organização não é nem mais nem menos do que uma *relação com um propósito (sua voz)*. Esse propósito visa atender às necessidades de uma ou mais pessoas ou interessados. A organização mais simples pode ser composta de duas pessoas que compartilham um propósito, como numa pequena sociedade empresarial ou num casamento.
2. Quase *todas* as pessoas pertencem a uma organização de qualquer tipo.
3. A *maioria* do trabalho é feita em, e por meio de, organizações.
4. O maior desafio dentro das organizações, incluindo as famílias, é estabelecê-las e pô-las a funcionar de modo que permita a cada pessoa sentir interiormente seu valor inato e seu potencial de grandeza e de participação com seus talentos e sua paixão – em outras palavras, sua voz –, para atingir o propósito e as mais altas prioridades da empresa, de forma centrada em princípios. Poderíamos denominar isto de *Desafio da Liderança*.

Em resumo, uma organização é composta por pessoas que se *relacionam* e têm um *propósito comum*. Vemos então que este marco organizacional se aplica a cada um de nós.

GERENCIAMENTO E/OU LIDERANÇA?

Literalmente, centenas de livros e milhares de artigos sobre liderança foram publicados nos últimos anos. Isto mostra a importância do tema. A liderança é realmente a arte da *capacitação*. O propósito das escolas é educar as crianças, mas, se a liderança for ruim, a formação também o será. O propósito da medicina é ajudar as pessoas a se sentirem bem, mas com liderança ruim, a medicina também o será. Poderíamos enfileirar exemplos para mostrar que a liderança é a mais elevada das artes simplesmente porque *capacita* para o exercício de todas as outras artes e profissões. Isso é especialmente verdadeiro no caso da família.

Passei a vida estudando, ensinando e escrevendo sobre liderança e gestão. E de fato, ao me preparar para escrever este livro, comecei a fazer uma revisão da bibliografia sobre as teorias da liderança no século XX. Ao final deste livro, incluí o Apêndice 2.

Como parte desse trabalho, coletamos declarações de autores destacados que descreveram a diferença entre liderança e gerência. A seguir, uma pequena amostra (Quadro 2). A coleção completa constitui o Apêndice 3.

Liderança	Gerência
"Os líderes são as pessoas que fazem certo as coisas."	"Os gerentes são as pessoas que fazem as coisas certas."
WARREN BENNIS	
"Liderança é enfrentar a mudança."	"Gerência é enfrentar a complexidade."
JOHN KOTTER	
"A liderança é algo que tem um jeito cinestésico, um sentido de movimento..."	"Gerenciar é 'lidar' com coisas, manter a ordem, organizar e controlar."
KOUZES e POSNER	
"... Os líderes se preocupam com o que as coisas significam para as pessoas."	"Os gerentes se preocupam com que as coisas sejam feitas"
ABRAHAM ZALEZNIK	
"Os líderes são os arquitetos."	"Os gerentes são os construtores."
JOHN MARIOTTI	
"A liderança se concentra na criação de uma visão comum..."	"A gerência é o projeto do trabalho... tem a ver com controle..."
GEORGE WEATHERSBY	

TABELA 2

Essa revisão de literatura reforçou em mim a idéia de que gerência *e* liderança são vitais – e que qualquer delas sem a outra é insuficiente. Houve momentos na vida em que caí na armadilha de dar demasiado destaque à liderança e negligenciar a importância da gerência. Tenho certeza de que, isso aconteceu porque se tornou muito evidente para mim que na maioria das organizações, incluídas as famílias, há um excesso de gerenciamento e uma desesperadora falta de liderança. Essa constatação foi uma das principais forças que motivaram meu trabalho profissional e me levaram a me concentrar nos princípios da liderança. Não obstante, acabei tendo que lembrar o papel fundamental desempenhado pelo gerenciamento.

Aprendi (com sofrimento) que não podemos "liderar" coisas. De fato, foi somente quando passei a gestão de minha empresa para meu filho Stephen e uma equipe, que compensaram minhas fraquezas, que ela se tornou lucrativa. Não podemos liderar estoques, fluxos de caixa e custos. Temos que gerenciá-los. Por quê? Porque as coisas não têm capacidade e liberdade para escolher. Só as pessoas as têm. Portanto, *lideramos* (damos poder) as pessoas. *Gerenciamos e controlamos as coisas*. A seguir, uma lista do tipo de coisas que precisam de gerenciamento:

QUE COISAS PRECISAM SER GERENCIADAS (CONTROLADAS)?

COISAS SEM LIBERDADE DE ESCOLHA

Dinheiro	Estruturas	Recursos físicos
Custos	Sistemas	Instalações
Informações	Processos	Ferramentas
Tempo	Estoques	

ÀS VEZES...

"As pessoas" decidem ser gerenciadas sob sua própria liderança (muitos profissionais autônomos e outros produtores).

FIGURA 6.1

Essa revisão de literatura também me lembrou do quanto fui influenciado por muitas dessas grandes mentes e desses grandes mestres no correr dos anos. Tenho uma grande dívida de gratidão para com eles. Minhas vivências e o ensino também me levaram a concluir que a chave para entender o comportamento organizacional é não estudá-lo isoladamente. É preciso estudar e entender a *na-*

tureza humana. Uma vez que entendermos os elementos fundamentais da natureza humana, temos a chave que liberará o potencial que há dentro das pessoas e das organizações. É exatamente por isso que o Paradigma da Pessoa Integral – simbolizada por corpo, mente, coração e espírito – é da maior importância para entender as organizações, bem como as pessoas. Num sentido muito real, não há comportamento organizacional. O que há é comportamento *individual* coletivizado nas organizações.

"E daí?", perguntará o leitor. O que é que essa teoria tem a ver com os desafios que enfrento dia sim, dia não? Por que é tão necessário entender as organizações para entender e resolver melhor meus problemas?

A resposta mais simples, quase óbvia, é que as duas coisas estão profundamente inter-relacionadas. Todos vivemos e trabalhamos em algum tipo de organização, incluindo a família. Precisamos de *contexto* para entender a nós mesmos.

Como mencionado anteriormente, todas as organizações, até as melhores, estão totalmente cheias de problemas. Trabalhei com milhares delas. Até aquelas que mais admiro têm alguma dificuldade. E o interessante é que, em sua maioria, os problemas são muito parecidos. Certamente, há personalidades e circunstâncias singulares ligadas aos problemas. Mas, quando chegamos ao fundo, a maioria dos problemas tem raízes comuns. Peter Drucker disse:

> Sem dúvida há diferenças na gestão de diferentes organizações – afinal, a missão define a estratégia e esta define a estrutura. Mas as diferenças entre o gerenciamento de uma rede varejista e o de uma diocese da Igreja Católica são muito menores do que imaginam os executivos da rede ou os bispos. As diferenças são mais de aplicação do que de princípios. Os executivos de todas essas organizações gastam, por exemplo, o mesmo tempo com problemas de pessoas – e os problemas das pessoas são quase sempre os mesmos.
>
> Tanto faz que sejamos gerentes de uma empresa de software, de um hospital, um banco ou uma organização de escoteiros, as diferenças abrangem cerca de 10% de nosso trabalho. Esses 10% são determinados pela missão específica da organização, sua cultura, sua história e seu vocabulário. O resto é praticamente intercambiável.[1]

Meu objetivo na Segunda Parte é ajudar o leitor a descobrir como, ao trabalhar e lutar para resolver seus desafios e problemas pessoais, ele pode aumentar substancialmente *sua* influência e a de sua organização – seja esta uma equipe, um departamento, uma divisão ou a organização inteira, incluindo sua família.

Comecemos examinando a natureza dual do problema que enfrentamos. Antes de fazê-lo, convido o leitor a voltar sua mente para a energia que se fará necessária para abraçar nossos complexos desafios organizacionais. E o farei com duas citações. A primeira é a observação de Albert Einstein já mencionada, “Os principais problemas com que nos deparamos não podem ser resolvidos no mesmo nível de pensamento que tínhamos quando os criamos”. Temos um novo paradigma da natureza humana – a pessoa integral – corpo, mente, coração e espírito. Vimos que ele contrasta fortemente com o paradigma da “coisa”, do controle da Era Industrial. É necessário ter essa visão da “pessoa integral” para entender e resolver os problemas que enfrentamos na organização.

A segunda citação é de Oliver Wendell Holmes. Ele disse: “Não daria um centavo pela simplicidade que está aquém da complexidade, mas daria meu braço direito pela simplicidade que está além da complexidade.” O que isto quer dizer é que os desafios significativos não podem ser resolvidos por pequenos programas quebra-galho simplistas ou por slogans e fórmulas aparentemente psicológicas. Precisamos *ganhar* uma compreensão da *natureza* e da raiz do problema com que nos deparamos nas organizações e, do mesmo modo, ganhar esse conhecimento examinando os *princípios* que regem as soluções incorporando ao nosso caráter a nova mentalidade e o novo conjunto de habilidades que representam. Isto exigirá um verdadeiro esforço. Mas asseguro que, se o leitor perseverar, ganhará uma poderosa combinação *simples* e clara de CONHECIMENTO, ATITUDES e HABILIDADES – os três elementos do HÁBITO – que lhe permitirão enfrentar os novos desafios do novo mundo. O leitor terá desenvolvido o 8º Hábito que libera o potencial humano.

ABALOS SÍSMICOS GLOBAIS

Ao passar a procurar um entendimento mais profundo do desafio organizacional, convido o leitor a considerar sete abalos sísmicos que caracterizam a nova Era do Trabalhador do Conhecimento. Neles, o leitor encontrará o contexto do local de trabalho dos dias de hoje e seus desafios *pessoais*.

- *A globalização dos mercados e das tecnologias*: novas tecnologias estão transformando a maioria dos mercados locais, regionais e nacionais em mercados globais sem fronteiras.
- *O surgimento da conectividade universal*: em seu livro *Blown to Bits* (*A Explosão dos Bits*), Evans e Wurster afirmam: “Os canais de comunicação exclusivos, estreitos, ligados fisicamente, que unem pessoas ou empresas, se tornaram obsoletos da noite para o dia. E com eles, as próprias

estruturas empresariais que criaram ou exploraram esses canais também se tornaram obsoletas. Em resumo, aquilo que tradicionalmente unia todas as nossas atividades econômicas está se derretendo rapidamente sob o calor da conectividade universal. E isso irá separar, pela primeira vez na história, o fluxo da informação do fluxo das coisas."[2]

- *A democratização das informações/expectativas*: ninguém gerencia a Internet. É uma mudança de maré de proporções globais. Pela primeira vez na história, a pura voz do espírito humano soa em milhões de conversações não-editadas que se espalham sem fronteiras. A informação em tempo real conduz as expectativas e a vontade social, que em última análise conduzem a vontade política que afeta cada pessoa.
- *Um aumento exponencial da concorrência*: as tecnologias da Internet e dos satélites tornam qualquer pessoa conectada um concorrente em potencial. As organizações precisam desenvolver continuamente formas melhores de concorrer contra os custos mais baixos do trabalho e da matéria-prima, as inovações mais aceleradas, a maior eficiência e a qualidade mais aprimorada. As forças da livre empresa e da concorrência estão elevando a qualidade, reduzindo os custos e promovendo maior rapidez e flexibilidade a fim de realizar o trabalho que o cliente pede de nós. Ninguém pode dar-se ao luxo de simplesmente comparar-se aos concorrentes ou até pensar apenas em termos de excelência; é preciso estar sintonizado com a "classe mundial".
- *A transferência da criação de riqueza do capital financeiro para o capital intelectual e social*: a criação de riqueza passou do dinheiro para as pessoas – do capital financeiro para a noção-síntese de capital humano (tanto intelectual quanto social) que abarca todas as dimensões. Mais de dois terços do valor agregado aos produtos provêm, nos dias de hoje, do trabalho do conhecimento; há 20 anos essa participação era de menos de um terço.
- *Liberdade de ação*: as pessoas estão ficando cada vez mais informadas, atentas e conscientes das opções e alternativas. O mercado de emprego está-se tornando um mercado de autônomos e as pessoas percebem cada vez mais opções. Os trabalhadores do conhecimento resistirão aos esforços gerenciais para rotulá-los e cada vez mais estarão determinados a se rotular.
- *Turbilhão permanente*: vivemos em um ambiente que está em contínua mutação, em permanente agitação. Nesse turbilhão, cada pessoa precisa ter dentro de si algo que oriente suas decisões. Elas precisam entender independentemente os propósitos e os princípios que guiam a equipe ou organização. Se tentamos gerenciá-las, elas não nos ouvirão. O ruído, o estrondo, a urgência de todos os desafios dinâmicos com que nos deparamos serão demasiado grandes.

FILME: *Águas turbulentas*

Elaboramos um vídeo envolvente que descreve as condições e a complexidade do turbilhão em que nos encontramos. Mostra o contraste entre o passado e o presente e aponta para três constantes em que podemos nos apoiar para lidar com os desafios que serão desenvolvidos mais adiante.

Convidamos o leitor a inserir o DVD no aparelho e selecionar *Águas turbulentas*.

PROBLEMAS CRÔNICOS E AGUDOS

Há, no nosso corpo e nas organizações, dois tipos de problemas: os crônicos e os agudos. *Crônico* quer dizer subjacente, causal, continuado. *Agudo* significa doloroso, sintomático, debilitante. As organizações, como as pessoas, têm problemas crônicos que ainda não são agudos. Tratar os problemas agudos pode mascarar a enfermidade crônica subjacente.

Há alguns anos passei por uma experiência fascinante que ilustra este ponto. Um amigo meu era chefe do setor de cirurgias de um hospital em Detroit e se especializara em medicina cardiovascular. Perguntei-lhe se poderia passar um dia observando o trabalho dos cirurgiões. Foi algo realmente impressionante. Numa das cirurgias, feita por meu amigo, foram substituídos três vasos arteriais. Quando ele terminou, perguntei: "Por que você *substituiu* as artérias? Não era possível apenas limpá-las?."

Ele me explicou, usando uma linguagem para leigos, "Nos estágios iniciais é possível fazer isso, mas, no correr do tempo, as placas vão se acumulando até que acabam por se tornar parte da própria parede".

"E agora que você corrigiu esses três lugares", perguntei, "o paciente está livre?" Meu amigo respondeu: "Stephen, este é um caso crônico. É algo que está no organismo do paciente." Ele pegou minha mão enluvada e me fez sentir os vasos. Dava para sentir a fragilidade do colesterol. "Mas repare", disse meu amigo, "este homem fazia exercício, ele desenvolveu uma certa circulação suplementar que fornece oxigênio a seus músculos, mas, no caso dos vasos obstruídos, não havia essa suplementação. Ele poderia ter um enfarte ou um derrame, caso se formasse algum coágulo. Sua doença cardíaca é *crônica*."

Nem todas as doenças crônicas têm sintomas agudos. Antes que estes apareçam, há doenças como o câncer que se espalham até que seja tarde demais.* Só porque não vemos os sintomas superficiais não quer dizer que os problemas

* Em *The8thHabit.com/offers*, o leitor encontrará um áudio gratuito sobre princípios de saúde preventiva [em inglês].

subjacentes não estejam presentes. Às vezes, as pessoas sofrem um enfarte quando forçam repentinamente o corpo – como quando limpam a neve que se acumulou na calçada depois da primeira tempestade de inverno. Elas não sabiam que tinham problemas cardíacos até que uma situação de estresse revelasse os sintomas agudos.

O mesmo se aplica às organizações. Pode haver sérios problemas crônicos numa organização que não apresenta sinais agudos porque algumas delas não concorrem em mercados acirrados, globais; elas concorrem em mercados locais ou protegidos. Elas podem ter sucesso financeiro, às vezes substancial. Mas, como sabemos, o sucesso é relativo. Os problemas da concorrência podem ser piores. Então, por que mudar?

PREVER OS QUATRO PROBLEMAS CRÔNICOS E SEUS SINTOMAS AGUDOS

O poder de um paradigma acurado está em sua capacidade de explicar e prever. Se, então, este paradigma da pessoa integral para a natureza humana for exato, ele deveria nos proporcionar uma capacidade incomum de explicar, prever e diagnosticar os maiores problemas de nossa vida e de nossa organização. Deveria nos permitir não apenas reconhecer os sintomas agudos mais óbvios, mas também a "raiz" crônica subjacente. Então, seremos capazes de utilizar esse paradigma para começar a resolver nossos problemas, expandindo nossa influência para criar equipes ou organizações de alto desempenho e altamente confiáveis – organizações capazes de se *concentrar* em suas mais altas prioridades e *executá-las* coerentemente.

É por isso que o leitor continuará encontrando no correr do livro a mesma ilustração (ver Figura 6.2). Apenas aparecerão nossas palavras ou frases que reflitam uma nova aplicação das quatro áreas destacadas – corpo, mente, coração e espírito. Neste caso, o leitor verá que o Paradigma da Pessoa Integral lhe permite desenvolver sua capacidade de detectar os problemas crônicos e agudos que surgem quando uma organização negligencia a mente, o corpo, o coração ou o espírito de seu pessoal.

Vamos testá-lo em um ambiente organizacional. A mesma idéia se aplica a uma equipe, uma família, uma comunidade ou qualquer relação. Tente identificar especificamente o problema em cada caso antes de prosseguir na leitura.

Comecemos pelo centro do diagrama, o *espírito*. Se o espírito, ou a consciência, for continuamente negligenciado pela organização, que problemas podemos esperar? Pensemos. O que acontece nos relacionamentos quando as pessoas são tratadas, ou agem, de forma contrária a suas consciências? Não ocor-

FIGURA 6.2

rerá uma óbvia perda de confiança? A *pouca confiança* é um dos primeiros problemas crônicos com que todas as organizações se deparam. E quais são suas manifestações agudas? As organizações em que reina pouca confiança e que operam em condições difíceis de mercado estão cheias de dolorosos problemas agudos de críticas destrutivas, lutas internas, vitimização, posições defensivas, sonegação de informações e comunicações defensivas e protetoras.*

Segundo, qual o problema crônico resultante da negligência quanto à *mente*, ou visão, de uma organização? *Não* existirá uma *visão compartilhada ou um sistema de valores comum*. Sob essas condições, qual o comportamento sintomático que podemos esperar? As pessoas agirão em função de pautas ocultas, se envolverão em politicagem e adotarão critérios diferentes para a tomada de decisões. Portanto, o que se verá é uma cultura ambígua, caótica.

Terceiro, o que ocorre numa organização quando há uma negligência generalizada da disciplina de seu *corpo* político (estrutura, sistemas, processos)? Em outras palavras, que enfermidade esperaríamos encontrar se não houver implementação ou apoio sistêmico por trás das prioridades da organização? Simplesmente não haverá um *alinhamento,* ou disciplina, incorporado às estruturas, aos sistemas e processos e à cultura da organização. Quando os gerentes só contam com paradigmas inexatos e incompletos da natureza humana, eles formulam sistemas – incluindo os sistemas de comunicação, recrutamento,

* Para ver como medir os impressionantes custos financeiros de problemas como a falta de confiança em sua organização, veja Apêndice 4.

seleção, estrutura de cargos e funções, recompensas e remuneração, promoção, treinamento e desenvolvimento e informação – que não são capazes de tirar partido do pleno potencial de seu pessoal. Nem as pessoas, equipes, departamentos, nem a organização como um todo, estarão alinhados com uma missão, um conjunto de valores e uma estratégia centrais. Isso provocará um profundo desalinhamento com o mercado e com os clientes e fornecedores de fora da empresa.

> *Todas as organizações estão perfeitamente alinhadas para obter os resultados que obtêm.*
>
> ARTHUR W. JONES

Esse desalinhamento se manifestará em um sem-número de maneiras, contribuindo para reduzir ainda mais a confiança e aumentar a politicagem e as rivalidades interdepartamentais. As *regras* tomarão o lugar do julgamento humano porque, à medida que as coisas vão ficando fora de controle, os gerentes sentirão necessidade de aumentar o controle. A burocracia, as hierarquias, as regras e as normas se tornarão uma espécie de *prótese* da confiança. E falar do desenvolvimento das pessoas ou das lideranças será considerado uma "baboseira", algo vago, irreal, esbanjador e oneroso. As pessoas, como as coisas, se tornarão despesas, e não investimentos. A necessidade de maior gerenciamento e controle se tornará cada vez mais evidente, gerando uma situação co-dependente de "esperar até que mandem" na grande maioria das pessoas, como já vimos antes. Isso servirá para levar os chamados líderes formais a acreditar que nada acontecerá até que eles, de fora, estimulem, motivem, controlem e até mostrem, quando necessário, seus punhos de ferro – a passividade justificando a motivação externa e o controle justificando uma maior passividade. É uma profecia auto-realizável. Gerenciar (controlar) as pessoas nunca as leva a aprimorar seu trabalho e suas contribuições em torno de sua verdadeira voz ou de sua paixão. Estas só entram em ação voluntariamente.

Quarto, e se negligenciarmos o *coração*? O que acontece quando não há paixão nem conexão emocional com os objetivos ou o trabalho, quando não há entusiasmo voluntário interior ou dedicação dentro da organização? O resultado é um profundo *enfraquecimento* das pessoas. Toda a cultura se acovarda. E que sintomas agudos podem ser esperados? Reflita e faça uma previsão. Encontrará muito bico, devaneio, tédio, escapismo, raiva, medo, apatia e obediência mal-intencionada.

O leitor consegue ver o poder de previsão e explicação deste modelo ou paradigma? Negligenciemos corpo, mente, coração ou espírito e teremos quatro problemas crônicos numa organização – *falta de confiança, falta de visão e valores compartilhados, desalinhamento e enfraquecimento* – e todos os sintomas agudos que os acompanham (ver Figura 6.3).

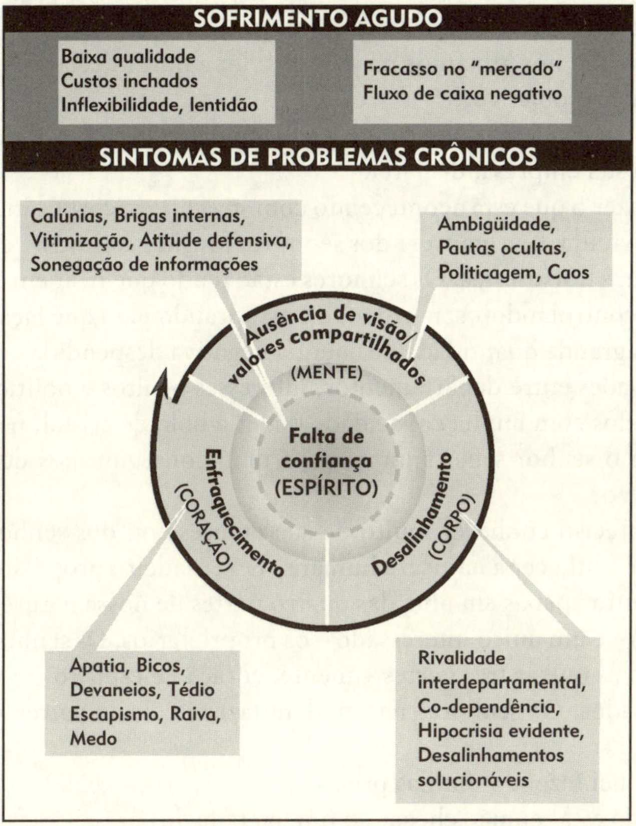

FIGURA 6.3

Os resultados conjuntos desses problemas crônicos e seus sintomas são o sofrimento agudo do fracasso no mercado, o fluxo de caixa negativo, a baixa qualidade, os custos inchados, a inflexibilidade, a lentidão e muitas acusações mútuas: uma cultura de culpabilização, em lugar de uma cultura de responsabilidade.

Se pensarmos no filme *Max & Max*, seremos capazes de identificar cada um destes quatro problemas crônicos.

O PARADIGMA NA PRÁTICA

Agora ilustrarei o poder explicativo deste paradigma.

Lembro de uma vez ter ido visitar os altos executivos de uma grande organização e de lhes perguntar sobre sua declaração de missão. Receosos, eles a apresentaram. Dizia apenas: "Nosso objetivo é aumentar os ativos dos proprietários." Perguntei-lhes se eles fixavam isso na parede para inspirar seus empregados e clientes. Eles sorriram e disseram:

– Não, o que nós afixamos na parede é uma outra declaração, mas este é nosso verdadeiro objetivo.

Embora eu estivesse começando a me familiarizar com seu ramo de atividades e com sua empresa, declarei:

– Vou dizer o que está acontecendo com sua cultura corporativa. A organização está dividida. Se a empresa dos senhores for sindicalizada,* estará corroída por disputas trabalhistas. Os senhores estão tendo que ficar em cima dos trabalhadores, controlando-os, mordendo e assoprando para que façam seu trabalho. Há uma grande quantidade de energia negativa despendida em brigas pessoais, rivalidades entre departamentos, interesses ocultos e politicagem.

Espantados com minha capacidade de ler a bola de cristal, perguntaram:

– Como o senhor sabe tanta coisa? Como conseguiu nos descrever com tanta perfeição?

– Não preciso conhecer muito de sua empresa ou dos senhores. Tudo o que preciso é conhecer a natureza humana. O verdadeiro propósito dos senhores se concentra apenas em uma das quatro partes de nossa natureza – o corpo (econômico) – e um único interessado – os proprietários. Os senhores estão negligenciando as outras três partes – mente, coração e espírito – e todos os outros interessados. Os senhores não podem fazer isso sem sofrer sérias conseqüências.

E continuei fazendo minhas previsões.

– Quando esta reunião chegar ao fim, metade dos presentes falará da outra metade. Aqui, não há confiança. A duplicidade está evidente.

Eles ficaram lamentavelmente impressionados pela exatidão das observações, embora fossem considerados uma organização "bem-sucedida". A verda-

---

**Nota da Tradutora*: Os sindicatos americanos se organizam por empresa. A legislação trabalhista dos EUA considera a possibilidade de empresas em que todos os trabalhadores devam ser sindicalizados e outras em que nenhum seja sindicalizado. Até mais ou menos 1947 eram admitidas empresas em que a contratação de trabalhadores só pudesse ser feita entre aqueles já sindicalizados. Depois, o dispositivo foi modificado para que os trabalhadores pudessem sindicalizar-se após a contratação.

de é que nunca poderemos ter sucesso junto aos acionistas se não tivermos sucesso junto ao mercado e este não acontecerá enquanto não formos bem-sucedidos no local de trabalho.

– E que podemos fazer para mudar a situação? – perguntaram.

– Os senhores precisam trabalhar seriamente com as quatro partes. Envolver a mente de todo o pessoal para que eles sintam que estão tocando a mesma partitura. Viver pelos princípios universais do jogo limpo, da honestidade, da integridade e da verdade, de modo a poder construir um sólido alicerce de confiança a partir do qual elaborar a partitura. Os senhores precisam aplicar os critérios de sua visão e seus valores para orientar todas as decisões estratégicas, estruturais e operacionais. Precisam criar as condições para o fortalecimento da confiança pessoal e organizacional antes que possam chegar a qualquer capacitação real ou à liberação do potencial humano.

Sugeri que eles poderiam até começar formulando uma declaração de missão para a equipe executiva.

Eles me perguntaram quanto tempo seria necessário para tudo isso.

– Qual é a gravidade dos problemas dos senhores?

– Não são demasiado urgentes.

– Então, é provável que os senhores não consigam fazê-lo. Não há sofrimento suficiente, a pressão das circunstâncias não é tão forte assim, não há bastante humildade.

Sugeri que esquecessem todo o projeto. Mas eles argumentaram:

– Talvez o senhor tenha razão, mas ouvimos muitos elogios ao que o senhor fez em outros lugares onde trabalhou. Nós também estamos sentindo que o mercado está mudando e a concorrência se acirra, o que pode nos trazer algumas dificuldades sérias num futuro próximo. Provavelmente, precisaremos de ajuda. Queremos fazer mudanças.

Sugeri que, se eles estivessem sendo verdadeiramente sinceros e estivessem dispostos a trabalhar em conjunto, poderiam fazer as mudanças, mas isso levaria algo em torno de dois a três anos. Ou até mais do que isso.

Um dos executivos observou:

– O senhor não conhece nossa rapidez e eficiência.

E referindo-se à idéia de aprimorar a declaração de missão, continuou:

– Vamos dar um jeito nisso neste fim de semana.

Em outras palavras, ele pensava que poderiam ir para algum lugar e fazer algum tipo de workshop para formular uma visão e elaborar uma declaração de missão com novas frases de efeito, que se mostrasse mais atraente para o pessoal.

Pouco a pouco, esses executivos começaram a ver que o pensamento de curto prazo e as técnicas para pular etapas nunca gerariam os resultados de longo prazo que desejavam. Lentamente, passaram a admitir a existência de questões crônicas subjacentes, a começar por eles mesmos, e a respeitar as quatro partes da natureza humana. Acabaram por perceber que a liderança era um problema de todos e que cada pessoa tinha que trabalhar de dentro para fora.

A organização se fortaleceu a partir das raízes. Levou entre três e quatro anos. No final, eles tinham tanta força e tanta capacitação e confiança que puderam enfrentar a nova e vigorosa concorrência que estava surgindo e também manter parcerias bem-sucedidas no mercado. Muitos dos altos executivos assumiram cargos de CEO fora da empresa, mas a cultura organizacional e a força do conjunto eram tão fortes que a empresa continuou registrando um crescimento lucrativo.

A RESPOSTA DA ERA INDUSTRIAL

Qual seria a reação da Era Industrial a estes quatro problemas crônicos?

Se há pouca *confiança* e nenhuma autoridade moral, então o *chefe* fica no centro – o líder sabe mais e toma todas as decisões – "Faça do MEU jeito ou caia fora."

E quanto à falta de visão e valores compartilhados, as *regras* tomarão o lugar da visão e da missão. "Não pense em nada que não seja relativo a seu cargo. Faça o que mando, siga as regras. Quem pensa sou eu."

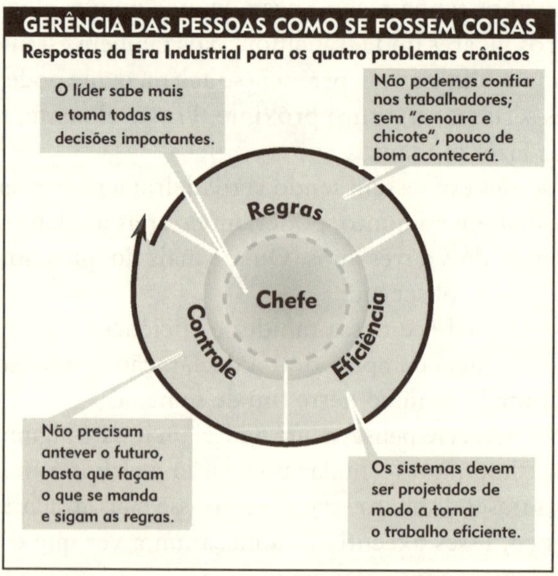

FIGURA 6.4

Desalinhamento? Torne as coisas mais eficientes – as máquinas, as normas, as pessoas, tudo. A *eficiência* é o que conta.

Enfraquecimento? É preciso manter o *controle*. Não podemos confiar nas pessoas. A única forma de fazer as pessoas renderem é usar a cenoura e o chicote – balance a cenoura (as recompensas) na frente delas para motivar seu desempenho e mantenha um nível saudável de medo com o chicote (punições ou perda do emprego), se seu desempenho deixar a desejar.

A SOLUÇÃO DA LIDERANÇA NAS ORGANIZAÇÕES

A decisão de inspirar os outros a encontrar a própria voz nos leva diretamente ao bojo dos quatro problemas organizacionais crônicos que decorrem do atual modelo da Era Industrial.

Cada um dos que encontrou a própria voz tem poder para reescrever o inadequado software da Era Industrial, "chefe, regras, eficiência, controle", que vigora nas organizações. O processo envolve *quatro funções* que se tornam o

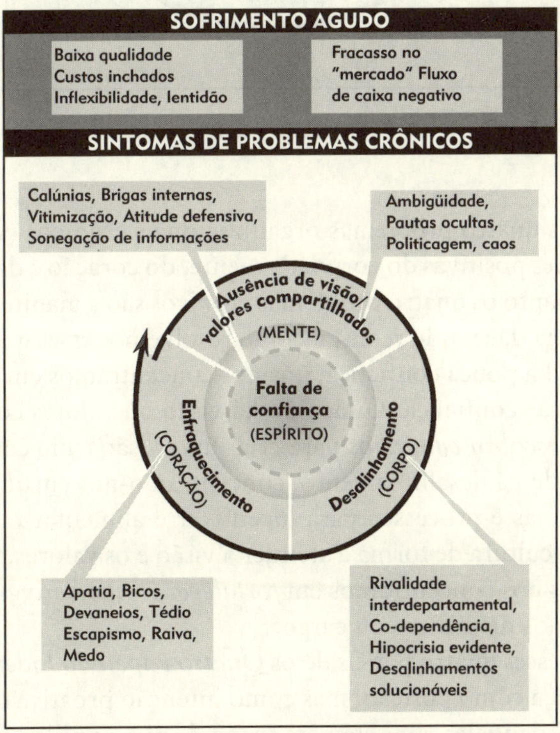

FIGURA 6.5

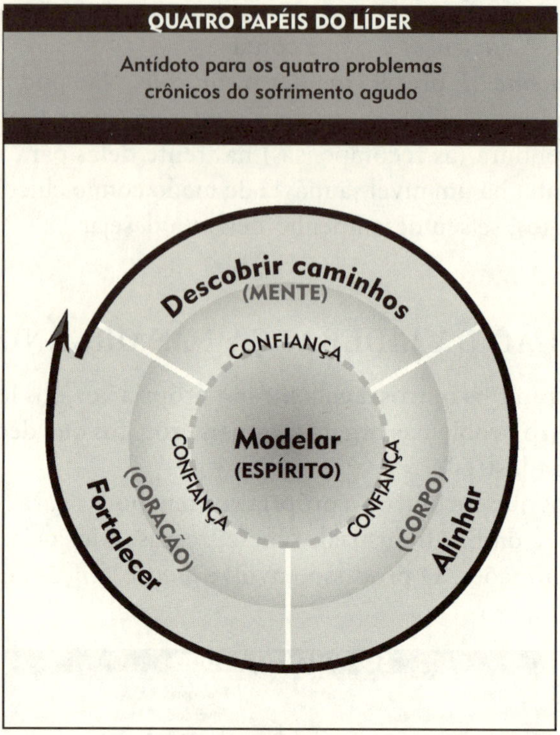

FIGURA 6.6

antídoto para os quatro problemas organizacionais crônicos (ver Figura 6.6). São manifestações positivas do corpo, da mente, do coração e do espírito na organização, enquanto os quatro problemas crônicos são a manifestação negativa de sua negligência. De modo realista, como resolvemos esses quatro problemas crônicos? Onde há pouca confiança, nós nos concentramos em *modelar* a integridade para gerar confiança. Onde não há visão ou valores comuns, concentramo-nos em *descobrir caminhos* para criar uma visão e um conjunto de valores comuns. Onde há desalinhamento, concentramo-nos em *alinhar* objetivos, estruturas, sistemas e processos para incentivar e alimentar o fortalecimento das pessoas e da cultura de forma a atender a visão e os valores. Onde há enfraquecimento, nós nos concentramos em *fortalecer* (*empowering*) as pessoas e as equipes em termos de projeto ou cargo.

Denomino esses quatro papéis de os *Quatro Papéis do Líder* – e, novamente, não a liderança como posição, mas como intenção proativa de afirmar o valor e o potencial daqueles que estão em torno de nós e uni-los como uma equipe complementar, num esforço de aumentar a influência e o impacto da organização e das causas importantes de que fazemos parte. Devemos recordar que, numa equipe complementar, as forças individuais (vozes) se tornam produtivas e as fraquezas passam a ser irrelevantes porque são compensadas pelas forças dos demais.

Os Quatro Papéis do Líder são simplesmente quatro qualidades da liderança pessoal – visão, disciplina, paixão e consciência – em escala ampliada para toda a organização (ver Figura 6.7).

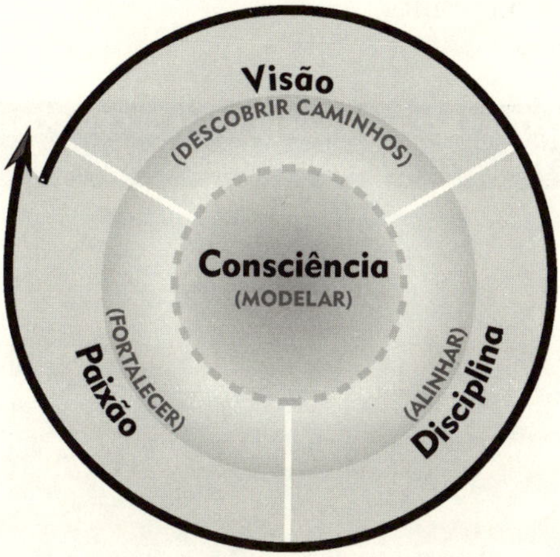

FIGURA 6.7

- *Modelar* (consciência): dar um bom exemplo.
- *Descobrir caminhos* (visão): determinação conjunta do trajeto.
- *Alinhar* (disciplina): estabelecer e gerenciar sistemas para manter o rumo.
- *Fortalecer* (*Empowering*) (paixão): focar o talento nos resultados, não nos métodos, então sair do caminho das pessoas e ajudá-las quando isso for solicitado.

Os que estão em posições formais de autoridade na organização podem considerar estes quatro papéis como uma forma desafiadora mas natural de satisfazer sua função. Mas vê-los *apenas* como funções dos altos executivos perpetuaria a mentalidade co-dependente em vigor, que diz: "o chefe é quem pensa e toma as decisões importantes". Esses quatro papéis cabem a todos, qualquer que seja sua posição. Representam simplesmente o caminho para aumentar nossa influência e a influência de nossa equipe e nossa organização.

Meus colegas da FranklinCovey e eu ensinamos este modelo dos Quatro Papéis do Líder desde 1995, mas muitos outros especialistas no campo da liderança chegaram independentemente a modelos que se fundamentam nos mesmos princípios. Por exemplo, em seu instigante livro *Results-Based Leadership* (1999), os autores Dave Ulrich (Universidade do Michigan), Jack Zenger e Norm Smallwood desenvolveram, depois de anos de pesquisas, observação e consultoria, um modelo de liderança que é praticamente idêntico ao nosso.[3] A principal diferença está na terminologia adotada, mas podemos ver que, essencialmente, o sentido é o mesmo.

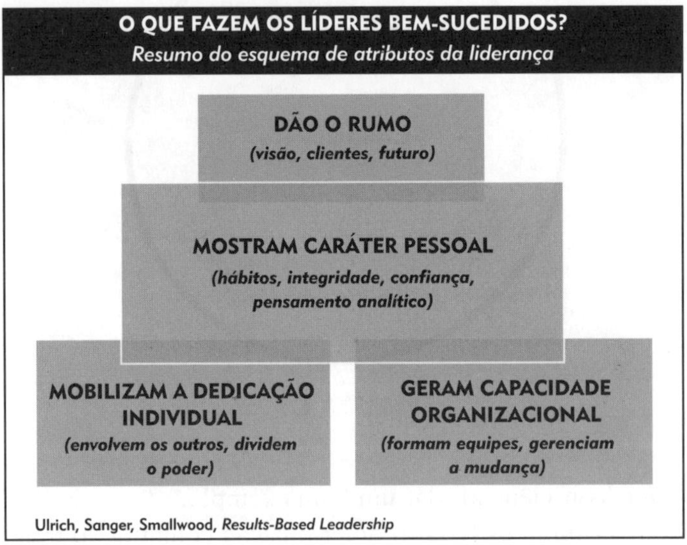

FIGURA 6.8

Este modelo de liderança é confirmado pela recente publicação de um estudo conduzido durante cinco anos por Nitin Nohria, William Joyce e Bruce Robertson (ver "What Really Works", *Harvard Business Review*, julho de 2003). No que eles denominam The Evergreen Project, "examinamos mais de 200 práticas gerenciais bem estabelecidas tal como foram aplicadas por 160 empresas, durante um período de dez anos". Essa pesquisa lhes permitiu definir as práticas gerenciais que realmente geram resultados superiores. Sua conclusão convincente é que, sem exceção, as empresas que tiveram melhor desempenho que seus pares no mesmo ramo de atividade *se destacavam em quatro práticas gerenciais primárias*:

1. **Estratégia** – formular e manter uma estratégia focada e claramente exposta.
2. **Execução** – desenvolver e manter uma impecável execução operacional.
3. **Cultura** – desenvolver e manter uma cultura voltada ao desempenho.
4. **Estrutura** – construir e manter uma organização ágil, flexível e hierarquicamente enxuta.

FIGURA 6.9

O Projeto Evergreen concluiu que essas empresas também *adotavam duas de quatro práticas secundárias* – talento, inovação, liderança e fusões e aquisições. Mas pensemos apenas nas primeiras quatro práticas de gerenciamento *primárias* identificadas. Essas práticas que permitiram às empresas superar de forma tão impressionante o desempenho de seus concorrentes não são, essencialmente, outra forma de descrever os Quatro Papéis do Líder? Repetimos, são palavras diferentes para os mesmos princípios subjacentes.

O SIGNIFICADO DA SEQÜÊNCIA: *uma metáfora esportiva*

Esses quatro papéis são também altamente interdependentes. Em certo sentido, são *seqüenciais*. Mas são também, em outro sentido, *simultâneos*. E os dois sentidos são corretos. São seqüenciais porque é preciso partir da confiabilidade para a confiança antes de poder realmente passar aos outros papéis que liberam o potencial humano. São simultâneos no sentido de que, uma vez estabelecida uma cultura embasada nessa liderança, é preciso estar continuamente atento aos quatro processos, aos quatro papéis.

Gostaria de ilustrar a significância da seqüência nesses quatro papéis comparando-os ao esporte profissional, onde, como no mundo dos negócios, a concorrência é muito intensa. Quando um jogador entra em campo para treinar profissionalmente estando fora de forma – sem força *muscular* e resistência cardiovascular –, ele é incapaz de desenvolver as *habilidades* desejadas. E se não as desenvolver, não pode se tornar um integrante útil da *equipe* e parte de um sistema vencedor.

Em outras palavras, o desenvolvimento muscular precede o desenvolvimento das habilidades e este precede o da equipe e do sistema. O corpo é um sistema natural, regido por leis naturais. A metáfora esportiva é uma imagem muito adequada e poderosa que nos permite a relação com uma área mais ampla de expansão da capacidade e de descoberta da voz. O desenvolvimento pessoal precede o estabelecimento de relações de confiança e estas são um pré-requisito absoluto para o desenvolvimento de uma organização caracterizada pelo trabalho em equipe, a cooperação e a participação numa comunidade mais ampla.

Por exemplo, digamos que uma pessoa seja incapaz de sequer manter as promessas que faz a si mesma – sua vida é incoerente, inconstante e muda ao sabor dos ventos. Haverá algum meio de levá-la a desenvolver relações saudáveis, de confiança, com outra pessoa? A resposta é óbvia. E se falta a confiança em suas relações com outros, uma vida familiar, ou em equipe, em que possa fazer alguma contribuição importante encontrará alguma base de apoio? Novamente, a resposta é óbvia: não.

Como uma criança não pode correr antes de andar, ou andar antes de engatinhar, como não podem aprender álgebra antes de entender a aritmética básica, algumas coisas precisam vir antes de outras. Uma vez entendida a importância desta seqüência, veremos por que, mesmo se as duas coisas são interdependentes, é fundamental pagar primeiro o preço do esforço para encontrar nossa voz *pessoalmente*, antes mesmo de *tentar* adquirir as habilidades para criar relações de grande confiança e resolução criativa de problemas. A sinergia das relações de forte confiança se torna então o alicerce para a criação de uma equipe ou uma organização de pessoas cooperativas – equipes que estão em sintonia em termos de propósitos e valores e dispostas a desempenhar seu papel dentro desse contexto. Em última análise, as pessoas, as equipes e as organizações ficam então capacitadas a difundir sua influência atendendo e dando conta das necessidades daqueles que se encontram sob sua responsabilidade. Colocar o *serviço acima de nosso eu* dá sentido aos três níveis e nos leva à *Era da Sabedoria*, o quinto estágio da civilização.

Talvez a melhor forma de ilustrar a imensa importância e o poder desta seqüência seja passando uma experiência que muitas vezes divido com o público de minhas palestras. Convido um homem que pareça forte e saudável a vir para a frente da sala e fazer 20 flexões com as costas retas. Se ele for realmente forte e treinado, realizará a tarefa com facilidade. Mas muito poucos o conseguem, mesmo que pareçam fortes e saudáveis, dificilmente passam das cinco ou seis.

Com esta analogia, sugiro que até que as pessoas possam fazer 20 flexões emocionais em nível pessoal, elas não têm a capacidade e a liberdade para fazer as 30 flexões emocionais exigidas para enfrentar os desafios e exigências das relações. E até que possam fazer as 50 flexões nos níveis pessoal e relacional, não há forma de formar uma equipe e gerar uma cultura organizacional de grande confiança e alto desempenho.

Mantendo esta seqüência em mente, passaremos agora do *desenvolvimento do caráter* envolvido na descoberta de nossa própria voz ao *desenvolvimento de habilidades* e ao *desenvolvimento de equipes e sistemas* necessário para inspirar outros a descobrir a própria voz nas *organizações*.

FOCO E EXECUÇÃO: UM ESBOÇO DO RESTANTE DESTE LIVRO

Como mostra o novo diagrama ampliado a seguir, os Quatro Papéis também representam a estrada superior para "Inspirar os outros a encontrar as próprias vozes" e alcançar a grandeza organizacional, enquanto os quatro problemas crônicos da organização representam o caminho inferior que impede os outros de encontrar as próprias vozes, o que resulta em organizações tolhidas e medíocres.

O processo de Inspirar outros a encontrar as próprias vozes poderia ser sintetizado por duas palavras: FOCO e EXECUÇÃO. O *foco* engloba os papéis de modelar e descobrir caminhos; a *execução*, os de alinhamento e fortalecimento. No restante do livro, veremos como fazer de Inspirar Outros a Encontrar as próprias vozes um HÁBITO, desenvolvendo a ATITUDE, a HABILIDADE e o CONHECIMENTO dos seguintes princípios:

FOCO – Modelar e descobrir caminhos

1. **A voz da influência.** Ser um *modelo* envolve encontrar nossa voz interior (Primeira Parte) e escolher a ATITUDE de iniciativa – ser o que chamo um *compensador*, ou tomar iniciativas para expandir sua influência em todas as oportunidades ao nosso alcance (**Capítulo** 7).

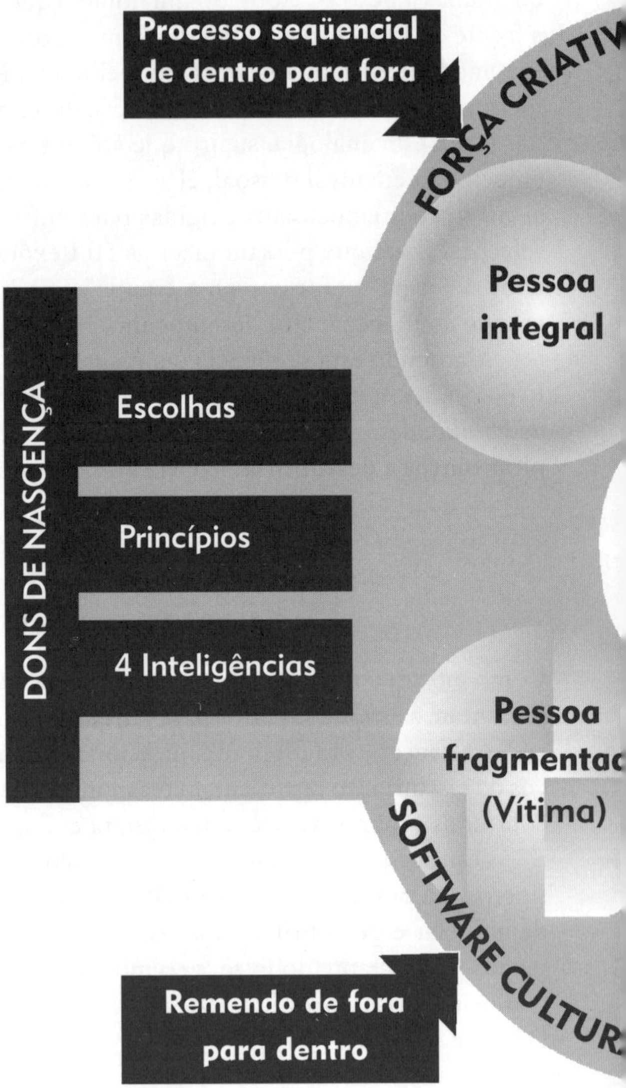
Processo seqüencial de dentro para fora
FORÇA CRIATIV
Pessoa integral
DONS DE NASCENÇA
Escolhas
Princípios
4 Inteligências
Pessoa fragmentad
(Vítima)
SOFTWARE CULTUR
Remendo de fora para dentro

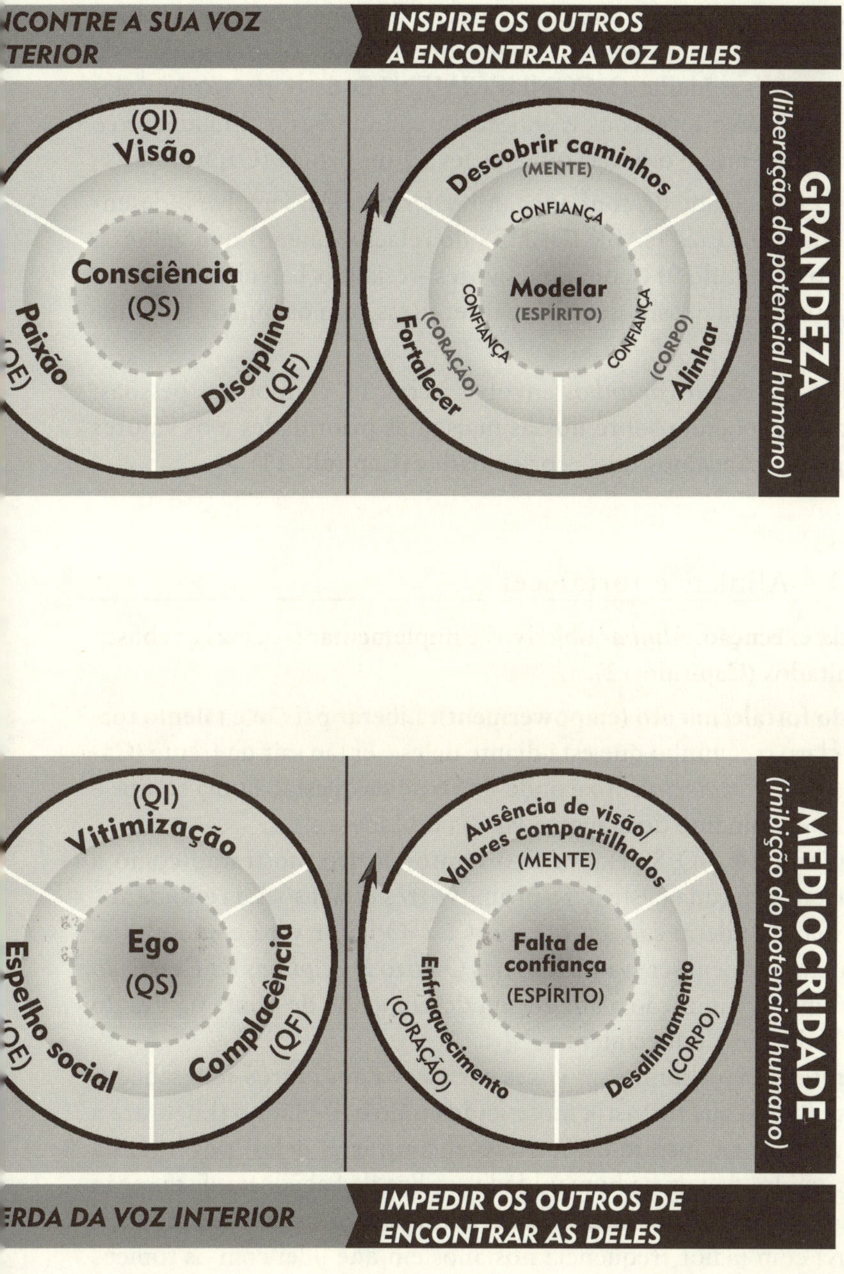
NCONTRE A SUA VOZ
TERIOR
INSPIRE OS OUTROS
A ENCONTRAR A VOZ DELES
GRANDEZA
(liberação do potencial humano)
(QI)
Visão
Consciência
(QS)
Paixão
QE)
Disciplina
(QF)
Descobrir caminhos
(MENTE)
CONFIANÇA
Modelar
(ESPÍRITO)
CONFIANÇA
CONFIANÇA
(CORAÇÃO)
Fortalecer
(CORPO)
Alinhar
MEDIOCRIDADE
(inibição do potencial humano)
(QI)
Vitimização
Ego
(QS)
Espelho social
QE)
Complacência
(QF)
Ausência de visão/
Valores compartilhados
(MENTE)
Falta de
confiança
(ESPÍRITO)
Enfraquecimento
(CORAÇÃO)
Desalinhamento
(CORPO)
ERDA DA VOZ INTERIOR
IMPEDIR OS OUTROS DE
ENCONTRAR AS DELES

FIGURA 6.10

2. **A voz da confiabilidade.** *Modelar* o caráter e as competências é a base para a confiança em qualquer relação e organização. Não se pode confiar sem confiabilidade. O CONHECIMENTO deste princípio e daqueles que estão por trás da descoberta de caminhos, do alinhamento e do fortalecimento, é o limiar que nos leva à influência (**Capítulo** 8).
3. **A voz e a velocidade da confiança.** *Modelar* também envolve o desenvolvimento de fortes HABILIDADES de relacionamento que geram a confiança (**Capítulo** 9) e combinam vozes – criando Terceiras Soluções Alternativas para nossos desafios e diferenças com os outros (**Capítulo** 10).
4. **Uma voz.** *Descobrir caminhos* envolve a criação, com outras pessoas, de uma visão comum sobre nossas mais altas prioridades e os valores pelos quais alcançamos nossas prioridades (**Capítulo 11**).

EXECUÇÃO – Alinhar e fortalecer

5. **A voz da execução.** *Alinhar* objetivos e implementar sistemas em busca de resultados (**Capítulo 12**).
6. **A voz do fortalecimento (empowerment).** Liberar paixão e talento tornando claro o caminho que está diante deles e então sair da frente (**Capítulo** 13). O *fortalecimento* é onde está o nó da questão numa equipe e é o fruto culminante dos Quatro Papéis do Líder.

Capítulo 14 – O 8º Hábito e o Ponto Crítico mostrarão como a abordagem esboçada neste livro promove três dimensões da *grandeza* – da pessoa, da liderança e da organização. O leitor verá como elas se combinam e podem ser traduzidas nas *Quatro Disciplinas da Execução* que levam a organização a atingir um desempenho de ponta na Era do Trabalhador do Conhecimento.

Capítulo 15 – Usar nossas vozes para servir aos outros com sabedoria junta tudo o que foi visto, mostrando como o 8º Hábito (Encontre a sua voz interior e inspire os outros a encontrar as deles) nos levará à etapa seguinte da voz da humanidade – a Era da Sabedoria. Esta seção final se conclui com uma seção de Perguntas e Respostas – as perguntas que ouvi com maior freqüência nos anos em que lidei com os tópicos abrangidos neste livro.

PERGUNTAS E RESPOSTAS

- **Como o senhor define a liderança?**

Liderar é comunicar o valor e o potencial das pessoas de forma tão clara que elas passem a reconhecê-los nelas mesmas. Observe as palavras *valor* e *potencial*. As pessoas precisam sentir que têm um valor intrínseco, totalmente distinto de uma comparação com outras pessoas e que elas merecem amor incondicional, independentemente de comportamento ou desempenho. Então, quando lhes comunicamos seu potencial e criamos oportunidades para que o desenvolvam e o utilizem, estamos trabalhando sobre um alicerce sólido. Comunicar o potencial das pessoas dando-lhes um sentimento de valor extrínseco é um fundamento falho e seu potencial nunca será otimizado.

- **Atualmente, há muitos livros sobre liderança, qual é o elemento singular, em seu trabalho, que agrega valor?**

O que é diferente neste trabalho sobre liderança e que agrega valor? Eu diria que são cinco coisas: primeira, o *desenvolvimento seqüencial*. Não conheço nenhum livro que foque a necessidade absoluta de desenvolvimento e integração pessoal antes que a confiança possa ser incorporada no nível das relações e que insista que esses dois elementos são necessários antes que possamos formar organizações – incluindo a família – eficazes, sustentáveis. Segunda, sua abordagem está embasada na *pessoa integral*. Não conheço nenhuma obra que lide com as quatro inteligências, dando a maior ênfase à inteligência espiritual, ou consciência, como guia das outras três. Terceira, está totalmente embasado em *princípios* que são atemporais, universais e auto-evidentes, e que se distinguem dos valores que todas as pessoas e organizações têm, mas que podem não estar fundamentados em princípios. Como o leitor sabe, os valores controlam nosso comportamento, mas os princípios controlam as conseqüências de nosso comportamento. Quando escolhemos uma ponta da vareta, estamos escolhendo a outra. Quarta, ensina que a liderança por meio do processo de desenvolvimento centrado em princípios pode se tornar uma *escolha* (autoridade moral), em vez de ser apenas uma posição (autoridade formal), e que a chave para a nova era dos trabalhadores do conhecimento é125

pensar em termos de liberação no lugar do controle; em termos de transformação, não apenas de transação. Em outras palavras, gerenciamos as coisas, mas lideramos pessoas. Quinta, a abordagem da pessoa integral é "ampliada" para a organização, incluindo a família, em termos dos *Quatro Papéis do Líder*: modelar, descobrir caminhos, alinhar e fortalecer. Este é um paradigma com poderosa capacidade explicativa que pode ser usado para diagnosticar qualquer problema ou desafio e para identificar etapas de alta alavancagem para sua solução.

- **Pode-se ensinar a liderar?**

Não, mas se pode aprender. A chave é o exercício do espaço entre estímulo, que é o ensino, e a resposta, que é o aprendizado, e se as pessoas exercerem sua liberdade de escolha para adquirir os conhecimentos, as habilidades e os traços de caráter associados à liderança (visão, disciplina, paixão e consciência), elas aprenderão a se tornar líderes que os outros escolherão, felizes, seguir. Em última análise, uma boa equipe de liderança é uma equipe complementar em que as forças das pessoas se tornam produtivas e suas fraquezas, irrelevantes pela força dos outros.

Foco –

Modelar e descobrir caminhos

Capítulo 7

A VOZ DA INFLUÊNCIA – SER UM COMPENSADOR

Devemos nos tornar a mudança que queremos para o mundo.
GANDHI

Modelar é o espírito e o núcleo de qualquer programa de liderança. Começa com a Descoberta da Voz Interior – o desenvolvimento das quatro inteligências e a expressão da nossa voz na visão, na disciplina, na paixão e na consciência. A modelagem dessas características da liderança pessoal altera e muda a própria essência dos outros três papéis.

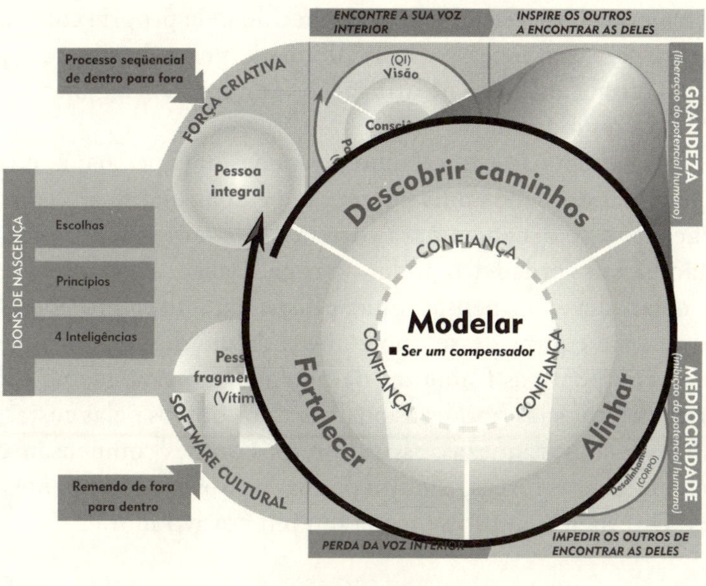

FIGURA 7.1

A modelagem é feita principalmente *durante* o exercício dos demais papéis. Também ocorre antes, trazendo um sentimento de confiança e firmeza em relação ao líder. Mas é somente quando as pessoas de fato experimentam diretamente como alguém movido pela consciência modela a descoberta de caminhos, o alinhamento e o fortalecimento que a liderança tem lugar. As pessoas então descobrem por si mesmas o quanto são respeitadas, apreciadas e valorizadas. Por quê? Porque suas opiniões são procuradas. Suas sugestões são acatadas. Sua experiência singular é valorizada. Elas são envolvidas autenticamente no processo de descobrir caminhos. Participam. Não apenas ficam ouvindo a respeito da missão e do plano estratégico. Elas ajudam a desenvolvê-lo. Elas são donas dele. Por outro lado, se a declaração de missão e o plano estratégico já existem, elas se identificam com eles em função de uma escolha consciente antes de subir a bordo ou porque admiram o líder modelar.

Às vezes, a *identificação* mental e emocional é uma força mais poderosa do que o envolvimento. Vemos isso com os seguidores de um Gandhi, de um Martin Luther King, de um Nelson Mandela. Talvez nós mesmos já tenhamos admirado tanto alguém que aceitamos profundamente sua visão, mesmo sem ter estado envolvidos na sua criação. Isso é identificação. Trata-se de uma força psicológica muito poderosa, às vezes até mais forte do que a própria participação. Isso ocorre especialmente no caso da visão e do planejamento estratégico, mais do que com os valores. Visionários e estrategistas brilhantes muitas vezes estão numa posição especial e isso é reconhecido pela própria cultura, mas, repito, somente se a confiança e a confiabilidade pessoal estiverem presentes. Contudo, em última análise, a identificação se embasa em algum tipo de *envolvimento*, direto ou indireto.

Modelar também não é o trabalho de apenas uma pessoa; é o trabalho de uma *equipe*. Quando temos uma equipe de pessoas que se apóia na força de cada integrante e se organiza para tornar irrelevantes as fraquezas individuais, então há um verdadeiro poder na organização. De modo que, ao pensar em modelar, devemos pensar numa pessoa e numa *equipe complementar*. O espírito de uma equipe desse tipo é que cada um desempenha uma função singular que compensa as fraquezas de outros. Não estamos na equipe para encontrar e ressaltar suas fraquezas ou criticar os outros pelas costas. Estamos para compensar suas fraquezas, assim como os outros compensam as nossas. Ninguém tem todas as forças, e muito poucas pessoas são excelentes em todas as funções. O respeito mútuo se torna um imperativo moral.

A ATITUDE DE INFLUÊNCIA

O hábito de reagir ao desejo interior de fazer uma diferença, de importar, de estender nossa influência às pessoas e causas que mais valorizamos, tudo isso começa por uma postura mental ou ATITUDE, uma escolha – a escolha de usar a *voz da influência*.

QUANDO ENSINO os princípios que se encontram neste livro, estimulo perguntas feitas em particular ou em público. Inevitavelmente, alguém levantará e dirá algo assim: "Dr. Covey, esses princípios são formidáveis. Acredito neles. Como gostaria de viver de acordo com eles! Mas o senhor não faz idéia do que seja trabalhar numa organização como a minha. Se o senhor tivesse um chefe como o meu, veria que não há forma de agir como o senhor está falando. Que faço?" Podemos ver o que estão pensando. Só vêem duas alternativas: "Meu chefe é um estúpido e nunca vai mudar. O jeito é ir embora (o que não tenho condições de fazer) ou fazer o possível para ir agüentando."

Quando falo da aplicação destes princípios ao casamento e à família, algumas senhoras me procuram e falam praticamente o mesmo de seus maridos, e os maridos falam o mesmo das suas mulheres: "Se o senhor conhecesse meu marido, saberia o que quero dizer. Não há forma de que isso funcione." Novamente as alternativas são duas: ir embora ou aturar enquanto for possível.

É muito fácil para as pessoas pensar "Sou uma vítima; tentei tudo; não posso fazer mais nada; estou num beco sem saída". Elas se sentem frustradas e infelizes, mas não vêem qualquer outra opção.

A vitimização joga fora nosso futuro.

Minha resposta a esses questionamentos em geral choca um pouco as pessoas. Elas esbugalham os olhos e chegam até a se ofender. O que eu digo é isto:

– Sempre que o senhor achar que o problema está *lá fora*, verá que ele *está* nessa mesma idéia.

– Então o senhor está dizendo que o problema é meu? – perguntam alguns.

– O que estou falando é que sempre que alguém faz girar sua vida emocional em torno das fraquezas de outra pessoa, ela está entregando sua liberdade emocional a essa pessoa e autorizando-a a continuar atrapalhando sua vida – seu futuro torna-se refém de seu passado.

Obviamente, isso é um problema de relacionamento, mas até que as pessoas tenham encontrado a própria voz, não há condições de que tenham a maturidade, a segurança interna ou a força de caráter para aplicar a solução centrada em princípios com um chefe "estúpido". Ou pode acontecer que tenham a força interior, mas não tenham ainda desenvolvido as habilidades que decorrem da prática paciente e persistente.

A continuada interação durante as aulas geralmente provoca profunda reflexão e os faz acabar por reconhecer que não são vítimas – eles também podem escolher a resposta que darão ao comportamento da outra pessoa. A sociedade provoca e reforça a mentalidade da vitimização e da culpabilização. Mas todas as pessoas têm a capacidade de usar os dons recebidos ao nascer para se tornar a força criativa de suas próprias vidas e escolher uma abordagem que aumente sua influência na organização. Podemos nos tornar os líderes de nossos chefes.

A FILOSOFIA GREGA DA INFLUÊNCIA

A filosofia grega da influência chamada *etos*, *patos*, *logos* é uma excelente síntese do processo de aumento de nossa influência (ver Figura 7.2).

O *etos* representa basicamente nossa natureza ética, nossa credibilidade pessoal, a confiança que os outros têm em nossa integridade e competência. Quando as pessoas cumprem, coerentemente, suas promessas de forma centrada em princípios, e fazem o que se espera delas, elas têm etos, *QS*.

O *patos* é a empatia – é o lado do sentimento. Significa que entendemos os sentimentos de outra pessoa, quais são suas necessidades, como ela vê as coisas e o que está tentando comunicar – *QE*.

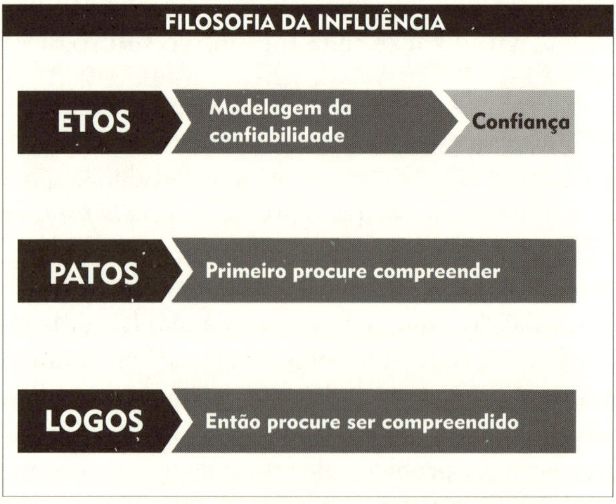

FIGURA 7.2

O *logos* representa, essencialmente, a lógica. Tem a ver com a força e a persuasão de nossa apresentação, de nosso pensamento – *QI*.

A seqüência, obviamente, é da maior importância. Passar ao logos antes que as pessoas sintam que são entendidas é inútil; tentar criar entendimento quando nosso caráter não tem credibilidade também é inútil.

CERTA VEZ estava palestrando para o Grupo dos Vinte – um grupo de, 20 agentes de seguros gerais, profissionais que se reúne a cada trimestre num foro de aprendizado para uma troca de idéias. Durante dois anos, fiz palestras para eles. Numa de nossas reuniões, em janeiro, todos estavam reclamando da baixa qualidade do programa de treinamento e desenvolvimento da empresa. E a gota d'água tinha ocorrido logo antes do Natal na grande cerimônia de entrega de prêmios que acontecera no Havaí, onde parte do tempo era destinada ao treinamento. Neste, não havia qualquer troca de idéias, ou de experiências. Na melhor das hipóteses, era um caro e impressionante show de lazer. Eles reclamavam que isso era típico dos treinamentos da empresa, que acabavam sendo curtos e inúteis.

Perguntei por que não promoviam mudanças. E eles responderam: "Não é nossa função, não somos encarregados disso." Falei que eles estavam fugindo da responsabilidade. Eles poderiam, sim, mudar o programa de treinamento caso se dispusessem a isso. Eles estavam entre os mais altos agentes gerais de toda a empresa e tinham grande credibilidade, ou *etos*. Eles poderiam procurar qualquer pessoa da empresa. Incentivei-os a fazer uma apresentação para os executivos partindo do próprio ponto de vista destes (*patos*), mas tão bem ou melhor do que esses tomadores de decisão poderiam fazê-lo – incluindo seus receios potenciais sobre mudanças no programa de treinamento e a comemoração anual tão cuidadosamente preparada. O objetivo seria descrever essas preocupações até que os executivos sentissem estar sendo tão profundamente entendidos que se abrissem ao *logos*, ou lógica, das recomendações dos agentes.

Eles mandaram então dois representantes para falar não só com o presidente e o CEO, mas também com a pessoa encarregada pelo treinamento e desenvolvimento. Os agentes usaram todo o tempo que julgaram necessário para descrever o que vinha sendo feito pela empresa e as razões disso, bem como as dificuldades econômicas, políticas e culturais de uma mudança. Eles continuaram essa descrição até ficar óbvio que os tomadores de decisão se sentiram profundamente entendidos. Logo que isso aconteceu, eles ficaram muito abertos à influência (a chave da influência é sempre começar por ser influenciado, isto é, começar sendo aberto e procurando o entendimento). Os executivos acabaram pedindo, literalmente, sugestões aos dois agentes, que não só as apresentaram como mostraram também um plano de ação para lidar com todas as realidades econômicas, políticas e culturais que tinham descrito anteriormente.

Os executivos ficaram impressionadíssimos. Embora os agentes tivessem sugerido fazer inicialmente um programa-piloto, os executivos resolveram na hora torná-lo um programa que abrangesse toda a empresa.

Na reunião trimestral seguinte, eles me contaram o que tinha acontecido. Então eu disse: "Agora, o que os senhores desejam fazer – que outra besteira da empresa desejam ver mudada?" Esse Grupo dos Vinte estava literalmente espantado com o que tinham conseguido alcançar – como sua iniciativa, sua ousadia e sua empatia tinham dado certo. Pararam de reclamar pelos cantos e começaram a assumir responsabilidades cada vez maiores. Embora continuando a arar suas pequenas roças, passaram a estudar áreas cada vez maiores e a ver as coisas em contextos maiores. Viram que os altos executivos eram seres humanos com dificuldades como eles mesmos, que precisavam mais de modelos do que de críticos, fontes de luz no lugar de fontes de julgamento.

Esta história ilustra claramente a abordagem de dentro para fora e sua força. É preciso recordar que, toda vez que pensamos que o problema está lá fora, é *essa idéia* que constitui o problema.

Felizmente, podemos ver com clareza como com iniciativa e empatia, com o etos, focalizando e trabalhando as coisas que estão em nossa área de influência, podemos tornar-nos catalisadores da mudança em qualquer situação. E, repito, ao fazê-lo nos tornamos, literalmente, líderes de nossos chefes. Isto é, embora o chefe possa ter a autoridade formal, nós temos a autoridade moral e a força para influenciar.

UM COMPENSADOR

Parece que Buckminster Fuller, que se destacou por impressionantes mudanças de paradigmas, teria escolhido este epitáfio: "Apenas um compensador." Num barco ou num avião, o compensador é um pequeno dispositivo que movimenta o timão, que altera o rumo do barco ou do avião (ver Figura 7.3). Esse Grupo dos Vinte era um compensador. Gandhi era um compensador.

FIGURA 7.3

Acredito que há numerosos compensadores potenciais em qualquer organização – empresas, governos, escolas, famílias, organizações sem fins lucrativos e comunitárias – que podem mostrar e espalhar sua influência, qualquer que seja a posição que ocupem. Eles se movimentam e levam suas equipes ou departamentos a se movimentarem, de modo a afetar positivamente toda a organização. O líder compensador toma *iniciativas* dentro de seu Círculo de Influência (ver Figura 7.4), por menor que seja.

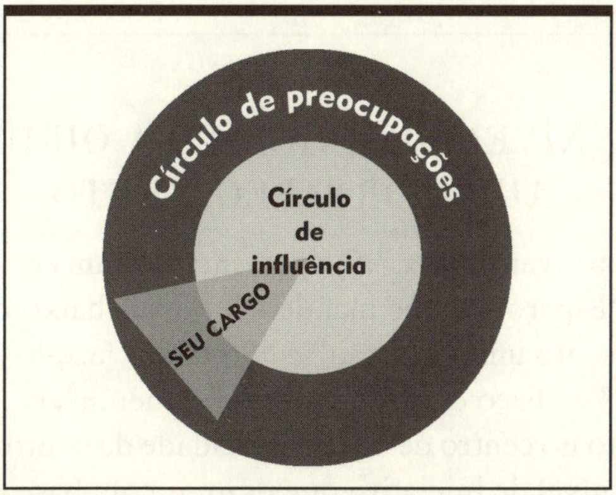

FIGURA 7.4

Para ilustrar, observemos o diagrama, onde encontramos dois círculos – o maior é o Círculo das Preocupações (as coisas que nos inquietam e interessam), o menor é o Círculo de Influência (as coisas sobre as quais temos controle ou domínio). Também indica que o cargo da pessoa está em grande parte fora de seu Círculo de Influência.

No Capítulo 1 comecei citando alguns dados impressionantes de um estudo da Harris Interactive com o uso de nosso Questionário Qx (Quociente de execução). Como as implicações dessa pesquisa são tão instigantes, farei referência a outros resultados no restante do livro. No que se refere à influência, é interessante saber que apenas 31% dos que responderam ao Qx disseram que se concentram em coisas que podem afetar diretamente, em vez de se preocupar com as que não podem afetar. Os líderes compensadores – qualquer que seja sua posição formal – aplicam sua visão, disciplina, paixão e consciência ao que está na borda externa de seu Círculo de Influência, o que o expande. Em muitos casos, trata-se de pessoas sem posições destacadas ou poder de decisão.

Tomar a iniciativa é uma forma de conferir poder a nós mesmos. Nenhum líder formal nos investiu de poder. A estrutura organizacional não nos deu autoridade. Nós nos conferimos poder com base na questão ou no problema ou desafio que temos em mãos. Exercitamos o devido nível de iniciativa ou nos conferimos autoridade.

> A pergunta-chave é sempre: Qual a melhor coisa que posso fazer nestas circunstâncias?

7 NÍVEIS DE INICIATIVA OU DE AUTOFORTALECIMENTO

No diagrama a seguir (ver Figura 7.5) apresentamos um *continuum* de 7 Níveis de Iniciativa – de "Espero até que mandem", o mais baixo deles, passando por "Pergunto", "Apresento uma sugestão" e "Pretendo fazê-lo", até "Faço e informo imediatamente" e "Faço e informo periodicamente", e, finalmente, "Faço", que é o que está justo no centro de nossa capacidade de controlar e influenciar.

Escolhemos o nível de iniciativa que usamos com base na distância entre a tarefa e nosso Círculo de Influência, interno ou externo. Isso requer sensibilidade e julgamento situacional, mas pouco a pouco nosso Círculo de Influência se expandirá.

A escolha de nosso nível de iniciativa amplia nossa definição de "voz", de modo a que possamos encontrar nossa voz em qualquer conjunto de circuns-

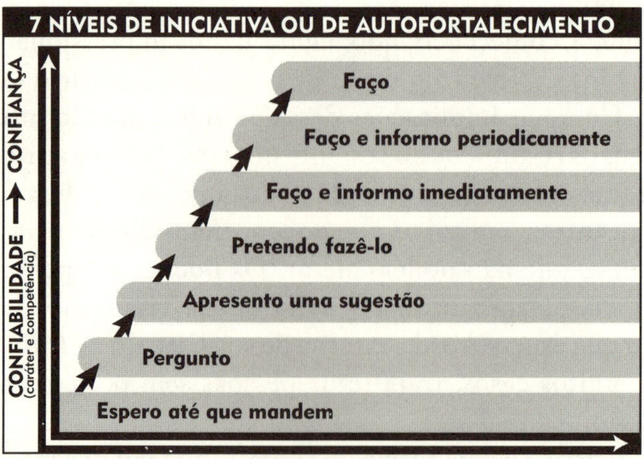

FIGURA 7.5

tâncias. Pode ser num cargo de que não gostemos de forma alguma. Ao exercer um nível de iniciativa, podemos mudar a natureza desse cargo, ou podemos influenciar outros que estejam em nosso Círculo de Influência, mas fora de nosso cargo.

Em nosso cargo atual, podemos procurar a excelência. Podemos tomar como referência padrões de classe mundial, em lugar dos nacionais/regionais/locais. Um advogado pode ser mais apaziguador. Um professor pode ser mais pastor atento e treinador e mentor. Um médico pode concentrar-se mais na prevenção e lidar com a pessoa inteira, em vez de examinar apenas partes do corpo, preocupando-se com a tecnologia e a química. Pais podem buscar que 80% de sua interação com os filhos seja positiva, reservando os 20% restantes para castigar, corrigir ou disciplinar. O vendedor poderia estar mais atento às necessidades e adaptar-se com integridade. O encarregado do marketing poderia garantir a integridade do merchandising e da publicidade. O executivo poderia ter o cuidado de prometer menos e cumprir mais. Em resumo, podemos ensinar princípios sempre e em todo lugar, e às vezes precisaremos recorrer às palavras.

VEJAMOS AGORA cada um dos níveis de iniciativa.

1. Esperar até que mandem

Isto envolveria uma preocupação que obviamente está não só *fora* de nosso Círculo de Influência como também de nosso cargo. Neste caso, só esperamos. Não queremos fazer o trabalho de outra pessoa. Não queremos fazer sugestões a respeito de coisas que estejam fora de nosso Círculo de Influência. As pessoas não confiariam em nossas recomendações por várias razões. Elas as veriam como totalmente inadequadas e talvez nos vissem como inteiramente fora de esquadro. Agir em áreas muito distantes de nosso Círculo de Influência acabaria por reduzi-lo.

O que fazer então? Sorrir, tal como nos diz a Oração da Serenidade usada pelos Alcoólatras Anônimos:

Senhor, dai-me a serenidade
De aceitar o que não posso mudar,
A coragem para mudar o que posso mudar
E a sabedoria para saber a diferença.

Não mais desperdiçamos nossa energia com algo sobre o qual nada podemos fazer. Agora, se temos influência junto a alguém que pode fazer alguma coisa a esse respeito, a situação muda. Podemos ir escalando os níveis de iniciativa e de autofortalecimento.

Mas não é fácil sorrir e não fazer nada por enquanto. Muitas pessoas ficam obcecadas por coisas estúpidas que não podem mudar no momento. Elas ficam trocando histórias de guerra e se consolam mutuamente em relação às coisas que não podem influenciar. Mas isso apenas enfraquece sua capacidade de fazer as coisas acontecerem em relação às questões e problemas sobre os quais *têm* alguma influência. Novamente, o futuro se torna refém do passado.

Então, elas caem na armadilha da co-dependência que dissemina o que chamo de cinco cânceres emocionais metastáticos: crítica, reclamação, comparação, concorrência e briga. As pessoas que não têm segurança interior a procuram em fontes exteriores a elas. Como são co-dependentes em relação a seu ambiente, elas se envolvem em comportamentos destrutivos, cancerosos.

Esses cinco cânceres emocionais vão espalhando, literalmente, suas células malignas nos relacionamentos e às vezes em toda a cultura. Então a organização fica tão polarizada, tão dividida, que é quase impossível fazer chegar produtos de alta qualidade aos clientes.

CINCO COMPORTAMENTOS CANCEROSOS

- **Crítica**
- **Reclamação**
- **Comparação**
- **Concorrência**
- **Briga**

FIGURA 7.6

Uma observação relativa à concorrência: embora concorrer por um sentido de valor nos relacionamentos, nas famílias, nas equipes e culturas e no ambiente de trabalho exija muito, acredito que pode ser muito salutar em situações como as do mundo dos esportes e do mercado. Ela permite obter o máximo das pessoas e das organizações. No mercado podemos olhar para nossos concorrentes como mestres com os quais procuraremos nos comparar. Embora possamos tentar derrotar nossos concorrentes, o que realmente estamos tentando fazer é proporcionar o melhor para nossos clientes e aprender com aqueles que fazem melhor e mais rápido do que nós. Essa é a força do sistema de livre empresa: concorrência no mercado, cooperação no ambiente de trabalho. Lembremos que devemos ser "bilíngües" e evitar o perigo apontado por Abraham Maslow: "Quem trabalha bem com o martelo tende a pensar que tudo são pregos."

2. Perguntar

É razoável e lógico fazer perguntas sobre algo que está dentro da descrição de nosso cargo mas *fora* de nosso Círculo de Influência. Como está fora do Círculo de Influência, não podemos fazer muita coisa a respeito; mas, como afeta nosso trabalho, muita gente consideraria legítimo pelo menos fazer a pergunta. Se esta for inteligente e resultar de análise atenta e reflexão ponderada, pode ser notada e causar impressão, aumentando nosso Círculo de Influência.

3. Apresentar uma sugestão

Onde poríamos este quesito? Logo na borda externa de nosso Círculo de Influência. Não é nem nossa tarefa. Trata-se de fazer uma recomendação que está fora do âmbito de nosso cargo e no perímetro de nosso Círculo de Influência.

Uma bela ilustração do terceiro nível de iniciativa e autofortalecimento se encontra na doutrina militar do Completed Staff Work. As cinco etapas básicas desta doutrina são:

1. Análise do problema.
2. Encontre uma alternativa e sugira soluções.
3. Formule sugestões para as etapas da execução da solução.
4. Incorpore uma noção de todas as realidades (política, social, competências econômicas etc.).
5. Faça a sugestão de modo que exija apenas uma única assinatura para ser aprovada.

O Completed Staff Work exige que o executivo eficaz espere pelo melhor resultado. Primeiro, ele pede às pessoas que considerem as questões e os problemas envolvidos. Depois de refletir, elas devem apresentar uma sugestão final. E o executivo só examina as sugestões finais.

Ao usar este método, a alta direção não salva as pessoas com respostas fáceis e rápidas, mesmo que possa desejá-las. Se o executivo não esperar até que o trabalho seja feito, estará impedindo o crescimento das pessoas – e estas desperdiçarão o tempo do executivo e da empresa. Além disso, as pessoas não podem ser responsabilizadas pelos resultados se lhes for entregue um método pronto.

> *Certa vez, na Sicília, disse a um general, que estava algo relutante em atacar, que eu confiava plenamente nele. E para mostrar isso, fui para casa.*
>
> *Nunca diga às pessoas o que devem fazer e elas o surpreenderão com sua capacidade.*[1]
>
> GENERAL GEORGE S. PATTON

Isto poupa muito tempo e trabalho do executivo e exige muito mais iniciativa do staff. Já vi isto funcionar de modo maravilhoso em muitas situações. E também alarga imediatamente nosso Círculo de Influência.*

4. "Pretender fazê-lo"

Esta iniciativa está um degrau acima do fazer a sugestão e é uma extensão dela. Tomei conhecimento deste princípio quando viajei pelas ilhas do Havaí a bordo do *USS Santa Fe*, um submarino nuclear, em meio a jogos de guerra simulados. Que visão magnífica descortinei da ponte de comando junto do Capitão David Marquet enquanto nos afastávamos do Porto de Lahaina, com aquele maciço todo negro de 91 metros (quase o comprimento de um campo de futebol americano) à nossa frente e cerca de 30 metros atrás de nós, sulcando as águas.

Enquanto nós dois conversávamos, um oficial se aproximou e disse: "Capitão, pretendo levar esta embarcação a 122 metros de profundidade." O capitão perguntou: "E qual é a sondagem (profundidade do solo marinho)?" Ele respondeu: "Cerca de 244 metros." "O que indica o sonar (o instrumento eletrônico que registra a presença de outros navios, barcos, submarinos e outros objetos)?" O oficial replicou: "Nada, apenas peixes." O capitão disse: "Espere mais 20 minutos – e então leve adiante sua intenção."

No correr do dia, as pessoas se apresentavam ao capitão e diziam "pretendo fazer isto" ou "pretendo fazer aquilo". Muitas vezes o capitão fazia pergun-

---

*Para solicitar uma cópia grátis de um artigo em inglês sobre o Completed Staff Work, visite *www.The8thHabit.com//offers.*

tas e depois de ouvir as respostas dizia "Muito bem". Outras vezes não perguntava nada e simplesmente dizia "Muito bem". O capitão reservava para si apenas a confirmação das decisões mais importantes. A grande massa delas – cerca de 95% – era feita sem nenhum envolvimento ou confirmação do capitão.

Perguntei ao capitão a respeito de seu estilo de liderança. Ele disse que queria promover a autonomia de seu pessoal o mais longe que o contexto naval permitisse. Ele pensava que, se deixasse nas mãos deles não só o problema mas também a solução eles começariam a se sentir um elo de fundamental importância na cadeia de comando. Ele levou essa cultura até o ponto em que oficiais e marinheiros declarassem suas intenções considerando a autoridade de decisão do capitão.

"Pretendo fazer isso" é um nível de iniciativa de tipo diferente do "Sugiro". Significa que a pessoa fez um maior trabalho analítico, de forma que está totalmente preparada para executar a ação, logo que esta for aprovada. Ela tem em mãos não apenas o problema mas também a solução e está pronta para implementá-la.

Esses marinheiros sentiam realmente que agregavam valor – algo, me sugeriram, que não ocorria com outros capitães, que simplesmente mantinham a situação de "Esperar até que mandem". É por isso que "Pretendo fazê-lo" está no perímetro externo de nosso Círculo de Influência e de nosso cargo. Um fortalecimento significativo reduz a rotatividade de pessoal – isto é, a perda de pessoas importantes para outros empregos que pagam muito mais.

Meses após a viagem, fiquei empolgado quando uma carta do Capitão Marquet me informou que o *USS Santa Fe* tinha recebido o troféu Arleigh Burke, como a embarcação mais aprimorada do Pacífico. Esse é o fruto do fortalecimento compensador.

5. Fazer e informar imediatamente

Este caso estaria no perímetro externo de nosso Círculo de Influência mas dentro dos limites de nosso cargo. Informamos imediatamente porque outras pessoas precisam estar cientes. Isto lhes permite verificar se tudo foi feito corretamente e possibilita que correções necessárias sejam feitas em tempo hábil. Também proporciona informações necessárias para que outros possam agir em conseqüência e executar as tarefas decorrentes.

6. Fazer e informar periodicamente

Este nível de iniciativa cabe em ações que poderiam ser parte da auto-avaliação corriqueira num processo de avaliação de desempenho ou num relatório formal para que a informação possa ser transmitida e usada por outros. Quando informamos periodicamente, estamos claramente dentro de nossa descrição de cargo e dentro de nosso Círculo de Influência.

7. Fazer

Quando algo está exatamente no centro de nosso Círculo de Influência e no núcleo de nossa descrição de cargo, nós simplesmente fazemos. Às vezes, em algumas culturas, é mais fácil obter perdão do que permissão, de modo que, se nos convencemos de estar certos e de que a ação não está tão afastada de nosso Círculo de Influência, o melhor pode ser "fazer".

Esta idéia de assumir a responsabilidade e simplesmente fazer é muito forte. Este nível de iniciativa mais alto me faz lembrar uma história verídica chamada "Mensagem a Garcia".

> Quando irrompeu a guerra entre a Espanha e os Estados Unidos na virada do século, o presidente americano precisou fazer chegar uma mensagem a um revolucionário cubano chamado Garcia. Ele estava escondido em algum lugar da ilha de Cuba, fora do alcance dos correios ou do telégrafo. Ninguém sabia como alcançá-lo. Mas um oficial sugeriu que, se alguém pudesse fazê-lo, a pessoa seria um oficial de nome Rowan.
>
> Quando McKinley entregou a carta a Rowan em Washington, D.C., o oficial não perguntou, "Onde ele está? Como chego lá? O que o senhor quer que faça quando o encontrar? Como volto?". Ele apenas pegou a mensagem e imaginou como chegar até Garcia. Pegou um trem até Nova York. Um navio até a Jamaica. Atravessou o bloqueio para chegar a Cuba num pequeno barco à vela. Então viajou em carruagens precárias, andou e montou pela selva cubana. Depois de nove dias de viagem, Rowan entregou a mensagem a Garcia, às nove da manhã. No mesmo dia, às 17 horas, ele iniciou a viagem de retorno para os Estados Unidos.

Refletindo sobre a questão, Elbert Hubbard escreveu:

> Admiro o homem que cumpre sua tarefa quando o "chefe" está longe do mesmo modo que se estivesse perto... O homem que, quando lhe entregam uma mensagem para Garcia, pega a missiva sem fazer perguntas idiotas e sem qualquer idéia de jogá-la na lata de lixo mais próxima, preocupado apenas em entregá-la... A civilização é uma longa busca ansiosa por pessoas dessa estirpe. Tudo o que um homem desses pede lhe será dado; é um tipo tão raro que nenhum empregador pode

dar-se ao luxo de perdê-lo. Ele é esperado em toda cidade, vila ou aldeia – em todo escritório, loja, oficina ou fábrica. O mundo pede um homem assim: ele é necessário, muito necessário – o homem que pode "Levar uma mensagem a Garcia".*

O ESPÍRITO COMPENSADOR

Vemos que qualquer que seja a questão, problema ou preocupação com que nos deparemos sempre podemos fortalecer-nos tomando algum tipo de iniciativa. É preciso ser sensível, sábio, cuidadoso em relação à oportunidade, mas é preciso fazer *algo* a respeito da situação. Devemos evitar as reclamações, as críticas ou as atitudes negativas; precisamos de um cuidado especial para não nos absolvermos das responsabilidades simplesmente culpando "os outros" pelas falhas. Vivemos numa cultura de culpa – 70% dos que responderam o Questionário Qx disseram que as pessoas de sua organização tendem a culpar os outros quando as coisas não dão certo. Portanto, assumir a responsabilidade é nadar contra a corrente.

Tomar a iniciativa exige *visão*, um padrão a ser atingido ou um aprimoramento a ser feito. Exige *disciplina* no fazer. Exige pôr nosso coração e nossa *paixão* no que realizamos e fazê-lo de acordo com a *consciência*, embasados em princípios, visando a um fim meritório.

Tom Peters descreve a atitude e o espírito compensador da seguinte forma:

> Sem brincadeira, os ganhadores adoram tarefas desagradáveis. Por quê? Porque essas tarefas abrem um grande espaço. Ninguém liga! Ninguém observa! Você faz o que quer! Você é rei! Você pode sujar as mãos, pode errar, se arriscar, fazer milagres! O lamento mais comum dos "desempoderados" é que eles não têm "espaço" para fazer nada legal. Ao que eu respondo, sempre: bobagem!
>
> Em resumo: aproveite essa "pequena" tarefa ou "dever" que ninguém mais quer! PROCURE-A! É uma oportunidade de fortalecimento, seja a reformulação de um relatório, seja o planejamento de uma reunião de fim de semana com o cliente... Você pode transformar isso em alguma coisa grande, gloriosa e Uau.[2]

Certa vez fui assistente administrativo do presidente de uma universidade. Sob muitos aspectos, ele era ditatorial, controlador, achava sempre que sabia mais e que deveria tomar todas as decisões importantes. Por outro lado, ele era

---

* Em *www.The8thHabit.com/offers* encontra-se uma versão [em inglês] do texto de domínio público "A Message to Garcia".

um visionário – uma pessoa brilhante, talentosa. Mas ele tratava todos como contínuos – "traga isso, traga aquilo" –, como se eles não pensassem. Essas pessoas tão instruídas e motivadas pouco a pouco foram ficando desiludidas e apáticas. Elas ficavam nos corredores reclamando do presidente.

– Não acredito que ele tenha feito...

– Sabe qual foi a última...

– Você está achando ruim, mas devia ver o que fez quando foi no nosso departamento...

– Nunca tinha ouvido isso.

– Realmente nunca passei por uma situação assim, tolhido por todas essas normas sem sentido e essa burocracia. Não dá para agüentar.

E passavam assim horas se consolando mutuamente.

Então apareceu Ben. Ele tinha outra atitude. Passou diretamente para o terceiro nível de fortalecimento e iniciativa. Embora também ele fosse tratado como um contínuo, ele resolveu começar no nível da *sugestão*.

Procurou ser o melhor contínuo. Isso lhe rendeu etos – credibilidade. Ele então antecipava as necessidades do presidente e as razões que estavam por trás de seus pedidos. "Vejamos, por que o presidente quer esta informação? Ele está se preparando para uma reunião do conselho e quer que eu descubra em quantos campi universitários do país os seguranças carregam armas porque ele está sendo criticado pelo que fazemos aqui. Vou ajudá-lo a se preparar para essa reunião."

> Complemente seu chefe. Não o critique.

Ben compareceu a uma reunião preliminar e apresentou os dados que lhe tinham sido pedidos, depois avançou fazendo análises e recomendações. O presidente se virou para mim, boquiaberto. Então se dirigiu a Ben e falou: "Quero que o senhor compareça à reunião do conselho e apresente suas sugestões. Sua análise foi brilhante. Você captou exatamente o que se fazia necessário."

Todos os demais tinham aderido à conspiração silenciosa do "esperar até que mandem". Exceto Ben. Ele exerceu uma liderança, mostrando sua empatia pelo presidente, verificando o que ele realmente queria e do que precisava. Ben partiu de uma posição relativamente baixa. Mas logo ele estava fazendo apresentações regulares perante o conselho.

Trabalhei nessa função durante quatro anos. No final do quarto ano, Ben era a segunda pessoa mais influente do campus, embora não tivesse ascendido na carreira acadêmica. O presidente não tomava qualquer decisão importante sem a bênção de Ben. Quando Ben se aposentou, criaram um prêmio especial com seu nome. Por quê? Porque ele modelou a confiabilidade, a fidelidade à universidade e a disposição de fazer o que fosse necessário.

Penso que Ben entendeu a inutilidade de desejar que as coisas fossem diferentes. O leitor está vendo nesta história como a liderança pode ser uma escolha? Pode ver como também pode se tornar o líder de seu chefe, tal como Ben?

> Quando dizemos que a liderança é uma escolha, estamos dizendo basicamente que podemos escolher o nível de iniciativa que queremos exercer em resposta à pergunta "Qual é o melhor que posso fazer nestas circunstâncias?".

Sempre teremos que fazer um julgamento em relação a estes 7 Níveis de Iniciativa. É preciso julgamento e sabedoria para reconhecer que nível de iniciativa exercer – *o que* devemos fazer, como, quando e, talvez o mais importante, *por que* fazê-lo. O "por que?" em geral tem a ver com a inteligência espiritual, já que estamos pensando de modo analítico, estratégico e conceitual. O "quando" e o "como" estão mais ligados à inteligência emocional, visto que estamos lendo o ambiente, atentando às normas culturais e políticas que operam e apreciando nossas próprias forças e fraquezas. A inteligência operacional também desempenhará um papel relevante quando levarmos adiante nossas intenções e implementarmos taticamente o "como".

Se usarmos com sabedoria os 7 Níveis de Iniciativa, verificaremos que nosso Círculo de Influência se amplia cada vez mais, até abranger todas as nossas funções dentro do cargo. É interessante observar que, quando nosso Círculo de Influência se amplia, quase sempre ocorre o mesmo com nosso Círculo de Preocupações.

Um líder compensador é constante – como um farol, não um cata-vento – uma fonte de luz confiável, não alguém que oscila com cada vento social.

> ***Dai ao mundo o melhor que tendes e podereis vos ferir. Mas dai-o de todo modo.***
>
> MADRE TERESA

À medida que tomamos iniciativas de dentro para fora, as pessoas que estão em posições formais terão cada vez mais confiança em noso caráter e competência. A confiança crescerá. É quase inevitável que desejem fomentar níveis cada vez mais elevados de iniciativa e fortalecimento em nosso cargo. Acabaremos por nos tornar líderes de nosso chefe... e este se tornará naturalmente parte de uma equipe complementar, como um líder servidor.

FILME: *Mauricius*

Convido agora o leitor a assistir ao filme chamado *Mauricius*, que está no DVD que acompanha este livro. Não apenas as organizações ou as pessoas podem ser compensadores; este filme ilustra como todo um país ou uma sociedade pode compensar seu próprio sucesso e sua cultura – apesar das profundas diferenças étnicas, raciais, culturais e outras. De fato, não é apesar de, mas simplesmente *porque* elas existem, já que geraram essa notável força cultural.

As declarações apresentadas no início do filme eram exatas na época da produção. Desde então, algumas condições das Ilhas Maurício mudaram, incluindo o aumento de bolsões de disputas sociais. Contudo, a mensagem do filme não é que as Ilhas Maurício sejam uma sociedade perfeita, mas a de que *quaisquer* que sejam os desafios que enfrentamos – como indivíduos, como famílias, como organizações ou até como nações – podemos trabalhar dentro de nosso Círculo de Influência e "compensar" criativamente nosso rumo por meio deles.

PERGUNTAS E RESPOSTAS

- **Tudo isto é muito interessante, mas o senhor não conhece meu chefe. Ele é fanático por controle e se sente ameaçado pelas pessoas competentes que estão à sua volta. Minha situação é muito diferente.**

Sim, toda situação é única e diferente sob alguns aspectos. Mas em outro sentido, no fundo, os desafios e problemas são muito semelhantes. A chave não está nas circunstâncias, está no espaço que há entre estímulo e resposta – isto é, na circunstância e na forma como reagimos a ela. É aí que está nossa liberdade de escolha. Se usarmos com sabedoria essa liberdade e embasarmos nossas escolhas em princípios, não apenas aumentará nossa liberdade de escolha, mas também desenvolveremos uma fonte interna de segurança, de modo que nossa vida deixará de ser uma função da fraqueza dos outros. Não mais nos enfraqueceremos e permitiremos que as fraquezas dos outros continuem atrapalhando nossa vida. Podemos fazer uma análise de custo-benefício e decidir fazer algo diferente ou ir para outro lugar. Ou podemos simplesmente decidir apoiar-nos no lado pragmático do mercado e usaremos o compensador para ampliar nosso círculo de influência até nos tornar indispensáveis e chegar, até, a liderar nosso chefe. Precisamos recorrer às nossas 4 inteligências para podermos ser criativos e inspirados. E também precisamos trabalhar dentro de nosso Círculo de Influência mas fora de nosso cargo. Precisamos ter muita iniciativa e vontade para entender as necessidades não-atendidas e os problemas não-resolvidos, a fim de utilizar o nível de iniciativa adequado. Precisamos fazer nosso trabalho de forma excepcional, de modo a merecer a confiança dos outros, examinando outros campos ao tempo em que cultivamos o nosso. Lembremos: primeiro o etos (credibilidade), depois o patos (a empatia) e finalmente o logos (a lógica).

- **De modo realista, como uma pessoa pode se tornar o líder de seu chefe?**

Torne-se uma luz, não um juiz. Torne-se um modelo, não um crítico. Trabalhe dentro de seu Círculo de Influência para poder desenvolver e expandir sua autoridade moral e ter credibilidade. Com coragem, tome a iniciativa de fazer acontecer coisas boas. Tenha empatia em relação ao mundo, às preocupações, aos propósitos e à atitude mental de seu chefe. Tenha também empatia em relação à cultura e ao mercado, e então tome as iniciativas. Lembre-se mais uma vez: nada de falar mal. Seja paciente e persistente e sua influência aumentará. Os resultados pragmáticos converterão os cínicos. Isso é liderança – uma escolha, lembre-se não uma posição.

- **O senhor diz muitas vezes que é mais fácil obter o perdão do que a autorização, mas às vezes quando se toma uma pequena iniciativa com base nessa idéia, a pessoa acaba sendo gravemente admoestada ou até demitida.**

Continue investindo em seu desenvolvimento pessoal e profissional e em sua capacidade para gerar soluções para os problemas e terá sempre uma fonte de segurança econômica. Sua segurança não deriva de seu emprego ou da proteção de outras pessoas; deriva de sua capacidade de atender às necessidades e de resolver problemas. Continue investindo nessas capacidades e terá oportunidades sem-fim. Também escolha com cuidado suas batalhas – não tome iniciativas que estejam muito distantes de seu Círculo de Influência. Antes trabalhe fora de seu cargo, mas dentro do Círculo de Influência. Tome então a iniciativa na forma de uma análise e de sugestões ponderadas e verá que inevitavelmente seu Círculo de Influência vai se expandindo cada vez mais.

Capítulo 8

A VOZ DA CONFIABILIDADE – MODELANDO CARÁTER E COMPETÊNCIA

A qualidade suprema de um líder é, sem dúvida, a integridade. Sem ela, não é possível qualquer sucesso real seja entre um grupo de operários, uma equipe de futebol, um exército ou um escritório.

DWIGHT DAVID EISENHOWER

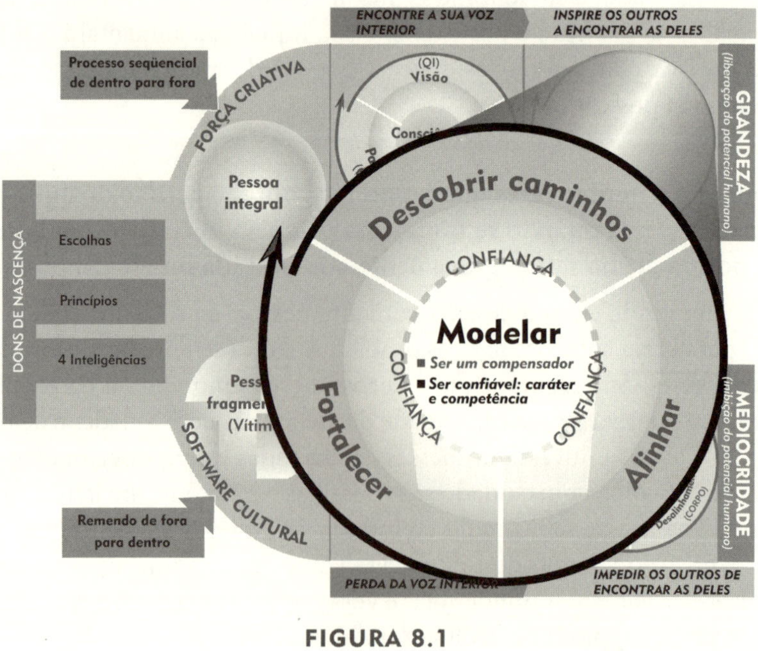

FIGURA 8.1

HÁ ALGUM TEMPO fui procurado por um banco que estava com problemas com o moral baixo dos empregados. "Não sei o que está errado", lamentou-se seu jovem presidente. Brilhante e carismático, ele tinha feito carreira na instituição e agora a via soçobrando. A produtividade e os lucros estavam em queda. Ele culpava os empregados: "Por mais incentivos que lhes dê, eles não saem do marasmo."

Estava certo. O ambiente parecia envenenado pela descrença e pela falta de confiança. Durante dois meses fiz workshops, mas nada parecia funcionar. Estava perplexo.

"Como é que alguém pode confiar no que acontece aqui?", era uma observação comum feita pelos empregados. Mas ninguém me revelava a fonte dessa desconfiança.

Finalmente, numa conversa informal, surgiu a verdade. O chefe, que era casado, estava tendo um caso com uma das funcionárias. E todos sabiam.

Era óbvio que o mau desempenho da empresa era uma conseqüência dessa conduta. Mas o maior dano que o homem estava provocando era a ele mesmo. Ele só pensava em sua gratificação, sem medir as conseqüências de longo prazo. Além disso, ele estava quebrando um dever sagrado para com sua esposa.

Em resumo, sua falha era de *caráter*.

> De todas as falhas da liderança,
> 90%
> são falhas de caráter.

Da mesma forma que a confiança é a chave de todos os relacionamentos, ela é também a cola que une as organizações. É o cimento que mantém unidos os tijolos. Também descobri que a *confiança é o fruto da confiabilidade das pessoas e das organizações*. A confiança tem três fontes: a pessoal, a institucional e uma pessoa que conscientemente opta por *dá-la* a outra – um ato que me leva a *sentir* sua crença em que eu posso agregar valor. Você me dá confiança e eu a devolvo. A *confiança* é algo que se compartilha *E* se dá reciprocamente. Essa é a essência da transformação de uma pessoa em líder de seu chefe. Elas merecem confiança ao dá-la. A *confiança* deriva da confiabilidade potencial daquele que recebe a confiança e a clara confiabilidade daquele que dá a confiança. O quarto papel – Fortalecer (*empowering*) – incorpora essa confiabilidade compartilhada.

Fizemos uma pesquisa junto a mais de 54 mil pessoas e lhes pedimos para identificar as qualidades essenciais do líder; a integridade foi a que veio em primeiro lugar (ver Figura 8.2).

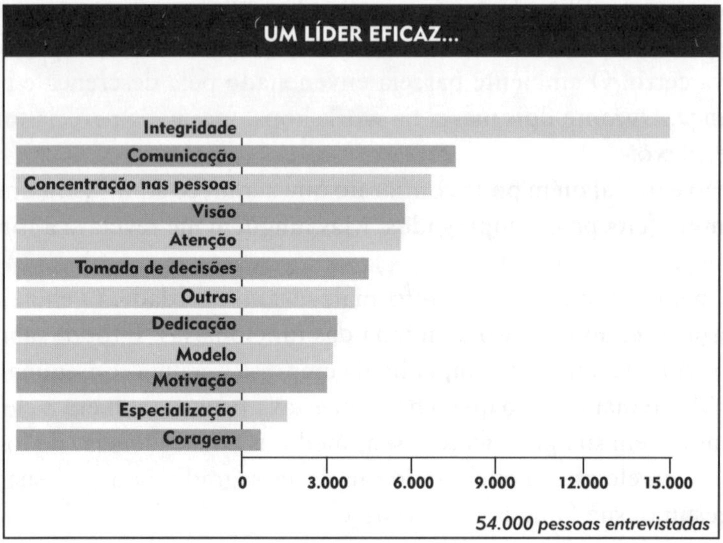

FIGURA 8.2

Em muitos ambientes de nossos dias está fora de moda falar em termos de caráter. Passou a ser considerado uma coisa provinciana ou ligada à religião. Algumas pessoas se indagam se nossos valores interiores ainda têm alguma importância. Afinal, nosso afamado executivo do setor bancário não alcançou o sucesso sob todos os aspectos visíveis apesar de suas transgressões?

Essa pergunta demonstra o dilema da vida moderna. Muitos acreditam que, para chegar ao sucesso, precisamos apenas de talento, energia e personalidade. Mas a história nos ensina que, no longo prazo, é mais importante o quem *somos* do que o que aparentamos ser.

Quando examinei a literatura referente a liderança e sucesso, desde a fundação dos Estados Unidos, ao preparar-me para escrever os 7 *Hábitos*, verifiquei que, nos primeiros 150 anos, o foco estava quase que exclusivamente na importância do caráter e dos princípios. Quando avançamos na Era Industrial e depois da Primeira Guerra Mundial, o foco passou a se deslocar para a personalidade, as técnicas e as tecnologias – o que poderíamos chamar de Ética da Personalidade.

Essa tendência prossegue, mas sinto que está surgindo uma tendência contrária na medida em que as pessoas experimentam os frutos das culturas organizacionais despidas de valores. Um número crescente de organizações está reconhecendo a necessidade de confiabilidade, caráter, geração de confiança na cultura. Mais e mais pessoas estão sentindo a necessidade de se voltar a um exame profundo de suas almas, de ver como elas, pessoalmente, contribuem para os problemas e como poderiam participar da solução e do atendimento às necessidades humanas.

> *No longo prazo, o caráter é o fator decisivo na vida de uma pessoa e de uma nação.*[1]
>
> THEODORE ROOSEVELT

O que aconteceu com aquele presidente de banco que se envolvera intimamente com uma funcionária? Quando falei para ele que sabia do caso e do efeito que tinha sobre sua equipe, ele passou os dedos nos cabelos e disse:

– Nem sei por onde começar.

– Acabou? – perguntei

– Sim, completamente – respondeu olhando-me nos olhos.

– Então, fale com sua esposa – disse eu.

Ele falou com a esposa, que o perdoou. Então, ele reuniu sua equipe para falar do problema do moral.

– Encontrei a causa do problema – declarou. – Sou eu. E agora peço aos senhores uma segunda chance.

Demorou, mas finalmente houve uma melhora no moral dos empregados – um sentimento de abertura, de otimismo e confiança. No final, quem mais se beneficiou disso foi o próprio presidente, que encontrou seu próprio caminho para o caráter.

CONFIABILIDADE PESSOAL

Sempre que nos deparamos com confiança permanente, encontramos confiabilidade. Sempre. É um princípio. E tal como a confiança decorre da confiabilidade, esta decorre do *caráter* e da *competência*. Quando desenvolvemos caráter e competência firmes, o fruto é a sabedoria e o juízo – fundamentos de todas as realizações grandes e duradouras e também da confiança. O diagrama a seguir (ver Figura 8.3) ajuda a identificar os principais fatores envolvidos na geração de confiança.

Comecemos pelas três facetas do *caráter* pessoal: integridade, maturidade e a Mentalidade da Abundância.

Integridade quer dizer que estamos integrados em torno dos princípios e das leis naturais, que em última análise governam as conseqüências de nosso comportamento. A honestidade é o princípio de falar a verdade. A integridade é cumprir as promessas feitas a nós e/ou aos outros.

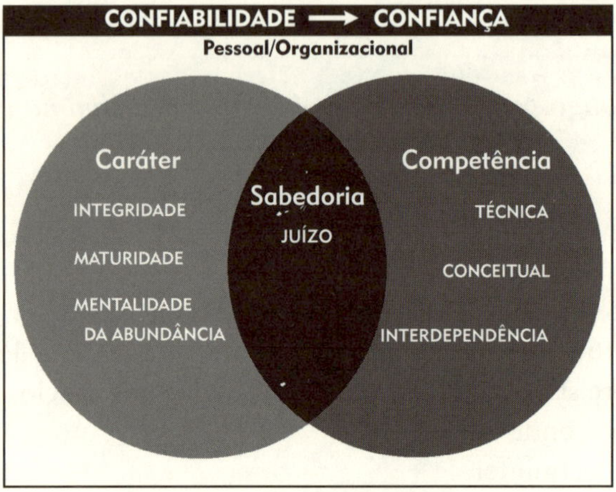

FIGURA 8.3

> *Um homem não pode fazer as coisas certas em um departamento de sua vida enquanto erra em qualquer outro. A vida é um todo indivisível.*[2]
>
> MAHATMA GANDHI

A *maturidade* se desenvolve quando a pessoa paga o preço da integridade e da vitória privada sobre o próprio eu, o que lhe permite ser simultaneamente corajosa e bondosa. Em outras palavras, essa pessoa pode lidar com questões difíceis de modo compassivo. A combinação de coragem e bondade é tanto a fonte quanto o resultado da integridade.

A *mentalidade da abundância* significa que, em lugar de ver a vida como uma competição em que há apenas um ganhador, nós a vemos como uma cornucópia de oportunidades, recursos e riqueza cada vez maiores. Não nos comparamos com os outros e nos alegramos, realmente, com seu sucesso. As pessoas com uma mentalidade de escassez têm sua identidade embasada nas comparações e se sentem ameaçadas pelo sucesso dos outros. Embora possam fingir e dizer outra coisa, elas sabem o que está devorando seus corações. Aqueles que têm a mentalidade da abundância vêem seus concorrentes como mestres prezados e importantes. Esses mesmos atributos – integridade, maturidade e Mentalidade da Abundância – descrevem perfeitamente uma equipe complementar.

• • •

VEJAMOS AGORA o lado da *competência* na confiabilidade pessoal.

A *competência técnica* é a habilidade e o conhecimento necessários para realizar determinada tarefa.

O *conhecimento conceitual* significa que temos a capacidade de ver o quadro geral, como todas as partes se relacionam entre si. É ser capaz de pensar estratégica e sistematicamente e não apenas de modo tático.

A *interdependência* é a consciência da realidade de que tudo na vida está conectado, especialmente em organizações e em equipes complementares que tentam ganhar e manter a fidelidade dos clientes, dos associados, dos fornecedores e dos proprietários. O pensamento independente numa realidade interdependente seria análogo a jogar tênis com um taco de golfe ou pensar analogicamente num mundo digital.

Quando meu genro Matt foi entrevistado na faculdade de medicina, lhe perguntaram o que preferiria: um cirurgião honesto mas incompetente ou um que fosse competente embora desonesto. Ele refletiu e deu uma boa resposta. "Tudo depende do problema. Se eu precisasse ser operado, iria querer o competente. Se se tratasse de saber se tinha que ser operado ou não, preferiria o honesto."

Tanto caráter quanto competência são, obviamente, necessários, mas isoladamente são insuficientes. O general H. Norman Schwarzkopf disse o seguinte:

> Encontrei no exército líderes que eram muito, muito competentes. Mas não tinham caráter. Para cada tarefa que executavam bem no exército, buscavam recompensa na forma de promoções, prêmios e condecorações, queriam avançar à custa de alguém, queriam outro diploma que lhes assegurasse mais um degrau... um caminho seguro até o topo. Veja, eram pessoas competentes, mas lhes faltava caráter. Também conheci líderes que tinham um ótimo caráter, mas lhes faltava competência. Não estavam dispostos a pagar o preço da liderança, a fazer aquele algo mais que é marca do grande líder. Para liderar no século XXI... é necessário ter tanto caráter quanto competência.[3]

O leitor descobrirá, se isso já não for óbvio para ele, por que não há forma de fazer progressos significativos em suas relações com outras pessoas se sua vida está tumultuada ou se não forem confiáveis. É por isso, em última análise, que, para aprimorar qualquer relacionamento, precisamos começar por nós mesmos; precisamos nos aprimorar.

MODELAR É VIVER OS 7 HÁBITOS DAS PESSOAS ALTAMENTE EFICAZES

Os 7 Hábitos das Pessoas Altamente Eficazes incorporam a essência do que é necessário para se tornar uma pessoa equilibrada, integrada, forte e criar uma equipe complementar embasada no respeito mútuo. São os *princípios* do caráter pessoal. Aqui não podemos tratar dos Hábitos com a profundidade adequada – isso é visto melhor no livro. Mas apresentamos a seguir um pequeno sumário dos 7 Hábitos.

Os 7 Hábitos das Pessoas Altamente Eficazes

Hábito 1 – Seja Proativo

É mais do que tomar iniciativas. É reconhecer que somos responsáveis pelas nossas escolhas e que temos liberdade de escolher com base em princípios e valor em lugar de humores ou condições. As pessoas proativas são agentes de mudança e optam por não ser vítimas, reativas ou por não culpar os outros.

Hábito 2 – Comece com o Objetivo em Mente

As pessoas, famílias, equipes e organizações moldam seu futuro criando, primeiro, uma visão mental de qualquer projeto, grande ou pequeno, pessoal ou interpessoal. Elas não vivem apenas o dia-a-dia sem qualquer propósito claro em mente. Elas identificam e se comprometem com os princípios, relacionamentos e propósitos que para eles são mais importantes.

Hábito 3 – Primeiro o Mais Importante

Significa organizar e executar em torno das prioridades mais relevantes. Em quaisquer circunstâncias, é viver e ser conduzido pelos princípios que mais valorizamos, não pelas pautas e forças urgentes que estão em volta de nós.

Hábito 4 – Pense Ganha-Ganha

É uma postura da mente e do coração que busca o benefício e o respeito mútuos em todas as interações. É pensar em termos de abundância e oportunidade em lugar de escassez e concorrência adversa. Não é pensar de forma egoísta (ganha-perde) ou como um mártir (perde-ganha). É pensar em termos de "nós", não de "eu".

Hábito 5 – Procure Primeiro Compreender para Depois Ser Compreendido

Quando ouvimos com a intenção de entender os outros, em vez de apenas responder-lhes, começamos uma verdadeira comunicação e estabelecemos uma relação. As oportunidades para eles falarem abertamente e de serem entendidos se tornam mais naturais e fáceis. A busca da compreensão dos outros exige consideração; a busca por sermos entendidos exige coragem. A eficácia está em equilibrar ou combinar as duas coisas.

Hábito 6 – Crie Sinergia

A sinergia é a terceira alternativa, não do meu jeito, não do seu, mas uma terceira forma que é melhor do que qualquer outra que poderíamos imaginar individualmente. É o fruto do respeito, do apreço e até do louvor das diferenças mútuas. Tem a ver com resolver problemas, aproveitar oportunidades e aparar diferenças. É o tipo de cooperação criativa de 1 + 1 = 3, 11, 111... ou mais. A sinergia também é a chave de qualquer equipe ou relacionamento eficaz. Uma equipe sinérgica é uma equipe complementar – a equipe é organizada de modo que as forças de uns compensem as fraquezas de outros. Deste modo, otimizamos e conduzimos com forças e tornamos as fraquezas individuais irrelevantes.

Hábito 7 – Afine o Instrumento

É nos renovar constantemente nas quatro áreas básicas da vida: física, social/emocional, mental e espiritual. É o hábito que aumenta nossa capacidade de viver todos os outros hábitos da eficácia.

OS TRÊS PRIMEIROS HÁBITOS podem ser sintetizados numa fórmula muito simples: *faça e mantenha promessas*. A capacidade de fazer uma promessa é a proatividade (Hábito 1). O conteúdo da promessa é o Hábito 2 e a manutenção da promessa é o Hábito 3.

> Somente 57% dos trabalhadores entrevistados consideram que suas organizações fazem coerentemente o que dizem que farão.

Os três hábitos seguintes, das equipes complementares, podem ser resumidos numa frase curta: *envolva as pessoas no problema e formule a solução em conjunto*. Isto exige respeito mútuo (Hábito 4), entendimento mútuo (Hábito 5) e cooperação criativa (Hábito 6). O Hábito 7, afinar o instrumento, significa aumentar nossa competência nas quatro áreas da vida: corpo, mente, coração e espírito. É a renovação de nossa integridade e segurança pessoais (Hábitos, 1, 2 e 3) e a renovação do espírito e do caráter da equipe complementar.

O quadro a seguir descreve os princípios e paradigmas de cada um dos 7 Hábitos.

PRINCÍPIOS E PARADIGMAS INCORPORADOS NOS 7 HÁBITOS		
Hábito	*Princípio*	*Paradigma*
❶ Seja Proativo	Responsabilidade/Iniciativa	Autodeterminação
❷ Comece com o Objetivo em Mente	Visão/Valores	Duas criações/Foco
❸ Primeiro o Mais Importante	Integridade/Execução	Prioridade/Ação
❹ Pense Ganha-Ganha	Respeito mútuo/Benefício	Abundância
❺ Procure Primeiro Compreender para Depois Ser Compreendido	Entendimento mútuo	Consideração, Coragem
❻ Crie Sinergia	Cooperação criativa	Diferenças nos valores
❼ Afine o Instrumento	Renovação	Pessoa integral

TABELA 3

PRINCÍPIOS INCORPORADOS NOS 7 HÁBITOS

Observemos atentamente cada um destes princípios. Como mencionado anteriormente, destacam-se três coisas. Primeiramente, eles são *universais* – isso significa que transcendem a cultura e fazem parte de todas as principais religiões e filosofias duradouras do mundo; em segundo lugar, são *atemporais* – nunca mudam, e, por último, são *auto-evidentes*. Como sabemos que algo é auto-evidente? Como já foi dito, tentando argumentar contra. É simplesmente impossível fazê-lo. No caso dos princípios subjacentes aos 7 Hábitos, não se pode argumentar contra a importância da responsabilidade ou da iniciativa, do propósito, da integridade, do respeito mútuo, do entendimento mútuo, da cooperação criativa ou da importância da renovação contínua. Os 7 Hábitos são princípios de caráter que determinam *quem e o que somos*. Eles não dão a credibilidade, a autoridade moral e a base de habilidades para que possamos influenciar uma organização, incluindo nossa família, comunidade e sociedade; são o núcleo do primeiro dos Quatro Papéis do Líder – modelar. Os Quatro Papéis do Líder representam *o que fazemos* como líderes para inspirar os outros a encontrar a própria voz (ver Figura 8.4).

Muitas organizações já passaram para seus empregados os 7 Hábitos. Muitas dessas pessoas os consideram muito úteis para o *trabalho*, se as estruturas e os sistemas lhes dão apoio. Mas como em muitos casos, culturas em que reina a pouca confiança e estruturas e sistemas desalinhados não lhes dão apoio, muitos concluíram que os 7 Hábitos não funcionam realmente no *trabalho*. Este modelo dos Quatro Papéis cria um contexto compatível e propí-

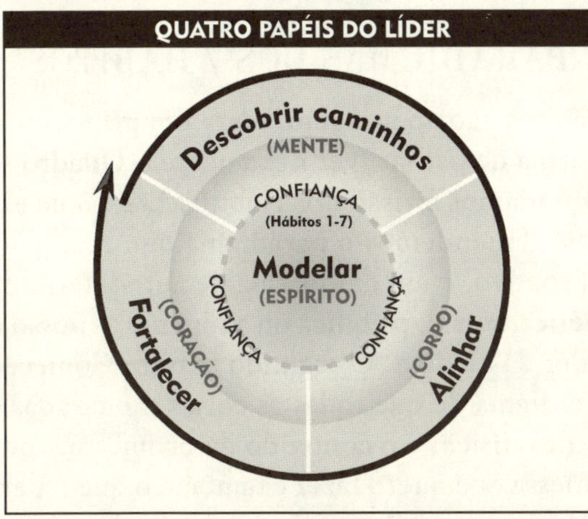

FIGURA 8.4

cio para os 7 Hábitos, de modo que eles possam ser realmente vivenciados tanto no trabalho quanto em casa. De fato, verificamos que é assim que as pessoas apreendem os 7 Hábitos – não como um exercício intelectual mas como um exercício de vivência. Somente quando as pessoas aplicam os 7 Hábitos, isto é, os vivem, que elas passam a conhecê-los. Conhecê-los intelectualmente sem pô-los em prática, não é conhecê-los de verdade. O contexto dos Quatro Papéis dá uma vida inteiramente nova aos 7 Hábitos, que passam a ser vistos como de importância vital para a organização e não como um simpático show de slides para um programa de treinamento. Os Quatro Papéis reforçam a importância dos 7 Hábitos.

Em dada oportunidade, ofereci treinamento para um grupo de altos executivos dos setores público e privado, no Egito. Eles imaginaram que eu fosse vender os *7 Hábitos*. Comecei dizendo "Os senhores pensam que vim aqui para vender os *7 Hábitos*. Eu digo para os senhores *não* comprarem os *7 Hábitos*, porque, se os senhores os virem como um programa de treinamento para empregados de categoria inferior, não irão alterar fundamentalmente seu estilo de liderança e reinventar as estruturas, sistemas e processos que reforçam os princípios contidos no livro. Essas mudanças exigem um novo paradigma de liderança. *Isso* é o que venho ensinar. Se os senhores quiserem ser líderes do mundo árabe e se atualizarem com o novo mercado global, precisarão então de um contexto de apoio maior e mais favorável aos 7 Hábitos. E então se surpreenderão com os resultados que podem ser alcançados". Aparentemente isso os intrigou. No intervalo, eles ligaram seus celulares e nas sessões seguintes o público dobrou.

PARADIGMAS DOS 7 HÁBITOS

Cada um dos 7 Hábitos não apenas representa um princípio, mas também um paradigma, uma forma de pensar (ver novamente o Quadro 3).

Quando aprofundamos a visão dos Hábitos 1, 2 e 3 na expressão "fazer e cumprir promessas", entendemos o paradigma que acompanha cada hábito. O primeiro, Seja Proativo, é um paradigma de autodeterminação, e não uma determinação genética, social, psíquica ou ambiental – posso fazer e farei uma promessa. É o poder da *escolha*. O segundo hábito, Comece com o Objetivo em Mente, é o paradigma de que todas as coisas são criadas duas vezes, uma mental e depois outra, física; é o conteúdo da promessa – posso considerar a substância da promessa que quero fazer e também o que espero obter com ela. É a força do *foco*. O terceiro hábito é o paradigma da *prioridade*, *ação* e *execução* – sou capaz e responsável pelo cumprimento da promessa.

Os Hábitos 4, 5 e 6, Pense Ganha-Ganha, Procure Primeiro Compreender para Depois Ser Compreendido e Crie Sinergia, são os paradigmas da *abundância* no trato com os outros – abundância de respeito, de entendimento mútuo (equilibrando *consideração* e *coragem*) e de *apreço às diferenças*. Estão no centro de uma equipe complementar.

O sétimo Hábito é o paradigma do aprimoramento contínuo da pessoa *integral*; representa formação, aprendizado e dedicação – o que os japoneses chamam Kaizen. É por isso que o diagrama circular usado no livro apresenta uma seta que não completa o círculo, mas antes cria uma espiral ascendente que representa o aprimoramento constante em cada uma das quatro áreas de escolha.

A FERRAMENTA PARA MODELAR: O SISTEMA DE PLANEJAMENTO PESSOAL

Como a modelagem vem sempre em primeiro lugar e se manifesta primordialmente nos outros três papéis, nossa primeira tarefa é nos preparar – criar FOCO em nossa vida. Temos que decidir simplesmente o que é mais importante para nós. Quais são nossos valores mais altos? Que visão temos para nossa vida? Que papel desempenhamos no lar, como pai, mãe, avô, avó, tia, tio, irmão, irmã, primo, filho ou filha? Que tipo de serviço queremos prestar à comunidade, à igreja, ao bairro e aos necessitados? Qual é a importância que damos à nossa saúde? Vamos mantê-la ou melhorá-la? Alguns dizem que saúde é riqueza e que sem isso nenhuma riqueza tem importância. E nossa mente, nosso crescimento e desenvolvimento? Qual a importância disso para nós? E o trabalho? Quais são nossos verdadeiros talentos? Onde está nossa paixão? Quais são as maiores necessidades de nossa organização e do mercado? Nossa consciência nos inspira a agir em que projetos e iniciativas? Como faremos, de fato, diferença em nosso trabalho? Qual será nosso legado?

A ferramenta de foco do primeiro papel é o *sistema de planejamento pessoal*. Começamos escrevendo, no papel ou num meio eletrônico, o que é mais importante para nós e então inserimos essas prioridades em nosso sistema de planejamento para poder equilibrar a necessidade de estrutura e disciplina com a de espontaneidade. Em resumo, foco e execução.

Ainda mais poderoso do que a visualização, o escrever faz uma ponte entre a mente consciente e a inconsciente. Escrever é uma atividade psiconeuromuscular que literalmente imprime no cérebro. Para testar isso, o leitor pode, antes de deitar, escrever três coisas que deseja fazer logo de manhã e ver o que acontece. Em quase todos os casos, estará consciente dessas três coisas ao acordar na manhã seguinte.

> Apenas um terço dos informantes do Qx tem um sistema de planejamento pessoal.

Há diversas formas de elaborar e manter um sistema de planejamento pessoal. O principal é que o método funcione para manter a pessoa concentrada em suas prioridades mais altas. Algumas, como eu, consideram que esse tipo de estrutura dá liberdade, enquanto outros a consideram opressiva. Uma ferramenta poderosa de planejamento e organização atende os três critérios seguintes: está *integrada* à nossa vida/estilo de vida; é *móvel*, para estar sempre à mão; é *personalizada*, para adequar-se exatamente às nossas necessidades.*

Há um processo simples para avaliar se aquelas coisas nas quais nos concentramos estão claramente alinhadas com o que é mais importante para nós. Veja a pirâmide da produtividade a seguir.

FIGURA 8.5

* O leitor pode baixar do site *www.The8thHabit.com/offers* uma versão experimental em inglês (60 dias) do software de produtividade PlanPlus for Microsoft Outlook ou PlanPlus para Windows.

Na base, devemos *identificar* primeiro nossa *missão* e os *valores regentes* – padrões, ideais. Elvis Presley disse: "Os valores são como impressões digitais. Não há duas iguais, mas as deixamos em tudo o que fazemos." Como vimos anteriormente, esses valores deveriam estar ancorados em *princípios*, para que nossa vida tenha um núcleo imutável e uma fonte interna de segurança, orientação, sabedoria e força. Para isto, talvez seja importante escrever uma declaração de missão pessoal que descreva o que é mais importante para nós, incluindo nossa visão e nossos valores. Isso nos permite estabelecer as prioridades de nossa vida. Certa vez, uma mulher se aproximou de mim e disse: "Acompanhei a morte de meu pai. Éramos muito chegados e isso teve uma forte carga emocional. Lembro que o senhor escreveu em seu livro *Os 7 Hábitos* que uma das formas mais eficazes de praticar o segundo Hábito, Começar Tendo o Fim em mente, é escrever os necrológios que gostaríamos de ouvir em nosso enterro – de uma pessoa que amamos, de um amigo, de um colega de trabalho e de alguém com quem convivemos na igreja ou na comunidade. Pela primeira vez, ao testemunhar o passamento de meu pai e quando preparávamos o funeral, eu levei a sério a redação de uma declaração de missão pessoal onde eu esclareci, com profundidade, o que é mais importante para mim."

Para os leitores que desejarem alguma ajuda para começar a formular uma declaração de missão, desenvolvemos um pequeno programa que o levará, on-line, passo a passo, pelas etapas do processo.*

A seguir, é importante identificar nossos *papéis* mais importantes (por exemplo, membro da família, voluntário da igreja/comunidade, amigo, pai, líder de equipe) e *estabelecer objetivos* semanais alinhados com nossos valores e associados aos papéis que identificamos. A ferramenta de planejamento pessoal nos ajudará a estabelecer objetivos atingíveis, pelos quais nos responsabilizaremos e que poderemos desdobrar em metas menores. Nosso nível de dedicação aos objetivos estará diretamente correlacionado à sua conexão com nossos valores. Uma consciência clara de nossos papéis e objetivos nos permite equilibrar nossa vida.

O terceiro nível da pirâmide é o *planejamento semanal*. No momento desse planejamento, temos a oportunidade de refletir sobre nossos papéis, escolher as "pedras grandes" e ver o que fazer com elas ao iniciar o planejamento da semana. Isso nos leva ao *planejamento diário*, onde fazemos listas de tarefas realistas e conferimos os compromissos do dia.

Para quem tiver interesse, o livro que escrevi em colaboração com Rebecca e Roger Merrill, *Primeiro o mais importante*, aprofunda estas áreas da declaração de missão pessoal e dos sistemas de planejamento.

---

* Pode ser acessado em *www.The8thHabit.com/offers*.

Quando fazemos apenas o planejamento *diário* – fora do contexto maior de nossos valores e objetivos para cada um de nossos papéis na vida e do planejamento semanal –, gastamos o tempo apagando incêndios e gerenciando crises. A urgência passa a definir a importância, e isso se torna um vício. Passamos a nos estressar com miudezas.

FILME: *Big Rocks*

No livro *Primeiro o mais importante*, apresentamos uma metáfora perfeita para a obtenção do equilíbrio na vida e a realização das coisas mais importantes para nós. Captamos em vídeo uma demonstração viva, não-ensaiada desta metáfora durante um de meus seminários. Chama-se *Big Rocks* e a seu modo mostra como podemos usar os três dons que recebemos ao nascer – escolha, princípios e as quatro inteligências humanas – para gerar uma mudança positiva em nossas vidas. O filme está no DVD que acompanha este livro.

Há muitas lições a tirar desse exercício. A mais importante é muito simples: *coloque primeiro as pedras grandes*. Se você encher a vasilha de sua vida com seixos e então acontece uma grande crise com um de seus filhos, ou um prejuízo financeiro, ou um grande problema de saúde, ou uma nova grande oportunidade criativa, o que fará? Essas coisas são pedras grandes e não restará lugar para elas em sua vida. Sempre pense em termos das pedras grandes primeiro. Determine o que é mais importante em sua vida e tome as decisões com base nesses critérios de grande importância. As pedras grandes são simplesmente as coisas que mais importam em sua vida. O principal é manter em primeiro lugar as coisas mais importantes. Seus três dons de nascimento lhe dão o poder para fazer essas escolhas e tornar-se de fato a força criativa de sua vida. Com um "sim" candente em torno de suas prioridades mais altas, fica fácil dizer "não" para coisas que são urgentes mas não importantes – com um sorriso, alegremente, sem culpa, "Não!".

PERGUNTA E RESPOSTA

- **Faz sentido o que o senhor diz sobre a necessidade de contar com pessoas confiáveis para que haja confiança na organização, mas o que fazer quando temos clientes que tratam com menosprezo esses empregados confiáveis?**

Demita o cliente! Conheço uma empresa de grande destaque que de fato envia cartas aos clientes que insistem em tratar mal seus empregados. Comunica-lhes que não mais deseja fazer negócios com eles. Contudo, a melhor solução seria, buscar uma terceira alternativa, o que depende também de uma boa comunicação – sempre, é claro, ouça-os primeiro.

Capítulo 9

A VOZ E A RAPIDEZ DA CONFIANÇA

Quando confiam em nós estão nos elogiando
mais do que quando nos amam.
GEORGE MACDONALD

QUANDO PROCURAMOS expandir nossa influência e inspirar os outros a encontrar as próprias vozes (lembre, inspirar significa infundir o sopro da vida em outra pessoa), entramos no mundo dos relacionamentos. Construir relações fortes exige não apenas um fundamento de caráter, segurança interior, abundância e autoridade moral pessoal, como se viu na primeira

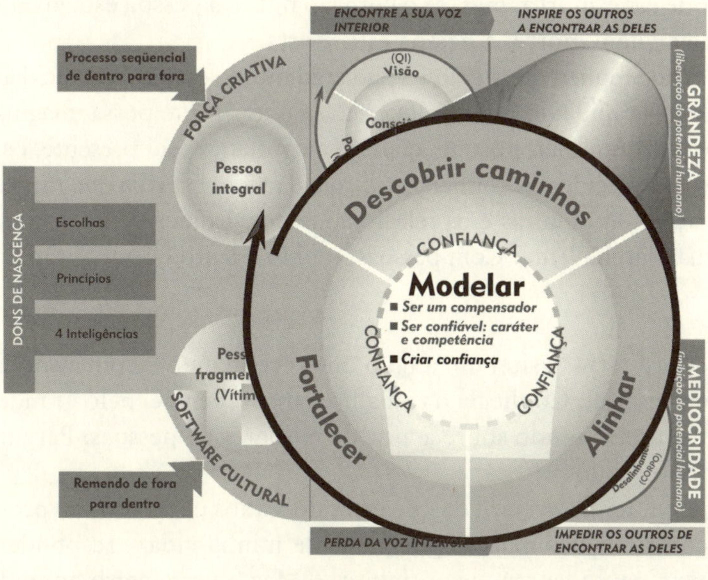

FIGURA 9.1

parte deste livro, mas também envolve um esforço para desenvolvermos novas HABILIDADES vitais interpessoais que nos coloquem à altura dos desafios que enfrentaremos junto com outras pessoas. Os próximos dois capítulos sobre modelagem se concentram nessas habilidades.

Quase todo o trabalho do mundo é feito mediante relações entre pessoas e nas organizações. Mas como haver comunicação se não há confiança? É impossível. É como andar em campo minado. E se a comunicação for clara e exata, sem que haja confiança? Ficaremos procurando sempre significados ocultos e segundas intenções. A falta de confiança é a própria definição de um mau relacionamento. Como diz meu filho, Stephen, "A falta de confiança é o grande imposto oculto". De fato, esse imposto oculto é maior do que todos os impostos e juros combinados – ocultos e aparentes!

A RAPIDEZ DA CONFIANÇA

E como é a comunicação quando há grande confiança? É fácil, sem esforço, instantânea. O que acontece quando, numa situação de grande confiança, erramos? Os erros têm pouca importância. As pessoas nos conhecem. "Não se preocupe, entendo." "Esqueça. Sei o que está querendo dizer. Conheço você." Nenhuma tecnologia até agora inventada pode fazer isso. Talvez seja por isso, em certo sentido, que o coração é mais importante do que o cérebro. O cérebro de alguém pode estar morto, mas, se o coração pulsa, a pessoa está viva; quando o coração de alguém morre, a pessoa está morta.

Meu filho Stephen diz: "Não há nada tão rápido quanto a velocidade da confiança." É mais rápida do que qualquer coisa que a gente possa imaginar. É mais rápida do que a Internet, porque, quando a confiança está presente, os erros são perdoados e esquecidos. A confiança é a cola da vida. É a cola que mantém unidas as organizações, as culturas e os relacionamentos. Ironicamente, sua rapidez decorre de sua marcha lenta. Com pessoas, rápido é lento e lento é rápido.

HÁ VÁRIOS ANOS visitei um amigo que recentemente concluíra um grande projeto empresarial. Conhecia o trabalho e o parabenizei pelo grande impacto positivo que estava tendo sobre a vida de milhares de pessoas. Perguntei-lhe o que tinha aprendido.

– Stephen, tenho certeza de que estes dois anos dedicados ao projeto serão uma das contribuições mais importantes de minha vida – respondeu. E após uma pequena pausa, sorriu e continuou. – Mas o verdadeiro aprendizado foi que, sem uma grande união com minha esposa, isso não teria significado nada.

– Realmente? – retruquei. Sentindo meu interesse, ele se abriu e me contou o seguinte:

Quando me pediram para liderar esse projeto, fiquei empolgado com a oportunidade. Minha mulher e as crianças me deram todo o apoio, de modo que me joguei inteiro no trabalho. Sentia o grande peso da responsabilidade e também uma grande energia e determinação. No segundo ano do projeto estava trabalhando, literalmente, dia e noite. A importância do trabalho me consumia. Achava que estava me saindo bem quanto à atenção dada aos meus filhos, assistindo aos jogos de que participavam e aos recitais de balé das meninas. Em geral, jantava todos os dias com a família. Tudo parecia ir muito bem. Mas os seis últimos meses foram os mais difíceis e foi nesse período que comecei a notar que minha mulher se sentia frustrada – geralmente em relação a coisas pequenas (pelo menos era o que me parecia). Comecei a ficar irritado com sua falta de compreensão e apoio ao trabalho que estava fazendo – especialmente nesse momento crítico. As coisas foram ficando cada vez mais tensas. Quando finalmente o projeto acabou, ela nem queria ir ao jantar de comemoração. Acabou indo, mas sem dúvida não estava feliz. Sabia que precisávamos conversar, mesmo. E foi o que fizemos. E as comportas se abriram.

Ela começou contando-me o que tinha sido ficar "sozinha" todo esse tempo. Mesmo quando eu estava em casa, ela me sentia distante. Nossas saídas semanais foram se espaçando e, como eu ficava acordado até muito tarde, nós já não conversávamos como antes e ela se sentia cada vez mais solitária, menosprezada e desconectada. Eu não falava quase nada. Só pensava no trabalho e outros assuntos eram um lembrete permanente de que meus pensamentos não estavam onde deveriam estar. Ela disse que eu só tinha lembrado que era o aniversário dela quase ao fim do dia. E não era o esquecimento que era o pior, é que isso representava o que todo o ano tinha sido.

Quando lhe perguntei por que ela não tinha dito nada antes, ela falou que não queria me perturbar e me distrair do projeto. Olhei seus olhos e vi muita dor e solidão. Eu me senti péssimo. Estava surpreendido e encabulado por não ter visto o que estava acontecendo. Sua sinceridade sobre sua solidão me ajudou a perceber como eu tinha estado vazio por tanto tempo. Tínhamos nos tornado menos eficazes – pessoalmente e em nossa relação mútua. Pedi desculpas e lhe assegurei que ninguém ou nada no mundo era mais importante para mim do que ela. Mas minhas palavras não pareciam chegar a ela. Percebi que muitas outras coisas tinham transmitido algo diferente por tempo demais. Meu pedido de desculpas e minha proposta de reformular as prioridades de minha vida ajudaram, mas não resolveram os problemas da noite para o dia. Foram necessários dias, semanas e meses de esforços coerentes – conversar, dividir, estar presente, fazer e cumprir promessas, deixar, ao fim do dia, o trabalho para estar com a família e voltar a me desculpar e a me corrigir quando saía um pouco da linha – antes que todo o sentimento de confiança e de ligação emocional fosse restaurado e se tornasse mais forte do que era antes.

Depois dessa visita a meu amigo, ele concluiu dois outros grandes projetos tão significativos e importantes quanto o primeiro. Ainda assim, sua relação com a esposa se tornou mais forte a cada projeto. Essa dolorosa primeira experiência e sua compreensão e dedicação cada vez maiores a ela geraram uma mudança duradoura. Olhando para trás, comparando esses vários momentos de sua vida, ele me contou recentemente o seguinte:

O verdadeiro aprendizado foi que é possível estar profundamente comprometido com o casamento, amar nosso cônjuge, ser fiéis e leais, dedicar-se à criação dos filhos e, ainda assim, viver uma deterioração da relação e da confiança. Não é preciso dizer coisas duras, palavras maldosas ou ser desrespeitoso para magoar alguém. Quando se trata de alguém muito próximo, basta negligenciar o coração, a mente e o espírito. As relações e a confiança não são imutáveis. Têm que ser mantidas e aprofundadas, alimentadas ativamente e fortalecidas com atos de bondade, consideração, apreço e atenção. Aprendi que tanto a qualidade de meu casamento quanto a minha felicidade têm pouco a ver com o que ela fazia por mim e com tudo o que eu estava tentando fazer a cada dia para promover sua felicidade, dividir seus encargos e ser seu parceiro nas coisas mais importantes para nós. Aprendi que a unidade na relação com minha mulher é uma das maiores forças de minha vida – não apenas no que se refere ao nosso mais importante trabalho na família e na comunidade, mas em cada setor de minha vida, incluindo o profissional. É uma fonte de força, paz, alegria, pertença e energia que alimenta o melhor de mim no trabalho e na criatividade.

Finalmente, estou aprendendo que relações fortes exigem esforço real e sacrifícios. Exigem que se ponha o bem-estar, o crescimento e a felicidade de outra pessoa acima dos nossos. E como isso vale a pena! Pois esse esforço abre as portas para nossa própria felicidade. O que faríamos sem o empurrão de uma relação que nos ajuda a sair de nós mesmos e a nos pôr à altura de nosso potencial?

A AUTORIDADE MORAL E A RAPIDEZ DA CONFIANÇA

A experiência de meu amigo ilustra muito bem a realidade de que os relacionamentos são regidos por leis naturais. A confiança duradoura num relacionamento não pode ser fingida e só muito raramente é decorrência de um esforço único, impressionante. É o fruto de ações regulares inspiradas pela consciência e pelo coração. Em *Os 7 Hábitos das Pessoas Altamente Eficazes*, apresentei uma metáfora para a confiança que chamei de Conta Bancária Emocional. É como uma conta bancária em que fazemos depósitos e retiradas em nossos relacionamentos – só que nesses casos são depósitos e retiradas emocionais que podem fortalecer ou destruir os relacionamentos. Como toda metáfora, se for levada a extremos tem limitações. Mas em geral é uma forma poderosa e simples de comunicar a qualidade de uma relação.

O quadro a seguir lista dez depósitos e retiradas relevantes que podemos fazer com outras pessoas e que, em minha experiência, exercem um profundo impacto no nível de confiança do relacionamento. Também lista os sacrifícios exigidos e os princípios incorporados a cada depósito (Quadro 4).

A AUTORIDADE MORAL E A RAPIDEZ DA CONFIANÇA			
DEPÓSITOS	**RETIRADAS**	**SACRIFÍCIO EXIGIDO**	**PRINCÍPIOS INTERNALIZADOS**
Procurar antes entender	*Procurar antes ser entendido*	Impaciência, Ego, Nossa pauta	Entendimento mútuo
Cumprir promessas	*Quebrar promessas*	Humor, Sentimentos, Emoções, Tempo	Integridade/Execução
Honestidade, franqueza	*Manipulação lisonjeira*	Ego, Arrogância, Controle	Visão/Valores, Integridade/Execução, Entendimento mútuo
Bondade, cortesia	*Maldade, descortesia*	Eu, Tempo, Percepções, Estereótipos, Preconceitos	Visão/Valores, Integração/Execução
Ganha-ganha ou pensamento "nada feito"	*Ganha-perde ou pensamento perde-ganha*	"Ganhar significa derrotar", Espírito competitivo	Respeito mútuo/Benefício
Esclarecer expectativas	*Violar expectativas*	Estilo de comunicação bajulador em relação aos superiores	Respeito mútuo/Benefício, Entendimento mútuo, Cooperação criativa, Renovação
Lealdade com os ausentes	*Deslealdade, duplicidade*	Alguma aceitação social, Mensagens do coração	Visão/Valores, Integridade/Execução
Pedidos de desculpas	*Orgulho, vaidade, arrogância*	Ego, Arrogância, Orgulho, Tempo	Visão/Valores, Integridade/Execução
Receber feedback e mandar mensagens "eu"	*Não receber feedbak e mandar mensagens "você"*	Ego, Arrogância, Orgulho, Comunicação Reativa	Entendimento mútuo, Integridade/Execução
Perdão	*Guardar ressentimentos*	Orgulho, Ver-se como centro	Visão/Valores, Integridade/Execução

QUADRO 4

É importante reconhecer que a razão para que os dez depósitos gerem confiança é que eles incorporam princípios essenciais para as relações humanas. Quando examinamos cada um desses dez depósitos, quais seriam os elementos comuns? Sugiro que *um* denominador comum dos depósitos seja a *iniciativa*, que é feita de força de vontade e determinação. O leitor observará que cada um deles está a seu alcance. Cada um deles está dentro de nossa capacidade de influência. Como se embasam em princípios, eles geram autoridade moral ou confiança. Podemos ver que não há forma de fazer esses depósitos, exercer essa coragem, essa iniciativa, essa determinação, sem a capacidade de fazer "vinte flexões emocionais" no nível pessoal.

E qual é a segunda característica comum dos depósitos? É a ausência de egoísmo e a presença de *humildade*. É a disposição de nos subordinarmos a outra pessoa, a um princípio ou a uma causa mais elevada. É perceber que a vida não é apenas uma questão de eu e meu, usando as palavras do filósofo Martin Buber; trata-se de "eu e tu" – um sentimento de profunda reverência pelo valor e pelo potencial de cada pessoa.

A autoridade moral, a confiança e a conexão podem se evaporar no tempo quando não se fazem depósitos contínuos, especialmente em relação às pessoas com quem trabalhamos e vivemos a maior parte do tempo. Isso porque as expectativas então são muito maiores. Em relação às pessoas que não víamos há anos, às vezes é possível retomar do ponto em que ficamos. A confiança, a conexão e o amor são restaurados imediatamente porque não havia expectativas de depósitos continuados.

> Autoridade moral: o exercício, embasado em princípios, da livre escolha, que quase sempre envolve alguma forma de sacrifício.

Uma terceira característica comum é que, como muitas coisas importantes na vida, elas exigem *sacrifícios*. (Lembre-se uma boa definição de sacrifício é abrir mão de alguma coisa – mesmo que boa – por outra melhor.)

Aos leitores já familiarizados com a Conta Bancária Emocional, recomendo que olhem agora para ela com um novo olhar e se abram a novas percepções que os capacitarão a encontrar a própria voz e inspirar outros a encontrar as suas próprias. Cada depósito representa uma opção de usar os dons recebidos ao nascer para sacrificar um hábito pessoal ineficaz e substituí-lo com ações que fortaleçam sua autoridade moral nos relacionamentos com outras pessoas.

> *Nenhum sistema que não espere de homens e mulheres certa medida de disciplina e, especialmente, autodisciplina, poderá manter sua lealdade. Os custos em termos de conforto podem ser grandes. Os sacrifícios, reais. Mas essa realidade tão exigente é a substância que embasa o caráter, a força e a nobreza. A permissividade nunca propicia a grandeza. A integridade, a lealdade e a força são virtudes que se desenvolvem mediante as lutas que mantemos dentro de nós ao praticar a autodisciplina sob os preceitos da verdade revelada pela divindade.*[1]
>
> GORDON B. HINCKLEY

PROCURAR ANTES ENTENDER

Por que o *Procurar antes entender* deve ser o primeiro depósito? A razão é simples. Não sabemos o que um depósito significa para a outra pessoa até entendê-la a partir do marco de referência dela. O que pode parecer um substancial depósito a nossos olhos pode parecer pequeno para outra pessoa, ou até uma retirada. A forma como expressamos nossa honestidade, franqueza, bondade e cortesia pode ser vista pelos outros, por meio de seus filtros culturais ou pessoais, de modo completamente diferente. Embora os princípios subjacentes a cada depósito sejam válidos em qualquer situação, é preciso entender os outros dentro do marco de referência *deles* para saber como implementar especificamente a prática.

Uma mulher que tomou conhecimento desta idéia de fazer depósitos na Conta Bancária Emocional e decidiu adotar a prática me contou com estas palavras sua experiência:

Decidi fazer algo especial pelo meu marido para melhorar nosso relacionamento. Pensei que, se ele encontrasse as crianças arrumadas e a roupa lavada ao chegar a casa, ele ficaria mais feliz.

Depois de tentar durante duas semanas ser a supermulher da limpeza, sem qualquer retorno dele – nenhum mesmo, acho que ele nem desconfiou –, comecei a ficar intrigada. "Isto não está adiantando nada", pensei. Então, de repente, uma noite, quando ele deitou entre os lençóis engomados, uma luzinha acendeu na minha cabeça.

"Gente, ele não se dá conta de que o Zac está de rosto lavado ou de que trocou os jeans. É isso o que me deixa feliz. Ele prefere que eu converse com ele ou

que organize nossa saída de sexta-feira à noite." E aí caí em mim. Estava me matando para manter tudo impecável e fazendo depósitos que não significavam nada para ele.

Aprendi uma verdade simples de modo muito trabalhoso: um depósito deve ter algum significado para a outra pessoa.

Em inúmeras ocasiões pude testemunhar pessoalmente a força dessa tentativa de entender o outro. Nunca esquecerei um convite de um prestigiado executivo de alto nível para analisar e dar sugestões em relação à seleção do novo presidente de uma universidade. Foi uma das mais profundas experiências de comunicação que já tive. Ele saiu de seu gabinete para me encontrar na ante-sala, onde eu o aguardava. Depois de me cumprimentar, conduziu-me cortesmente à sua sala e me ofereceu uma cadeira próxima de sua mesa, onde poderíamos conversar sem nenhum obstáculo físico entre nós. O que ele estava me passando era basicamente: "Stephen, muito obrigado por ter vindo. Estou ansioso por entender o que você quer que eu entenda."

Eu me preparara para a visita com bastante antecedência e tinha elaborado um esboço de minha apresentação. Dei-lhe uma cópia e fui esclarecendo seu conteúdo ponto por ponto. Exceto por alguns pedidos de esclarecimento, ele não me interrompeu. Ouvia com tanta atenção que, quando os 30 minutos de minha apresentação terminaram, senti que ele tinha entendido tudo. Não fez qualquer comentário – nem concordando, nem discordando, nem se comprometendo. Mas no final ele simplesmente levantou, me olhou nos olhos e apertou minha mão dizendo o quanto me estimava e admirava. Foi só isso. Fiquei muito emocionado por sua franqueza, humildade, cortesia e atenção, estava muito grato. Como me senti completamente compreendido e sabia que o que eu dissera tinha sido realmente ouvido e respeitado, estava preparado para apoiar qualquer decisão que fosse tomada.

Embora eu já tivesse estado com esse cavalheiro muitas outras vezes, essa experiência pessoal de comunicação autêntica lhe conferiu, a meus olhos, tanta autoridade moral que nunca precisei de outra visita para renová-la ou restaurá-la. É impressionante que, mesmo ao escrever este relato, eu ainda sinta o impacto dessa conversa preciosa.

FAZER E CUMPRIR PROMESSAS

Nada destrói a confiança mais rápido do que fazer uma promessa e não cumpri-la. Por outro lado, nada gera e fortalece a confiança como *cumprir as promessas* que fazemos.

É muito fácil prometer algo. Em geral isso satisfaz rapidamente a outra pessoa – especialmente quando ela está estressada ou ansiosa sobre o que precisa que resolvamos. Quando ficam felizes com a promessa, gostam de nós. E nós gostamos de que gostem de nós.

Acreditamos mais facilmente no que mais desejamos. Pessoas de todo tipo são envolvidas em negócios e acordos porque querem algo de tal modo que acreditam quase que em qualquer explicação, história ou promessa que lhes assegure isso. Dão ouvidos moucos a qualquer informação negativa e continuam acreditando no que querem acreditar.

Mas cumprir promessas é difícil. Geralmente envolve um doloroso processo de sacrifícios – especialmente quando passa o momento agradável de fazer a promessa ou quando as realidades ficam claras ou as circunstâncias mudam.

Condicionei-me a nunca ("nunca diga nunca") usar a palavra promessa a menos que esteja completamente preparado para pagar qualquer preço para cumpri-la, especialmente em relação a meus filhos. Eles muitas vezes imploravam que eu "prometesse". Então eles ficavam tranqüilos sabendo que eu iria cumprir – especialmente se obtivessem o que desejavam *logo*. Mas muitas vezes eu ficava tentado a dizer "prometo" só para acalmá-los e ter paz na hora. "Vou tentar", "é meu objetivo" ou "espero fazê-lo" não bastavam. Somente "prometo".

Ocasionalmente, quando as circunstâncias fora de meu alcance mudavam, eu pedia a meus filhos que entendessem e me dispensassem da promessa. Na maioria dos casos eles entendiam e dispensavam. Mas os menores em geral não entendiam. Mesmo que eles *dissessem* que entendiam e me liberassem do compromisso intelectualmente, não o faziam emocionalmente. De modo que cumpro as promessas a menos que seja muito pouco sensato fazê-lo. Nesses casos tenho que conviver temporariamente com uma diminuição da confiança e tentar reconquistá-la lentamente de outros modos.

HONESTIDADE E INTEGRIDADE

O lendário treinador de basquete Rick Pitino captou o princípio da honestidade de modo simples e profundo: "Mentir torna o problema parte do futuro; dizer a verdade torna o problema parte do passado."[2]

Lembro de ter trabalhado com um empreiteiro que era incrivelmente franco e direto sobre os desafios que enfrentava, mesmo se fossem erros cometidos por ele em nosso projeto. Ele assumia a responsabilidade pelos erros. Ele prestava contas tão detalhadas, e descrevia todas as opções que poderiam ser feitas ao longo dos vários estágios da construção, que eu confiava de modo total e instintivo nele e a partir daí não duvidei de sua palavra. Sabia que se algo acontecesse ele poria nossos interesses acima dos dele próprio. Sua disposição para colocar sua integridade e nossa relação acima de seu orgulho e do desejo natural de esconder os erros e evitar constrangimentos criou um laço de confiança incomum entre nós. Essa confiança lhe rende grandes negócios. Também vivi várias situações opostas no mesmo tipo de construções.

Nenhum homem pode apresentar uma face para si mesmo e outra para a multidão por um período considerável sem acabar na dúvida de qual delas é a verdadeira.[3]

NATHANIEL HAWTHORNE

Em outra ocasião, quando trabalhava numa universidade, tive o privilégio de receber um destacado psicólogo que tinha sido presidente de uma associação nacional da categoria. Esse homem era considerado o pai da "terapia da integridade", um método de terapia psicológica alicerçado na idéia de que a paz de espírito, a verdadeira felicidade e o equilíbrio são função de uma vida íntegra em relação à consciência. Ele acreditava que a consciência se apoiava num sentido universal de certo e errado comum às culturas, religiões e sociedades duradouras de todos os tempos.

Certa tarde, entre uma palestra e outra, levei-o de carro para visitar umas montanhas de onde se descortinava uma vista impressionante. Aproveitei a oportunidade para lhe perguntar como tinha chegado à idéia da terapia da integridade.

Ele disse: "Foi algo muito pessoal. Sou maníaco-depressivo e a maior parte de minha vida foi uma sucessão de altos e baixos. Com o tempo, ao atender meus pacientes, me sentia estressado e muito vulnerável. Começava a cair em depressão – quase a ponto de pensar em suicídio. Estava bastante consciente do que estava acontecendo devido à minha formação profissional e de meu trabalho para considerar que eu era um perigo. Nesses momentos me internava para evitar o suicídio. Depois de um ou dois meses, saía e voltava ao trabalho. Então, depois de um ano voltava a cair na depressão e a me internar para depois voltar lentamente a meus estudos e pesquisas."

E continuou: "Em certo momento, quando presidia a associação, fiquei tão mal, tão deprimido, que não conseguia ir às reuniões e exercer minhas funções. Foi então que me perguntei: 'É possível que esteja vendo do lado errado minha vida e minha profissão?' Sabia bem no fundo que há muitos anos estava vivendo uma mentira. Havia um lado obscuro em minha vida que eu não queria admitir."

Enquanto eu dirigia e ele começava a me contar essas coisas fiquei tocado e sentindo-me humilde. Estava também um pouco apavorado com o que ele poderia dizer ainda. Ele continuou: "Resolvi dar uma virada. Terminei com minha amante. Contei tudo para minha esposa. E pela primeira vez em muitos anos, senti paz – uma paz diferente da que sentia ao sair das depressões e voltava ao trabalho produtivo. Era uma paz interior, um sentimento de honestidade para comigo mesmo, uma unidade, uma integridade."

"Foi então que comecei a explorar a teoria de que talvez muitos de meus problemas fossem conseqüência de eu ter ignorado, negado, violentado minha consciência natural, perdendo minha integridade pessoal. Pesquisei. Envolvi outros clínicos que começaram a trabalhar esse paradigma com seus pacientes. Fui me convencendo a partir dos dados que era isso mesmo. E foi assim que cheguei à terapia da integridade."

A sinceridade desse homem e a profundidade de suas convicções me impressionaram muito, como ocorreu com as centenas de estudantes que, para minha surpresa, ouviram, no dia seguinte, numa palestra na universidade, a mesma história. A modelagem e a abertura eram o centro de sua abordagem terapêutica. Também fiquei impressionado com a clareza com que ele viu que a integridade pessoal é o centro não apenas de todos os nossos relacionamentos mas também de nossa saúde psicológica e de nossa capacidade de sermos eficazes no que escolhemos fazer na vida.

BONDADE E CORTESIA

Com as pessoas, as coisas pequenas são os grandes problemas. Uma vez, um estudante me procurou no final do semestre e me disse, depois de elogiar a aula, "Dr. Covey, o senhor é um especialista em relações humanas, mas nem sabe meu nome".

Ele estava certo. Fiquei triste, encabulado e devidamente repreendido. Tenho que estar atento à minha tendência de mergulhar em conceitos intelectuais, orientação de tarefas e eficiência o tempo todo. Até que os relacionamentos sejam fortes e os propósitos compartilhados, essa eficiência é ineficaz, especialmente quando se trata de pessoas inseguras, de "alta manutenção". Não é isso o que ocorre com as coisas. As coisas não têm sentimentos. As pessoas sim, até mesmo as chamadas importantes, VIPs. Pequenas cortesias e bondade oferecidas de modo consistente rendem altos dividendos. Esse é o domínio da QE.

Por outro lado, as pessoas percebem as técnicas de "bondade" superficial e sabem quando estão sendo manipuladas. A bondade autêntica, a cortesia e o respeito vêm de um profundo reservatório de caráter da QS e até minimizam a necessidade de rapapés e cortesias protocolares.

Muitas vezes falo para crianças em casa ou na escola e lhes digo que, se elas aprenderem a usar quatro expressões (num total de dez palavras) com sinceridade e constância, na maior parte das vezes conseguirão o que querem.

Uma palavra – "obrigado".

Duas palavras – "por favor".

Três palavras – "eu te amo".

Quatro palavras – "como posso ajudar você?".

Os adultos são crianças grandes.

PENSAR GANHA-GANHA OU NADA FEITO

O pensamento ganha-perde é *a* hipótese subjacente de quase todas as negociações e processos de solução de problemas. É conseqüência de uma mentalidade social da escassez, segundo a qual quanto mais os outros ganham ou obtêm, menos sobra para mim. O objetivo é obter o que nós queremos – o que em geral quer dizer ficar imaginando como manipular ou levar vantagem sobre o outro cara para levá-lo a fazer o máximo de concessões. Muitos procuram lidar com as discordâncias, até dentro da família, do mesmo modo. Os dois lados brigam até que ou um cede ou ambos chegam a um acordo.

Lembro de ter feito uma apresentação em que falei da idéia de que a chave para romper com essa mentalidade do ganha-perde é determinar-se, emocional e mentalmente, a defender a "vitória" da outra parte tanto quanto a nossa. Isso exige coragem, pensamento abundante e grande criatividade para não aceitar nada que não seja satisfatório para os dois lados. Disse que outra condição era começar com uma opção de Nada Feito. De fato, até que o Nada Feito seja uma opção viável em nossa mente, isto é, até que estejamos totalmente preparados para dizer Nada Feito, ir embora, discordar gentilmente, a menos que as duas partes sintam realmente que estão ganhando, acabaremos manipulando e às vezes pressionando ou intimidando outros a fim de obter nossa vitória. Mas quando o Nada Feito é verdadeiramente uma opção viável, podemos falar honestamente para o outro, "A menos que isto seja uma verdadeira vitória para você e que você acredite nisso sinceramente e a menos que isto seja uma verdadeira vitória para mim e que eu acredite sinceramente nisso, é melhor ficar por enquanto com um Nada Feito". Esse processo é tão libertador e exige uma tal combinação de humildade e bondade com força e coragem que, uma vez que se chega a um acordo, as duas partes estão transformadas, estabelece-se um elo tão forte entre elas que serão sempre leais uma a outra, mesmo nas ausências.

Depois de uma palestra, um homem que sentara na primeira fila veio agradecer-me por essa idéia oportuna. Ele representava a Disney-Epcot e disse que pretendia pô-la em prática no dia seguinte, quando iria cuidar da apresentação de um dado país no Epcot Center. Ele explicou que as pessoas que iriam fornecer boa parte do financiamento queriam uma exibição do seu país, que a Disney considerava sem grande interesse geral. Eles se sentiam pressionados a ceder para obter o financiamento em tempo. Mas agora ele via uma nova opção.

Mais tarde, ele me contou que tinha dito respeitosamente ao financiador "Estamos interessados num acordo ganha-ganha com os senhores e gostaríamos de estabelecer uma relação duradoura. Precisamos sem dúvida do financiamento que os senhores oferecem. Mas, dadas as diferenças fundamentais em nossas visões, concluímos que, se nosso acordo e nosso projeto conjunto não resultarem, realmente num *grande* ganho para ambos, é preferível concluir que 'nada feito'". Logo que o financiador sentiu sua sinceridade, sua franqueza e honestidade, ele deixou de manipular e pressionar. Recuaram, reformularam a proposta e começaram a se comunicar autenticamente até chegar a um acordo ganha-ganha que tirava partido de todas as sinergias.

O leitor pode observar que a força deste depósito Pense Ganha-Ganha ou Nada Feito está na disposição inicial ao sacrifício – a deixar em suspenso nossos próprios interesses pelo tempo necessário para entender o que a outra pessoa mais quer e por quê, de modo que seja possível trabalhar conjuntamente numa solução nova e criativa que inclua os interesses de *ambos* os lados.

ESCLARECER EXPECTATIVAS

Esta é realmente uma combinação de todos os demais depósitos mencionados, em conseqüência do volume de entendimento e respeito mútuos necessários para essa comunicação, particularmente quando se trata de esclarecer expectativas sobre *papéis* e *objetivos*. Se examinarmos o que está por trás de quase todos os colapsos da comunicação ou das culturas doentes, veremos que decorrem de expectativas ambíguas ou abaladas em relação a *papéis* e *objetivos*: em outras palavras, quem deve exercer que função e quais são os objetivos prioritários desses papéis.

Lembro de ter trabalhado em torno da formação de equipes com os altos executivos de uma grande associação de restaurantes. Em certo momento, ficou tão óbvio que havia prioridades e objetivos conflitantes que não poderiam continuar ignorados ou tolerados sem conseqüências terríveis para toda a organização. Peguei dois flip-charts e escrevi, no alto de cada um deles, "Como você vê MEUS papéis e objetivos" e "Como você vê SEUS papéis e objetivos". Até que as duas listas se completaram a contento dos que as preenchiam não foram expressos juízos, acordos ou discordâncias. Logo que todos puderam ver com os próprios olhos que essas diferenças aparentemente irreconciliáveis eram função de diferentes expectativas sobre papéis e objetivos, a humildade e o respeito foram restaurados. Eles conseguiram começar a se comunicar sinceramente para esclarecer as expectativas.

LEALDADE AOS QUE NÃO ESTÃO PRESENTES

Este é o depósito mais difícil. É um dos maiores testes do caráter e da profundidade da ligação que se estabeleceu numa relação. Este é especialmente o caso quando todos parecem unidos no falar mal e nos ataques a alguém ausente. Podemos dizer, de modo desinteressado e justificado, "vejo isso de modo diferente" ou "minha experiência é diferente" ou "talvez você tenha razão, seria bom falar disso com ele". Ao fazer isso, comunicamos imediatamente que integridade é lealdade – não apenas com os que estão ausentes, mas também com os presentes. Reconheçam ou não, eles, no íntimo, o admirarão e respeitarão. Eles saberão que você tem apreço por eles mesmo quando não estiverem presentes. Por outro lado, se a lealdade for um valor mais alto do que a integridade e você ceder unindo-se aos que falam mal, todos os presentes saberão que, sob pressão e estresse, você faria o mesmo em relação a eles.

Lembro de ter presidido uma reunião numa grande organização onde os líderes formais discutiam vários problemas de pessoal. Pareciam estar de total acordo quanto às fraquezas de certa pessoa. Eles até começaram a fazer piadas e brincadeiras que jamais fariam na frente dela. Mais tarde, um desses mesmos executivos se aproximou de mim e disse que pela primeira vez ele poderia confiar nas expressões de apreço e estima que fiz para ele.

– Por quê? – perguntei.

– Porque quando de manhã estávamos malhando aquela pessoa, o senhor nadou contra a corrente e mostrou autêntica preocupação e respeito por ela.

Perguntei o que o tinha impressionado e ele disse:

– É que eu tenho as mesmas fraquezas, até piores. Ninguém sabe disso, nem mesmo o senhor. De modo que, cada vez que o senhor expressava sua consideração por mim, eu dizia interiormente "mas o senhor não entende". Hoje sinto que o senhor entenderia. Sinto que o senhor seria leal mesmo em minha ausência e que posso confiar no senhor e acreditar nos seus elogios.

O que vale para muitos é muitas vezes o que vale para um; é como reagimos e falamos daquele ausente ou daquele presente que transmite aos outros como você reagiria e falaria deles em sua presença ou ausência.

DESCULPAR-SE

Aprender a dizer "eu estava errado, lamento" ou "me deixei levar por meu ego, exagerei, ignorei você e por um momento pus a lealdade acima da integridade" – e então viver de acordo com isso é um dos mais poderosos pedidos de *desculpas* que podemos fazer. Já vi relações cortadas durante anos que foram reatadas em relativamente pouco tempo pela profundidade e sinceridade de um pedido de desculpas desse tipo. Quando dizemos algo no calor do momento sem senti-lo de fato, ao nos desculpar devemos explicar como foi nosso orgulho que nos dominou e o que queríamos realmente dizer. Já se o que foi dito no calor do momento é algo que realmente pensávamos, então o pedido de desculpas exigirá que reformulemos nossos sentimentos, que nos arrependamos intimamente até poder dizer com sinceridade "lamento, errei em palavras e obras e estou trabalhando para corrigir isso".

Lembro de ter tido em certa ocasião um desagradável confronto com uma pessoa sobre uma questão vital. Os sentimentos afetaram, a partir daí, a autenticidade de nossa comunicação, embora aparentemente o intercâmbio tivesse sido amável e agradável. Então, um dia, essa pessoa me procurou e disse que lamentava a tensão em nossas relações e que desejava restaurar a unidade e a harmonia anteriores. Disse que isso era uma das coisas mais difíceis para ele – refletir sobre seus erros. Ele queria desculpar-se verdadeiramente. Sua atitude foi tão humilde e desinteressada que me levou também a refletir e assumir a responsabilidade que me cabia. Voltamos a nos entender.

Uma ex-colega me contou certa vez o que lhe ocorrera quando trabalhava com uma equipe de executivos de alto nível num seminário de uma semana. Uma manhã, o presidente começou incentivando o grupo a ouvir e entender os outros antes de apresentar as próprias idéias. E antes de dar início aos trabalhos do dia, contou uma experiência pessoal que ilustrava esse ponto.

O que se segue é um breve resumo do que aconteceu mais tarde, naquele mesmo dia (os nomes das pessoas foram trocados, como em muitas das histórias incluídas neste livro):

Em meio à nossa discussão, um executivo bastante antipático começou a falar alguma coisa sobre as dificuldades que estava tendo com um negócio. O grupo caiu em cima dele. Para ser honesto, também eu queria dar-lhe uma lição, mas sabia que não era minha função. Então ouvi Jack, o presidente, dando a maior gargalhada bem na cara do sujeito. Ele estava ridicularizando-o bem na frente de todo o grupo. Naturalmente, o grupo aderiu.

Fiquei espantada. Algumas horas antes, o presidente tinha relatado aquela comovedora experiência sobre o valor de esperar nossa vez, para tentar entender as ações da outra pessoa. Naquele momento estava fazendo exatamente o oposto. Eu não podia repreendê-lo na frente de todo o grupo. Então, apenas lhe lancei um olhar. Ele me entendeu logo. "Essa foi feia. Se o senhor não fizer algo para corrigir isso agora mesmo, eu me retiro!" E de fato, eu estava tão furiosa que me encontrava a ponto de sair da sala. O grupo tinha revertido a seu antigo comportamento combativo e à sua dinâmica de grupo venenosa.

O presidente me encarou. Então, eu me endireitei na cadeira e o encarei. "Ponha-se no seu lugar, cara." Ele se encolheu na cadeira. Continuei encarando-o. Ficamos assim uns cinco minutos, durante os quais as pessoas de sua equipe ainda crucificavam aquele pobre executivo. Então, de repente, o presidente interrompeu a reunião dizendo:

– Vamos parar. Errei, David, e quero lhe pedir perdão.

– De quê – David estava um tanto perplexo. Afinal, as coisas estavam dentro do normal.

– Minha conduta foi inadequada. Eu não tinha nada que rir. Não escutamos nada. Caímos em cima de você, sem mais nada. Perdão.

Pensei que David, esse vice-presidente sênior, diria algo como "Tudo bem. Não se preocupe". Mas sua resposta foi surpreendente:

– Jack, perdôo você. Obrigado.

Dá para imaginar quanta coragem é necessária para perdoar ativamente, em vez de esquecer que algo aconteceu.

Fiquei sentada. Emocionada pelo comportamento de Jack. Ele não precisava se desculpar. Ele não precisava pedir perdão na frente de todo o grupo. Ele estava à frente de uma divisão de 80 mil empregados. Ele não precisa fazer nada que não queira. Depois da reunião, eu o procurei e, com a voz embargada pela emoção, disse:

– Obrigada por ter feito isso.

– Era a coisa certa. Obrigado por ter me lançado aquele olhar de advertência.

Nunca mais falamos sobre o incidente. Mas ambos sabíamos que nesse dia tínhamos dado o melhor de nós.

DAR E RECEBER FEEDBACK

Nos meus longos anos de magistério, os estudantes dos quais estive mais próximo foram aqueles a quem dei um retorno enérgico: “Você pode fazer mais do que isso. Não vou facilitar as coisas. Não há desculpa. Você tem que pagar o preço.” Muitos me disseram que torná-los responsáveis – fazendo-os viver com todas as conseqüências de suas ações – foi um momento de definição que mudou suas vidas, embora fosse difícil para todos.

Dar um *feedback* negativo é uma das formas de comunicação mais difíceis que existe. É também uma das mais necessárias. Tantas pessoas têm pontos cegos a respeito dos quais não podem fazer nada porque ninguém soube como lhes dizer isso. As pessoas têm muito medo de romper uma relação ou de ter seu futuro prejudicado por “brigar” com o chefe.

A hipocrisia da situação de menosprezo na história de Jack ficou tão evidente a quem tinha ofendido que não era uma questão de ponto cego; era de ego. A coragem e a integridade da mulher que deu o feedback foram mais fortes do que status e posição. Foi por isso que funcionou. Às vezes não é mais forte e não funciona, o que torna necessário procurar a pessoa em particular e procurar uma conciliação. A melhor maneira de dar um feedback em particular é descrever você mesmo, não a pessoa. Descrever nossos sentimentos, nossas preocupações ou percepções relativas ao que está acontecendo em vez de acusar, julgar ou rotular a outra pessoa. Esta abordagem muitas vezes leva a outra pessoa a se abrir às informações sobre seu ponto cego, sem se sentir tão ameaçada do ponto de vista pessoal.

As pessoas em posição de autoridade devem tornar legítimo o retorno e o *feedback dados*. Quando recebemos um feedback, precisamos falar explicitamente disso e expressar nossa gratidão, por mais que isso possa doer. Se não o fizermos explicitamente, será desenvolvida uma norma que afirma basicamente que o feedback negativo e o retorno são formas de deslealdade e insubordinação. Ao tornar o “retorno” legítimo, e até uma norma social, também se libera a pessoa com autoridade formal para que possa dar o “retorno” sem receio de ferir suscetibilidades, romper relações ou ter seu discurso considerado como a “palavra final”.

Todos precisamos de feedback, em especial sobre nossos pontos cegos – essas áreas de fraqueza que defendemos. É por isso que o crescimento pessoal é tão relevante, porque os pontos cegos não são tão delicados. Nosso sentimento de valor é intrínseco e não decorre de uma fraqueza em particular, conhecida ou cega.

Lembro de um período de tensão com um de meus vizinhos, para quem era muito difícil morar tão próximo de uma família tão grande como a nossa, barulhenta e às vezes desrespeitosa – complementada por um cachorro que gostava de latir e luzes acesas cedo de manhã e tarde da noite etc. Procurei-o e disse que queria ser um bom vizinho e que gostaria que ele sugerisse maneiras de melhorar o convívio. No início, ele relutou, mas eu procurei estimulá-lo dizendo como deveria ser viver perto de nós. Então, ele soltou uma torrente de sentimentos, reclamações e preocupações dele e de sua esposa. Mas quanto mais eu ouvia, mais ele parecia perplexo por eu procurar seu feedback, respeitando-o e tentando envolver minha família num esforço para melhorar. Ele também reconheceu que muitas vezes acabava exagerando, ao reagir fora de proporção com os acontecimentos – já que muito do que ele reclamava era o inevitável barulho, complexidade e confusão das idas e vindas de uma família numerosa. Quando nos despedimos, ele disse que estava muito grato pela visita e que se sentia aliviado.

PERDÃO

> ***A raiva é um ácido que pode prejudicar mais o vaso que o contém do que aquilo em que é derramado.***
>
> MAHATMA GANDHI

O verdadeiro *perdão* implica esquecer, deixar passar e ir em frente. Certa vez, durante uma viagem de negócios, recebi um telefonema de um de meus gerentes que queria demitir-se porque tinha sido criticado por seu superior imediato. Pedi-lhe que adiasse a decisão até que pudéssemos conversar pessoalmente. Ele disse: "Não estou ligando para pedir um conselho; estou lhe informando que vou me demitir." Percebi então que eu não o tinha escutado, o que passei a fazer. Então, ele abriu a caixa de Pandora de suas vivências, reclamações e sentimentos, incluindo aqueles ainda mais fortes de sua esposa. Enquanto eu o ouvia atentamente, a energia negativa de sua expressão se dissipava e ele acabou resolvendo que iria conversar comigo tão logo eu voltasse.

Quando voltei, ele levou sua esposa para minha sala e, na superfície, eles pareciam pessoas agradáveis. Mas, logo que começamos a falar dos problemas, a raiva e o ressentimento vieram à tona. Continuei escutando até que eles sentiram que estavam sendo entendidos e então comecei a falar com muita franqueza. Contei-lhes do espaço entre estímulo e resposta e como o maior dano não está no que os outros nos fazem, mas na resposta que lhes damos. No início pensaram que eu estava manipulando a situação para que ele permanecesse. De modo que continuei escutando até que outros problemas fossem manifestados e entendidos, inclusive o efeito que os problemas do trabalho estavam tendo sobre o casamento e a vida familiar deles. Era realmente como se estivéssemos descascando as camadas de uma cebola até chegar a seu centro.

Nesse ponto, eles já estavam sendo muito francos e se abriam ao que eu dizia, de modo que voltei a destacar a força da escolha e sugeri que ele poderia pedir perdão a seu superior pelo ressentimento e pela raiva que tinha sentido em relação a ele. Sua resposta foi: "O que o senhor está querendo dizer? O senhor está virando a questão de ponta-cabeça. Não cabe a nós pedir perdão, ele é que tem que se desculpar conosco."

Depois da liberação de mais energia negativa até que se abrissem à idéia de que ninguém pode ferir-nos sem nosso consentimento e que a reação que escolhemos é o que determina nossa vida – que somos o produto de nossas decisões, não de nossas condições –, eles se mostraram humildes e concordaram em refletir sobre tudo isso. Mais tarde, ele me telefonou para dizer que estava vendo a sabedoria contida nos princípios que tínhamos examinado e que o aceitava, que tinha procurado seu chefe para lhe pedir desculpas e que este, emocionado por sua atitude, também tinha lhe pedido perdão e que tinham voltado a se entender. Meu amigo me disse que ele e sua mulher tinham chegado a tal ponto na aceitação do espaço entre o estímulo e a resposta e no poder da escolha que, mesmo se ele tivesse visto seu sincero pedido de desculpas recusado, estaria disposto a permanecer e tentar resolver as coisas da melhor maneira possível.

> *O perdão quebra a corrente da causalidade, porque aquele que nos "perdoa" – por amor – assume as conseqüências do que fizemos. O perdão, portanto, sempre envolve um sacrifício.*[4]
>
> DAG HAMMARSKJÖLD

Não é a mordida da cobra venenosa que produz os danos graves. É correr atrás da cobra que leva o veneno ao coração. Porque todos cometemos erros, todos precisamos perdoar e ser perdoados. É melhor estar atento a nossos próprios erros e pedir perdão do que nos concentrar nos equívocos dos outros, esperando que eles peçam perdão primeiro, ou desculpando-os de má vontade se o fazem. É melhor o estado de espírito de quem orou, "Oh, Senhor, ajuda-me a perdoar os que pecam de modo diferente de mim". Nesse mesmo espírito, C. S. Lewis disse:

> Quando vou rezar à noite e tento recapitular os pecados do dia, em nove de cada dez vezes o pecado mais óbvio é aquele contra a caridade: fiquei de mau humor ou estourei ou zombei ou desdenhei. E a desculpa que imediatamente vem à minha mente é que a provocação foi tão repentina ou inesperada que fui pego desprevenido, não tive tempo de refletir... Sem dúvida, o que o homem faz quando está desprevenido é a melhor revelação do tipo de homem que ele é. Sem dúvida, o que salta à vista antes de poder disfarçar é a verdade. Se há ratos no porão, é mais fácil vê-los quando entramos de repente. Mas não é isso que cria os ratos; isso só os impede de se esconder. Da mesma forma, o caráter súbito da provocação não faz de mim um homem destemperado, apenas mostra que sou um homem destemperado... Mas esse porão está fora do alcance de minha vontade consciente... Não posso, por um esforço moral direto dar-me novos motivos. Depois dos primeiros passos... vemos que tudo o que realmente precisa ser feito em nossas almas só pode ser feito por Deus.[5]

UMA PALAVRA FINAL SOBRE A CONFIANÇA

Grande parte deste capítulo sobre a Criação de Confiança, trata do que podemos fazer conscientemente para estabelecer relações de confiança com outros – a criação de *confiança*, um substantivo.

Mas recordemos que *confiar* é também uma ação, um *verbo*. Comecei a Segunda Parte deste livro contando como, no início de minha vida adulta, alguém viu dentro de mim um potencial que era muito maior do que eu imaginara. Ele viu o que estava sob a superfície, além do óbvio e evidente. Ele examinou meu coração, meus olhos e meu espírito e viu as sementes brutas, não-desenvolvidas, invisíveis da grandeza que há dentro de cada um de nós.

Ele me *confiou* um encargo e uma responsabilidade bem além de minha experiência e de minha capacidade aparente. Ele me *deu* sua confiança, sem provas, sem evidências. Ele simplesmente acreditou e esperou que eu estivesse à altura do desafio e me tratou de acordo com isso. Foi um ato de fé. Mas esse ato de fé afirmou meu valor e meu potencial de tal forma que me inspirou a vê-lo dentro de mim. Sua fé em mim aumentou a fé que eu tinha em mim mesmo e como me via. Aspirei às coisas mais altas e mais nobres que havia dentro de mim. Não era perfeito, mas como cresci! E isso também se tornou uma filosofia de vida para mim. Confiar nas pessoas. Confiar em nossos filhos. Acreditar neles, não no que vemos, mas no que está oculto – seu potencial.

Como são verdadeiras e profundas as palavras do poeta Goethe, que disse: "Trata um homem pelo que ele é, e ele continuará sendo o que é; trata-o como ele pode e deve ser e ele se tornará o que pode e deveria ser."

A confiança se torna uma ação quando comunicamos aos outros seu valor e seu potencial tão claramente que eles sejam inspirados a vê-los neles mesmos.

A confiança não é apenas o fruto da confiabilidade, é também a raiz da motivação. É a mais alta forma de motivação. Também *amar* é um verbo. Algo que fazemos, amamos ou servimos os outros, confiamos neles, vemos seu valor e seu potencial e lhes damos oportunidades, condições e encorajamento. Se eles não estiverem à altura dessa confiança, ela se deteriorará e eles não serão inspirados a ver seu valor e seu potencial. Eles não conseguirão comunicar aos outros seu valor e seu potencial. Para eles, a *confiança* não se tornará um verbo. De fato, será muito difícil que uma pessoa não-confiável confie em outras pessoas ou acredite em alguém continuadamente.

Ilustrarei isso contando uma história que repito muitas vezes, que mostra como o amor e a confiança se tornam verbos. Estava dando um seminário quando um homem se aproximou e disse,

– Stephen, estou gostando de sua exposição. Mas cada história é uma história. Veja meu casamento. Estou muito preocupado. Minha mulher e eu não estamos sentindo o que sentíamos. Acho que deixei de amá-la e ela também já não gosta de mim. O que posso fazer?

– Já não há mais um sentimento? – perguntei.

– É isso mesmo. E o que me preocupa é que temos três filhos. O que você sugere?

– Ame-a.

– Você não está entendendo. É justamente o amor que está faltando em nosso casamento.

– Então, ame-a. Se o sentimento não está mais lá, mais razão para amá-la.

– Mas como amar quando já não amamos?

– Amigo, *amar* é uma ação. O *amor* – o sentimento – é o fruto de amar. Então ame-a. Sacrifique-se. Ouça-a. Ponha-se no lugar dela. Mostre seu apreço. Dê-lhe força. Está disposto a fazer isso?

Na grande literatura de todas as sociedades progressistas, amar é um verbo. As pessoas reativas o tornam amor, um sentimento. Elas são levadas por sentimentos. Hollywood nos fez acreditar que não somos responsáveis, que o amor é um sentimento. Mas os roteiros de Hollywood não descrevem a realidade. Se nossos sentimentos controlam nossas ações é porque abdicamos de nossa responsabilidade e lhes demos autorização para nos controlar.

As pessoas proativas fazem do *amor* um verbo, amar. Amar é algo que fazemos, sacrifícios que fazemos, é a doação de nós mesmos, como a mãe que põe uma criança no mundo. Se quiser estudar o amor, estude os que se sacrificam pelos outros, mesmo por pessoas que os ofenderam ou que não lhes devolvem o amor. Se você for um pai, olhe o amor que tem pelos seus filhos, os sacrifícios que faz por eles. O amor é um valor que se atualiza por ações. As pessoas proativas subordinam os sentimentos aos valores. O amor, sentimento, pode ser reconquistado.

Qual é o melhor lugar para mostrar confiança, comunicar o valor e o potencial das pessoas? Sem qualquer dúvida é a família. Se a família for disfuncional, qual será o melhor lugar? A escola. O professor se torna como que um substituto dos pais e recomeça o processo de confiança.

Devemos lembrar o poder que temos de dar nossa confiança a outros. Podemos nos expor ao risco de desapontamentos e precisaremos de sabedoria ao exercer esse poder. Mas quando o fazemos estamos dando um presente e uma oportunidade sem preço aos outros. O maior de todos os riscos é o de viver sem riscos.

FILME: *Professora*

Este filme é a verdadeira história de Helen Keller e sua professora, Anne Sullivan. Helen era surda e cega. Anne mal enxergava e tivera uma infância de negligência e abusos – mas a transcendeu ao cuidar de uma aluna, Helen Keller.

A vida e a contribuição de Helen Keller são fonte infindável de inspiração e admiração. Dezenas de milhões de pessoas foram influenciadas por ela, direta ou indiretamente. Mas o fundamental na vida de Helen foi sua professora, Anne Sullivan. Quando assistir ao filme, que se encontra no DVD que acompanha este livro, veja-o pela lente dos dois caminhos – o superior, que leva à grandeza, e o inferior, o da mediocridade. Veja como, por suas escolhas, Anne Sullivan se tornou uma pessoa de visão, disciplina, paixão, regida pela consciência e pela autoridade moral, que desenvolveu pelo sacrifício e pela superação das adversidades. Estude como Helen Keller se tornou uma pessoa equilibrada, forte, integrada, depois de viver na escuridão desde seu nascimento. Estude como a relação de confiança entre Anne e Helen se foi formando por meio de depósitos constantes, observe a comunicação rápida e sutil que se estabeleceu – a paciência, a persistência, a compreensão – e a união que foi gerada.

Em resumo, é uma bela história de duas pessoas magníficas que encontraram a própria voz e dedicaram suas vidas a inspirar outras pessoas a encontrar as suas próprias vozes – “infundindo vida” inúmeras vezes, em todo o mundo.

PERGUNTAS E RESPOSTAS

- **Como se aprimora a atitude? Não há nada mais canceroso numa organização do que as atitudes negativas. Como lidar com isso?**

Tentarei responder em três níveis.

Primeiro, no nível pessoal, seja o exemplo da atitude positiva – alguém que evita as metástases das reclamações, das críticas, das comparações, da competição e da discussão. Seriamente, não há nada mais poderoso do que estar perto de uma pessoa que é uma luz, não um juiz; um modelo, não um crítico.

Segundo, dedique um pequeno tempo para estabelecer uma relação pessoal com a pessoa que parece ter uma atitude amarga ou negativa. As atitudes negativas são na verdade sintomas de coisas mais profundas do que estão acontecendo. As pessoas precisam se sentir compreendidas. Buscar entender o outro é tão terapêutico, tem tanto poder de cura e é tão afirmativo que muitas vezes acabamos chegando às raízes em vez de reclamar apenas da falta de frutos.

Terceiro, às vezes há outras forças em jogo que são mais fortes do que nosso exemplo ou a relação estabelecida com a outra pessoa. Às vezes, temos simplesmente que sorrir e não ficar obcecados com isso. Isso evita a metástase do câncer. É preciso lembrar que, quando fazemos girar nossa vida emocional em torno das fraquezas alheias, incluindo suas atitudes negativas, estamos nos enfraquecendo e permitindo que suas atitudes negativas continuem espalhando suas células cancerosas pela cultura. Não podemos mudar todas as coisas, não podemos mudar as pessoas, só podemos nos mudar. Contudo, verifiquei que, às vezes, se as pessoas conseguirem desenvolver uma habilidade ou competência alinhada com um dom ou talento fundamental que têm, sua atitude em relação a elas mesmas, aos outros e à vida melhora significativamente. Por exemplo, digamos que você vai ensinar outra pessoa a jogar tênis. Seria melhor falar para ela sobre sua atitude se ela parecesse algo desanimada ou desestimulada e negativa? Não seria melhor transmitir-lhe mais conhecimentos sobre voleios e serviços? Ou talvez fosse preferível entrar na quadra e fazê-la praticar até que desejasse adquirir mais conhecimentos? Veríamos que sua atitude se torna mais positiva à medida em que começa a gostar do jogo. Esses são os três caminhos para o aprimoramento: conhecimento, habilidade e atitudes. Muitas pessoas se concentram nas atitudes e no conhecimento. Sugiro que a chave para chegar a essas duas coisas é o caminho das habilidades – as pessoas se sentem melhor em relação a elas mesmas e à vida quando são boas em alguma coisa.

- **Qual o melhor conselho que o senhor já deu em relação à motivação?**

Para começar, diria que é necessário ser um exemplo e um modelo e então afirmar o valor e o potencial de outras pessoas de modo tão claro que elas próprias os percebam – não apenas por meio de palavras mas por um sistema de reforços e incentivos alinhados. Precisamos entender que as motivações intrínsecas e extrínsecas são importantes. O fogo que há dentro das pessoas é como um fósforo, o primeiro é aceso pelo atrito, depois outros fósforos podem ser acesos pelo calor. Não acredito muito em palestras motivadoras, embora acredite no entusiasmo. Gosto do ensinamento de Ken Blanchard, sobre pegar as pessoas fazendo as coisas bem-feitas. Elas precisam se sentir valorizadas e apreciadas, mas também precisam sentir que estão envolvidas num trabalho que merece sua dedicação e seus melhores esforços.

- **No mundo da Internet, onde muitas vezes podemos escapar dos encontros cara a cara, como otimizar novas tecnologias de forma a não despersonalizar o local de trabalho, mas, ainda assim, tirar partido do aumento de eficiência que essas tecnologias podem propiciar?**

Em minha opinião, a alta tecnologia só funciona no longo prazo com um alto contato. Quando a relação foi estabelecida, podemos pensar e operar de modo eficiente. A tecnologia nos permite ser eficientes, mas não pode tomar o lugar dos relacionamentos. Lembremos que, com gente, o rápido é lento e o lento é rápido. A tecnologia, como o corpo, é um bom serviçal, mas um mau senhor.

Capítulo 10

COMBINANDO VOZES – A BUSCA DA TERCEIRA ALTERNATIVA

Os líderes não evitam, reprimem ou negam o conflito, antes o vêem como uma oportunidade.[1]

WARREN BENNIS

ESTOU CONVENCIDO de que um dos problemas mais difíceis e desafiadores da vida, seja no lar, no trabalho ou em qualquer outro lugar, é saber lidar com o conflito – lidar com as diferenças humanas. Pensemos sobre nossos desafios – não é isso? E se tivermos o caráter e a HABILIDADE para resolver do

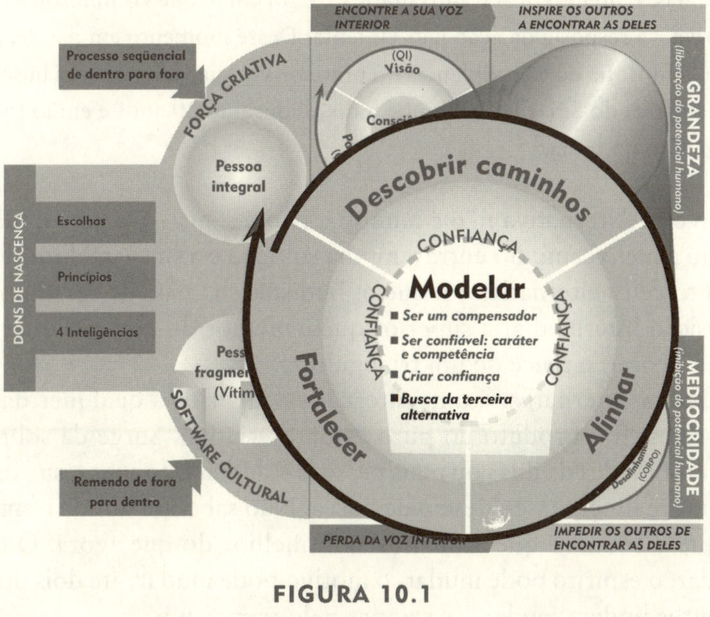

FIGURA 10.1

modo sinérgico as diferenças, isto é, encontrar soluções melhores do que as apresentadas por outras pessoas? A capacidade e a habilidade para gerar essas soluções sinérgicas, essa cooperação criativa, se constroem sobre os alicerces da *autoridade moral*, no plano pessoal, e da *confiança*, nos relacionamentos.

CERTA VEZ, ouvi a neta de Gandhi, Arun Gandhi, contar o seguinte sobre o seu avô:

> Ironicamente, se não fosse pelo racismo e pelo preconceito, talvez não tivéssemos Gandhi. Ele poderia ter sido apenas mais um advogado bem-sucedido ganhando muito dinheiro. Mas, em conseqüência do preconceito, já na semana de sua chegada à África do Sul, foi submetido a vexames. Foi retirado de um trem em função da cor de sua pele e isso o humilhou tanto que permaneceu sentado toda a noite, na plataforma da estação, pensando em como poderia obter justiça. Sua primeira reação foi de raiva. Estava tão furioso que queria uma justiça olho por olho. Queria responder com violência às pessoas que o tinham humilhado. Mas ele parou e pensou: "isto não está certo". Não era isso que iria lhe trazer justiça. Poderia fazê-lo sentir-se bem por alguns momentos, mas não lhe traria justiça.
>
> A segunda reação foi a de querer voltar para a Índia, para viver dignamente entre seu povo. Também excluiu essa alternativa. Disse: "não podemos fugir dos problemas. É preciso ficar e enfrentá-los". E foi então que vislumbrou a terceira alternativa – a resposta da ação não-violenta. Desse momento em diante, ele desenvolveu a filosofia da não-violência e a praticou em sua vida e em sua busca pela justiça na África do Sul. Ele acabou ficando ali durante 20 anos e então foi liderar o movimento na Índia.[2]

A Terceira Alternativa não é a minha, não é a sua – é a *nossa*. Não é uma conciliação a meio caminho entre a minha solução e a sua, é melhor do que um acordo. A terceira alternativa é o que os budistas chamam de caminho do meio – uma posição intermediária superior que é melhor do que qualquer uma das outras duas, como o ápice de um triângulo.

A Terceira Alternativa é uma alternativa superior a qualquer das que foram propostas. É o produto do puro esforço criativo. Surge da sobreposição das vulnerabilidades de duas ou mais pessoas – de sua franqueza, sua disposição para escutar realmente, seu desejo de busca. Não sabemos aonde iremos parar. Tudo o que sabemos é que acabará sendo melhor do que agora. O conteúdo pode mudar, o espírito pode mudar, o motivo pode mudar, até dois ou três desses elementos podem mudar – e sempre pelo menos um.

Como no caso de Gandhi, a Terceira Alternativa em geral *começa* por nós. Mas muitas vezes é levada pela força das circunstâncias como uma pessoa que se opõe a nós antes que comece a ter lugar dentro de nós. Não observamos no relato do neto de Gandhi essa interação entre sua luta interior pessoal e suas relações interpessoais? Gandhi teve que fazer um considerável trabalho *pessoal* antes de poder lidar com os desafios das *relações*.

BASTA UM: A ATITUDE MENTAL PARA A BUSCA DA TERCEIRA ALTERNATIVA

Tal como as 20 flexões são analogia física ou metáfora para o sucesso *pessoal*, gosto de usar a metáfora da queda-de-braço para ilustrar, em minhas aulas, a atitude mental e o conjunto de habilidades para a busca e a obtenção de uma verdadeira Terceira Alternativa. Peço à turma para que apresente um "voluntário" muito forte e com mais de 1,90 metro de altura para fazer comigo uma queda-de-braço. Enquanto a pessoa está sendo convencida a se apresentar, começo a falar de modo arrogante que meu adversário deve estar preparado para perder. Alardeio minhas proezas, minhas habilidades, minha força e minha condição de faixa preta. Quando o voluntário chega perto de mim, peço que repita comigo "sou um perdedor", o que muitos concordam em fazer, digo ao gigante que está à minha frente que não é uma questão de tamanho, o importante é a técnica, que eu domino, o que não é o caso dele. Torno-me irônico e cortante. Como era minha intenção, a turma volta suas simpatias para meu oponente.

Então nos posicionamos, pé direito contra pé direito e enlaçamos as mãos no meio. Então pergunto aos que apresentaram o "voluntário" se estariam dispostos a financiar o prêmio para o vencedor. Em outras palavras, se o voluntário dobrar meu braço até a altura do cotovelo, eles lhe pagarão um dólar, se for eu a dobrar o braço de meu adversário, serei eu a receber o dólar. Eles sempre concordam. Peço a alguém próximo para cronometrar a luta. Ele dirá quando começar, marcará cerca de um minuto e contará quantas vezes um de nós derruba o braço do outro e no final recolherá o dólar do prêmio para cada vez que um dos contendores derrubar o braço do outro. Procuro me assegurar de que o grupo financiador tem recursos suficientes para financiar os prêmios. Eles sempre têm.

É dado o sinal para o início da luta. Imediatamente me mostro fraco e meu adversário derruba meu braço. Em geral, ele se surpreende e fica intrigado com minha falta de resistência. Fica imaginando o que teria acontecido. Voltamos então à posição inicial e novamente permito que me vença. E repito tudo... várias vezes. Todo o tempo ele espera resistência. Em geral, começa a sentir-se um pouco culpado, como se a luta não fosse muito justa.

E então eu falo para ele: "Você se sentiria realmente bem se nós dois ganhássemos o máximo possível." Em geral, o adversário fica perplexo, mas, como eu o tinha atacado tanto, ele não sabe se pode confiar em mim. Talvez eu só esteja falando da boca para fora – quem sabe se meu verdadeiro plano não é reagir ou manipulá-lo de alguma maneira em meu favor? Mas, à medida que eu lhe permito vencer-me sem resistência, em geral a consciência dele passa a atuar em minha defesa e ele se abre à minha sugestão de que, se ambos vencermos, ganharemos mais. Com relutância, hesitando e depois de alguma resistência, em geral ele me deixa ganhar uma vez.

Então, voltamos à posição inicial e eu o deixo vencer sem resistência. E em poucos segundos ele oscila sem qualquer resistência. Às vezes, algum voluntário ainda está intrigado e imaginando o que estará acontecendo. Continua resistindo, mas acaba por deixar o braço oscilar livremente sem qualquer esforço para qualquer um de nós. A seguir, eu pergunto: "Por que não nos tornamos realmente eficientes?" E começamos a mover nossos pulsos para a frente e para trás, o que é cerca de cinco vezes mais rápido do que mexer todo o braço. Então passamos a usar os dois braços e dobramos os resultados. Finalmente eu digo: "Agora vamos para perto dos financiadores e fazemos tudo na frente deles, para que eles possam contar quantos dólares nos devem." A essa altura, todos estão rindo e entendendo a mensagem.

> Somente um terço dos que responderam ao questionário Qx considera que trabalha num ambiente ganha-ganha.

Então explico à turma que Pensar Ganha-Ganha – a *atitude mental* da Busca pela Terceira Alternativa – é a idéia ou princípio do respeito e do benefício mútuos. Na queda-de-braço mesmo quando eu *fingia* que era mais forte, melhor e mais agressivo a fim de levar meu oponente a uma atitude ganha–perde, na verdade eu tinha uma *intenção* ganha-ganha em relação à queda-de-braço.

Depois começava a procurar seu interesse, sua vitória sem resistência. Quando ele se mostrava suficientemente humilde, aberto, ou sentindo-se culpado, ele se tornava receptivo à idéia de que nós dois poderíamos ganhar mais cooperando.

Então ele passou a ser criativo, primeiro sacudindo com rapidez nossos punhos para a frente e para trás e depois juntando as outras duas mãos e balançando-as também. O resultado mostrou verdadeira sinergia e nós dois ganhamos bastante... aprendizado. Naturalmente, não houve troca de dinheiro de verdade. Mas trata-se de uma ilustração muito poderosa, engraçada e física da busca e obtenção de uma Terceira Alternativa.

Dá para ver como eu precisei trazer à tona a força e a segurança interior de uma capacidade de "20 flexões" no nível pessoal para sustentar meus esforços para criar confiança e buscar uma Terceira Alternativa? Como eu tinha provocado dentro da mente da outra pessoa um sentimento de competitividade ganha-perde muito profundo – a ponto de que ele se dizia interiormente "Não tem jeito de que este baixinho careca me derrube" –, eu tive que persistir pacientemente ante a compreensível reação raivosa aos meus ataques iniciais de falsa arrogância.

Muitas pessoas acreditam que as duas pessoas têm que pensar ganha-ganha. Não é assim. Basta que uma pense desse modo. A maioria das pessoas acredita que a outra pessoa deve cooperar, mas a cooperação criativa que resulta numa Terceira Alternativa só aparece mais tarde, quando a sinergia já está estabelecida. O que se precisa fazer é primeiro preparar o outro para isso, pela prática da empatia ou da escuta profunda, buscando primeiro o interesse dele, e manter-se nessa posição coerentemente até que a outra pessoa se sinta confiante.

Fiz isso no programa de televisão da Oprah uma vez e gastei muito tempo para convencer o produtor a me deixar fazê-lo. O problema é que precisava ser espontâneo e ninguém deveria conhecer o resultado com antecedência – muito menos a própria Oprah. Dividido entre a perda de controle e a realidade de que cada programa tem que atender a critérios de sucesso de audiência, o produtor se sentia vulnerável e cético. Mas eu insisti e Oprah e eu acabamos apresentando a experiência.

Enquanto estávamos no ar, eu a ataquei e a critiquei, falei de minha força e de sua fraqueza e de como ela não iria agüentar. Consegui de fato envolvê-la e ela deu tudo de si, de modo que logo conseguiu derrubar meu braço.

– Oprah, por que não ganhamos nós dois? – perguntei-lhe.

– De jeito nenhum! – respondeu.

– Por que não?

– Fui criada nas ruas, se alguém me falasse assim, eu não cederia de jeito nenhum.

– Tudo bem, Oprah, então você vai ganhar outra vez.

– Sem essa! – disse ela. Não havia confiança.

– Veja, vamos voltar ao começo. Então você me derruba e ganha mais um dólar... sei o quanto você precisa disso.

Ficamos brincando assim e no final ela, como quase todos os outros, aprendeu a lição.

Como diz uma expressão bem conhecida, "uma imagem vale mil palavras". Acredito que uma experiência vale mil imagens. Essa queda-de-braço em público vale bem umas dez mil palavras e a experiência do participante, umas mil imagens. Talvez o leitor consiga visualizar isso em sua mente, mas, se quiser constatar seu poder, tente com um de seus filhos, com o cônjuge ou com um colega.

A maioria das pessoas não se dá ao difícil trabalho de Pensar Ganha-Ganha e Procurar Antes Entender para chegar à Terceira Alternativa. Isso requer, de fato, uma vitória particular; é preciso um considerável sucesso no nível pessoal para chegar ao ponto em que a segurança está dentro de nós mais do que na opinião dos outros sobre nós. O poder está em nossa habilidade de sermos vulneráveis porque bem lá no fundo nossa integridade em relação ao nosso sistema de valores, embasado em princípios, nos torna invulneráveis e seguros. Podemos nos abrir às influências e ser flexíveis. Podemos nos permitir a busca sem saber onde iremos parar – sabendo apenas que será melhor do que o lugar de onde nós e a outra pessoa saímos.

O CONJUNTO DE HABILIDADES PARA A BUSCA DA TERCEIRA ALTERNATIVA

A comunicação é sem dúvida *a* mais importante habilidade da vida. Há basicamente quatro formas de comunicação: leitura, escrita, fala e escuta. E muitas pessoas passam de dois terços a três quartos do tempo em que estão acordadas fazendo essas coisas. Dessas quatro formas de comunicação, a que representa entre 40% a 50% de nosso tempo de comunicação é a *escuta* – a forma de comunicação que menos treinamos. A maioria de nós passou anos e anos aprendendo a ler, escrever e falar. Mas não mais do que 5% de nós tivemos mais do que duas semanas de formação formal em escuta.

> Apenas 17% dos trabalhadores entrevistados sentem que em suas organizações a comunicação é verdadeiramente franca, sincera e respeitosa.

A maioria das pessoas pensa que sabe escutar porque o faz continuamente. Mas na verdade estão ouvindo dentro de seu próprio marco de referência. Dos cinco níveis de escuta que vemos no *Continuum* da Escuta a seguir – ignorar, fingir escutar, escutar seletivamente, escutar atentamente e escutar com empatia –, somente o mais elevado, a escuta com empatia, é feito dentro do marco de referência da outra pessoa. Escutar verdadeiramente significa transcender nossa autobiografia, sair de nosso marco de referência, fora de nosso sistema de valores, fora de nossa história e de nossas tendências de avaliação e entrar profundamente no marco de referência ou ponto de vista da outra pessoa. Chamamos isso de escutar com empatia. É uma habilidade muito, muito rara. Mas é mais do que uma habilidade. Muito mais.

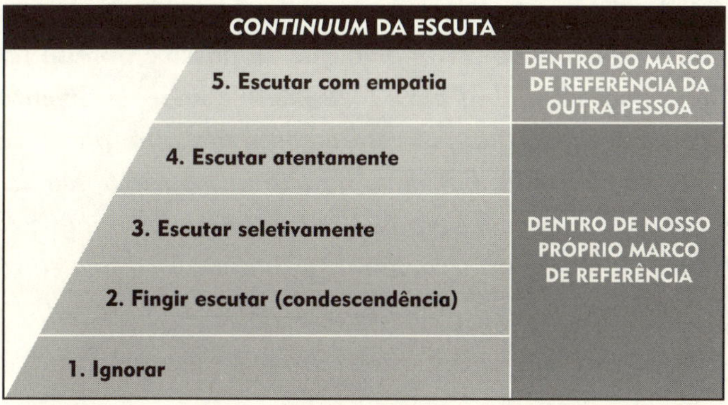

FIGURA 10.2

Para ressaltar a suprema importância das habilidades de comunicação, gostaria que o leitor fizesse uma experiência. Quem o desejar pode apenas ler e fazer intelectualmente a experiência, mas asseguro que não obterá com isso nada próximo do impacto emocional e do aprendizado do que sua prática terá. Assim recomendo veementemente ao leitor que participe. O leitor pode ter visto, em outros dos meus livros, experiências semelhantes, mas aqui as imagens são diferentes. Pôr em prática o processo reforça o aprendizado e lhe dará motivação para agir de acordo.

Chame outra pessoa para fazer este experimento com você. Primeiro, você e apenas você, olhe a Figura 10.3 por exatamente um segundo. Então, sem olhá-la (é importante que você não dê nem uma espiadinha) faça a outra pessoa ver a Figura 10.4. Finalmente, olhem vocês dois a Figura 10.8. Agora vá em frente.

SOBRE A ESCUTA (TRECHO)

Quando lhe peço para ouvir e você começa a dar conselhos, você não faz o que estou pedindo. Quando lhe peço que me ouça e você começa a me dizer por que eu não deveria sentir-me assim, você está pisando nos meus sentimentos. Quando lhe peço que me escute e você pensa que tem que fazer alguma coisa para resolver meu problema, você me desaponta, por mais estranho que possa parecer. Escute! Tudo o que pedi foi que você me ouvisse; não que falasse ou fizesse – ouça-me apenas... eu posso fazer. Não sou incapaz. Talvez desanimado e vacilante, mas não incapaz. Quando você faz por mim algo que eu posso e preciso fazer sozinho, você contribui para meu medo e meu sentimento de inadequação. Mas quando aceita como um fato que eu sinto o que estou sentindo, por mais irracional, então posso deixar de tentar convencer você e posso tentar entender o que está por trás desse sentimento irracional. E quando isso fica claro, a resposta é óbvia e eu não preciso de conselhos.[3]

RALPH ROUGHTON, médico

O que vocês vêem na terceira imagem?

É a imagem de uma jovem mulher ou de um músico tocando saxofone?

Qual de vocês dois está certo?

Fale com a outra pessoa para entender o que vê. Escute atentamente e tente ver o que ela está vendo. Então, depois de entender o ponto de vista dela, explique para ela o seu. Ajude-a a ver o que você está vendo.

O que explica a diferença de percepção? Olhe o primeiro conjunto de figuras que vocês viram separadamente. E que aconteceria se você soubesse que a primeira figura que ela viu foi a que estava em outra página? Entenderia melhor por que ela viu na segunda figura a imagem de um músico tocando saxofone? É claro que sim.

Quando faço este pequeno experimento com grupos, mostro para metade da sala a imagem da jovem por um segundo, e para a outra metade apresento a do músico tocando saxofone. Quando mostro a terceira imagem para toda a sala, metade vê uma jovem mulher e a outra um músico tocando saxofone, com muito poucas exceções. Todo o grupo está olhando exatamente a mesma imagem, mas com duas interpretações completamente diferentes.

FIGURA 10.3

O que se segue nessas sessões de treinamento é uma experiência de aprendizado muito forte: duas pessoas estão olhando para o mesmo objeto mas vendo coisas diferentes. De modo que sugiro que conversem com o vizinho que está vendo de modo diferente e o escutem até entender a perspectiva dele. Logo que eles percebem como o outro está olhando para a imagem, soltam um "ah!". Logo o auditório está repleto de ahs triunfantes. Contudo, algumas pessoas custam a perceber. Já vi pessoas se envolverem em discussões sobre o que a imagem está realmente mostrando. Ficam tão perturbadas ao ver que alguém não consegue ver algo que para elas é tão óbvio que se desnorteiam. Caem na defensiva, pois consideram que só há uma maneira de ver a figura. Por outro lado, vi pessoas que se esforçam, oferecem incentivo, ficam realmente contentes quando o outro vê o segundo aspecto da imagem.

> *O pensamento criativo envolve a quebra de padrões estabelecidos para poder olhar para as coisas de forma diferente.*
>
> EDWARD DE BONO, MÉDICO,
> AUTOR DE *LATERAL THINKING* (O PENSAMENTO LATERAL)

Com esta experiência de percepção, podemos aprender quatro coisas muito importantes a respeito da comunicação:

1. É preciso estar sinceramente aberto e ouvir a outra pessoa para poder entender o que o outro vê e *por que* vê o mundo desse jeito – o fundamento da busca da Terceira Alternativa.
2. O que experimentamos *antes* de ser apresentados à nova informação matiza a maneira como olhamos para ela. Se um segundo de condicionamento pode dividir uma sala em dois, imagine o que não fará uma vida de condicionamento? O que acontece em sua família? Como você interpreta as coisas? As pessoas podem estar olhando exatamente para os mesmos fatos, mas o *significado* deles será interpretado a partir de experiências pessoais anteriores. As pessoas criam sentido e agem com base em sua percepção do mundo. Devemos lembrar que não vemos o mundo como ele *é*, nós o vemos como *somos*. As percepções são estabelecidas muito antes dos esforços para criar sinergia. Portanto, o trabalho mais importante a fazer envolve a comunicação, que leva ao entendimento mútuo.
3. Não há uma única maneira de interpretar algo. O desafio está em propiciar uma visão compartilhada que considere exata e honestamente todos os pontos de vista diferentes e que ainda assim permaneça fiel à visão original. Quem está certo quando os desafios são interpretados de modo diferente por pessoas diferentes? Quem está certo quando briga com seu cônjuge? Quem está certo quando discorda de seus filhos? Quando estamos em posição de autoridade, nos asseguramos de que a nossa é a única resposta certa. Quanto mais investirmos nosso ego em nossa percepção, mais rígida se tornará nossa mente e mais congeladas nossas reações.
4. A maioria das quebras de comunicação é decorrência da semântica – da definição que as pessoas dão às palavras. A empatia elimina quase instantaneamente os problemas semânticos. Por quê? Porque, quando escutamos procurando realmente o entendimento, vemos as palavras como símbolos de significado. O fundamental é entender o significado, não brigar por um símbolo.

Voltando à experiência de percepção, imaginemos o que aconteceria se estivéssemos convencidos de estar certos em relação ao que vimos, considerando o outro errado em relação ao que disse ter visto. Qualquer tentativa de descrever o significado da imagem resultaria apenas em discussão. Cada uma das partes teria um investimento emocional em sua percepção e, portanto, um foco distorcido pela emoção, o que não permitiria agir sobre a percepção da outra pessoa com qualquer tipo de integridade.

FIGURA 10.4

Agora, juntemos ao problema do investimento emocional o poder da posição. Imaginemos o que aconteceria se um líder formal de alta posição decidisse unilateralmente como lidar com um importante desafio da organização e então anunciasse isso para toda a empresa. Os que estão nas posições superiores farão sua apresentações sobre as mudanças que levarão a novos arranjos estruturais e mudanças nos sistemas de remuneração, novas formas de trabalho conjunto da organização e alterações na própria natureza de seu trabalho. O público silencioso se ressentirá desse tratamento e resistirá às novidades anunciadas. Formar-se-á uma conspiração co-dependente do "esperar até que mandem"; as discordâncias serão negadas e ignoradas. É fácil imaginar o caos.

Quando tiramos nossa força de uma posição de poder sem autoridade moral, estamos nos enfraquecendo, enfraquecendo os outros e as relações mútuas. Estamos criando a co-dependência.

O BASTÃO FALANTE DOS NATIVOS AMERICANOS

Depois de ter feito palestras para chefes de nações indígenas dos Estados Unidos e do Canadá, eles me deram um belo presente – um Bastão Falante entalhado de um metro e meio de altura, onde estava gravado o nome Bald Eagle (Águia Careca). O Bastão Falante foi parte integral do governo dos nativos americanos durante séculos. Na verdade, alguns dos Pais Fundadores da República Americana (especialmente Benjamin Franklin) conheciam bem as idéias que estavam por trás do Bastão Falante dos chefes da Federação dos Iroqueses. É uma das mais poderosas ferramentas de comunicação que já conheci, pois é tangível e físico, além de incorporar um conceito de forte sinergia. O Bastão Falante representa o entendimento a que pessoas com visões diferentes podem chegar por meio do respeito mútuo, que lhes permite resolver suas diferenças e problemas com sinergia ou, no pior dos casos, de modo conciliador.

A teoria que está por trás dele é a seguinte: sempre que as pessoas se reúnem, o Bastão Falante está presente. Somente a pessoa que o empunha pode falar. Enquanto o estiver segurando, a pessoa pode falar até ter certeza de que foi entendida. Os outros não podem apresentar observações, argumentos, não podem concordar nem discordar. Tudo o que podem fazer é tentar entender quem está falando e articular esse entendimento. Eles podem tentar reafirmar o que foi dito para se assegurar que o dono da palavra foi entendido ou pode sentir que entenderam.

Logo que a pessoa se sente entendida, é obrigada a passar o Bastão a quem está mais próximo e procurar que essa pessoa se sinta entendida. Enquanto ela faz suas observações, é preciso ouvir, reafirmar e mostrar empatia até que ela se sinta realmente entendida. Desse modo, todas as partes envolvidas se responsabilizam por 100% da comunicação, tanto a fala quanto a escuta. Quando todas as partes se sentem entendidas, costuma acontecer algo impressionante. A energia negativa se dissipa, as discordâncias se evaporam, aumenta o respeito mútuo e as pessoas se tornam criativas. Surgem novas idéias. Aparecem as Terceiras Alternativas.

É conveniente lembrar, *entender não significa concordar com o outro*. Significa apenas ser capaz de ver com os olhos, o coração, a mente e o espírito da outra pessoa. Uma das necessidades mais profundas da alma humana é a de ser entendida. Uma vez atendida essa necessidade, a pessoa pode passar a se concentrar na resolução interdependente de problemas. Mas, se essa necessidade muito intensa de compreensão não é atendida, ocorrem as batalhas de ego. Surgem questões de defesa de território. A comunicação defensiva e protetora passa à ordem do dia. Às vezes, surge a controvérsia e até mesmo a violência.

A necessidade humana de compreensão é como a necessidade de ar dos pulmões. Se de repente o ar do cômodo em que nos encontramos fosse sugado, qual seria nossa motivação para obter ar? Estaríamos interessados em estudar ou em tentar resolver alguma de nossas diferenças com os outros? Claro que não. Só desejaríamos *uma* coisa. Somente depois de ter ar estaríamos abertos a outras questões. Sentir-se entendido é o equivalente psicológico do ar.

ESSE MESMO PROCESSO que acabamos de examinar pode ocorrer na mente das pessoas sem um Bastão Falante, embora não propicie a mesma disciplina tangível da transferência clara da responsabilidade de falar com coragem e então ouvir com empatia. Há uma grande concentração de atenção e interesse pessoal quando seguramos um bastão físico. Não é preciso que seja um autêntico Bastão Falante. Podemos usar um lápis, uma colher ou um pedaço de giz – qualquer objeto tangível que ponha fisicamente em quem fala a responsabilidade de só transferi-lo quando se sinta compreendido e não fazê-lo até que isso ocorra.

Quem já não esteve em uma reunião onde sentiu a operação de segundas intenções? Pensemos na força de levar a idéia do Bastão Falante a uma dessas reuniões. Se o uso de um bastão ou lápis parecer inadequada, então podemos expressar o conceito ou idéia subjacente. Basta falar no início da reunião antes que as pessoas façam o investimento emocional em questões candentes e mesmo quem não está presidindo o encontro pode falar algo assim: "Hoje falaremos de muitas coisas importantes sobre as quais as pessoas têm fortes sentimentos. Para ajudar a nos comunicar, por que não combinamos que ninguém pode apresentar suas observações antes de reafirmar as idéias de quem estava com a palavra até que esta pessoa se sinta satisfeita?" (Mesmo que esta declaração não apresente o Bastão Falante físico, ela apresenta a essência da idéia, porque ninguém pode fazer suas observações antes que o outro possa dizer "sinto que fui compreendido".)

Muitos podem hesitar em adotar este procedimento porque parece um pouco banal, até infantil e ineficiente, mas asseguro ao leitor que é justamente o contrário. Exige tal autocontrole e traz tanta maturidade à comunicação que, mesmo que pareça ineficaz no início, se torna muito efetivo – isto é, alcança os resultados desejados em termos de decisões e relações sinérgicas, conexão e confiança.

Vejamos como seria uma reunião em que o leitor atuasse como facilitador do conceito do Bastão Falante dos Nativos:

Silvia e Roger estão numa reunião. Quando Silvia está tentando explicar seu ponto de vista, Roger diz algo como

– Discordo de Silvia. Penso que deveríamos fazer...

– Desculpe, Roger – interrompe o facilitador. – Lembre o que combinamos para auxiliar nossa comunicação.

– Ah, sim. Tenho que repetir o ponto de vista da Silvia antes de apresentar o meu.

– Não, Roger – responde o facilitador – Você repete o ponto de vista dela até que *ela fique satisfeita*. Então, você apresenta o seu.

– Tudo bem – responde Roger.

– Qual era o ponto de vista de Silvia, Roger?

Ele tenta reproduzi-lo.

– Era isso mesmo Silvia?

– De jeito nenhum. O que eu estava dizendo era....

Roger interrompe novamente.

– O que foi que combinamos, Roger?

– Que eu tenho que repetir o ponto de vista dela até que ela fique satisfeita.

Assim, ele começa a procurar ouvir mais atentamente e começa a imitá-la.

– Que tal, Silvia? – pergunta o facilitador.

– Bom, ele me imitou mas não pegou o espírito do que eu estava dizendo.

– Lamento, Roger, mas tente novamente.

– Quando vai chegar minha vez? Quando? Fiz serão duas noites com minha equipe para preparar esta reunião.

– Lembra o que combinamos, Roger? Ninguém pode falar suas idéias até que a outra pessoa diga que você está entendendo o que ela quis dizer.

Então ele fica dividido entre as necessidades do seu ego, suas segundas intenções, a vontade de falar e a percepção de que ele não poderá dar seu recado antes que mostre ter entendido o que a outra pessoa disse. Pela primeira vez, ele escuta com empatia.

– Agora sim, Roger, estou sentindo que você entendeu o que eu estou dizendo.

– Ok, Roger, agora é sua vez.

– Concordo com o que a Silvia disse – é tudo o que diz Roger.

EM MINHA EXPERIÊNCIA, quando as pessoas realmente tentam se entender umas às outras, elas acabam, na maioria dos casos, embora não em todos, concordando entre si. Por quê? Porque 90% de todos os problemas de comunicação são decorrência de diferenças semânticas ou de percepção. Novamente, semântica é a maneira de definir as palavras ou as expressões. As percepções são a forma de interpretar os dados. Sempre que as pessoas se escutam com empatia, isto é, dentro do marco de referência da outra pessoa, os problemas semânticos e de percepção desaparecem – como no exercício do músico tocando saxofone/mulher. Isto porque escutam dentro do marco de referência do outro. Elas sentem como o outro define as palavras e expressões ou como interpreta os significados e os dados. Isto os põe em sintonia, usando a mesma linguagem, que então lhes permite passar a resolver os outros 10% dos desacordos autênticos. O espírito deste entendimento mútuo é tão positivo, tão terapêutico, tão formador de laços que quando as pessoas discutem seus desacordos, elas o fazem de modo agradável e em geral são capazes de resolvê-los seja pela sinergia, seja por alguma forma de conciliação.

O SILÊNCIO É TAMBÉM um fundamento da comunicação por meio do Bastão Falante. Precisamos estar tranqüilos, até silenciosos, para sentir profunda empatia pelos outros. Sobre o poder desse silêncio, Robert Greenleaf comentou: “Não devemos temer um pouco de silêncio. Alguns consideram o silêncio incômodo ou opressivo. Mas uma abordagem relaxada do diálogo incluirá o apreço de algum silêncio. Muitas vezes é uma pergunta devastadora que nos fazemos, mas às vezes é importante fazê-lo. Ao dizer o que tenho em mente, realmente melhorarei no silêncio?”

AS DUAS ETAPAS DA BUSCA DE UMA TERCEIRA ALTERNATIVA

Na busca de uma Terceira Alternativa há basicamente duas etapas (ver Figura 10.5). Na verdade, o processo de busca mediante estas duas etapas se realimenta e contribui para gerar a confiança (autoridade moral) que incentiva a busca.

É importante observar que essas duas etapas nem sempre são seqüenciais. Às vezes, começamos pela primeira; outras, pela segunda. Às vezes, estamos interagindo naturalmente e tentando autenticamente escutar o que o outro diz, mesmo que ele tenha um ponto de vista e uma solução totalmente diferentes. Então podemos pedir a essa pessoa que nos escute do mesmo modo que a escutamos e depois disso verificar se ela está disposta a buscar uma Terceira Alternativa. Outras vezes, vamos e voltamos passando por essas duas

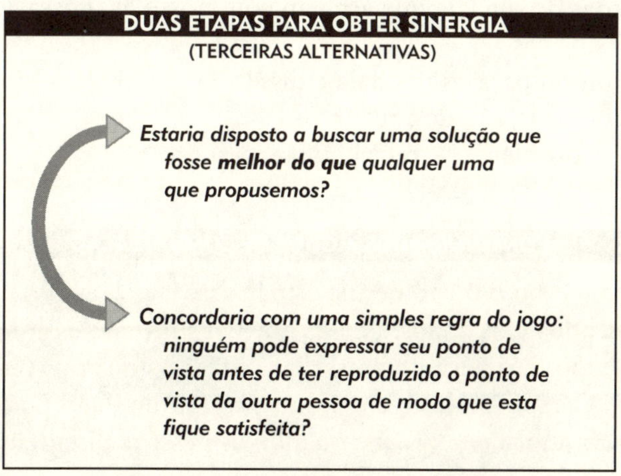

FIGURA 10.5

etapas. Cada situação é diferente. E todo relacionamento é único. Em resumo, é preciso um bom juízo, atenção, autocontrole e presença para dar início a essas duas etapas.

EXPERIÊNCIAS DE BUSCA DA TERCEIRA ALTERNATIVA

No correr dos anos, algumas de minhas mais desafiadoras, mas agradáveis, vivências profissionais ocorreram quando atuei como facilitador para levar pessoas com grande investimento emocional em posições opostas – quase chegando à irracionalidade – pelas duas etapas da busca e obtenção de uma Terceira Alternativa sinérgica. Podemos quase vê-las lutando, literalmente, ao passar pelos modos de comunicação refletidos no *continuum* a seguir (ver Figura 10.6).

Uma de minhas primeiras experiências ocorreu quando nossa empresa precisou filmar um caso autêntico, da vida real, espontâneo, que mostrasse a sinergia para um produto que estávamos criando. Então decidi que filmaria um de meus seminários. Escolhi um tema bem polêmico – meio ambiente – e convidei duas pessoas do auditório a subir ao palco comigo: uma mulher que era uma ambientalista convicta e apaixonada (alguém verdadeiramente verde) e um empresário também convicto e enérgico que utiliza em sua empresa recursos naturais. Eles não se deram um aperto de mãos (até os boxeadores profissionais apertam as luvas). Ela começou atacando-o já na subida ao palco, dizendo:

– São pessoas de sua laia que acabam com nosso ar, nossa água e o futuro de nossos filhos.

Então ele olhou para os pés dela e disse:

– Sapatos bonitos, são de couro?

– E qual é o problema? – retrucou ela.

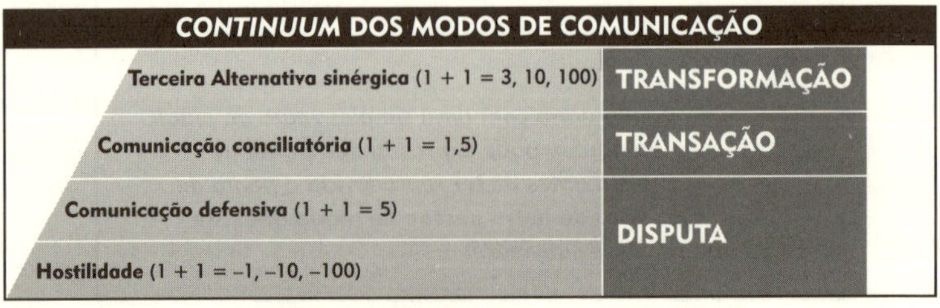

FIGURA 10.6

– Só estava querendo saber que animal a senhora andou matando.

– Não mato animais!

– Sei, são outras pessoas que matam para a senhora.

Esse foi o início da comunicação.

Quarenta e cinco minutos mais tarde, depois de passar pelas duas etapas, os dois estavam defendendo políticas de desenvolvimento sustentável para empresas e governo. O auditório ficou impressionado.

Sempre que ensinamos a primeira etapa – estaria disposto a buscar uma solução que seja melhor do que as que foram trazidas para a mesa? –, as pessoas inevitavelmente dizem, como fizeram essas duas, "Não sei se existe" ou "Passei anos examinado este tema e estou convencido de que...".

– Tem razão, ninguém sabe qual seria, mas tem que ser encontrada em conjunto. Dessa forma, está disposto a buscar essa solução? – indagamos.

Em geral a resposta é

– *Não* vou aceitar um meio-termo!

– Claro que não. A sinergia não é um meio-termo. Tem que ser uma solução *melhor* – você sabe, o outro sabe e vocês dois sabem que os dois sabem – nada de meio-termo.

– Não sei para onde vamos agora.

– Vocês vão para a segunda etapa. Mas nenhum dos dois pode expor sua idéia antes de demonstrar que entendeu o ponto de vista do outro.

Esse é o verdadeiro teste. É muito difícil para as pessoas que argumentaram inúmeras vezes em favor de dada posição escutar de fato a outra pessoa, porque, a menos que a escutem e consigam convencê-la de que entenderam esse ponto de vista, elas não podem apresentar seus argumentos. Esse é o xis da questão.

FIZ ISSO UMA VEZ num ambiente universitário tendo como tema o aborto. Convidei alguém favorável e outra pessoa contrária. Ambas justificavam moralmente suas posições. Eu as fiz passar pelas duas etapas na frente de 400 pessoas, incluindo uma turma de MBA, parte do corpo docente e muitos convidados de fora. Novamente, depois de cerca de 45 minutos em que passamos lentamente pelas duas etapas, as duas pessoas começaram a falar de contracepção, adoção e educação. A natureza da discussão mudou radicalmente. O público estava boquiaberto. Os dois participantes tinham lágrimas nos olhos.

Perguntei-lhes a razão de tanta emoção. Não tinha a ver com a questão. É que estavam envergonhados de ter julgado duramente, condenado, estereotipado e até demonizado quem pensasse de modo diferente sobre a questão. Ao ouvir atenta e profundamente, ambos começaram a perceber, "Esta é uma boa pessoa, eu a respeito, não concordo com suas opiniões, mas estou disposto a ouvir, estou aberto". Observar como as mentes se abrem, os corações amolecem e as posições se fundem numa Terceira Alternativa sinérgica é um momento emocionante.

NEM *SEMPRE* esses dois passos funcionam porque nem sempre as pessoas os aplicam. Estava em Washington dando um seminário sobre este tópico para a Young Presidents Organization quando convidei o presidente da National Education Association (NEA) e a pessoa que estava à frente do movimento pelo vale-educação da Califórnia a passar pelas duas etapas. Passaram relutantemente pela primeira etapa, afirmando que não tinham qualquer idéia do que poderiam encontrar nessa busca e que não estavam dispostos a entrar em qualquer acordo.

Quando chegaram à segunda etapa, a de ter que repetir o argumento do oponente até que este se sentisse entendido, tentaram, mas desistiram. Estavam na defensiva, chegavam até a mostrar hostilidade, xingando-se e até fazendo referências pouco elogiosas às respectivas mães. O público literalmente os expulsou. Eles eram seus convidados e o público considerou que não atendiam as finalidades do encontro. Então se estabeleceu uma verdadeira sinergia entre o público. Tratava-se de pais verdadeiramente preocupados, que estavam conscientes de que se tratava de uma questão complexa, que não era possível fazer generalizações abrangentes e que era necessária uma compreensão profunda. O público foi ficando cada vez mais criativo quanto às formas de fortalecer o sistema educacional – incluindo o grau em que o mercado poderia participar de alguns aspectos e sobre o que fazer nas situações em que isso fosse muito difícil ou até contraproducente.

FIZ ISSO muitas vezes em ambientes empresariais. Pergunto a meus clientes: "Quais são as questões que dividem sua cultura – há alguma que não possa ser discutida?" Em geral eles hesitam, mas acabam dizendo. Então lhes pergunto: "Seria possível usar isso como um exemplo para obter sinergia, uma terceira alternativa?" Em geral eles dizem: "É uma questão demasiado delicada, muito difícil. Não sei como poderia ser feito." Explico o processo das duas etapas. Asseguro-lhes, que se houver suficiente sinceridade e autoridade moral no grupo, o que implica franqueza e um esforço autêntico para pôr em prática aqueles dois pontos, eles terão uma das mais poderosas experiências que a organização poderia jamais vivenciar – não apenas para solucionar a questão, mas também, o que é mais importante, para desenvolver um sistema imunológico dentro da cultura que lhes permita fazer o mesmo sempre que surgir algum problema.

ESTAVA EU com um grupo de profissionais de saúde que incluía conselheiros, executivos, administradores e muitos médicos. O assunto a ser debatido – e que estava em discussão há muitos meses – era o uso de médicos externos. O diretor-médico era o porta-voz de um dos lados, o CEO, o do outro. Levei-os lentamente pelas duas etapas. Eles chegaram a uma Terceira Alternativa que os entusiasmou bastante – não apenas porque era melhor do que a situação presente ou qualquer das alternativas já propostas, mas também porque fortalecia e unia a equipe.

TRABALHEI com um grupo de agentes de seguro em Cancun, México, durante uma de suas grandes convenções internacionais. Tinha sido convidado a falar de transformação cultural por meio da liderança centrada em princípios. Depois de sentir o estado de espírito dos grupos – como era artificial sua comunicação em termos de questões substantivas, a polarização existente entre a direção e os gerentes gerais de campo e entre os gerentes gerais e o pessoal de campo –, resolvi guardar a palestra que tinha preparado. Em vez disso procurei ajudá-los a ver a gravidade desse mal-estar cultural e o impacto que tinha sobre os negócios e os clientes.

De modo que peguei um tema, de quem é o cliente?, e chamei uma pessoa de cada um dos três grupos – pessoal da sede, gerentes gerais e agentes de campo – para ficar na frente do auditório. Cada um deles apresentou suas razões para afirmar que o cliente era *seu*. Os agentes de campo diziam que eles tinham encontrado o cliente, tinham a relação com ele e lhe vendiam as apólices. Os gerentes gerais olhavam com desdém essa argumentação e diziam: "Somos *nós* que atendemos essas pessoas no correr do tempo. Os agentes podem ir embora. Nós não. Temos que ficar e representar nossos produtos e atender os compromissos." Os executivos da sede olhavam com superioridade para os dois grupos e diziam: "Os senhores não sabem de nada. Quem desenvolveu o produto? Quem cumpre as obrigações assumidas? Quem formulou todo o sistema institucionalizado que permite o negócio?" Assim, ficou óbvio para todos até que ponto a cultura estava doente – o cliente não era de nenhum grupo e, a menos que eles decidissem agir em conjunto, não poderiam encontrar e reter os clientes. A experiência foi reveladora e lhes permitiu passar humildemente pelas duas etapas da busca de uma Terceira Alternativa sinérgica.

CERTA VEZ, RECEBI um telefonema do presidente de uma empresa que perguntava se eu poderia ajudá-lo a resolver uma causa judicial muito longa e onerosa que envolvia um de seus grandes clientes. O cliente estava processando a empresa por considerar que não tinha cumprido critérios previamente acordados. Eu conhecia muito bem o presidente. Ele já tinha participado de um de meus treinamentos, mas não se sentia suficientemente seguro para aplicar a técnica. Disse-lhe que ele não precisava de mim, poderia fazê-lo sozinho. De modo que repassei com ele, por telefone, as duas etapas e pedi que lesse o material que tinha usado no treinamento. Ele estava muito receoso e hesitante. Mas depois de minha argumentação se dispôs a tentar sozinho.

Ligou para o presidente da empresa que o processava e sugeriu que se encontrassem para um almoço. O outro disse que não havia necessidade disso, era melhor deixar o processo correr, pensando talvez que seu interlocutor estivesse disposto a ceder e fazer um acordo. Assim, preferiu uma tática dura e recusou o convite.

Meu amigo então contou qual era sua intenção e o porquê do encontro. Falou das duas etapas do processo e também disse que, embora ele não fosse levar seu advogado, seu interlocutor poderia, fazê-lo e não dizer nada se seu advogado assim o aconselhasse. Assim, ele evitaria o risco de se comprometer de algum modo quando estivesse ante o juiz. Meu amigo insistiu: "O que o senhor tem a perder – uma ou duas horas? Nossas empresas já gastaram dezenas de milhares de dólares e o processo está só no início." Ante essa argumentação, o outro presidente concordou em participar do almoço, levando junto seu advogado.

Quando os dois já estavam na sala, onde havia dois flipcharts, meu amigo falou:

– Primeiro quero que o senhor veja se eu entendi sua posição nesta causa – e a expôs tão completamente quanto possível. Então continuou: – O senhor acha que eu entendi bem? Está tudo correto?

– Sim, exceto dois pontos – disse o outro presidente, ante o que seu advogado sugeriu que não falasse mais nada. Mas este presidente, sentindo que havia sinceridade no esforço de seu adversário, pediu ao advogado que não o interrompesse e expôs os dois pontos.

Meu amigo os escreveu no flipchart e perguntou novamente:

– O senhor acha que entendi? Há algum outro ponto que o senhor quer que eu entenda? Esqueci de alguma coisa?

– Não, acho que o senhor entendeu – respondeu o outro presidente.

– Então posso pedir que o senhor tente me ouvir assim como eu o ouvi? Acha justo?

O que aconteceu foi que o primeiro ponto – isto é a busca da Terceira Alternativa – surgiu por meio de seus esforços de entender o que o outro estava dizendo. Então apareceu a motivação para solucionar o problema. E não apenas chegaram a uma fórmula que atendia satisfatoriamente os dois lados, como também lhes permitia continuar o relacionamento. O passo seguinte foi encontrar uma maneira de comunicar seu desejo de manter o relacionamento comercial às duas culturas que tinham se unido em torno da briga e estavam em mútua oposição.

O aspecto mais importante é que as pessoas podem fazer isso sozinhas, não precisam de um facilitador. Ser participante e ao mesmo tempo observador ou facilitador é algo que requer habilidade. É preciso muita disciplina mental e emocional, mas, quando temos fé nos princípios e suficiente coragem interior e integridade, podemos fazê-lo.

Às vezes, a natureza de uma Terceira Alternativa pode parecer uma conciliação – uma ou ambas as partes cedem um pouco. Mas isso não é necessariamente assim. Pode ser que o aspecto fundamental não seja a questão em si, mas que a qualidade do relacionamento, a profundidade de entendimento ou a alteração das motivações se tornem o elemento mais importante. Este ponto é muito bem ilustrado por uma história que um colega me contou:

Meu pai era um excelente dentista há cerca de 30 anos quando descobriu que sofria de amiloidose, uma doença rara. O médico deu-lhe seis meses de vida. Ele teve que parar de trabalhar. De modo que esse homem, que sempre fora muito ativo, se via de repente sem nada para fazer, a não ser pensar em sua doença fatal.

Para desligar-se desses pensamentos, resolveu que queria construir uma estufa para plantas no quintal. Não um daqueles jardins de inverno envidraçados que se vê nas casas vitorianas. Seria uma dessas que se compram prontas para montar com um plástico corrugado como teto e laterais de plástico preto. Minha mãe não queria esse monstrengo do lado de casa. Disse que morreria se os vizinhos vissem a coisa. Assim, a estufa se tornou um ponto de briga a respeito do qual era impossível qualquer conversa civilizada. Penso que a questão foi a forma que encontraram para dar vazão à raiva provocada pela doença.

Um dia, minha mãe falou que estava tentando entender de verdade o ponto de vista de meu pai. Ela queria resolver o assunto para que os dois pudessem ficar felizes. Ela não queria uma estufa no quintal. Preferia ver seu jardim cheio de maria-sem-vergonha. Mas também queria que meu pai se sentisse feliz e produtivo. Então ela decidiu que ia deixar meu pai construir sua estufa. Concluíra que a felicidade de meu pai era mais importante para ela do que o quintal ou os vizinhos.

E o que aconteceu foi que essa estufa distraiu meu pai por muito mais tempo do que o que lhe fora dado pelos médicos. Ele viveu mais uns dois anos e meio. De noite, quando não podia dormir por causa da quimioterapia, ele ia à estufa ver como as plantas estavam. De manhã, regar as plantar lhe dava um motivo para levantar da cama. Sua estufa lhe dava um trabalho que lhe permitia concentrar-se em outra coisa enquanto seu corpo decaía. Lembro de minha mãe comentando que apoiar a idéia de meu pai de construir a estufa foi uma das coisas mais sábias que tinha feito na vida.

Inicialmente a estufa foi uma "perda" para a mãe de meu colega até que ela subordinasse seus desejos iniciais ao desejo maior da felicidade e bem-estar de seu marido. Isto nos ensina que, quando entendemos alguém, redefinimos o que é o ganha-ganha. Não obstante, se ela não tivesse começado com bastante respeito para querer entender o que era importante para seu marido, ela não teria mudado.

É interessante notar que a sinergia resultante nesse caso não foi uma solução de Terceira Alternativa, mas foi uma atitude de Terceira Alternativa. A primeira alternativa era não fazer a estufa. A segunda era ceder, com relutância, ao desejo do marido. A Terceira Alternativa foi entendê-lo e encontrar com alegria e amor sua felicidade, deixando-o ter o prazer de construir a estufa. É assim que muitas vezes a sinergia funciona. Um observador de fora poderia dizer que ela cedeu, mas quem falasse com essa mulher veria que sem dúvida ela negaria estar cedendo. Ela se satisfez vendo a felicidade e o bem-estar do marido. Essa sinergia da atitude é uma magnífica expressão do amor maduro.

• • •

MUITAS TRANSAÇÕES ENTRE pessoas acabam em cessões, ganha-perde ou perde-ganha. Mas as soluções de Terceira Alternativa – na substância, no espírito ou simplesmente quando se alcança o respeito e o entendimento mútuo sem qualquer acordo – ilustram a transformação. Isto é, as pessoas foram mudadas, elas abriram seus corações e mentes, aprenderam e ouviram, vêem coisas de modo novo – foram transformadas. A Figura 10.7 ilustra o contraste entre soluções transacionais e transformacionais.

Estou convencido de que a maioria das disputas poderia ser evitada e resolvida por meio da comunicação sinérgica da Terceira Alternativa. Processar e recorrer à "lei" deveriam ser atitudes usadas como tribunais de última instância, não de primeira. Uma cultura litigiosa não é saudável para a sociedade, destrói a confiança, resulta em terríveis modelos e, na melhor das hipóteses, termi-

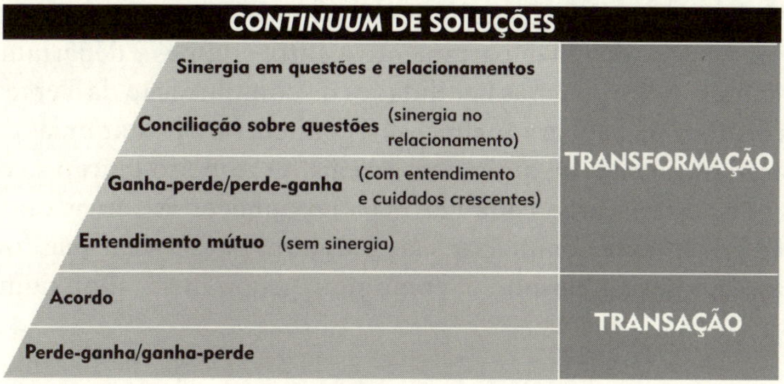

FIGURA 10.7

na num acordo. Espero poder um dia me unir a um advogado de empresa e um juiz federal, que praticam estas idéias com resultados fabulosos, para escrever um livro para advogados e para os que contratam advogados e para aqueles que querem resolver problemas aparentemente insolúveis sem contratar advogados. O título seria *Benditos sejam os pacificadores* e o subtítulo, *Sinergia na prevenção e solução de controvérsias*.

FORMAR UMA EQUIPE COMPLEMENTAR POR MEIO DA COMUNICAÇÃO DA TERCEIRA ALTERNATIVA

A modelagem de comunicações francas na busca da Terceira Alternativa é também algo absolutamente necessário nos esforços de formação de equipes complementares que examinamos. De todos os lugares em que este tipo de modelagem se faz imprescindível, o prioritário é a equipe executiva. Como os líderes formais têm a autoridade *formal*, eles, mais do que ninguém, precisam manifestar a autoridade *moral* inerente a este tipo de comunicação. Uma outra razão é que os executivos são extremamente visíveis, formando equipes complementares entre departamentos, dentro deles e em toda a organização.

Este tipo de comunicação da Terceira Alternativa, que propicia equipes complementares, pode, porém, ter início em qualquer nível. Os resultados pragmáticos gerados pelos que estão nos níveis inferiores converterão os cínicos de níveis superiores da organização – ilustrando, mais uma vez, que a liderança, não somente da pessoa isoladamente, mas de uma equipe inteira, é uma escolha, não uma posição.

Por onde começar? Pela comunicação franca entre todos os que participam de uma equipe, de um departamento e entre equipes e departamentos interdependentes. Ao praticar as habilidades da comunicação da Terceira Alternativa, as pessoas passam gradualmente a conhecer e a gostar umas das outras e se tornarão mais francas, autênticas e reais. O respeito mútuo se desenvolverá e as pessoas buscarão cada vez mais reconhecer as forças dos outros e procurarão ativamente compensar suas fraquezas para tornar suas forças mais produtivas. Isso gera a harmonia, como num grupo musical ou numa equipe desportiva.

> Quando olhamos através das lentes das fraquezas mútuas, tornamos irrelevante a força dos outros e deixamos mais evidentes suas fraquezas.

FILME: *Vendedor de rua*

Há alguns anos, uma empresa sul-africana estava abrindo uma nova loja de roupas numa parte antiga da cidade. No dia da abertura da loja, os vendedores de frutas e verduras acorreram ao local. Eles tinham ocupado aquele terreno antes da construção da loja e venderam seus produtos no local durante muitos anos. Psicologicamente se sentiam donos. Então, no dia da inauguração, eles instalaram suas mesas cheias de frutas e verduras. Instalou-se uma grande confusão e a entrada na loja ficou um pouco difícil.

O que faria o leitor se os vendedores se concentrassem em torno de sua loja, sujando a calçada e bloqueando parcialmente a entrada, logo no dia da inauguração? O quê?

As opções são duas. Tentar controlar os camelôs como se fossem "coisas" – chamar a polícia, fazer com que sejam expulsos do local e reforçar nossa posição de donos do terreno. Ou podemos tratá-los como pessoas. É possível buscar a sinergia e uma solução melhor para as duas partes.

O gerente da loja poderia ter chamado a polícia para afastar os camelôs. Mas ele preferiu buscar uma Terceira Alternativa. Primeiro ouviu seus objetivos e necessidades, depois falou das necessidades da loja. Em conjunto, esta improvável equipe de gerentes de loja e camelôs formulou um plano sinérgico que funcionou para os dois grupos.

Fizemos um filme que retrata este caso da nova loja e os camelôs. Chama-se *Vendedor de rua*. Ele se encontra no DVD que acompanha este livro. Nele, o leitor encontrará o tipo de solução sinérgica que é alcançada por pessoas fortalecidas.

FIGURA 10.8

NO FILME fica claro que o entendimento mútuo foi um fator fundamental para que se chegasse a uma solução criativa. Também podemos observar os benefícios serendipitosos que decorreram dessa criatividade. *Serendipidade* significa "incidente feliz". Aconteceu alguma coisa que inicialmente ninguém esperava. Foi conseqüência da confiança e da conexão. Os camelôs acabaram por se tornar seguranças da loja. O pessoal da rua conhece quem são os ladrões, e os ladrões sabem disso. Como o furto de estoques é um grande problema na África do Sul, isso acabou sendo um grande benefício. Podemos ver como a confiança e a comunicação vão se estabelecendo. A confiança se torna ação quando se acredita num grupo de pessoas e estas, por sua vez, se mantêm fiéis a essa confiança e a devolvem. Sempre se estabelece um laço, e também se cria um sistema imunológico que tem o poder de lidar com questões ou problemas que possam vir a surgir no futuro.

PERGUNTAS E RESPOSTAS

- **Qual a importância dos ciclos de vida da organização? Existe uma Terceira Alternativa para seu declínio e morte?**

Considero que há quatro "Triângulos das Bermudas", que levam à decadência, ao desastre e à morte. O *primeiro* ocorre no plano da representação mental, quando uma boa idéia é simplesmente esmagada por energias negativas, inseguranças e receios. O *segundo* surge no plano da produção, quando a boa idéia não é executada de forma adequada. É onde a maioria das organizações falha – mais de 90% nos primeiros dois anos. Há um hiato entre a colher e a boca, entre a grande idéia e sua implementação. O *terceiro* se verifica no plano gerencial. A produção foi institucionalizada de tal modo que é possível replicar ou duplicar a empresa, como, por exemplo, abrir outro bom restaurante, mas o empreendedor procura fazer tudo sozinho ou então se clonar. Nunca são estabelecidos sistemas formais para manter as coisas, especialmente o fluxo de caixa, sob controle. O *quarto* surge no plano da mudança, quando a organização precisa se reinventar para se adaptar a novas condições de mercado ou novas oportunidades, mas fica atolada em sua vida burocrática, suas regras e normas, de modo que não consegue atender e prever as necessidades dos clientes-alvo.

As boas equipes gerenciais deveriam contar com pessoas que tenham qualidades que atendam às necessidades de todos os quatro planos. E mais importante ainda: a equipe deve ter um espírito de respeito mútuo, de modo que as forças de cada um sejam reconhecidas e utilizadas e suas fraquezas se tornem irrelevantes pelas forças dos demais. É preciso um empreendedor (a pessoa com idéias), um *produtor*, um *gerente* e um *formador de equipes-líder* que contribuam para criar a norma de respeito mútuo e a equipe complementar com força para se reinventar e levar a organização a novos ciclos de vida.

- **O que fazer quando se está envolvido num trabalho de fusão e aquisição tendo que juntar pessoas de diferentes empresas e culturas? Há alguma Terceira Alternativa Mágica para alcançar a interdependência numa empresa global?**

O motivo pelo qual boa parte das fusões e aquisições não funciona é que elas são um processo forçado. É como tentar misturar DNAs diferentes. O leitor já viu uma família misturada? Como é difícil que funcione com sucesso? É preciso tempo, persistência, paciência e um Bastão Falante para encaminhar soluções de Terceira Alternativa. No entanto constatamos a manifestação das cinco metástases (brigas, comparações, competição, críticas e reclamações). É preciso ter sempre presente que com pessoas e culturas o rápido é lento e o lento, rápido. Não é esse o caso das coisas – rápido é rápido. Mas com as pessoas, a eficiência ou a rapidez não funciona. Aprendi isso com dificuldade, mas reforçou o que vou dividir agora com o leitor: é preciso uma comunicação franca, mútua e respeitosa do valor das diferentes abordagens se quisermos gerar uma cultura da Terceira Alternativa. Isso muitas vezes exige uma nova liderança formal. Certa vez, estava trabalhando no Canadá com uma grande empresa que tinha uma cultura do fortalecimento muito madura. Como os líderes da sede nos Estados Unidos estavam abrindo operações em muitos países diferentes, eles queriam formular algumas políticas centrais. Mas estas tinham que levar em conta culturas bem menos desenvolvidas e maduras do que a canadense. A gerência no Canadá me procurou para que eu os ajudasse a manter sua relativa independência e fortalecimento, para não serem tragados por funções e políticas voltadas a culturas imaturas e ao elo mais fraco da cadeia de valor. Fiquei feliz em ajudá-los. Quando os executivos americanos perceberam que não havia interdependência com o Canadá, eles puderam usá-lo como um modelo do que era possível, já que a cultura canadense era mais produtiva, enxuta e lucrativa, com mais autonomia, menos burocracia, então eles começaram a mostrar a operação canadense como uma organização modelo que as culturas menos desenvolvidas poderiam emular.

O fundamental é não forçar artificialmente a interdependência – ela tem que surgir naturalmente, fazendo com que as pessoas se conheçam, se entendam e confiem umas nas outras. Então elas podem ser criativas. Até que isso aconteça, as pessoas vêem a interdependência como uma dependência.

Capítulo 11

UMA VOZ – DESCOBRIR CAMINHOS PARA CHEGAR A VISÃO, VALORES E ESTRATÉGIAS COMPARTILHADAS

Um dia, Alice chegou a uma encruzilhada do caminho e viu um gato Cheshire numa árvore.
– Qual dos caminhos devo pegar? – perguntou.
A resposta do gato foi outra pergunta:
– Aonde você quer ir?
– Não sei – respondeu Alice.
– Então não tem importância – retrucou o gato.
LEWIS CARROLL, *ALICE NO PAÍS DAS MARAVILHAS*

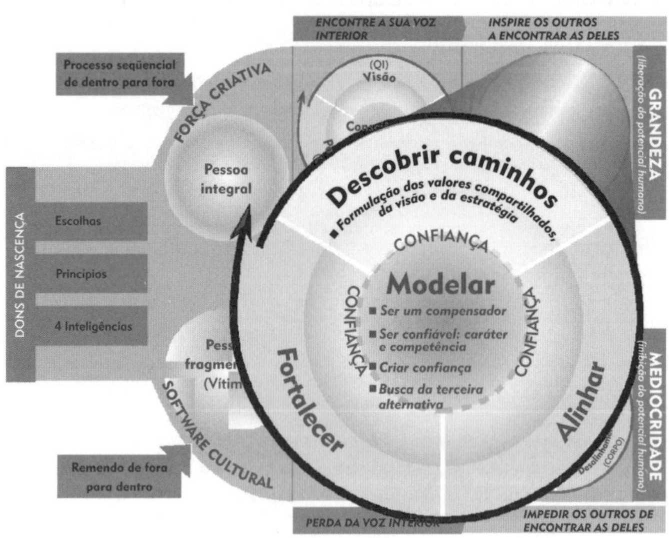

FIGURA 11.1

NÃO PODEMOS ESQUECER que adquirir o 8º Hábito é um processo seqüencial de dentro para fora. Como qualquer hábito, é uma combinação de ATITUDE, HABILIDADE e CONHECIMENTO. Já examinamos a ATITUDE da *iniciativa compensadora*. Já examinamos as HABILIDADES de *obtenção de confiança* e *busca de Terceiras Alternativas*. Os Quatro Papéis do Líder representam liderança e influência visando à Terceira Alternativa. Eles nos dão o CONHECIMENTO dos princípios da liderança transformacional.

Repito, essa influência começa pela *modelagem* da confiabilidade para que as pessoas confiem em nós. Mas, como sabemos, elas precisam de mais do que nossa confiabilidade. As boas intenções não suprem a falta de bom julgamento. As pessoas precisam de um modelo para ver como podem trabalhar e liderar de modo diferente – diferente daquele a que estão acostumadas, diferente da cultura da organização em que trabalham, diferente das tradições controladoras e transacionais da Era Industrial. Nossa mais importante modelagem será mostrar aos outros como uma pessoa que encontrou a própria voz age nos outros três papéis prioritários do líder – *descobrir caminhos, alinhar* e *fortalecer*.

Para ajudar o leitor a *modelar* esses três papéis, tratarei nos três próximos capítulos dos três papéis restantes da liderança por meio de: 1) identificação do mito e da realidade que cercam cada papel e 2) descrição das três alternativas contrastantes para a abordagem de cada papel. O fundamental em qualquer desafio é sempre buscar uma Terceira Alternativa superior.

Neste capítulo, trataremos do desafio de unir, numa única voz, um grande propósito, pessoas que diferem em suas forças e na maneira de ver o mundo. É

MITO	**Declarações de visão e prioridades estratégicas são formuladas por quem sabe mais – o pessoal do topo.** *(Velho paradigma)*
REALIDADE	**As declarações de missão e as prioridades estratégicas que são formuladas às carreiras por quem está no topo são esquecidas logo depois de seu anúncio. Sem envolvimento ou forte identificação, não há dedicação.** *(Novo paradigma)*

FIGURA 11.2

o papel de *descobrir caminhos para a visão, os valores e as prioridades estratégicas compartilhados*. Comecemos examinando primeiro o mito, a realidade e as alternativas de descobrir caminhos.

A *primeira alternativa* para o papel de descobridor de caminhos da liderança seria anunciar a visão, os valores e a estratégia à equipe ou organização sem qualquer envolvimento de sua parte.

A *segunda alternativa* seria procurar um excessivo envolvimento e ficar paralisado pelos males da análise e da "reunião-ite"; fazer demasiadas reuniões em locais afastados e discussões intermináveis, quase que sob a pressuposição de que não é necessário executar ou delegar.

A *terceira alternativa* seria não apenas envolver de modo razoável as pessoas no processo de desenvolvimento da visão, missão e estratégia, mas também reconhecer que, se tiver sido gerada uma cultura da confiança suficientemente forte e se o líder for pessoalmente confiável, o poder de identificação é igual ao de envolvimento.

Vou ilustrar esta terceira alternativa.

Sempre fiquei impressionado com os níveis extraordinariamente elevados do atendimento recebido em minhas estadas nos hotéis Ritz-Carlton. No correr dos anos, fui conhecendo Horst Schulze, que durante muito tempo foi presidente e diretor de operações da rede. Entendi então melhor como essa notável cultura foi sendo criada. Sob a direção de Schulze, a Ritz-Carlton Hotel Company ganhou dois prêmios Malcolm Baldrige National Quality* na categoria de serviços, um fato sem precedentes.

Certa vez, entrevistei Horst para uma coluna que escrevia. Perguntei-lhe: "Como o senhor define a liderança?" Sua resposta foi a seguinte:

Liderar é criar um ambiente em que as pessoas desejem ser parte da organização e não apenas trabalhar nela. Liderar é criar um ambiente que faça com que as pessoas desejem fazer, em lugar de ter que fazer. Criar esse ambiente é um imperativo empresarial. Como homem de negócios, sou obrigado a criar um ambiente em que as pessoas se sintam parte de alguma coisa, se sintam realizadas e

---

* Nota da Tradutora: Malcolm Baldrige Quality Award: Prêmio concedido pelo governo dos EUA com base na Public Law 100-107, de 1987, para promover a excelência do desempenho e a melhoria na qualidade das empresas sediadas nos EUA. Estão encarregados de administrar o prêmio, com apoio do setor privado, o secretário de Comércio e o Instituto Nacional de Padrões e Tecnologia. O nome da premiação homenageia Malcolm Baldrige, que foi Secretário do Comércio e faleceu em trágico acidente em 1987. Dentre as justificativas do prêmio, inclui-se a de que "a liderança dos EUA na qualidade de produtos e processos foi fortemente desafiada (às vezes com sucesso) pela concorrência estrangeira".

tenham um propósito. É um propósito – um valor em suas vidas – que leva as pessoas a dar suas mentes verdadeiramente. Então alcançamos o máximo delas, e lhes damos o máximo. Menos do que isso é irresponsabilidade face à empresa e exige mais da pessoa.

Quando vemos as pessoas apenas como cumpridores de funções, nós as tratamos como coisas, como a cadeira em que sentamos. Não creio que nós, como seres humanos, tenhamos direito a fazer isso. Nenhum de nós quer ser alguma coisa que fica no canto. Verificamos que a maior satisfação de um empregado é sentir-se parte de algo, sentir que confiam nele para tomar decisões e participar.

Todos somos trabalhadores do conhecimento em nossa área específica e sem dúvida o lavador de pratos sabe mais de sua tarefa do que eu. Então o lavador de pratos pode contribuir para aprimorar o ambiente, as condições de trabalho, a produtividade, a redução na quebra de pratos etc. Eles podemos contribuir grandemente com o conhecimento de sua área de atividade.

Veja o caso de um jovem do Nairóbi que veio trabalhar no hotel há cerca de 16 anos. Não falava bem o inglês, mas era um rapaz muito trabalhador. Depois de algum tempo lhe ofereci um posto no serviço de quartos, daí passou a líder do setor, depois foi trabalhar na recepção e, como barman, foi promovido a assistente do gerente da recepção e atualmente é diretor de alimentos e bebidas. Hoje é o número dois no hotel, mas começou como lavador de pratos.

Ainda me lembro de chegar ao hotel acompanhado de minha mãe, uma malinha na mão, para iniciar meu aprendizado. Estava com 16 anos. Havia muitos hóspedes importantes e eu achava que eles estavam muito acima de mim. Mas fui me aproximando de um notável senhor de 70 anos que era maître. Quando ele entrava numa sala, sua presença se fazia sentida, ele era excelente e todos o admiravam. Ele sempre buscava a excelência em sua apresentação, no que dizia e no que fazia. Foi por meio dele que descobri, que se fizermos as coisas de modo excelente, somos tão importantes quanto eles. Entendi que eu poderia também ser importante se fizesse bem aquilo que tinha que fazer, qualquer coisa que fosse. E de fato essa idéia se tornou o lema do Ritz-Carlton: "Somos damas e cavalheiros que atendem damas e cavalheiros."

No correr de 22 anos, fizemos pesquisas junto a cerca de cinco milhões de pessoas para entender as características e as competências dos líderes e gerentes eficazes. Uma das coisas mais impressionantes verificadas nesse estudo foi a seguinte: os gerentes em geral recebem altas avaliações em ética do trabalho (modelar) e baixas na sua habilidade de propiciar foco e direção clara (descobrir caminhos). Em conseqüência, as pessoas não têm clareza sobre as prioridades fundamentais, nem são cobradas, e organizações inteiras falham na execução.

E o resultado é que as pessoas trabalham mais do que nunca, mas, sem clareza e visão, não vão muito longe.

Enquanto modelar inspira confiança, *descobrir caminhos cria ordem sem exigi-la*. Tão logo as pessoas envolvidas concordam quanto ao que importa do ponto de vista organizacional, elas compartilham critérios que conduzirão todas as decisões seguintes. Esse esclarecimento da comunicação dá *foco*. Cria ordem. Gera estabilidade. E também propicia agilidade, tema que será explorado mais adiante ao falarmos sobre o fortalecimento.

> ***A própria essência da liderança é que precisamos de visão; o toque do clarim não pode ser vacilante.***[1]
>
> THEODORE M. HESBURGH, PRESIDENTE, NOTRE DAME

A *visão* em escala pessoal se traduz em *descobrir caminhos* num ambiente organizacional. Enquanto podemos nos identificar individualmente com o que consideramos significativo, agora o desafio e a função são criar uma visão *compartilhada* do que é relevante, do que importa mais. Veja as perguntas que podemos fazer em relação a nossos empregados:

1. As pessoas entendem claramente os objetivos da organização?
2. Estão engajadas neles?

Ajudar as pessoas a entender de modo claro os objetivos relevantes e a se dedicar a alcançá-los exige que as envolvamos na tomada de decisões. É determinar em conjunto o destino da organização (visão e missão). Então todos se sentirão responsáveis pelo caminho que conduz ao destino (valores e plano estratégico).

Para poder determinar o que é mais importante para uma organização ou equipe, é preciso estar atento à realidade que enfrentamos. Uma vez entendida, é preciso trabalhar até que uma visão e um sistema de valores compartilhados possam ser sintetizados numa declaração de missão e num plano estratégico. Ao falar da necessidade de começar pelas realidades fundamentais, Clayton M. Christensen escreveu:

> Toda empresa em todo ramo de atividade trabalha submetida a certas forças – as leis organizacionais da natureza – que influenciam fortemente a definição daquilo que a empresa pode e não pode fazer. Os gerentes, ao se depararem com tecno-

logias de ruptura, estarão falhando em relação a suas empresas se permitem que essas forças os dominem.

Por analogia, os antigos que tentavam voar atando asas de plumas a seus braços e sacudindo-os com toda força após saltar de altas montanhas invariavelmente fracassavam. Apesar de seus sonhos e de seu trabalho árduo, eles estavam lutando contra forças da natureza muito poderosas.

Ninguém é forte o suficiente para vencer essa luta. O vôo só se tornou possível depois que as pessoas entenderam as leis naturais e os princípios que definem como o mundo funciona: a lei da gravitação, o princípio de Bernoulli e os conceitos de força de elevação, força de arrasto e resistência. Quando as pessoas projetaram sistemas de vôo que levavam em conta ou dominavam o poder dessas leis e princípios, em vez de lutar contra eles, elas conseguiram finalmente voar a alturas e distâncias anteriormente inimagináveis.[2]

É necessário estar atento a quatro realidades – o *mercado*, as *competências essenciais*, os *desejos e as necessidades dos principais envolvidos* (*stakeholders*) e os *valores* – antes de entender completamente e estar preparado para executar seu papel de descobridor de caminhos.

- **Mercado.** Como as pessoas de sua organização ou equipe vêem o mercado? Qual é o contexto político, econômico e tecnológico mais amplo? Quais são as forças concorrenciais? Quais são as tendências e características do ramo de atividade? Há possibilidade de surgimento de tecnologias e modelos de negócios de ruptura que possam tornar obsoleto todo um ramo de atividades ou uma tradição básica?
- **Competências essenciais.** Quais são suas forças exclusivas? Fiquei muito impressionado com o tratamento dado por Jim Collins à descoberta de caminhos. Em seu livro *Empresas feitas para vencer*, ele apresenta três círculos superpostos que representam as principais forças da organização. Ele denomina essa representação de conceito do porco-espinho.[3] Esses círculos identificam três perguntas: Em que você é realmente bom – talvez, até, em que você pode ser o melhor do mundo? Segunda, o que o apaixona realmente? E, terceira, o que é que as pessoas estarão dispostas a pagar? Em outras palavras, quais são as necessidades e os desejos humanos cujo atendimento movimentará o motor econômico? O nexo entre esses três círculos que se sobrepõem representa o fundamento de nossa proposição de valor.

  E se acrescentarmos mais uma pergunta, o que sua consciência aconselha? Estaríamos ante a abordagem da pessoa integral (*corpo* –

motor econômico; *mente* – aquilo em que somos melhores; *coração* – paixão; e *espírito* – consciência). A superposição das quatro áreas mostra o ponto em que nossa voz pode ser encontrada (ver Figura 11.3). Como já vimos, esta abordagem se aplica tanto a uma pessoa quanto a uma organização que procuram encontrar a própria voz.

- **Desejos e necessidades dos principais envolvidos.** Pense em todos os diferentes interessados – sendo o primeiro e mais importante o cliente-alvo. O que eles desejam e precisam realmente? Quais são seus problemas e preocupações? O que *seus* clientes desejam e de que precisam? Qual é a realidade do mercado do ramo de atividade em que eles operam? Que tecnologias ou modelos de negócios poderiam prejudicá-los ou torná-los obsoletos? E quanto aos proprietários, os que forneceram o capital ou pagam os impostos – quais são seus desejos e necessidades? E quanto aos parceiros, os empregados, os que trabalham conosco – quais são seus desejos e necessidades? E os fornecedores, distribuidores e comerciantes – toda a cadeia de suprimento? E quanto à comunidade e o meio ambiente?

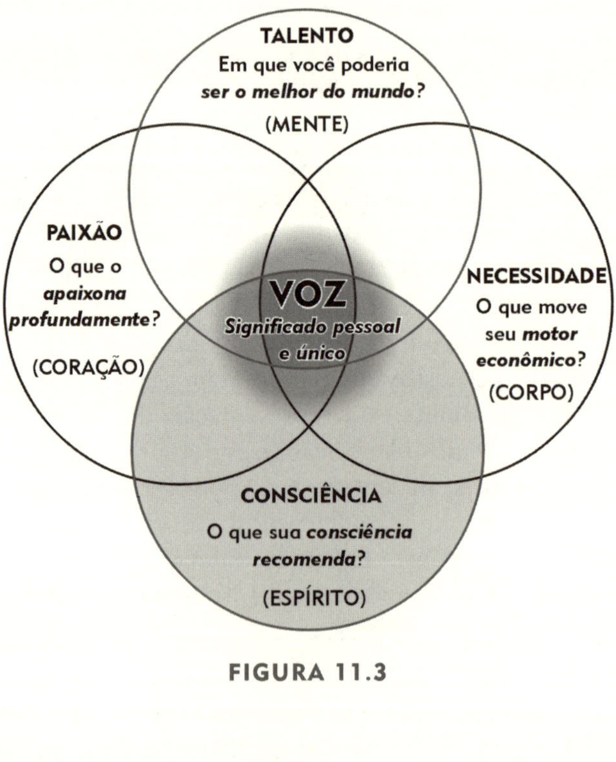

FIGURA 11.3

- **Valores.** Quais são os valores dessas pessoas? Quais são nossos valores? Qual é o propósito central da organização? Qual é sua estratégia central para atingir esse objetivo? Para que fomos contratados? Quais são os valores que nos servirão de linhas mestras? Qual a prioridade que recebem em diferentes contextos e nos momentos de estresse e pressão? A maioria das pessoas nunca chega a definir o que é mais importante para elas. Não desenvolveram os critérios que informarão e regerão todas as demais decisões e, agora estamos tentando fazer isso para um grupo, uma equipe ou uma organização inteiros. Isso é muito complexo, interdependente, desafiador enfim.

Esses são os tipos de questões e perguntas que devem ser esclarecidos antes de podermos focar. É por isso que se exige tanto caráter, competência, visão, disciplina e paixão governados pela consciência.

Descobrir caminhos é o empreendimento mais árduo porque lidamos com personalidades, pautas, percepções da realidade, níveis de confiança e egos diversos. Isto destaca por que modelar é o papel mais importante e central da condução. Se as pessoas não podem confiar na pessoa e/ou equipe que iniciam o processo de descoberta de caminhos, não haverá identificação e o envolvimento será muito disfuncional.

Foi preciso *modelar* o caráter e a competência de um George Washington para integrar e harmonizar o brilho e as diferenças de pessoas como Thomas Jefferson, John Adams, Benjamin Franklin, Alexander Hamilton e outros Pais Fundadores da República Americana até que pudessem ser elaboradas finalmente a Declaração da Independência e a Constituição dos Estados Unidos com suas dez Emendas. Este trabalho de descobrir caminhos foi a mais árdua de todas as tarefas que resultaram na criação dos Estados Unidos da América. Mas os documentos visionários que permitiram que a nação americana sobrevivesse aos grandes traumas de sua história – a Guerra Civil, as grandes guerras, a Guerra do Vietnã, os escândalos e as eleições presidenciais. Para não falar do poder, 4,5% da população mundial produzem cerca de um terço dos bens mundiais!

ALCANÇAR A VISÃO E OS VALORES COMPARTILHADOS

As pessoas muitas vezes recorrem à analogia da sintonia para descrever o que ocorre quando há uma visão e valores *compartilhados*. E é uma excelente analogia, pois sugere que o que mais importa na visão, nos valores e na proposição de valor estratégica da organização é a harmonia das diferentes freqüências de onda.

Compartilhar é uma palavra interessante. Quando *compartilho* alguma coisa com alguém, estou dando o que tenho para essa pessoa. Se ela se identifica comigo, acredita no que faço e confia em mim, então posso simplesmente compartilhar com ela minha visão. E ela pode aceitar ainda mais essa visão do que se a tivesse formulado ela mesma, porque ela dá mais crédito à minha experiência do que à sua. Por outro lado, se a pessoa se sente competente e desejosa de se envolver e eu apenas lhe comunico ou anuncio *meu* plano como *nosso* plano, então ela não sente nenhum compromisso emocional. Não foi compartilhado. Ela sentiria que a missão e a proposição de valor lhe foram impostas. Não estamos em sintonia.

Em resumo, a declaração de missão e o plano estratégico são uma coisa, mas o processo de obter a sintonia comum é outra coisa de *igual* importância. O trabalho de modelagem da liderança se manifesta verdadeiramente no papel de descobrir caminhos. De outro modo, as pessoas não alcançam a sintonia, não se alinham emocionalmente quanto às questões estratégicas e para baixo tudo vai de enxurrada. Então, a única salvação estará no puro instinto de sobrevivência das pessoas. Se a concorrência também está em tumulto, é possível sobrevivermos. Mas se nossos principais concorrentes se unirem de modo sinérgico, especialmente se forem de classe mundial, então já somos passado.

FILME: *Gol!*

Se o leitor já viu seus filhos ou netos jogando futebol, irá dar uma boa gargalhada com este pequeno grande filme e se sentirá à beira do campo. Observe as semelhanças com o desafio que enfrenta no trabalho ao procurar que todos se concentrem num mesmo grande objetivo. Coloque o DVD no aparelho e prepare-se para momentos agradáveis.

AS FERRAMENTAS PARA DESCOBRIR CAMINHOS (FOCO): A DECLARAÇÃO DE MISSÃO E O PLANO ESTRATÉGICO

Descobrir caminhos é, para a organização ou a equipe, o que modelar é para o indivíduo. É decidir o que a organização, como equipe ou como família, irá *focalizar*. Fazemos o mesmo tipo de perguntas relativas a valores e propósitos que fazemos individualmente, só que agora é o grupo que pensa coletivamente em sua missão específica. Por meio de um processo interativo, formulamos, por escrito, uma declaração de missão e um plano estratégico (proposição de valor e objetivos). A declaração de missão deve abranger nosso sentido de *propósito*, nossa *visão* e nossos *valores*.

O plano estratégico é uma descrição concisa de *como* ofereceremos valor a nossos clientes e principais envolvidos; é a proposição de valor. É nosso *foco*. É a "voz" da organização. Para chegar ao plano estratégico, precisamos saber quem são nossos clientes e principais envolvidos, quem queremos que sejam, o serviço ou produto que lhes ofereceremos e nosso plano, incluindo o cronograma que indique quando alcançar determinados objetivos em termos de captação e manutenção de clientes. No caso de uma família, o plano estratégico é simplesmente nosso plano de ação para concretizar nossa visão e nossos valores na vida cotidiana.

DECLARAÇÕES DE MISSÃO FORTALECEDORAS

Em minha experiência, as declarações de missão fortalecedoras sempre ocorrem quando há 1) suficiente número de pessoas que estão 2) plenamente informadas, 3) interagindo de modo livre e sinérgico, 4) num ambiente onde reina a confiança. De fato, a maioria das declarações de missão formuladas nessas condições conterá as mesmas idéias e os mesmos valores básicos. As palavras podem ser diferentes, mas em geral estão sintonizadas com as quatro dimensões e necessidades da vida – físicas, mentais, emocionais e espirituais.

A força da extraordinária cultura de serviços do Ritz-Carlton é sua visão centrada nas pessoas, tanto nos empregados quanto em seus clientes. "Somos damas e cavalheiros que atendem damas e cavalheiros." A essência da liderança de Horst Schulze é sua visão da dignidade e da necessidade de sentido da pessoa integral. Vale reler e refletir sobre suas palavras (p. 212).

Recordemos, somente aquelas pessoas que podem recorrer às necessidades e motivações das quatro partes de sua natureza encontrarão a própria voz e oferecerão voluntariamente suas melhores contribuições. No caso do corpo, a necessidade e a motivação são a *sobrevivência* – a prosperidade econômica; no da mente, o *crescimento e desenvolvimento*; no do coração, *o amor e as relações*; e no do espírito, *sentido, integridade e participação*.

A organização sente as mesmas quatro necessidades:

1. *Sobrevivência* – saúde financeira (CORPO)
2. *Crescimento e desenvolvimento* – crescimento econômico, aumento de clientes, inovação de produtos e serviços, aumento da competência profissional e institucional (MENTE)

3. *Relações* – forte sinergia, sólidas redes e parcerias externas, trabalho de equipe, confiança, atenção, valorização das diferenças (CORAÇÃO)
4. *Sentido, integridade e participação* – servir e elevar os principais envolvidos: clientes, fornecedores, empregados e suas famílias, comunidades, sociedade – fazer diferença no mundo (ESPÍRITO)

A chave para liberar o poder da força de trabalho é o que chamo de *comissionamento*. É o esclarecimento da missão, da visão e dos valores da organização de forma a sobrepor as quatro necessidades da pessoa às quatro necessidades da organização. Todos os cargos da organização deveriam ser "comissionados" a atender explicitamente as quatro necessidades da pessoa e da organização. Uma Declaração de Missão Universal implícita seria algo assim: "Aprimorar o bem-estar econômico *e* a qualidade de vida de *todos* os principais envolvidos". A declaração de missão de nossa organização, departamento, equipe ou família não apenas incorporaria o espírito da declaração universal mas representaria a forma singular como o fazemos – nosso dom, capacidade, nicho específicos – nossa voz.

SEM MARGEM, SEM MISSÃO

Sempre fui conduzido por um sentido de missão e de propósito. Mas só muitos anos depois de criar minha própria empresa é que fui forçado a reconhecer a realidade: sem margem, sem missão. Em outras palavras, a menos que nossa empresa seja conduzida de modo a gerar lucros consistentes no correr do tempo, acabaremos por perder a oportunidade de cumprir nossa missão.

A maioria das empresas, por outro lado, está tão concentrada na margem e no cumprimento das metas trimestrais que perde de vista a missão que as inspirou a entrar nos negócios inicialmente. Elas perdem de vista seu pessoal, as respectivas famílias e as comunidades em que atuam. Esquecem como são interdependentes em relação a *todos* os principais envolvidos. Perdem de vista seu sentido de missão e de contribuição. O problema que esta última abordagem criou motivou boa parte de meu trabalho profissional junto às organizações nos últimos 40 anos. Há conseqüências negativas que decorrem tanto da abordagem Missão/Sem margem quanto daquela Margem/Sem missão (ver Figura 11.4). Nenhuma delas é sustentável, especialmente na economia global de nossos dias. A chave é estar atento às duas coisas. A chave é o equilíbrio.

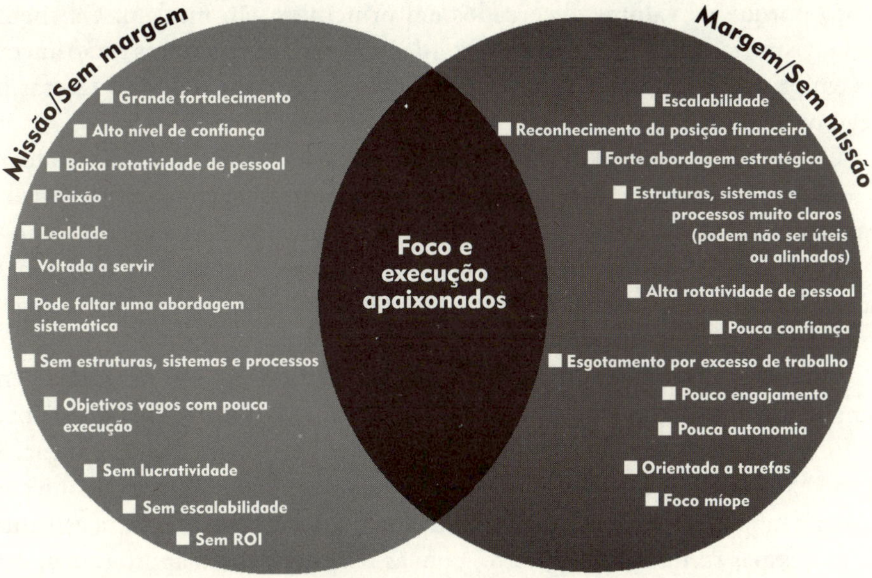

FIGURA 11.4

EXECUÇÃO DO PLANO ESTRATÉGICO

Um plano estratégico começa, é óbvio, pelo cliente. Num sentido muito concreto, *só há dois papéis nas organizações: clientes e fornecedores*. Todos funcionam simultaneamente nos dois papéis, seja dentro ou fora da organização. Falar em *todos* significa todos os principais envolvidos da cadeia de suprimentos que tornam possível o produto final da organização – os que fornecem os recursos financeiros, os que fornecem as idéias e o trabalho, os que fornecem as matérias-primas, as famílias que apóiam os empregados e a comunidade e o meio ambiente que permitem e alimentam a existência de toda a cadeia de suprimentos.

A essência dos bons negócios então é a *qualidade da relação* entre cliente e fornecedor. O fornecedor vende mais do que bens e serviços a seus muitos clientes. Na realidade, vende soluções para seus problemas (tarefas que contratam, na forma dos bens e serviços que adquirem da empresa). Para poder resolver de fato esses problemas de uma forma que seja mais do que um afago simbólico, é imperioso que a empresa entenda profundamente essas diferentes necessidades dos principais envolvidos. É preciso pagar um preço para saber o que importa mais para essas pessoas, de modo a poder fazer um planejamento estratégico que faça sentido. Os valores se tornam prioridades nesse processo de planejamento porque os valores alicerçados em princípios não mudam. Os clientes mudam e portanto a estratégia deve se adaptar, mas, se os valores estão ancorados em princípios imutáveis, haverá uma coluna central em que se agarrar nas inevitáveis mudanças.

O teste para uma boa declaração de missão e um planejamento estratégico adequado é ser capaz de chegar perto de qualquer pessoa, em qualquer nível da organização, e ver que ela é capaz de descrever como contribui para o plano estratégico e está em harmonia com os princípios que o regem. Para usar a metáfora da bússola, eles sabem onde está o norte e qual é sua parte para levar a organização na direção certa.

Quando a declaração de missão e o plano estratégico são profundamente compartilhados, seja por identificação ou por envolvimento, metade da batalha foi ganha porque a criação mental, emocional e espiritual já teve lugar. Segue-se então a criação física. É a *execução da estratégia* – "fazer acontecer", produzir, alinhar, fortalecer. Isto significa que é necessário montar a estrutura, pôr as pessoas *certas* no cargo *certo*, com as ferramentas e o apoio *certos*, e então sair do caminho e ajudar quando isso for solicitado.

Cada suborganização, comitê, conselho, divisão, departamento, projeto e equipe terão que passar por um processo semelhante de criação em dois planos: o mental, depois o físico; o projeto e a seguir a construção; a composição da música, e então sua execução. Todas as coisas são criadas duas vezes. Descobrir caminhos é a primeira criação. Está por trás do plano estratégico para fazer as coisas físicas/concretas/reais.

Também veremos que, se este processo for bem-feito e se houver ligação emocional com ele, seremos capazes de realizar impressionantes reduções de custos dentro de toda a organização quando necessário. Tal como uma pessoa acaba se perdendo e fazendo coisas urgentes mas não importantes, o mesmo ocorre nas organizações. A cultura adquire uma vida própria. É por isso que é necessário recorrer aos propósitos gerais, aos valores e ao plano estratégico para focalizar e *conduzir toda decisão* que tomamos. Isso também nos tornará atentos e nos dará a coragem para nos afastar dos "hobbies" que não sejam relacionados ao propósito essencial da empresa.

Um dos maiores desafios com que se deparam os líderes empresariais é o de levar e TRADUZIR a visão corporativa dos píncaros da hierarquia até os trabalhadores da linha de frente, a fim de alcançar objetivos fundamentais. Mesmo se eles tiverem estado envolvidos na formulação da declaração de missão e no processo de planejamento, levá-los a pô-los em prática no dia-a-dia não é fácil. Como poderíamos ser muito mais produtivos se tivéssemos as pessoas certas trabalhando nas coisas certas no momento certo – aqueles poucos projetos e objetivos vitais que, em última análise, são os que mais importam.

Mas em geral é aí que está o problema. Com demasiada freqüência, nossos planos estratégicos são aéreos e vagos e os líderes não conseguem traduzir a estratégia nos poucos objetivos fundamentais que devem ser cumpridos no curto prazo. Ou, da mesma forma problemático, as estratégias são desdobradas em oito, 11 ou até 15 novos objetivos cruciais, um número de prioridades que na verdade é demasiado grande para poder ser focalizado de modo realista. Quando há altas prioridades em demasia, na verdade não temos altas prioridades. Em relação aos objetivos estratégicos, é importante que eles sejam poucos, classificados segundo prioridade, mensuráveis e dentro de um *scoreboard atraente,* de modo que todos saibam exatamente quantos são e como podem ser alcançados. Em capítulos posteriores, voltaremos a examinar esta questão de como focar a equipe e a organização nos poucos "objetivos importantes demais" e na importância de um *scoreboard* atraente.

PARA CRIAR um ambiente de concentração e trabalho de equipe de cima para baixo, os empregados precisam saber quais são as prioridades relevantes, aceitá-las, traduzi-las em ações específicas, ter disciplina para manter o rumo, confiar mutuamente e colaborar eficazmente. Infelizmente, a maioria das pessoas não sabe onde concentrar seu tempo e sua energia porque as altas prioridades não são identificadas ou comunicadas com clareza nem medidas em um placar (*scoreboard*) atraente. E se o forem, mas os trabalhadores não se identificarem com elas, discordarem da estratégia, receberem prioridades conflitantes ou forem incapazes de ver o elo entre suas tarefas e a visão corporativa, sua capacidade de executar essa visão será prejudicada. O trabalho em equipe fica então ameaçado pela falta de confiança, pelas críticas, pelos sistemas e processos falhos, ou por um excesso de obstáculos para a ação.

Organizações capazes de criar um sentido compartilhado de missão que lhes permita conhecer e se apaixonar pelos grandes POR QUÊ e QUEM, bem como uma clara *linha de visão estratégica* (o COMO e o QUANDO), onde os departamentos, as equipes e as pessoas se concentrem coerentemente em seus objetivos e sejam responsáveis pelas poucas prioridades máximas da organização, encontrarão a própria voz e construirão uma forte cultura centrada em princípios (ver Figura 11.5). É aí que está a nascente do papel de descobrir caminhos.

FIGURA 11.5

PERGUNTAS E RESPOSTAS

- **Tenho quatro gerações de trabalhadores. Como unir pessoas em visão e valores compartilhados quando elas são tão diferentes?**

Um modelo centrado em princípios é o único que se aplica. Ao lidar com veteranos, ou *baby-boomers*, ou pessoal das gerações X e Y – que têm diferentes sistemas de valores e vêem a vida sob óticas diversas –, só há uma coisa que os pode unir: princípios atemporais, universais, que possam ser a base para a formulação de uma visão e um sistema de valores comuns.

Sei que isto parece mais fácil de dizer do que de fazer. Não obstante, ao mostrar respeito por cada geração de trabalhadores e envolvê-los numa comunicação sinérgica, estou convencido de que é possível chegar a uma Terceira Alternativa. É preciso ter sempre em mente este princípio – envolver as pessoas no problema e encontrar uma solução em conjunto. Quando fazemos isso, as pessoas se conectam emocionalmente com nossas soluções. Quando elas entendem de fato a profundidade do problema e vão além da ótica de sua própria geração, todos se tornam parte da ecologia social.

- **O senhor distingue sempre princípios de valores. Isto me parece confusão, para mim se trata da mesma coisa.**

O motivo básico pelo qual o senhor pensa desse modo é que a maior parte dos valores bem desenvolvidos são de fato princípios ou leis naturais. Na verdade, se envolvermos um número suficiente de pessoas na formulação de uma declaração de valores, e se elas estiverem informadas, trabalharem num ambiente de grande confiança e se comunicarem de modo franco e sinérgico, veremos que os valores compartilhados que surgem são essencialmente fundamentados em princípios. Verificaremos também que qualquer grupo que desenvolva um sistema de valores desse modo chegará ao mesmo ponto, mesmo que as palavras sejam diferentes. As práticas culturais podem variar segundo nossa localização geográfica, mas minha experiência internacional mostra que, independentemente do tipo de organização ou do nível dentro dela, as declarações de valores elaboradas dessa forma lidarão basicamente com as quatro partes de nossa natureza – corpo, mente, coração e espírito – e com as quatro necessidades básicas: viver, amar, aprender e deixar um legado. Isso se aplica às pessoas e às organizações. Mas se os valores são formulados e anunciados unilateralmente, eles podem não estar fundamentados em princípios. Afinal, até os criminosos têm valores.

- **É necessário elaborar a declaração de missão ou o planejamento estratégico em sessões realizadas fora da empresa?**

Depende. Se o resultado de uma atividade fora da sede puder ser disseminado por toda a organização, pode ser algo muito bem-sucedido. Mas se resultar numa declaração de missão ou num plano estratégico que é simplesmente anunciado, não funcionará. O importante é que deve haver uma conexão emocional, de outro modo os critérios formulados não serão aplicados ao alinhamento de estruturas, sistemas, processos e culturas. Declarações de missão feitas às pressas e anunciadas acabam esquecidas, não são mais do que declarações de relações-públicas. Muitas vezes, isso acontece quando a elaboração é feita fora da sede da empresa.

Precisamos ter sempre presente que o processo é tão importante e forte quanto o próprio produto se desejamos obter conexão emocional. Repetindo, isso exige uma combinação de envolvimento e identificação – em outras palavras, a confiança na visão de outras pessoas é maior do que na própria visão e, portanto, as pessoas se identificam.

Contudo, ainda é preciso um processo de comunicação, feedback, franqueza e participação para obter a conexão emocional. Já vi tecnologias serem usadas de modo maravilhoso para gerar uma interação após outra. Um comitê de duas ou três pessoas faz um esboço preliminar. Então, gradualmente, mediante o feedback – disseminando e ouvindo –, ele vai se aprimorando e refletindo com maior profundidade os muitos interesses diferentes, até que se chega a uma verdadeira conexão cultural.

Execução –
Alinhar e fortalecer

Capítulo 12

A VOZ E A DISCIPLINA DA EXECUÇÃO – ALINHAR OS OBJETIVOS E OS SISTEMAS PARA A OBTENÇÃO DE RESULTADOS

Nenhum cavalo chega a lugar algum antes de ser domado. Nenhum vapor ou gás movimenta qualquer coisa até ser confinado. Nenhuma catarata gera luz e força antes de ser represada. Nenhuma vida se torna grande antes de ser focada, dedicada e disciplinada.[1]

HENRY EMERSON FOSDICK

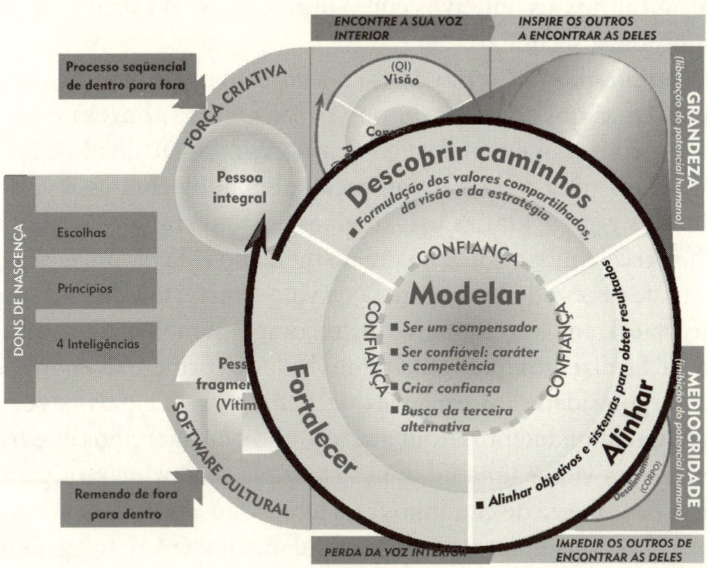

FIGURA 12.1

MITO	Você pode treinar e recompensar a independência e esperar que as pessoas ajam de modo cooperativo e interdependente. *(Paradigma velho)*
REALIDADE	É como tentar jogar tênis com um taco de golfe ou ter uma mente analógica num mundo digital. As estruturas e sistemas organizacionais que incentivam e recompensam a independência e a concorrência geram uma cultura independente. É preciso regar o que queremos que frutifique, quando estimulamos e recompensamos a cooperação e a interdependência, obtemos um comportamento interdependente. *(Novo paradigma)*

FIGURA 12.2

A *PRIMEIRA ALTERNATIVA* para o papel de alinhamento da liderança seria acreditar que a modelagem pessoal é suficiente para manter uma organização no caminho do crescimento saudável.

A *segunda alternativa* seria acreditar que, comunicando constantemente a visão e a estratégia que formulamos com cuidado e determinação, seremos capazes de alcançar nossos objetivos como organização. A estrutura e os sistemas são de importância secundária.

A *terceira alternativa* seria: 1) usar a autoridade moral pessoal e formal para criar sistemas que *formalizem* ou *institucionalizem* nossa estratégia e os princípios incorporados em nossa visão e valores compartilhados, 2) criar objetivos escalonados para toda a organização alinhados com essa visão, valores compartilhados e prioridades estratégicas e 3) ajustar-nos e alinhar-nos ao feedback que recebemos regularmente do mercado e da organização quanto ao atendimento de necessidades e entrega de valor (que é um dos sistemas). Se dizemos que valorizamos a cooperação, recompensamos a cooperação, não a concorrência. Se dizemos que valorizamos *todos* os principais envolvidos, coletamos com regularidade informações de *todos* os principais envolvidos e as usamos para o realinhamento. Adubamos aquilo que queremos que frutifique.

Modelar uma vida e uma liderança centradas em princípios gera e inspira confiança. A descoberta de caminhos cria uma visão e uma ordem compartilhadas sem exigi-las. Mas agora a pergunta fundamental é: Como executar valores e estratégias coerentemente sem depender da presença contínua do líder para manter todos no rumo certo? A resposta está no alinhamento – *projetar e executar sistemas e estruturas que reforcem* os valores essenciais e as principais prioridades estratégicas da organização (selecionadas no processo de descobrir caminhos).

Pensemos nas estruturas, nos sistemas e nos processos vigentes em nossa organização. Eles capacitam as pessoas a executar as prioridades principais ou criam obstáculos para fazê-lo? São coerentes com os valores defendidos pela organização? A liderança é responsável pela remoção de obstáculos – não pela sua criação. Contudo, o processo de alinhamento exige um exame profundo e humilde do eu e de muitos sistemas e estruturas organizacionais que se constituem "vacas sagradas".

CONFIABILIDADE ORGANIZACIONAL

Como já mencionamos, a organização é a segunda fonte principal de confiança. Quando pessoas confiáveis trabalham em estruturas e sistemas que não estão alinhados com os valores da organização, predominam sempre os sistemas não-confiáveis. Simplesmente a confiança não existe. Esses sistemas e processos acabam sendo tão incorporados à organização, pela tradição e pelas expectativas culturais, que são muito mais difíceis de modificar do que os comportamentos individuais.

> Os dados da pesquisa Qx confirmam que há um sério "hiato de confiança" dentro da organização. Apenas 48% dos informantes acreditam que, de modo geral, suas organizações respeitam seus valores.

Por exemplo, quase todas as organizações falam da importância do trabalho em equipe e da cooperação, mas têm sistemas arraigados que recompensam a concorrência interna. Muitas vezes, conto a história de uma empresa com a qual trabalhei, em que não havia espírito de cooperação. O CEO não entendia por que seu pessoal não colaborava. Ele pregava a cooperação, fazia treinamentos voltados para ela. Mas nada de cooperação.

Enquanto conversávamos, olhei para uma cortina que tinha ficado acidentalmente aberta, atrás da mesa do CEO. E por trás dela havia um quadro com uma caricatura de uma corrida de cavalos. Enfileirados do lado esquerdo, estavam todos os cavalos. Junto a cada cavalo, estava o retrato do rosto de cada gerente. Do lado direito estava um pôster turístico mostrando um romântico casal passeando de mãos dadas numa praia de areias brancas nas Bermudas.

Veja o desalinhamento. "Vamos trabalhar juntos. Vamos cooperar. É mais produtivo. Seremos mais felizes. Será mais prazeroso." Então, a cortina se abre... "Quem vai ganhar a viagem para as Bermudas?"

E ele voltou a me perguntar: "Por que eles não cooperam?"

Os sistemas atropelam a retórica todos os dias.

Uma das grandes percepções de Edwards Deming foi a de que mais de 90% de todos os problemas organizacionais são sistêmicos. Os problemas são gerados por sistemas ou estruturas. Eles não têm o que se chama de "causas especiais" nem são causados por pessoas. Contudo, em última análise, como as pessoas são os programadores e os sistemas são programas, as pessoas são as responsáveis finais por esses sistemas. Sistemas e estruturas são coisas. São programas. Não têm liberdade de escolha. De modo que a liderança ainda cabe às pessoas. As pessoas projetam sistemas e todas as organizações obtêm os resultados que foram projetados e alinhados.

Muitas pessoas honestas são incompetentes ao projetar sistemas organizacionais. E algumas pessoas competentes são desonestas e falsas. Mas a confiabilidade organizacional exige *tanto* caráter *quanto* competência organizacionais. Dito de forma simples, o *alinhamento é confiabilidade organizacional*. Isto quer dizer que os princípios que regem os sistemas de valores pessoais são a base do projeto das estruturas, dos sistemas e processos. Mesmo se o ambiente, as condições de mercado e as pessoas mudarem, os princípios são imutáveis. Isso é bem descrito na linguagem da arquitetura: a *forma segue a função*. Em outras palavras, a estrutura segue o propósito. O alinhamento segue a descoberta de caminhos. A disciplina se manifesta nos planos pessoal e organizacional. No contexto organizacional a disciplina é chamada alinhamento porque estamos criando ou alinhando as estruturas, os sistemas, os processos e a cultura para propiciar a realização da visão.

> Cuidado com a tomada de decisões sinérgica e a execução compartimentada.

Se o sistema de valores se volta tanto para o longo quanto para o curto prazos, então o sistema de informações também tem que estar voltado para eles. Se o sistema de valores põe em primeiro lugar a cooperação e a sinergia, então o sistema de remuneração deve recompensá-las. Isso não quer dizer que o esforço e o desempenho individuais não devam também ser recompensados. Por exemplo, o montante da remuneração pode levar em conta a cooperação e a sinergia, mas não ter espaço para o esforço individual dentro da equipe complementar, alimentando assim tanto a interdependência quanto a independência.

Muitas organizações caem na armadilha de recompensar apenas o esforço individual às expensas do esforço cooperativo. O valor da cooperação é apenas citado da boca para fora, mas não está imbricado no sistema de reconhecimento e recompensa. Como todos estão operando nos seus interesses próprios, as pessoas aceitam sistemas de remuneração que recompensam o esforço individual. Mesmo que o atendimento ótimo ao cliente envolva o trabalho de equipe, este não acontece e o resultado será o fracasso no mercado. Não se trata de uma recusa à cooperação por parte das pessoas; é que o sistema recompensa o esforço individual ou a concorrência interna. É preciso lembrar mais uma vez que os sistemas sobrepujam "no fim do dia" a retórica ou as boas intenções.

"ESTAS PESSOAS NÃO FORAM CONTRATADAS PARA SER VENCEDORES?"

Deparei-me com outro sistema desalinhado quando falava a um grupo de cerca de 800 pessoas durante uma convenção anual. No sistema da empresa apenas 30 dessas 800 pessoas recebiam recompensas – somente 30! Virei-me para o presidente e perguntei:

– O senhor não contratou todas estas pessoas para serem vencedores?

– Sim.

– O senhor contratou perdedores?

– Não.

– Mas esta noite estão presentes 770 perdedores.

– Bom, eles não venceram a competição.

– Então são perdedores.

– Por quê?

– Talvez seja seu modo de pensar? Isso é ganha-perde.

– Mas que outra coisa posso fazer?

– Torne-os todos vencedores. De onde veio essa idéia de que é preciso haver competições? Já não há bastante concorrência no mercado?

– A vida é assim.

– Realmente. Como é sua relação com sua esposa? Quem está ganhando?

– Tem dias que ganha ela. Outros dias ganho eu.

– É esse o exemplo que o senhor quer dar a seus filhos para o futuro? Tenha dó.

– Mas que faço com a remuneração?

– Formule um acordo de desempenho ganha-ganha individualizado para cada pessoa e cada equipe. Se eles alcançarem os resultados desejados, eles ganham.

Um ano mais tarde, voltei a ser convidado, depois de ter sido feito um grande trabalho de descoberta de caminhos e de alinhamento. Mais de mil pessoas estavam reunidas no encontro anual. E dessas mil, adivinhe quantas eram ganhadoras. Oitocentas. As duzentas que ficaram fora, escolheram isso. Foi uma opção delas. Não houve comparações. E o que produziram essas 800 pessoas? Muitos mais negócios do que as 30 do ano anterior – *por pessoa*. Toda a cultura tinha mudado. Toda a cultura tinha saído do pensamento escasso para o pensamento abundante. Agora havia 800 pessoas, enquanto no ano anterior havia apenas 30.

Por quê?

Responderemos a pergunta contrastando esta história com o caso das Bermudas narrado anteriormente: em lugar de cada um pensar "Qual de nós vai para as Bermudas?", cada um deles pensava "Quero ir para as Bermudas com minha mulher. Quero que todos nós viajemos. Estou torcendo por você". Imagine como esse processo de pensamento poderia revolucionar uma organização internamente competitiva!

Nos dois casos, os presidentes não eram pessoas pouco confiáveis. Eles tinham caráter e até uma mentalidade de abundância, só não tinham a idéia ou a capacidade de criar sistemas de remuneração alinhados. É como viajar num avião em que apenas um mostrador funciona – é desastroso! Mas eles captaram logo o conceito. Repito, o problema não era de caráter, era de competência. Eles nunca tinham aprendido o que fazer e estavam aprisionados num sistema de mentalidade escassa, tradicional, enganador, que permaneceria assim até que adquirissem as habilidades.

O ALINHAMENTO EXIGE VIGILÂNCIA CONSTANTE

O trabalho de alinhamento não termina nunca. Exige esforço e ajustamento constantes porque lida com muitas realidades mutáveis. Os sistemas, as estruturas e os processos precisam se manter flexíveis para acompanhar essas mudanças. Contudo, eles devem estar alicerçados em *princípios* imutáveis. Com essa combinação de *imutabilidade flexível*, criamos uma organização que é simultaneamente estável e ágil.

> Os princípios representam o poço mais profundo. Este fornece aos poços mais rasos e às raízes as estruturas de fortalecimento, qualidade, produção de mais com menos, sustentabilidade, escalabilidade e agilidade.

Uma forma de lubrificar a capacidade da organização para fazer as constantes e necessárias mudanças no alinhamento é a seriedade das análises comparativas em relação àqueles que desempenham *funções* semelhantes dentro da própria organização e em todos os ramos de atividade ou profissões de todo o mundo. Isto leva as pessoas envolvidas a olhar para a classe mundial em vez de ficar presas ao passado ou apenas extrapolar as tendências dentro de seu ramo de atividade ou entre os concorrentes atuais. Observemos organizações com melhores práticas que tenham fama de bom desempenho – não que sejam perfeitas ou que se mantenham sempre num nível superior –, busquemos sempre o que é melhor hoje e aprendamos com elas.

Observação, senso comum e pesquisa sólida mostraram que as organizações bem-sucedidas são um produto do traço organizacional. Elas não dependem de personalidades. Elas dependem dos sistemas e da cultura. (Falaremos disso mais adiante.)

A General Electric é uma ilustração de empresa que fez a transição da Era Industrial para a do Trabalhador do Conhecimento em muitas de suas divisões. O principal foco de seu CEO, Jack Welch, e do doutor Noel Tichy, que foi responsável pelo treinamento gerencial da empresa, estava incorporado ao desenvolvimento da liderança na GE e no treinamento de seus líderes:

> A percepção de Welch, que à época não era amplamente compartilhada pelas empresas, era de que a liderança não cabe apenas ao CEO e/ou à sua equipe executiva, mas deve ser institucionalizada em toda a empresa. A economia globalizada significava que um mundo empresarial há muito caracterizado pela estabilidade, pela autocracia e por processos rigorosamente delimitados exigiria o desenvolvimento de líderes ágeis e adaptáveis em todos os níveis da escala hierárquica. Isso requereria, por sua vez, a formação de pessoas que soubessem ensinar não apenas como administrar a mudança, mas também como gerá-la.[2]

AUTORIDADE MORAL INSTITUCIONALIZADA

As organizações e instituições alinhadas que estão verdadeiramente centradas em princípios têm uma *autoridade moral institucionalizada*. Esta é a capacidade institucionalizada de gerar com coerência relações confiáveis de qualidade com vários grupos interessados e uma concentração continuada na eficiência, na rapidez, na flexibilidade e na proximidade do mercado. Algumas pessoas podem falhar nisso de tempos em tempos, mas as instituições tratam disso adequadamente e avançam.

Vemos a autoridade moral institucionalizada nos países que contam com constituições, escritas ou não, integradas à cultura. Os líderes individuais podem nem sempre agir de acordo com suas constituições, mas esses países conseguem tirar partido da força de líderes individuais e contar com o resto do governo para tornar irrelevantes suas eventuais fraquezas. Isso não é o que ocorre nas ditaduras ou nas democracias muito recentes, que ainda estão presas à corrupção co-dependente, sancionada pela cultura.

Sem dúvida, líderes ditatoriais ou levados pelo ego podem causar grandes prejuízos por certo tempo, mesmo quando a autoridade moral institucional existe. Mas em geral a organização ou a instituição se contrapõem. O poder repousa fundamentalmente no sistema, não nos políticos eleitos ou nos burocratas. O sistema é mais forte do que as fraquezas individuais dos participantes. É por isso que a Marriott Corporation ensina que o diabo está nos detalhes, mas *o sucesso repousa nos sistemas*.

Visitei recentemente J. W. "Bill" Marriott, presidente e CEO da Marriott International, a maior operadora de hotéis do mundo. Bill e seu pai, antes dele, criaram uma das melhores organizações do mundo e o fizeram em parte pela geração de um *sistema de comunicação* que tira partido do talento de seu pessoal.

"A maior lição que aprendi no correr dos anos é a de ouvir nosso pessoal", me disse. "Acho que quando temos gerentes experientes, que sabem reunir o pessoal em torno deles, captar suas idéias e ouvir suas sugestões, então, quando sentamos em volta da mesa com esses gerentes e escutamos suas idéias, tomamos decisões bem melhores."

A percepção dessa lição ocorreu bem cedo em sua vida. Marriott me contou um encontro que teve com um dos mais afamados líderes do mundo, o presidente Dwight David Eisenhower.

"Estava concluindo a faculdade, tinha passado seis meses na marinha e tinha voltado a casa para as férias de Natal", recordou. "O Secretário de Agricultura dos EUA, Ezra Taft Benson veio à nossa fazenda com o General Eisenhower. O general era presidente dos EUA e eu, um guarda-marinha."

"O frio era intenso lá fora", continuou contando Marriott, "mas meu pai tinha preparado alvos para o tiro. Ele perguntou ao general: 'O senhor quer sair para atirar ou prefere ficar junto à lareira?'"

"O general se voltou para mim e perguntou: 'O que você acha, guarda-marinha?'"

Ainda hoje, ao contar a história, Marriott parecia espantado.

"Disse para meus botões: 'gente, é assim que ele agiu ao lidar com de Gaulle, Churchill, Marshall, Roosevelt, Stalin, Montgomery, Bradley e Patton – ele fez a pergunta de ouro: 'O que o senhor acha?'."

"De modo que respondi: 'Está frio demais lá fora, presidente, fique perto da lareira.'"

Até hoje, Marriott diz que essa lição o acompanha pela vida.

"Foi sem dúvida um momento de definição para mim", continuou. "Lembro de ter pensado depois: 'Se algum dia tiver uma empresa, vou fazer essa pergunta. E se o fizer, aposto que vou obter informações muito boas.'"

É por isso que Bill Marriott estruturou sua rede de hotéis dessa forma, criando uma cultura que incentiva a comunicação de alto a baixo. Ele percebeu que perguntar "O que pensa disso?" pode transformar pessoas que vemos como trabalhadores "manuais" em trabalhadores "do conhecimento", quando os ouvimos e respeitamos sua experiência e sabedoria.

Ele finalizou dizendo: "Meu filho John estava trabalhando em Nova York numa divisão de uma empresa que adquirimos. Ao chegar à cozinha, ele se virou para uma das pessoas e perguntou: 'Estamos com este problema – o que você acha que devemos fazer?'"

"Os olhos do empregado se encheram de lágrimas quando respondeu 'Trabalho nesta empresa há 20 anos e ninguém tinha pedido minha opinião para nada'."

A FERRAMENTA PARA ALINHAR: OS SISTEMAS DE FEEDBACK

Três dos papéis do líder e suas ferramentas lidam com uma pergunta básica: o que é mais importante. O quarto papel, alinhar, lida com a seguinte pergunta: Estamos cumprindo a meta? Estamos no rumo certo em relação ao que importa mais?

A verdade é que, como já mencionamos, *todos* estamos fora do rumo a maior parte do tempo, todos nós – cada pessoa, cada família, cada organização ou cada vôo internacional para Roma. Ter isto presente já é um passo significativo. Mas, para muitos de nós, o sentimento de estar fora do rumo traz um sentimento de desânimo e desespero. Não precisa, nem deveria ser tão deprimente. Saber que estamos fora do rumo é na verdade um convite para nos realinhar com o norte verdadeiro (os princípios) e nos voltar para nosso destino.

Lembre-se, nossa jornada, como pessoa, equipe ou organização, é como o vôo de um avião. Antes de decolar, o piloto faz um plano de vôo. Ele sabe exatamente para onde vai. Mas, durante o vôo, o vento, a chuva, as turbulências, o tráfego aéreo, o erro humano e outros fatores exercem suas influências. Eles levam o avião numa direção ligeiramente diferente, de modo que na maior parte do tempo ele não está na trajetória determinada. Mas, com exceção da ocorrência de algo muito grave, o avião acabará chegando a seu destino.

Como é que isso acontece? Durante o vôo o piloto está constantemente recebendo feedback. São informações dos instrumentos que lêem as condições ambientais, das torres de controle, de outros aviões – às vezes até das estrelas. E com base nesse feedback, ele faz ajustes uma e outra vez, retornando ao plano original.

Penso que o vôo de um avião é a metáfora ideal para esses quatro papéis. Modelagem, descoberta de caminhos e fortalecimento nos permitem determinar o que importa mais para nossas famílias, nossas organizações, nossos cargos e para nós mesmos. São nossos planos de vôo. O constante feedback que nós, como pilotos, recebemos representa nossa oportunidade de conferir nosso progresso e nos *realinhar* com os critérios orientadores originais. Juntos, esses papéis e ferramentas nos permitem chegar ao destino almejado.

ALCANÇAR O EQUILÍBRIO ENTRE A OBTENÇÃO DE RESULTADOS E O DESENVOLVIMENTO DA CAPACIDADE

A chave do princípio do alinhamento é começar sempre pelos resultados. Que tipo de resultados queremos obter no mercado? Nossos acionistas estão satisfeitos com o retorno dos seus investimentos? E nossos empregados, estão felizes com o retorno de seus investimentos mentais, físicos, espirituais e emocionais? E os fornecedores? E a comunidade? Temos algum sentido de responsabilidade social em relação às crianças, às escolas, às ruas, ao ar e à água, em relação ao contexto em que nossos empregados trabalham e formam suas famílias? E os resultados desses grupos de interessados? Como vão? Quais são? Como eles se comparam com os padrões de classe mundial? Precisamos observar e examinar os resultados dos grupos de interessados e então examinar o hiato entre esses resultados e nossa estratégia.

A eficácia é o equilíbrio entre a *obtenção de resultados desejados* (P) e *a capacidade de produção* (PC).* Em outras palavras, as pessoas querem os ovos de ouro e a galinha que os põe. Algumas vezes chamamos isto de Equilíbrio P/PC. A essência da eficácia é alcançar os resultados desejados de forma que nos permita ampliar mais esses resultados no futuro.

Nos últimos dez anos foram formuladas muitas abordagens para medir o equilíbrio P/PC. Freqüentemente falei da importância do feedback de 360°, sugerindo que os primeiros 90° representam a contabilidade financeira e os restantes 270° representam as informações coletadas cientificamente sobre as percepções dos principais envolvidos-chave da organização e a força de seus sentimentos em torno dessas percepções.

Há muitas denominações para este tipo de feedback. Um dos mais fortes movimentos recentes é o chamado *Balanced Scorecard*. Algumas vezes denominei esta abordagem de "contabilidade de resultados duplos". A contabilidade tradicional sempre se concentrou num único resultado (os ovos de ouro). A contabilidade do resultado duplo também mostra respeito pela "galinha", quantificando sua saúde ao sintetizar a qualidade das relações da organização com todos os seus principais envolvidos – clientes, fornecedores, empregados e suas famílias, governo, comunidade etc. Podemos imaginar a força de um resumo de duas páginas da saúde presente e futura da organização – uma página dedicada às demonstrações financeiras (os frutos presentes dos esforços passados) e a outra apresentando um indicador dos relacionamentos com os principais envolvidos que gerarão todos os resultados futuros.

> Quase ninguém mede o progresso dos mais importantes objetivos. Somente 10% dos informantes da pesquisa Qx dizem que contam com um placar claro, exato e visível que oferece um autêntico retorno. É indispensável uma *inteligência acionável para a tomada de decisões na linha de frente.*

O importante é chegar ao que chamamos de *Placar*, um placar convincente. As pessoas envolvidas, que serão avaliadas, precisam participar da formula-

---

* Mais informações sobre como equilibrar a obtenção de resultados com a geração de capacidade podem ser encontradas no Apêndice 8.

ção desse placar, do desempenho que reflita os critérios incorporados à missão, aos valores e à estratégia da organização, para que possam estar constantemente alinhadas com o processo, responsabilizando-se e sendo cobradas. Precisam estar emocionalmente conectadas a ele e se sentir donas do processo. Isto *também* vale para pessoas, equipes e departamentos ou para qualquer um que seja responsável por completar uma tarefa ou cuidar de um projeto. Todos deveriam estar envolvidos na formulação de um Placar e, então, ser cobrados por sua efetivação. No Capítulo 14 trataremos de sugestões práticas para isso.

Ilustrarei a importância do Placar como sistema de feedback relatando minha experiência em uma organização que se deparou com essa questão de diagnóstico.

Estava fazendo uma palestra no congresso de uma associação nacional de editores de jornal. Tinha coletado dados de auditorias culturais levadas a cabo em várias organizações jornalísticas. Elas revelavam um desalinhamento sistêmico nos níveis de confiança, dos propósitos comuns e dos valores, enfraquecendo o segmento.

Antes de apresentar os dados, resolvi utilizar uma abordagem diferente, percorrendo o auditório com o microfone na mão e fazendo perguntas do tipo: "Qual é o papel essencial do jornal na sociedade? Qual é o objetivo central dos senhores?"

Quando passava o microfone para as pessoas do auditório, elas falavam do papel absolutamente vital desempenhado pelas organizações jornalísticas em nossa sociedade. Acreditavam que a análise profunda apresentada na mídia impressa contribuía para a honestidade do governo e permitia que os funcionários públicos fossem cobrados pelo público. Muitos falavam do serviço prestado ao país e às comunidades na preservação dos valores básicos: liberdade, governo responsável perante o povo, preservação dos pesos e contrapesos identificados na Constituição, informação que permitia preservar os ideais da república democrática e do sistema de livre empresa.

Então passei para perguntas como: "O senhor acredita realmente nesses propósitos? O senhor os sente em seu coração?" E novamente passei o microfone para os que queriam responder. A resposta foi um "sim" unânime. Então passei para perguntas mais duras, tais como: "Como o senhor sabe se uma pessoa acredita em determinados valores?" Quando surgiram diferentes respostas, apresentei a idéia de que um dos testes era verificar se a pessoa tentava pôr em prática seus valores. Sugeri assim que a integridade em relação aos valores indicava uma verdadeira crença. O auditório concordou.

Então passei à pergunta-chave: "Quantas de suas organizações jornalísticas têm dentro de seus organogramas alguma função semelhante àquela que os jornais oferecem à comunidade e ao país?" Minha pergunta os intrigou. Então perguntei: "Quantos dos senhores contam, dentro de suas organizações ou cultura, com uma função voltada a manter o pessoal honesto, responsável e alinhado com os seus ideais e valores mais básicos?" Apenas cerca de 5% dos presentes levantaram a mão. Foi nesse momento que apresentei os dados que tinha retirado de suas auditorias culturais. Mostrei-lhes o algo grau de desconfiança, conflitos interpessoais, rivalidades interdepartamentais, desalinhamento e profundo enfraquecimento das pessoas.

Então passei a falar da idéia dos quatro papéis – do começar por eles mesmos, de passar a envolver outros, de esclarecer os propósitos, de montar sistemas de informação, reforço e remuneração para criar um ambiente ótimo de fortalecimento. Muitos desses editores saíram do evento com um paradigma de liderança completamente diferente. Foi um momento muito interessante e esclarecedor para todos nós.

A IMPORTÂNCIA desse tipo de feedback se aplica não só à organização, mas também às pessoas que a integram.

Quando fiz um programa de treinamento para os comandantes da força aérea de um país com um histórico de contestações e conflitos, falei da importância de obter feedback dos seus principais grupos de interessados e observei que os comandantes balançavam a cabeça afirmativamente. Voltei-me para o comandante encarregado e disse: "Isto significa que os senhores estão usando um sistema de feedback e mensuração?"

Sua resposta: "É assim que treinamos o pessoal. São pilotos excepcionais, não pessoas com formação gerencial; cada um recebe anualmente uma folha de papel com as percepções de todos com quem se relaciona e a força dessas percepções. E usam essa informação como base para seu desenvolvimento pessoal e profissional. Ninguém é promovido a menos que tenha recebido uma avaliação alta, incluindo a de seus subordinados."

"Os senhores não sabem como é difícil convencer muitas organizações de meu país a usar esse conceito. E como evitam que isso se transforme em concursos de popularidade?", perguntei.

Olhando-me com desdém, o comandante replicou, "Covey, a própria sobrevivência de nosso país depende destes homens e eles sabem disso. O senhor acha que nos permitiríamos entrar em concursos de popularidade? Na verdade, muitas vezes são os menos populares de nós que recebem a melhor avaliação, em razão de seu desempenho."

O alinhamento de estruturas e sistemas como os valores e a estratégia é um dos desafios mais duros de todos os líderes e gerentes, simplesmente porque sistemas e estruturas representam o passado – as tradições, as expectativas e as pressuposições. Muitas pessoas se sentem seguras com a previsibilidade e a incerteza dessas estruturas e sistemas. São verdadeiras "vacas sagradas" que não podem ser ignoradas ou chutadas, a menos que existam uma aceitação profunda e uma conexão emocional com os critérios de descoberta dos caminhos estratégicos.

O quadro a seguir contrasta as estruturas e sistemas do velho modelo de controle da Era Industrial com o modelo de liberação/fortalecimento da Era do Trabalhador do Conhecimento (ver Quadro 5). Embora seja útil ver o contraste entre os dois, no mundo real a situação se assemelha mais a um *continuum* entre os dois aspectos do que a uma de ou/ou. No mínimo, a lista mostra os extremos de cada elemento do *continuum* e pode servir para destacar a imensa alavancagem do alinhamento de culturas, estruturas e sistemas com os critérios de descobrir caminhos.

ELEMENTO	VELHO MODELO DE CONTROLE DA ERA INDUSTRIAL	NOVO MODELO DE LIBERAÇÃO/ FORTALECIMENTO DA ERA DO TRABALHADOR DO CONHECIMENTO
Liderança	Uma posição (autoridade formal)	Uma escolha (autoridade moral)
Gerência	Controle de coisas e pessoas	Controla coisa, libera (fortalece) as pessoas
Estrutura	Hierárquica, burocrática	Plana, sem fronteiras, flexível
Motivação	Externa, cenoura e chicote	Interna – pessoa integral
Avaliação de desempenho	Externa, técnica do sanduíche	Auto-avaliação, usando feedback de 360°
Informação	Principalmente relatórios financeiros de curto prazo	Placar equilibrado (de curto e longo prazos)
Comunicação	Principalmente de cima para baixo	Aberta: para cima/para baixo/lateral
Cultura	Regras sociais/costumes do local de trabalho	Valores centrados em princípios e regras econômicas do mercado
Orçamentação	Principalmente de cima para baixo	Aberta, flexível, sinérgica
Treinamento e desenvolvimento	Superficial, voltada às habilidades, dispensável	Manutenção, estratégico, pessoa integral, valores
Pessoas	Gastos com L&P, ativo só da boca para fora	Um investimento de grande alavancagem
Voz	Geralmente pouco importante para a maioria	Estratégica para todos, equipe complementar

QUADRO 5

FILME: *Muro de Berlim*

O Muro de Berlim esteve em pé por mais de 40 anos – duas gerações. Imagine como se aprofundou a divisão entre Leste e Oeste nas mentes e nos corações das pessoas. Que separação profunda! Que grande contraste! Quando caiu fisicamente, em 1989, não necessariamente ruiu nos corações e mentes da maioria das pessoas. Era como uma vaca sagrada, como as velhas estruturas e sistemas da Era Industrial. A tradição custa a morrer. Nunca esquecerei uma ida de táxi a Berlim Oriental sem o Muro, ouvindo as reclamações do motorista sobre seu sentimento de insegurança ante o livre mercado e uma sociedade mais democrática. Ele preferia a segurança e a estabilidade que o velho regime e o muro representavam. Para mim, foi um choque ouvi-lo falar assim. Ele contou que muitos dentre o pessoal da velha guarda se sentiam assim e que criticavam a nova geração, que preferia uma maior liberdade à segurança.

Ao assistir a este filme, pense em como é difícil para as pessoas mudar sua mentalidade, aceitar um novo paradigma, uma forma nova e diferente de pensar – como isso exige um novo conjunto de habilidades e de ferramentas. Pense também como seria fútil ensinar às pessoas as novas habilidades e ferramentas sem que sua mentalidade mudasse. Seria pôr vinho novo em odres velhos. O filme se encontra no DVD que acompanha este livro.

Agora, passaremos ao papel final e culminante do líder: fortalecer.

PERGUNTAS E RESPOSTAS

- **Que fazer quando nos encontramos no meio de uma organização com sistemas tão concentrados no curto prazo, na concorrência interna, nos sistemas hierárquicos e nos resultados gerados por uma cultura que se alimenta de si própria? O que é possível fazer de forma realista nessa situação?**

Se uma organização desse tipo estiver sujeita às forças concorrenciais do mercado, podemos usar nossa liberdade de escolha e, como compensadores, ampliar nosso círculo de influência. Se a organização não estiver sujeita a essas forças, podemos recorrer à filosofia grega – Etos, Patos e Logos, até que outros percebam que seus propósitos serão melhor atendidos se aceitarem nossas sugestões. Ou, se tivermos pago o preço em desenvolvimento pessoal e profissional com continuidade, de modo que nossa segurança repouse em nosso poder de gerar soluções para os problemas e atender problemas humanos, teremos inúmeras oportunidades de fazer outras coisas. Nesse caso, podemos fazer exatamente isso – optar por ir para outro lugar e fazer outras coisas.

- **Qual é a principal atividade de qualquer equipe gerencial ou de líderes, além da tarefa de descobrir caminhos estratégicos?**

Diria que é recrutar, selecionar e posicionar pessoas. Para usar a linguagem de Jim Collins, assegurar-nos que temos as pessoas *certas* nos assentos *certos* do ônibus *certo*. Diria que isto é ainda mais importante do que o treinamento e o desenvolvimento. O problema está em que a maioria das organizações numa economia que muda aceleradamente precisa de pessoas com tanta rapidez e os problemas são tão urgentes que há uma crise nas práticas de contratação. É preciso lembrar que tendemos a acreditar mais facilmente naquilo que mais desejamos. Às vezes, acabamos convivendo com verdadeiros desastres. Então seria necessário contratar estrategicamente, de modo que haja critérios bem ponderados, comunicados, e que paguemos o preço de examinar atentamente o histórico das diferentes pessoas. É preciso pagar o preço de estabelecer um relacionamento com os possíveis candidatos até o ponto em que estes se mostrem autênticos e transparentes e tenham tempo para decidir se a visão, os valores e a voz deles estão alinhados com os critérios estratégicos de seu futuro trabalho. Depois disto, o fundamental é a execução.

- **Em sua experiência, qual é a melhor pergunta a fazer aos candidatos à contratação?**

Seria algo como: "Começando por suas lembranças mais antigas, do que o senhor gostava e o que fazia bem?" Então, faça-o recordar o primário, o segundo grau, a faculdade e os empregos que teve até que possamos começar a ver um padrão autêntico dos verdadeiros talentos e pontos fortes da pessoa – qual é sua verdadeira voz. Também podemos ver padrões de dependência, independência ou interdependência e se trabalham com coisas, pessoas ou simplesmente idéias. Precisamos estar dispostos a revelar os critérios estratégicos para os papéis que esperamos que a pessoa desempenhe.

- **O que acontece quando a co-dependência (passividade e submissão) é recompensada?**

A recompensa será apenas temporária – o mercado se encarregará disso; não terá sucesso no longo prazo porque uma pessoa passiva, co-dependente, não atenderá os clientes com criatividade, imaginação e antecipação. No longo prazo, se reinar a transparência no mercado e houver um bom feedback, as pessoas e as culturas co-dependentes não poderão sobreviver. O que se faz necessário nas economias globais de nossos dias, o que é preciso, são culturas enxutas, fortalecidas, ágeis, criativas, inovadoras, especialmente se a concorrência for global, não local.

- **E o processo de formação de equipes?**

A formação de equipes é fundamental, principalmente as complementares, em que as forças das pessoas se tornam produtivas e suas fraquezas se tornam irrelevantes pelas forças dos outros – em que a força unificadora é a visão comum e o sistema de valores. Mas é preciso uma grande quantidade de sistemas e estruturas alinhados para reforçar a formação de equipes. Se dissermos para uma flor, "cresça", mas aguarmos outra, a primeira não crescerá. Se dissermos, vamos trabalhar em equipe, mas pensarmos de forma independente e autoritária e tomarmos muitas decisões unilaterais, arbitrárias, não formaremos uma equipe. A formação de equipes é de grande importância e é uma atividade desejável se for reforçada por princípios de formação de equipes dentro das estruturas, sistemas e processos da organização; caso contrário, vira modismo e espetáculo e não se tornará algo vital.

- **Como obtemos uma cultura unida, coesa, quando há tantas visões e objetivos diferentes dentro da organização como um todo?**

Induza a dor. Enquanto as pessoas estiverem satisfeitas e felizes, elas não farão muita coisa. Não devemos esperar até que o mercado traga o sofrimento, é preciso usar outros meios. Uma abordagem de placar equilibrado faz isso, especialmente se as pessoas forem cobradas em função dele e se suas remunerações dependerem dele.

Capítulo 13

A VOZ FORTALECEDORA – LIBERAÇÃO DO TALENTO E DA PAIXÃO

A melhor maneira de inspirar as pessoas a apresentar um desempenho superior é convencê-las por meio do que se faz e pela atitude cotidiana de dar-lhes apoio de bom grado.

HAROLD S. GENEEN, EX-PRESIDENTE DA ITT

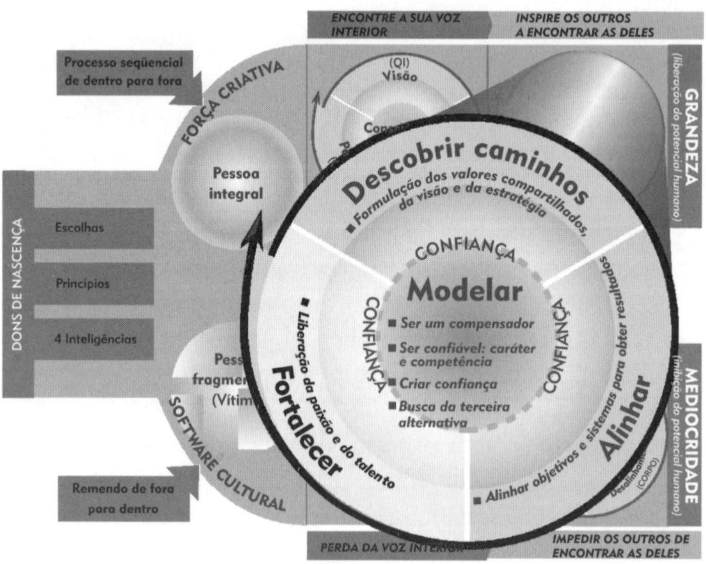

FIGURA 13.1

MITO	**"Cenoura e chicote" – a teoria do asno – é a melhor forma de motivação.** *(Velho paradigma)*
REALIDADE	**A motivação "cenoura e chicote" é psicologia animal. As pessoas têm a capacidade de escolha. Podemos comprar a força física de alguém, mas não seu coração e sua mente. Podemos comprar suas mãos, mas não seu espírito.** *(Novo paradigma)*

FIGURA 13.2

A *PRIMEIRA ALTERNATIVA* para o papel de fortalecimento desempenhado pelos líderes é tentar obter resultados controlando as pessoas. *A segunda alternativa* seria deixá-las soltas, abandoná-las. Em outras palavras, pregar o fortalecimento quando de fato estamos abdicando e ignorando a cobrança.

A terceira alternativa é mais dura e simultaneamente mais bondosa; é uma autonomia direcionada mediante acordos ganha-ganha, em torno de objetivos que se desdobram na linha de visão e na cobrança de resultados. Já mencionei anteriormente que acredito que a maioria das organizações, incluindo nossos lares, é excessivamente gerenciada e pouco liderada. Como o atrito na relação com nossos filhos é um doloroso lembrete dessa realidade, como na revolta que muitas vezes se segue, e como o ambiente familiar é tão universal, começarei o exame do fortalecimento com a verdadeira história de um amigo e sócio meu que, junto da esposa, trabalhou para superar o desafio de seus filhos:

Um dia, notei que uma "nuvem negra" estava se formando sobre minha esposa.

– Qual é o problema? – perguntei.

– São as crianças de manhã, antes da escola. Parece que, se eu não disser o que têm que fazer, ninguém se mexe. Elas não saem de casa. Não se aprontam. Não levantam da cama! Não sei o que fazer.

Na manhã seguinte, decidi observar o que acontecia. Mais ou menos às 6:15, ela entrou nos quartos das crianças, deu uma suave sacudida e falou que estava na hora de acordar. Ela teve que voltar duas ou três vezes antes que começassem a levantar. Então, abriu o chuveiro para uma das crianças que tinha mais dificuldade de acordar. Durante os dez minutos seguintes, ela voltou à por-

ta do banheiro e começou a bater para indicar que já era hora de sair de lá. Finalmente, nossa filha fechou a torneira, se enrolou na toalha e foi para o quarto, onde sentou no chão e ficou toda enrolada para se esquentar. Dez minutos mais tarde, lá estava a mãe:

– Querida, está na hora de se vestir. Vamos lá.

– Não tenho roupa!

– Vista isto.

– Não dá, mãe. É horrível.

– Então, o que você quer vestir?

– A calça jeans, mas está suja.

O drama se arrastou até que às 6:45 os três estavam tomando café. E minha mulher indo atrás das crianças por uma coisa e outra, lembrando que o ônibus escolar passaria daí a pouco. Quando finalmente saíram de casa, minha mulher estava exausta. E eu também, só de olhar.

Fiquei pensando: "Não surpreende que ela esteja desanimada. As crianças não sabem que são capazes de se virar sozinhas porque nós estamos sempre lembrando o que elas devem fazer." Essas batidas na porta do banheiro eram um símbolo de como, sem querer, nós estávamos estimulando sua irresponsabilidade.

De modo que, de noite, reuni a família para falar sobre o assunto.

– Estou vendo que nossas manhãs são um drama.

A turminha começou a rir, desconfiada. Então prossegui.

– Quem está gostando disso?

Ninguém se manifestou.

– Vou falar uma coisa – prossegui – e quero que pensem bem nisso. Vocês têm capacidade de fazer escolhas. Vocês podem assumir responsabilidades.

E então comecei a fazer uma série de perguntas.

– Quem pode ligar o despertador e acordar sozinho de manhã? Será que alguém é capaz disso?

Eles olharam para mim com cara de quem pensa "que será que está acontecendo?".

– Gente, estou falando sério, quem pode fazer isso?

Os três levantaram a mão.

– Quem é capaz de saber quanto tempo tem para tomar banho e desligar o chuveiro sozinho?

Todos levantaram a mão.

– Quem é capaz de ir para o quarto, escolher a roupa que vai vestir e se arrumar sozinho?

Estava começando a ficar engraçado porque todos eles pensavam "isso é fácil".

– E será que alguém pode verificar de véspera se há alguma roupa que precise ir para a máquina?

– Eu posso!

– E quem é capaz de arrumar a cama e o quarto sem que alguém lembre?

– E será que alguém pode estar lá embaixo às 6:45 para o café, sem que seja preciso chamar?

Todos levantaram a mão.

E assim fomos listando tudo o que havia a fazer e eles afirmando que eram capazes de fazer.

– Muito bem, agora vamos pôr tudo isso no papel e organizar um cronograma para as atividades matinais.

E foi isso o que fizeram. Nossa filha, a que criava mais problemas para se aprontar, era a mais empolgada. Na mesma hora, listou todas as atividades e os horários em que seriam feitas. Nós nos dispusemos a dar alguma ajuda. Havia algumas normas. Resolvemos quais seriam os responsáveis por cada coisa e as conseqüências para quem não cumprisse o plano. O resultado foi que as manhãs passaram a ser mais tranqüilas para todos, especialmente para a mãe. E a gente sabe que uma mãe feliz significa uma família feliz! Quem não acordasse na hora e cumprisse as tarefas sob sua responsabilidade teria de ir para a cama meia hora mais cedo durante alguns dias. Cada uma das crianças assinou o acordo, comeu sorvete e foi para a cama. E nós ficamos na expectativa do que iria acontecer.

Na manhã seguinte, minha mulher e eu ficamos na cama. Ouvimos um despertador tocando às 6 horas em ponto e o clique de um interruptor no quarto de uma das crianças. Logo depois, nossa filha, que tantos problemas tinha para se aprontar, já estava no chuveiro. Minha mulher e eu sorrimos espantados. A gente esperava que funcionasse com ela – mas tão cedo? Em pouco mais de 15 minutos, ela já tinha feito tudo o que costumava demorar uma hora e meia, e ainda teve tempo de praticar sua lição de piano. Foi uma grata surpresa. As outras crianças também se saíram muito bem.

Depois que as crianças saíram, minha mulher falou: "Estou no paraíso. Mas será que continua? É fácil se empolgar um dia, mas e os seguintes?"

Bom, já está durando um ano. Embora nem sempre vejamos o mesmo entusiasmo daquela primeira manhã, e com algumas exceções (seguidas por alguns dias de cama mais cedo à noite), eles estão acordando e se arrumando sozinhos. E também achamos que é interessante nos reunir de vez em quando para avaliar as coisas e renovar o compromisso.

É fantástico ver as crianças cada vez com um sentido maior de responsabilidade. Foi uma lição profunda e mudou totalmente a natureza da vida da família nas manhãs.

Vemos que os pais inicialmente pensavam que as *crianças* precisavam mudar, para se conscientizar mais tarde que eram *eles* que tinham que mudar. Achavam que as crianças tinham que ser lembradas das coisas. Era preciso verificar, ficar de olho, acompanhar. Quem sabe o leitor já trabalhou com alguém assim? É a clássica mentalidade do gerenciamento/controle.

Mas então os pais refletiram sobre o valor e o potencial de seus filhos – em especial o potencial. Sabiam que as crianças tinham um grande valor e as amavam incondicionalmente mas tinham caído na típica armadilha de olhar para os filhos pela ótica do mau comportamento. Também não tinham comunicado claramente aos filhos o potencial deles. Eles fizeram isso por meio de perguntas simples relativas à sua capacidade de fazer coisas básicas como levantar, cumprir suas tarefas e se aprontar para a escola. Como os filhos se identificavam emocionalmente com os pais, a comunicação funcionou. Foram estabelecidos, e cumpridos, compromissos; o potencial foi liberado, a responsabilidade foi assumida, a confiança aumentou e, em conseqüência, se fez paz na mente e no lar. É um belo e expressivo exemplo de fortalecimento.

Embora este fosse um simples pequeno problema familiar, a maioria das pessoas pode se identificar com ele. Nas organizações, como nas famílias, às vezes as pessoas acreditam no potencial dos outros mas não no seu valor, de modo que não são pacientes, persistentes, confiantes e dispostas a se sacrificar. Não vale a pena para elas; passa a ser uma questão de análise de custo-benefício e elas, talvez inadvertidamente, concluem que o custo é demasiado grande. Na verdade, a menos que as pessoas tenham uma noção de seu próprio valor pessoal, elas não serão capazes de comunicar coerentemente o valor de outras pessoas.

A *MODELAGEM* CENTRADA EM PRINCÍPIOS de um comportamento confiável inspira confiança sem "dizê-lo". *Descobrir* caminhos impõe ordem sem exigi-la. O *alinhamento* alimenta tanto a visão quanto o fortalecimento, sem alardeá-los. O *fortalecimento* é o fruto dos outros três. É o resultado natural da confiabilidade pessoal e organizacional, que permite às pessoas identificarem e liberarem seu potencial humano. Em outras palavras, o fortalecimento determina o autocontrole, o autogerenciamento e a auto-organização. Se este comissionamento tem lugar, não apenas na descoberta de caminhos organizacional, mas nos níveis de equipe, projeto, tarefa ou cargo, onde as necessidades básicas das pessoas e da organização se sobrepõem, então ele despertará a paixão, a energia e o impulso, em resumo, a voz.

A paixão é o fogo, o entusiasmo e a coragem que a pessoa sente quando faz algo que gosta ao tempo em que concretiza objetivos de valor, algo que satisfaz suas necessidades mais profundas. É preciso lembrar, repito, que nas raízes da palavra *entusiasmo* está o conceito de "Deus dentro de ti". O fortalecimento é exatamente a mesma coisa, só que no contexto *organizacional* de empregados trabalhando no que gostam de tal forma que atenda às suas necessidades mais profundas e às necessidades essenciais da organização. Suas vozes se misturam.

Em seu livro *Now Discover Your Strenghts*, os autores Marcus Buckingham e Donald O. Clifton registram um resultado fundamental encontrado pela Gallup Organization: "A grande organização não apenas deve levar em conta que cada empregado é diferente, ela deve capitalizar essas diferenças."[1] Os autores também revelam o resultado de uma pesquisa do Gallup junto a 198 mil empregados de 7.939 unidades de 36 empresas, em que foi feita a seguinte pergunta:

> No trabalho, o senhor tem a oportunidade de fazer todos os dias aquilo que faz melhor? Comparamos então as respostas com o desempenho das unidades de negócios e verificamos o seguinte: quando os empregados responderam "concordo muito", eles tinham uma probabilidade 50% maior de trabalhar em unidades de negócios com menor rotatividade de pessoal, 38% maior de trabalhar em unidades mais produtivas e 44% maior de trabalhar em unidades com um histórico de satisfação do cliente mais elevada. E no correr do tempo, as unidades de negócios que aumentaram o número de trabalhadores que concordavam muito com a pergunta observaram aumentos na produtividade, na fidelidade dos clientes e na retenção de empregados.[2]

Pensemos em nossa própria vida pessoal. Que tipo de tarefa nos agrada? Que tipo de supervisão? O que desperta nossa paixão mais profunda? E se tivéssemos um emprego que despertasse nossa paixão e no qual os líderes fossem nossos servidores – onde eles existissem para nos auxiliar, pessoal ou sistematicamente, a realizar nossas funções? E se as estruturas e sistemas nos dessem apoio, ajuda e estivessem voltados a capacitar, identificar e liberar nosso potencial? E se nossos esforços fossem continuamente reconhecidos e recompensados e, mais importante, sentíssemos a satisfação intrínseca de contribuir significativamente com uma causa que achamos merecedora de nossa total dedicação?

O FORTALECIMENTO DO TRABALHADOR DO CONHECIMENTO

Vivemos na era do trabalhador do conhecimento, em que o capital intelectual reina supremo. Os custos de produção costumavam se distribuir na proporção de 80% para as matérias-primas e 20% para o conhecimento; atualmente, a relação se inverteu numa proporção de 70 para 30.[3] Stuart Crainer, em seu livro

The Management Century, escreve: "A Era da Informação valorizou o trabalho intelectual. Há uma percepção cada vez maior em relação ao recrutamento e treinamento de pessoas talentosas, e a atenção que elas recebem é fundamental para a competitividade."[4]

Peter Drucker escreveu em *Managing for the Future: The 1990s and Beyond*: (*Administrando para o Futuro*), "De agora em diante, a chave está no conhecimento. O mundo não está se tornando intensivo em trabalho, ou em matérias-primas ou em energia, mas intensivo em conhecimento."[5]

Hoje em dia, liderança é o tópico mais destacado. A nova economia está embasada no trabalho do conhecimento e este é uma outra denominação para pessoas. Lembre-se: 80% do valor adicionado aos produtos e serviços nos dias de hoje provêm do trabalho do conhecimento. É uma economia do trabalhador do conhecimento. A criação de riqueza migrou do dinheiro e das coisas para as pessoas.

Nosso maior investimento financeiro é o trabalhador do conhecimento. Basta pensar no que se investe nos trabalhadores do conhecimento em nossas organizações, seja salário, benefícios, possíveis opções de ações e mais o que se destinou a recrutá-los e treiná-los. Isso muitas vezes se traduz em centenas de milhares de dólares ao ano, por pessoa!

O trabalho do conhecimento de qualidade é tão valioso que liberar seu potencial oferece às organizações uma extraordinária oportunidade de criação de valor. O trabalho do conhecimento alavanca todos os outros investimentos já feitos pela empresa. De fato, os trabalhadores do conhecimento são o elo para todos os demais investimentos organizacionais. Eles proporcionam foco, criatividade e alavancagem na utilização desses investimentos para melhor alcançar os objetivos da organização. Os capitais intelectual e social são as chaves para promover e otimizar todos os outros investimentos.

E assim é absolutamente fundamental que o fortalecimento das pessoas (o alinhamento das vozes) seja visto como o *fruto* da modelagem, do alinhamento e da descoberta de caminhos. De outro modo, veremos organizações que alardeiam o fortalecimento mas são incapazes de praticar o que pregam. Não têm uma visão comum, uma disciplina, nem, sem dúvida, qualquer paixão.

O fortalecimento não é uma idéia nova. Na verdade, na década de 1990 ela se tornou um modismo e um movimento na área da gestão. Mas, falando francamente, o que se criou foi muito cinismo e raiva – tanto entre a gerência quanto entre o pessoal da linha de frente. Por quê? Porque, repito, fortalecer as pessoas é o *fruto* dos outros três papéis, não a raiz.

Fizemos um levantamento com 3.500 gerentes e profissionais de organizações clientes e perguntamos: O que impede o fortalecimento? (Ver Figura 13.3.) Observe como suas respostas ressaltam a importância da confiabilidade tanto pessoal quanto organizacional (caráter e competência).

Agora que mergulhamos mais profundamente neste paradigma da Pessoa Integral/Quatro Papéis, podemos ver por que as pessoas se frustram quando os esforços de fortalecimento são empreendidos sem que primeiro seja construído um alicerce de modelagem, descoberta de caminhos e alinhamento.

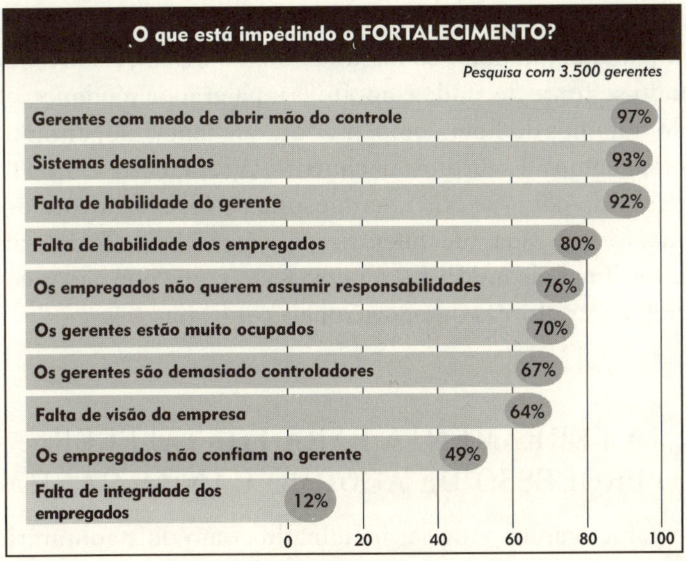

FIGURA 13.3

O DILEMA DO GERENTE – ABRO MÃO DO CONTROLE?

Alguns anos atrás entrevistei o executivo chefe de uma empresa que acabara de receber o prestigioso prêmio Malcolm Baldrige. Perguntei-lhe: "Qual foi seu pior desafio, como CEO, para alcançar esse nível de qualidade em sua organização?" Depois de pensar alguns minutos, sorriu e disse: "Abrir mão do controle."

O fortalecimento *sempre* será uma banalidade indutora de cinismo, a menos que esteja enraizado num sólido trabalho de modelagem, descoberta de caminhos e alinhamento. Os Quatro Papéis do Líder dissolvem o dilema gerencial entre o *controle* e o *medo de perdê-lo*. Quando estabelecemos autenticamente as condições do fortalecimento, o controle não se perde: ele é simplesmente transformado em *autocontrole*.

O autocontrole não ocorre quando simplesmente abandonamos as pessoas em nome do "fortalecimento"; ele se manifesta quando há um objetivo comum em mente, com linhas mestras aceitas e estruturas e sistemas de apoio, e quando cada pessoa é uma pessoa integral num trabalho completo. Há treinamento e orientação para os que não têm a competência exigida para agir com maior liberdade. Um histórico de desempenho coerente vai gerando uma confiança e uma ampliação dos métodos cada vez maior. As pessoas se tornam responsáveis e são cobradas pelos resultados e têm a liberdade, dentro de parâmetros, para obter esses resultados de forma a aproveitar seus talentos singulares.

Chamo isto de *autonomia dirigida*. O papel do gerente, então, muda de controlador para habilitador – comissionando as pessoas, removendo obstáculos e tornando-se fonte de ajuda e apoio. É uma grande mudança.

Quando tratamos do líder compensador, que tem visão, disciplina, paixão e consciência, falamos de autofortalecimento. Agora, neste contexto mais amplo, estamos vendo como se cria uma filosofia de fortalecimento oficial, institucionalizada, formalizada. Idealmente o desejável é haver fortalecimento pessoal e organizacional, de modo que a pessoa não tenha que nadar contra a corrente, lutando contra forças organizacionais contrárias.

A FERRAMENTA PARA FORTALECER: O PROCESSO DE ACORDO GANHA-GANHA

O processo ganha-ganha pode ser imaginado como dois voluntários que comissionam juntos – um representado pela organização e outro pelos stakcholders, sejam equipes ou indivíduos. Max De Pree, que escreveu o brilhante livro *Leadership is an Art*, descreve o espírito dos voluntários que trabalham juntos:

> As melhores pessoas que trabalham nas organizações são voluntários permanentes. Como eles poderiam provavelmente encontrar emprego em qualquer grupo, eles escolhem onde trabalhar por razões menos tangíveis do que o salário ou a posição. Os voluntários não precisam de contratos, precisam de pactos... As relações pactuais induzem a liberdade, não a paralisia. Uma relação pactuada se embasa em um compromisso comum com idéias, questões, valores, objetivos e processos gerenciais. Palavras como amor, calor ou química pessoal são sem dúvida pertinentes. As relações pactuais... preenchem necessidades profundas e permitem que o trabalho tenha sentido e seja satisfatório.[6]

Um acordo ganha-ganha não é uma descrição de cargo formal nem um contrato legal. É um contrato psicológico/social aberto que define explicitamente expectativas. É escrito primeiro nos corações e mentes das pessoas e, então, passado para o papel "a lápis", e não com tinta, para que possa ser "apagado com facilidade" quando as duas partes acharem adequado e sábio. Pode ser discutido e renegociado à vontade, em função de mudanças nas circunstâncias. Quer as pessoas usem a expressão "acordos ganha-ganha" ou não, a idéia é que há entendimento e dedicação comuns no sentido de alcançar as prioridades mútuas mais altas.

Os acordos ganha-ganha permitem um nível de flexibilidade, adaptação e criatividade muito maior do que as descrições de cargo, que estão voltadas principalmente a etapas e métodos. No acordo ganha-ganha nos voltamos para a situação, a maturidade, o caráter e a competência dos integrantes de equipes e líderes formais, e para outras condições ambientais, como a existência de estruturas, sistemas e processos alinhados.

Uma vez formulado um acordo ganha-ganha, a resposta à pergunta "Qual é a minha/nossa prioridade mais alta?" fica muito clara. As responsabilidades ficam explícitas. As expectativas mútuas são articuladas. A cobrança dessas expectativas, na forma de um Placar equilibrado, é estabelecida. As pessoas ficam livres para fazer o que for necessário para atingir os objetivos dentro do contexto dos parâmetros. Elas simplesmente se gerenciam. Ficam fortalecidas. No Capítulo 14, falaremos muito mais sobre a promoção de uma forte e útil responsabilidade da equipe.

FORTALECIMENTO GANHA-GANHA: DA ERA INDUSTRIAL PARA A ERA DO TRABALHADOR DO CONHECIMENTO

E se esquecermos tudo o que foi falado sobre a pessoa integral? E se perdermos de vista o fogo que arde dentro das pessoas e organizações que Encontram a Própria Voz e Inspiram Outros a Encontrar a Deles e continuarmos trabalhando dentro da ótica e das tradições da Era Industrial? Dá para ver o que seria a aplicação de um processo de acordo ganha-ganha ao estilo clássico de um gerente controlador? Fica claro que todos os esforços não renderiam o fruto do fortalecimento.

O fortalecimento bem-sucedido depende de uma dedicação ao trabalho dos integrantes da equipe por meio de "acordos ganha-ganha". Nas organizações, "ganha-ganha" significa que há uma superposição explícita das quatro necessidades da organização (saúde financeira, crescimento e desenvolvimento, relações sinérgicas com os principais envolvidos e significado/participação) com as quatro necessidades da pessoa (física-econômica; mental – crescimento e desenvolvimento; social/emocional – relacionamentos; e espiritual – significado e participação).

Se alguém quebra o espírito do acordo e continua a fazê-lo apesar dos sinceros esforços para reparar o dano, então as pessoas podem simplesmente optar por *nenhum acordo*. Não há qualquer negociação. Tampouco há acordo. Concordamos em discordar de modo agradável. As pessoas se afastam. Não há contratações. Não há novas designações.

As forças armadas têm uma abordagem interessante para o não-acordo. É chamada de doutrina da recusa obstinada. Tomei conhecimento dessa doutrina interagindo com oficiais da marinha. Significa que, quando se conclui que algo está errado e que resultaria em graves conseqüências para toda a missão e para os valores da organização, então respeitosamente a pessoa deve opor-se, qualquer que seja sua posição ou patente. A pessoa deve falar e declarar sua oposição a uma decisão que consideramos totalmente equivocada. Isso é, em essência, viver segundo nossa consciência – seguir nossa voz interior ou a luz que guia nossas ações, em lugar de ceder à pressão dos pares.

É importante que aqueles que ocupam altas posições respaldem a doutrina da recusa obstinada. Isso legitima o direito de oposição, de chamar de errado o que está errado e de estúpido o que é estúpido.

FORTALECIMENTO E AVALIAÇÃO DE DESEMPENHO

Falando nisso, quem deveria avaliar o progresso e as realizações de uma pessoa? Ela mesma. A tradicional avaliação de desempenho é sem dúvida uma das práticas gerenciais vigentes altamente controvertidas. Como já mencionei, é o caso do chefe que entrevista um empregado e recorre à técnica do sanduíche – diz algumas palavras simpáticas, enfia a faca e a torce algumas vezes – "áreas que devem ser aprimoradas" – e o manda em frente. Quando existe uma cultura de grande confiança, sistemas úteis e pessoas sintonizadas, então as pessoas estão em melhor posição para se avaliar, especialmente quando contam com feedback de 360 graus de fontes que estão em torno delas. É interessante observar os dados do Perfil dos 7 Hábitos (ver Figura 13.4), que envolvem mais de meio milhão de pessoas que praticam o feedback de 360 graus.

Podemos ver que em quase todos os casos a auto-avaliação é mais rigorosa do que a avaliação de qualquer outra pessoa. Os chefes são os que menos sabem – são os que estão mais longe. Pessoas co-dependentes lhes contam o que eles querem ouvir e assim os chefes ficam isolados do que está realmente acontecendo. Os subordinados são os que mais se aproximam e depois estão os pares. Novamente, na parábola bíblica dos talentos que mencionamos no início do Capítulo 6, o empregado se avalia e o senhor então aumenta ou diminui a responsabilidade.

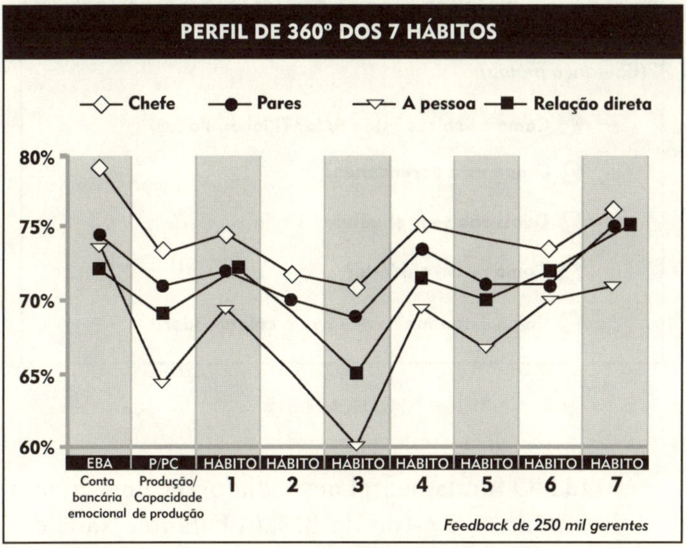

FIGURA 13.4

Estaria totalmente fora do alinhamento pensar que, depois de todo esse fortalecimento e toda essa homenagem ao poder das pessoas para escolher seus objetivos prioritários, fosse possível de repente considerar que alguém chamado de chefe pudesse ser o grande juiz e avaliador.

O chamado chefe deveria se tornar um líder que serve humildemente e "anda ao lado" fazendo perguntas como as que aparecem na Figura 13.5.

Primeira pergunta: "*Como as coisas estão indo*?" O trabalhador sabe isso muito melhor do que qualquer chefe, especialmente se foram estabelecidos sistemas de feedback, incluindo os do chefe e de todos os outros principais envolvidos que são atingidos pelo trabalho dessa pessoa. Assim, a pergunta "como as coisas estão indo" é respondida pela pessoa de acordo com os termos do Placar equilibrado acordado e de informações de outros grupos interessados de 360°.

A segunda pergunta é: "*O que está aprendendo?*" A pessoa, ao respondê-la, pode revelar percepções e ignorâncias, mas o importante é que são responsáveis.

A terceira pergunta é "*Quais são seus objetivos?*" ou "*O que está tentando realizar?*". Identifica a conexão entre a visão e a realidade. Isto leva naturalmente à quarta pergunta, "*Como posso ajudá-lo?*", comunicando claramente que "estou aqui para ajudá-lo. Sou seu habilitador, seu servidor". O líder servidor pode até recorrer à própria experiência ou percepção para ver

LÍDER SERVIDOR

(Cobrança mútua)

1. **Como as coisas estão indo? (Placar, dados)**
2. **O que está aprendendo?**
3. **Quais são seus objetivos?**
4. **Como posso ajudá-lo?**
5. **Como estou me saindo como colaborador?**

FIGURA 13.5

se ela pode ser usada. O fundamental neste diálogo é uma comunicação que aplique de modo autêntico o estilo do Bastão Falante. Nada de joguinhos. Nada de postura política. Nada de comunicação protetora, defensiva. Nada de bajulação. Nada de falar o que os outros querem ouvir. A pergunta "Como estou me saindo como colaborador?" passa uma cobrança mútua franca, respeitosa.

Às vezes, é difícil enfrentar a realidade, especialmente ouvida de boca alheia. Mas menosprezamos e insultamos as outras pessoas quando não as tratamos como seres que podem ser cobrados, que são responsáveis e fazem escolhas. Se, em nome da simpatia e da bondade, começamos a protegê-las, damos início a um processo de co-dependência e a uma conspiração silenciosa que acabará gerando o menor nível de iniciativa – "Esperar até que mandem".

É quando o espírito do líder que é um servidor se instala numa equipe, entre o gerente ou equipe e um parceiro, que prospera completamente a terceira forma de *confiança* mencionada no Capítulo 9. Repetindo: é a confiança que uma pessoa ou equipe escolhe conscientemente dar a outra pessoa – um ato que me leva a sentir que você *sente* que eu posso agregar valor. Você me dá confiança e eu a devolvo. A *confiança* é uma ação E uma coisa. Quando reúne essas duas coisas, pode ser compartilhada e trocada entre pessoas. É assim, essencialmente, que a pessoa se torna líder de seu chefe. Merece confiança ao dá-la. *Confiar* acontece quando a confiabilidade potencial daquele que recebe confiança se encontra com a clara confiabilidade de quem a dá. O quarto papel – Fortalecer – implica tornar a *confiança* uma ação.

O CASO DOS FAXINEIROS (TRANSFORMAÇÃO DE TRABALHADORES MANUAIS EM TRABALHADORES DO CONHECIMENTO)

A seguir, relatarei uma história verídica sobre uma pessoa integral num cargo completo. Ilustra o que pode acontecer num trabalho que, embora digno, é por natureza mais servil, pouco qualificado e pouco remunerado – o de limpeza e manutenção. A idéia é que, se podemos ter uma pessoa integral num cargo completo que consiste em esvaziar latas de lixo, varrer e encerar pisos e lavar paredes e instalações sanitárias etc. é possível tê-la em qualquer cargo.

Um instrutor de desenvolvimento gerencial estava falando para um grupo de supervisores de alto nível sobre como enriquecer um cargo de modo a oferecer motivação intrínseca aos empregados. Um dos supervisores encarregado dos faxineiros resistia muito a aceitar a teoria. Achava-a demasiado idealista e desconectada da maior parte do trabalho feito por um faxineiro – pelo menos daqueles que *ele* supervisionava. Todos os supervisores que participavam do treinamento consideravam que seus faxineiros eram pessoas pouco instruídas, que só estavam de passagem e que só trabalhavam nisso porque não conseguiam um emprego melhor. Seu único desejo era bater o cartão de ponto. Alguns chegavam a ser alcoólatras.

Como o instrutor sabia que o supervisor de manutenção era sincero em sua convicção de que motivar e fortalecer não tinham utilidade para quem trabalhava com faxineiros, ele abandonou o material que tinha preparado e passou a tratar diretamente desse problema.

Escreveu no quadro-negro três palavras: Planejar, Fazer, Avaliar – três dos elementos principais do enriquecimento de cargos. Então, pediu a todos os supervisores que listassem os deveres do faxineiro e as atividades associadas a essas três palavras. Dentre os aspectos do "planejamento", foram citados: estabelecer a escala de limpeza, selecionar e comprar o material de limpeza e distribuir as áreas que caberiam a cada um dos faxineiros. Durante a discussão, o supervisor mencionou que estava tratando de adquirir várias novas máquinas para raspar e encerar os pisos. Todas essas atividades de planejamento eram levadas a cabo pelo supervisor de manutenção.

A listagem das atividades ligadas ao "fazer" compreendia as tarefas normais dos faxineiros – varrer, esfregar, encerar e remover o lixo e os resíduos. Quanto a "avaliar", a listagem incluía a verificação diária da limpeza das instalações pelo supervisor, avaliação da eficácia dos vários sabões, pastas e ceras, identificação de formas de aprimorar o trabalho e assegurar que as escalas de limpeza fossem respeitadas. Além disso, o supervisor também contatava fornecedores para determinar que novas máquinas poderiam ser adquiridas.

Depois de listar as várias atividades, o instrutor perguntou: "Quais destas atividades poderiam ser executadas pelos faxineiros? Por exemplo, por que o senhor escolhe os sabões que serão comprados? Por que não deixar que os faxineiros decidam? Por que não chamar os vendedores para que eles façam uma demonstração do funcionamento das máquinas e deixar que os faxineiros resolvam qual é a melhor? Por que não lhes pedir que escolham as tarefas que preferem fazer?" (Quando isto ocorreu, o linguajar não foi tão direto e todos os supervisores se envolveram na discussão para examinar que outras áreas do planejamento e da execução poderiam ser deixadas nas mãos dos faxineiros.)

Nos cinco meses seguintes, o caso dos faxineiros foi trazido novamente à baila, pelo menos brevemente, em cada sessão com o instrutor. E os supervisores de manutenção procuravam envolver cada vez mais os corações e mentes dos faxineiros, dando-lhes mais responsabilidades de planejamento, execução e avaliação de seu trabalho. Eles testaram novas máquinas e fizeram as sugestões finais para a compra. Experimentaram diversas ceras para verificar qual delas resistia mais ao uso normal. Passaram a examinar a escala de limpeza para determinar quanta atenção deveria ser dada a cada área. Por exemplo, uma área que era lavada diariamente passou a sê-lo apenas quando uma inspeção visual mostrasse necessidade disso. Os faxineiros formularam seus próprios critérios para determinar a limpeza das instalações e começaram a pressionar os colegas que não se enquadravam nas normas.

Pouco a pouco, esses faxineiros foram assumindo as três tarefas, aproveitando da melhor forma suas idéias – corpo, coração, mente e espírito. O efeito líquido, para surpresa da maioria, foi um aumento de qualidade do serviço, redução da rotatividade de empregados e dos problemas disciplinares, desenvolvimento de normas sociais em torno de iniciativa, cooperação, diligência e qualidade e um aumento significativo da satisfação no trabalho. Em resumo, agora havia um grupo de faxineiros empolgados – tudo porque seus supervisores propiciaram ou fortaleceram a pessoa integral no trabalho completo. Tinham autonomia dirigida. Os faxineiros não precisavam mais de supervisão ou gerenciamento porque se supervisionavam e gerenciavam a eles mesmos, de acordo com critérios que tinham ajudado a formular.

Talvez o mais importante é que outros chefes começaram a pensar como poderiam aplicar os mesmos princípios a suas áreas, porque puderam ver os resultados do trabalho dos supervisores com os faxineiros.

Serviço e significado

Se pusermos esta idéia de "planeje, faça, avalie" dentro de nosso modelo de liderança da pessoa integral, veremos o seguinte (ver Figura 13.6).

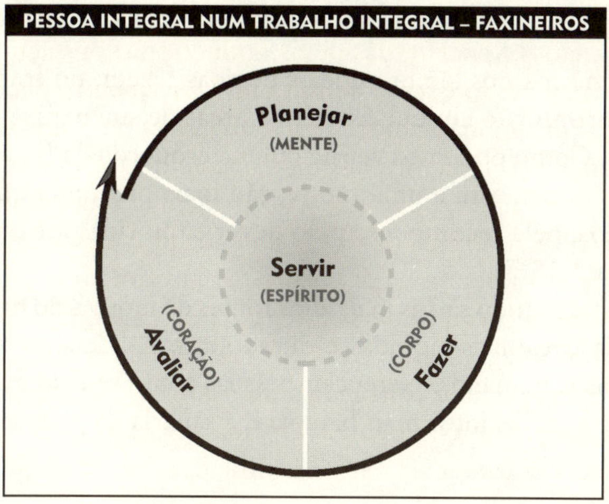

FIGURA 13.6

O quarto elemento, "servir", foi colocado no centro para mostrar a necessidade do espírito quando se trata de significado e participação. Podemos ver que até os faxineiros neste caso começaram a vivenciar um grande sentido em seu trabalho. Passaram a se orgulhar de sua habilidade manual e isso começou a elevar o nível de qualidade de toda a fábrica. Eles encontraram a própria voz. Observemos novamente a seta no limite externo do diagrama. Ela indica que se trata de um circuito, um processo. Uma vez feito o trabalho de avaliação, desenvolvem-se novos planos e o ciclo do aprimoramento se repete.

Poderíamos perguntar: "Mas se fortalecemos as pessoas nessa medida, por que precisamos de supervisores?" A resposta está em estabelecer as *condições de fortalecimento* e então sair do caminho das pessoas, desobstruindo-o, e tornar-se fonte de ajuda quando esta for solicitada. É a liderança servidora. Afinal, nossa tarefa não é arranjar formas de fazer com que nosso ego seja afagado. É fazer que o trabalho seja executado.

Somente 45% dos que responderam à pesquisa Qx disseram sentir que suas contribuições no ambiente de trabalho são reconhecidas e apreciadas.

ESCOLHAS REVISITADAS

O caso dos faxineiros nos lembra que as pessoas fazem, no trabalho, escolhas alicerçadas na proporção em que as quatro áreas de sua natureza são respeitadas e engajadas. Como podemos ver na coluna esquerda da figura abaixo, cada escolha é feita em resposta a uma motivação mais profunda que vai da raiva, passa pelo medo e pela recompensa pelo dever cumprido, até o amor e o significado (ver Figura 13.7).

Dever, amor e sentido são as mais altas fontes de motivação humana e sempre gerarão as realizações mais elevadas e duradouras. A liderança se alimenta dos mais altos impulsos humanos. Gerenciar pessoas como se fossem coisas reduz os seres humanos a seus instintos mais baixos. É a sangria da gerência moderna.

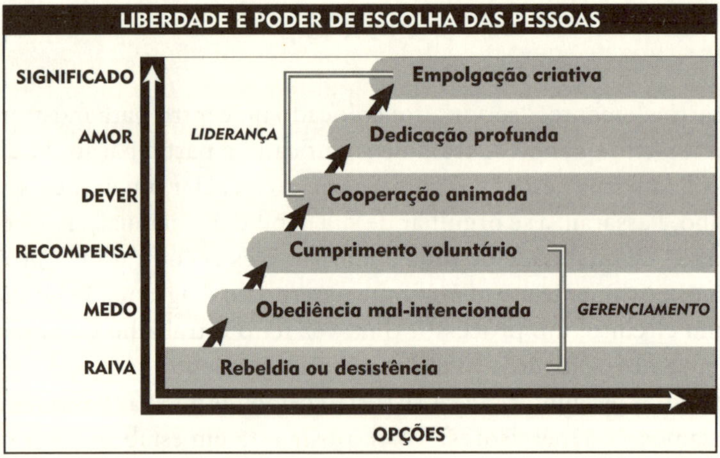

FIGURA 13.7

Esta história também ilustra um ponto muito importante: são as *crenças do líder e o estilo do gerente*, não a natureza do cargo ou a era econômica, o que define se uma pessoa é um trabalhador do conhecimento ou não. Se ele não for percebido como um trabalhador do conhecimento, isto é, se o faxineiro não for considerado um especialista local em trabalho de limpeza, então ele é um trabalhador manual, e não um trabalhador do conhecimento.

FILME: *A natureza da liderança**

Este filme que recomendo calorosamente se parece muito com o filme de abertura deste livro. Ele dará ao leitor a oportunidade de refletir sobre os princípios que estão por trás da liderança e o levará a internalizá-los, desafiando-o a agir em conseqüência. A natureza é o pano de fundo e o mestre. Acredito que ele inspirará o leitor, como ocorreu comigo. Pode ser encontrado no DVD que acompanha este livro.

PASSEMOS agora a juntar tudo o que foi dito, demonstrando como os Quatro Papéis do Líder são um marco de referência para o foco e a execução.

PERGUNTAS E RESPOSTAS

- **O senhor fala de equipes complementares. Sou um solitário, sem staff ou pessoas que se reportem diretamente a mim e tenho que tocar todos os instrumentos – como posso formar uma equipe complementar para compensar minhas fraquezas?**

Até contar com pessoas às quais possa delegar, de modo que suas forças se tornem mais produtivas e suas fraquezas se tornem irrelevantes pelas forças delas, o senhor terá que alcançar um nível de competência suficiente em relação às suas fraquezas ou recorrer a assessores ou fornecedores que possam compensá-las.

- **Como fortalecer empregados num ambiente altamente regulamentado, com a constante intromissão de novas ordens, políticas e normas?**

Eu procuraria os empregados e lhes faria esta pergunta: O que vocês sugerem, qual é sua opinião? Falo sério, eu passaria a bola para eles. As pessoas são surpreendentemente criativas e adaptáveis e, por mais opressivo que seja um ambiente regulatório, se o trabalho for significativo, sempre será possível encontrar em algumas áreas oportunidades criativas onde as pessoas possam exercer o próprio juízo. Em termos de estabelecer acordos, os regulamentos têm que indicar claramente as orientações e até as regras a serem seguidas.

Morei certo tempo na Inglaterra e vi o pessoal das estradas de ferro ficar revoltado com o ambiente extremamente regulamentado. As pessoas diziam "Tudo bem, vamos seguir as regras ao pé da letra" e isso acabou, literalmente,

---

* A magnífica fotografia do filme é de Dewitt Jones e Roger Merrill e foi tirada do livro *The Nature of Leadership*.

levando a Inglaterra à paralisação. Nenhum dos trens chegava dentro do horário. Era o caos simplesmente porque elas seguiam rigorosamente as regras todas. Elas só tinham tido sucesso anteriormente em razão de sua criatividade, iniciativa e habilidade. Quando isso se tornou claramente evidente, os administradores começaram a dar mais valor ao julgamento das pessoas do que às regras, e tudo voltou a funcionar.

Talvez seja possível implementar um programa-piloto ou experimental que renda melhores resultados a custos mais baixos, sem violentar as normas mais críticas. O risco é menor e o potencial de aprendizado é grande. E o senhor pode começar a discernir mais claramente as regras que são críticas e as que são periféricas ou até artefatos puramente culturais.

Certa vez, trabalhei com a indústria nuclear, um segmento rigidamente regulamentado. O nível de cooperação e comunicação, mesmo entre concorrentes, era impressionante porque eles sabiam que, se houvesse outro incidente como o de Three Mile Island, isso implicaria o fechamento de toda a indústria. Eles até comunicavam todos os incidentes ou situações que envolviam algum risco ou redução da segurança. Os órgãos reguladores do governo não tinham como apertar mais as normas em relação ao que essas empresas faziam por determinação própria.

- **Como implementar a cobrança de responsabilidades de modo ganha-ganha? Será que o espírito ganha-ganha não induz um certo relaxamento nesse sentido da cobrança?**

De forma nenhuma. O segredo está em cobrar os resultados desejados que foram mutuamente acordados. É interessante usar um placar equilibrado para esses resultados com conseqüências lógicas e naturais que determinem a cobrança. Sem esse placar e resultados e conseqüências desejados mutuamente acordados, o ganha-perde se transforma em perde-ganha e, no longo prazo, em perde-perde.

- **Como lidar com o empregado dissidente – aquele que parece se opor a todas as decisões e faz tudo à sua maneira?**

Muitos grandes progressos são feitos pelos dissidentes. Sempre deve haver lugar para pessoas que pensam de modo diferente e que pensam de modo novo e criativo. Aprenda a apreciar as forças singulares de cada pessoa, mas se a "dissidência" alcança um ponto em que se torna prejudicial, negativa e desagregadora, então aconselharia instituir um sistema de feedback que lhes dê o retorno. Deixe que mergulhem nas percepções francas e nos sentimentos que elas despertam até que possam decidir o que desejam realmente fazer. Se o dissidente for uma pessoa de tipo perturbado que tira satisfação psicológica da violação das normas sociais e se não agregar um valor real mediante contribuições criativas e inovadoras, pode ser preferível encaminhá-lo a um serviço de recolocação. Há muitas pessoas que são independentes – não são interdependentes, mas também não são perturbadas, e que podem desempenhar um papel muito importante em tarefas que exigem uma maior independência. O fundamental é criar uma cultura que aceite a diversidade dentro de um contexto de propósitos e valores unificados. Como disse Emile Durkheim: "Quando os costumes são suficientes, as leis são desnecessárias; quando os mores são insuficientes, as leis não conseguem ser aplicadas."

• Tenho uma grande necessidade pessoal de estar no controle e a idéia de relaxá-lo me apavora, embora faça sentido. Posso mudar?

Sem dúvida. O senhor não é um animal. Embora influenciado pela natureza e pela criação, o senhor não é produto delas. É produto de suas escolhas, mas precisa começar a mudar no nível pessoal aplicando seus três dons humanos singulares – o poder da escolha, os princípios e suas quatro inteligências ou capacidades. Com paciência e persistência, o senhor poderá superar essa necessidade de controlar e quando sua confiança aumentar, com algumas poucas pessoas próximas no lar e no trabalho, começará a sentir que há mais produtividade e paz de espírito em ensinar princípios, pela palavra e pelo exemplo, e em deixar que os outros se governem por si. Finalmente, o senhor aprenderá a institucionalizar esse tipo de autoridade moral em sistemas, estruturas e processos.

A era da sabedoria

Capítulo 14

O 8º HÁBITO E O PONTO CRÍTICO

A diferença entre o que fazemos e o que somos capazes de fazer resolveria a maior parte dos problemas do mundo.

MAHATMA GANDHI

O 8º HÁBITO – Encontre a sua Voz Interior e Inspire os Outros a Encontrar as Deles – é uma idéia cujo tempo chegou. "Cujo tempo chegou" é parte de uma famosa frase de Victor Hugo citada anteriormente: "Não há nada tão poderoso como uma idéia cujo tempo chegou." A razão da força do 8º Hábito é que se trata de uma idéia que incorpora a compreensão da pessoa

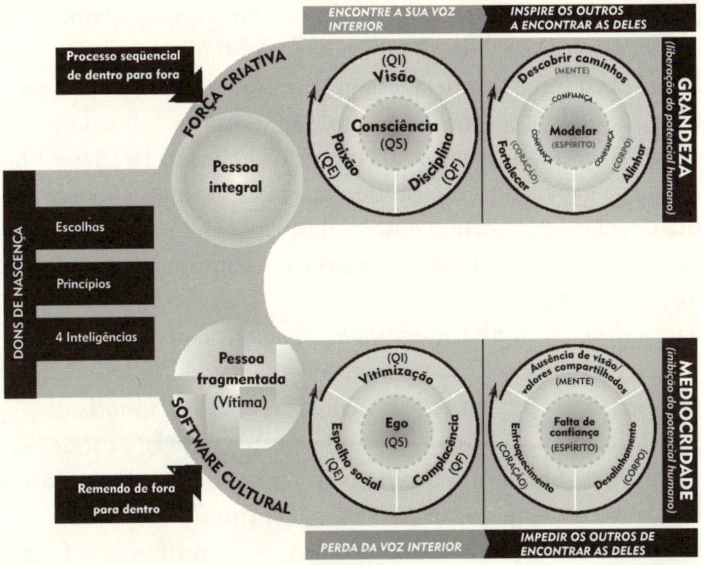

FIGURA 14.1

integral, uma compreensão que dá a seus possuidores a chave para abrir o potencial sem limites da economia do trabalhador do conhecimento. Tal como representada pela estrada inferior da Figura 14.1, a Era Industrial do trabalhador manual se embasava no paradigma da pessoa fragmentada. No mundo de nossos dias, essa estrada inferior leva, na melhor das hipóteses, à mediocridade. Ela amarra, literalmente, o potencial humano. As organizações atoladas na mentalidade da Era Industrial continuam tendo no topo pessoas que tomam todas as decisões importantes enquanto o resto "aperta parafusos". Quanto desperdício! Que perda imensa.

Lembremos novamente do que disse John Gardner: "A maioria das organizações com problemas desenvolveu uma cegueira funcional em relação a seus defeitos. Elas não sofrem porque não podem resolver seus problemas mas porque não podem vê-los." É isso *exatamente* o que acontece.

O 8º Hábito nos traz uma atitude mental e um conjunto de habilidades constantemente voltadas ao potencial das pessoas. É o tipo de liderança que comunica às pessoas seu valor e seu potencial de forma tão clara que elas mesmas passam a enxergá-los. Para isso, é necessário ouvir as pessoas. Precisamos envolvê-las e afirmá-las por meio de nossas palavras e dos Quatro Papéis do Líder.

Recordemos resumidamente o que faz cada um desses papéis. Vale observar que cada um deles reafirma, direta ou indiretamente, o valor das pessoas como seres integrais e as fortalece liberando seu potencial.

Primeiro, *modelar* (pessoa, equipe). A modelagem inspira confiança sem esperá-la. Quando as pessoas vivem segundo os princípios incorporados ao 8º Hábito, a confiança, a cola da vida, desabrocha; a confiança só surge a partir da confiabilidade. Em resumo, a modelagem gera *autoridade moral pessoal*.

Segundo, *descobrir caminhos*. É um papel que cria a ordem sem exigi-la. Isso quer dizer que, quando as pessoas se identificam e são envolvidas nas decisões estratégicas, especialmente no que se refere a valores e objetivos da mais alta prioridade, elas se conectam emocionalmente; o lócus da gerência e da motivação parte de fora para dentro. Descobrir caminhos traz *autoridade moral visionária*.

Terceiro, *alinhar*. Alinhar estruturas, sistemas e processos é uma forma de alimentar o corpo político e o espírito de confiança, de visão e de fortalecimento. O alinhamento propicia a *autoridade moral institucionalizada*.

Quarto, *fortalecer*. É o fruto dos outros três papéis – modelar, descobrir caminhos e alinhar. Ele liberta o potencial humano sem motivação externa. O fortalecimento resulta em *autoridade moral cultural*.

Devemos lembrar que a modelagem mais importante é feita pelo líder quando ele *modela os outros três papéis*. Em outras palavras, descobrir caminhos é modelar a *coragem*, para determinar o rumo, e a *humildade* e o *respeito*

QUATRO PAPÉIS DO LÍDER	
Modelar	**Inspira confiança sem esperá-la** (Autoridade moral pessoal)
Descobrir caminhos	**Cria ordem sem exigi-la.** (Autoridade moral visionária)
Alinhar	**Alimenta a visão e o fortalecimento sem proclamá-los** (Autoridade moral institucionalizada)
Fortalecer	**Libera o potencial humano sem motivação externa** (Autoridade moral cultural)

FIGURA 14.2

mútuo, para envolver os outros na decisão do que importa mais. Alinhar é modelar a disposição para organizar estruturas, sistemas e processos congruentes com as decisões estratégicas "que importam mais", de modo que a organização se mantenha constantemente concentrada nos seus objetivos mais prioritários. Fortalecer é modelar uma crença profunda na capacidade de escolha das pessoas e nas quatro partes de sua natureza mediante um processo de co-missionamento.

FOCO E EXECUÇÃO

Tudo o que tratamos até aqui pode ser sintetizado essencialmente em duas palavras: Foco e Execução. Nessas duas palavras, nós encontramos a "simplicidade que está além da complexidade". Repetindo, o *foco* lida com o que é mais importante, e a *execução*, com fazê-lo acontecer. O empolgante livro de negócios de Ram Charan e Larry Bossidy intitulado *Execução* influenciou minhas idéias sobre esta síntese em duas palavras.

Os dois primeiros papéis do líder – *modelar* e *descobrir caminhos* – podem ser resumidos numa palavra: *foco*. Os outros dois – *alinhar* e *fortalecer* – podem ser sintetizados numa única palavra: execução. Por quê? Pensemos. Descobrir caminhos é, em essência, um trabalho estratégico; é decidir quais são os objetivos mais prioritários – que valores servirão de orientação para realizar e sustentar esses objetivos. Mas isso exige tanto um claro entendimento quanto um compromisso da cultura em relação a esses objetivos. Esse compromisso se embasa na confiança, na confiabilidade e na sinergia – a essência da modelagem. Somente quando há autêntica confiabilidade pessoal e interpessoal é que a confiança se desenvolverá e a sinergia da equipe será eficaz. Essa modelagem pessoal/interpessoal envolve respeito mútuo, entendimento mútuo e cooperação criativa (Hábitos 4, 5 e 6) para gerarem um conjunto claro e engajado de objetivos prioritários (Hábito 2: Comece com o Objetivo em Mente). Essa confiabilidade pessoal/interpessoal se embasa, por sua vez, na lealdade aos verdadeiros valores e objetivos da pessoa – em outras palavras, ao foco e à execução pessoais. É o Hábito 3: Primeiro o Mais Importante. A expressão "o mais importante" é outra forma de descrever foco e execução.

A liderança sem a disciplina da execução é incompleta e ineficaz. Sem a capacidade de execução, todos os outros atributos da liderança ficam vazios.

Nenhuma empresa pode cumprir seus compromissos ou se adaptar bem às mudanças a menos que todos os líderes pratiquem a disciplina da execução em todos os níveis. A execução tem que fazer parte da estratégia da empresa em seus objetivos. É o elo que une aspirações e resultados.[1]

RAM CHARAN e LARRY BOSSIDY

Os outros dois papéis do líder, *alinhar* e *fortalecer*, representam a *execução*. Significa criar estruturas, sistemas e processos (*alinhar*) que intencionalmente capacitem as pessoas e as equipes a traduzir os objetivos mais amplos da organização, sua "linha de mira" ou suas prioridades principais (descobrir caminhos), no trabalho cotidiano e nos objetivos da equipe. Em resumo, as pessoas são *fortalecidas* para fazer seu trabalho.

O foco e a execução são inseparáveis. Em outras palavras, até que as pessoas estejam sintonizadas, elas não executarão de forma coerente. Se usarmos o modelo transacional de controle e comando da Era Industrial para obter o foco, não seremos capazes de usar o modelo transformacional de fortalecimento da Era do Trabalhador do Conhecimento para obter a execução – simplesmente porque, sem envolvimento e/ou identificação, não haverá a dedicação emocional ao foco. A execução simplesmente não ocorrerá. Da mesma forma, se usarmos uma abordagem de trabalhador do conhecimento/envolvimento/fortalecimento para chegar a um foco comum mas uma abordagem de Era Industrial/comando e controle para a execução, não seremos capazes de manter o foco porque as pessoas perceberão a falta de sinceridade e de integridade.

Por outro lado, se usarmos o modelo da Era do Conhecimento tanto para o foco (modelar, descobrir caminhos) quanto para a execução (alinhar, fortalecer), estaremos levando integridade e confiabilidade para a cultura organizacional. A organização não apenas encontrará sua voz, mas também a atenderá para servir de forma magnífica a seus objetivos e seus principais envolvidos.

A GRANDE LACUNA DA EXECUÇÃO

No início do livro afirmei "Saber e não fazer é realmente desconhecer". É uma verdade profunda. Os princípios englobados no 8º Hábito são de pouco valor até que, pela prática e pela execução, se tornem parte de nosso caráter e conjunto de habilidades – até que se tornem um *hábito*.

> Sou vosso companheiro constante. Sou vosso maior auxiliar ou vossa maior carga. Levar-vos-ei para diante ou vos arrastarei para o fracasso. Estou completamente sob vosso comando. Metade das coisas que fazeis poderiam ser-me entregues e eu as faria com rapidez e correção. Sou facilmente gerenciado – basta que sejais firmes comigo. Mostrai-me exatamente como quereis que faça algo e, depois de algumas lições, o farei automaticamente. Sou o servidor de todas as grandes pessoas, e também de todos os fracassados. Para os fracassados, faço fracassos. Não sou uma máquina, embora trabalhe com toda a precisão de uma mais a inteligência de um ser humano. Podeis me usar para o lucro, ou para a ruína – isso não faz diferença para mim. Pegai-me, treinai-me, sede firmes comigo e porei o mundo a vossos pés. Sede fracos comigo e eu vos destruirei.
> **Quem sou eu? Sou o hábito.**
>
> ANÔNIMO

Em nossos dias, a execução é o grande tema ignorado na maioria das organizações. Uma coisa é ter uma estratégia clara; outra muito diferente é implementá-la e concretizá-la de fato, executá-la. Na verdade, a maioria dos líderes concordaria com a idéia de que estariam muito melhor se tivessem uma estratégia média com uma execução magnífica do que uma estratégia magnífica executada de forma medíocre. Os que executam sempre estão em vantagem. Como disse Louis V. Gerstner, Jr.: "Todas as grandes empresas do mundo *superam* a cada dia seus concorrentes do mercado, na execução em suas fábricas, em sua logística, em sua rotação de estoques – em tudo o que fazem. Raramente as grandes empresas têm uma posição exclusiva que as isola do combate constante, corpo-a-corpo, com a concorrência."[2]

Há muitas coisas que afetam a execução, mas nossa pesquisa Qx mostrou que há cinco elementos centrais que conduzem a execução na organização: *clareza, dedicação, tradução, capacitação, sinergia* e *cobrança de responsabilidades*. Segue-se que as falhas na execução geralmente são falhas num ou mais desses seis fatores. Vamos chamá-los de *lacunas da execução*.

- Clareza – as pessoas não sabem claramente quais são os objetivos ou prioridades de sua equipe ou organização;
- Dedicação – os objetivos não convencem as pessoas;
- Tradução – as pessoas não sabem o que precisam fazer individualmente para auxiliar a equipe ou a organização a atingir seus objetivos;
- Capacitação – as pessoas não contam com estruturas, sistemas ou liberdade adequados para fazer bem seu trabalho;
- Sinergia – as pessoas não se dão ou não trabalham bem juntas; e
- Cobrança de responsabilidades – as pessoas não se cobram mutuamente as responsabilidades.

> *Muito do que chamamos gerenciamento é dificultar o trabalho das pessoas.*
> PETER DRUCKER

O Quadro 6 a seguir identifica essas cinco lacunas/elementos da execução e oferece uma explicação simples de como a mentalidade controladora da Era Industrial provoca essas lacunas e como o modelo do Trabalhador do Conhecimento/pessoa integral pode resolvê-las.

LACUNAS NA EXECUÇÃO	CAUSAS DA ERA INDUSTRIAL	SOLUÇÕES DA ERA DO TRABALHADOR DO CONHECIMENTO
Clareza	Anúncio	Identificação e/ou envolvimento
Dedicação	Venda	Pessoa integral num cargo completo
Tradução	Descrição de cargo	Alinhamento dos objetivos visando resultados
Capacitação	Cenoura e chicote (as pessoas vistas como despesa)	Alinhamentos das estruturas e da cultura
Sinergia	"Coopere!"	Comunicação da Terceira Alternativa
Cobrança de responsabilidades	Técnicas sanduíche de avaliação de desempenho	Cobrança de resultados freqüente, franca, mútua. Ref.: Placar convincente

QUADRO 6

1. **Clareza:** a abordagem do trabalhador manual/Era Industrial é a de simplesmente anunciar quais são a missão, a visão, os valores e os objetivos mais prioritários. Como já mencionamos, isso é o resultado de reuniões de altos executivos feitas fora da sede da empresa e, na volta, as decisões estratégicas que orientam todas as outras decisões da organização são apresentadas em linguagem pasteurizada. No correr do tempo, essas declarações de missão acabam não passando de palavrório de relações-públicas porque não há envolvimento real; portanto, falta uma identificação autêntica, que é a essência da Era do Trabalhador do Conhecimento. Convém recordar que a identificação é autoridade moral pessoal que decorre do envolvimento com a pessoa admirada, não necessariamente envolvimento nas decisões estratégicas.
2. **Dedicação:** na Era Industrial a dedicação era buscada com a venda da idéia – divulgá-la constante e freqüentemente, esmiuçá-la e tentar fazer sentido dela. Venda, venda, venda! Mas as pesquisas mostram que apenas um em cada cinco empregados se dedica apaixonadamente aos objetivos mais prioritários de sua equipe e de sua organização. A abordagem do 8º Hábito da Era do Trabalhador do Conhecimento é pôr a pessoa integral no trabalho completo – corpo, mente, coração e espírito. Pague-me uma remuneração justa, trate-me com bondade e respeito, use minha mente de forma criativa para fazer um trabalho que realmente agregue valor e faça-o de forma centrada em princípios. Não é apenas uma questão em torno do que chamamos de Grande Teoria do Asno para a Motivação Humana, em que somente se joga mais dinheiro para os trabalhadores. Na verdade, estudos mostraram que, em termos do Trabalhador do Conhecimento, os empregados colocam o salário em quarto lugar, atrás da confiança, do respeito e do orgulho. Por

quê? Porque quando as pessoas obtêm de seu trabalho satisfação intrínseca, os fatores extrínsecos, ou externos, são menos importantes. Mas se não existirem essas satisfações intrínsecas no trabalho, então o dinheiro passa a ser o mais importante. Por quê? Porque com dinheiro é possível obter satisfação fora do emprego. O 8º Hábito, com sua pessoa integral, libera a motivação *interna*.

As lacunas de clareza e dedicação na execução são também a principal fonte de problemas de gerenciamento do tempo. Há uma razão simples – a definição dos objetivos mais prioritários, junto com a missão e os valores, regem qualquer outra decisão. Portanto, se faltarem a clareza e a dedicação, só haverá confusão quanto ao que é verdadeiramente importante. E assim a urgência passa a definir a importância. Aquilo que é mais requisitado, mais imediato, mais próximo e mais prazeroso – em outras palavras, o que é mais urgente – passa a ser importante. O resultado é que todos ficam tentando adivinhar para que lado sopra o vento e querendo agradar a quem está acima. E com isso a confusão vai se espalhando por toda a organização num efeito multiplicador. Portanto, enquanto as pessoas não tiverem clareza e dedicação relativamente à missão, à visão e aos valores da organização por mais tempo que se destine ao treinamento em gestão do tempo, não haverá qualquer impacto sustentável, exceto na vida pessoal das pessoas. Como Charles Hummel disse:

> A tarefa importante raramente precisa ser feita hoje, ou mesmo nesta semana... Mas o que é urgente pede ação instantânea... O apelo momentâneo dessas tarefas parece irresistível e suga nossas energias. Mas, sob a luz da perspectiva temporal, seu destaque ilusório desaparece; com um sentimento de perda lembramos da tarefa vital que pusemos de lado. Percebemos que nos tornamos escravos da tirania do que é urgente.[3]

3. **Tradução:** a Era Industrial estava voltada para as descrições de cargos. Na Era do Trabalhador do Conhecimento, contribuímos para alinhar os cargos das pessoas com suas vozes (talentos e paixões) e suas funções têm uma linha de mira que procura realizar as principais prioridades da equipe e da organização.

4. **Capacitação:** sob muitos aspectos, a capacitação é a lacuna de execução mais difícil de sanar porque exige a remoção de todas as barreiras disfuncionais, estruturais, sistêmicas e outras que examinamos no correr do livro. Essas estruturas e sistemas, capacitadores ou incapacitadores – recrutamento, seleção, treinamento e desenvolvimento, remune-

ração, comunicação, informação etc. – são justamente o elemento que proporciona a muitas pessoas o sentimento de segurança e previsibilidade de sua vida de trabalho. A menos que exista um autêntico envolvimento na tomada de decisões estratégicas, particularmente no que se refere a valores e linha de mira das prioridades, não conseguiremos suficiente conexão emocional, confiança e motivação interna para alinhar estruturas e sistemas profundamente imbricados.

Na Era Industrial as pessoas eram vistas como despesa, e coisas, como equipamento e tecnologia, eram consideradas como investimento. Reflita um pouco sobre isso! Pessoas... uma despesa; coisas... um investimento! Na Era do Trabalhador do Conhecimento, na ótica do 8º Hábito, as pessoas se envolvem na formulação de um placar forte, visual, atraente, em tempo real dos resultados e da capacidade, que reflete o alinhamento das estruturas e sistemas, para possibilitar que objetivos-chave sejam concretizados.

5. **Sinergia:** a abordagem da Era Industrial é, na melhor das hipóteses, uma conciliação, e na pior, ganha-perde ou perde-ganha. A sinergia da Era do Trabalhador do Conhecimento propicia a geração de Terceiras Alternativas. É uma comunicação coerente com o 8º Hábito, em que as vozes das pessoas se identificam e alinham com a voz da organização, de modo tal que as vozes das diferentes equipes ou departamentos possam se harmonizar entre si.
6. **Cobrança de responsabilidades:** as práticas de motivação "cenoura e chicote" e de avaliações de desempenho do tipo "técnica do sanduíche" são substituídas pela cobrança mútua de responsabilidades e pelo compartilhamento aberto de informações relativas a objetivos da mais alta prioridade que todos entendem. É quase como ir a um estádio de futebol ou a uma quadra de basquete, onde o placar exibe as informações para que todo o público saiba exatamente o que está acontecendo.

O PONTO CRÍTICO

Vamos amarrar tudo isto. No início do livro, apresentei a idéia de que todos escolhemos uma de duas estradas na vida – uma é o muito trilhado caminho para a mediocridade, a outra é aquela que leva à grandeza. Vimos como o caminho da mediocridade tolhe o potencial humano, enquanto aquele que leva à grandeza libera e concretiza esse potencial. O 8º Hábito é o caminho para a grandeza, que está em encontrar a sua voz interior e inspirar os outros a encontrar as deles.

Juntos, vimos o que chamamos de três tipos de grandeza: a *pessoal*, a da *liderança* e a da *organização*.*

A *grandeza pessoal* é encontrada quando descobrimos os três dons recebidos ao nascer – a escolha, os princípios e as quatro inteligências humanas. Ao desenvolver esses dons e inteligências, cultivamos um caráter magnífico cheio de visão, disciplina e paixão, que é guiado pela consciência – simultaneamente corajosa e bondosa. Este tipo de caráter está voltado a dar contribuições significativas, visando não apenas servir a humanidade mas também alcançar e se concentrar em "aquele". Chamarei a esse caráter grandeza primária, enquanto a secundária inclui coisas como talento, reputação, prestígio, riqueza e reconhecimento.

A *grandeza da liderança* é alcançada por pessoas que, qualquer que seja sua posição, escolhem inspirar outros a encontrar a própria voz. Isso é atingido quando se vivem os Quatro Papéis do Líder.

A *grandeza organizacional* é alcançada quando a organização ataca o desafio final de traduzir seus papéis de liderança e trabalho (incluindo missão, visão e valores) em princípios ou elementos impulsionadores da execução – clareza, dedicação, tradução, capacitação, sinergia e cobrança de responsabilidades. Esses elementos são também princípios universais, atemporais e auto-evidentes para a organização.

O DIAGRAMA A SEGUIR resume a relação entre as três grandezas. As organizações que se regem e disciplinam a si mesmas por essas três grandezas chegam ao que poderíamos chamar de *ponto crítico*. Este é o núcleo onde os três círculos se superpõem. É onde se encontra a maior expressão de força e potencial. Quando conectamos o "*sweet spot*" de uma raquete, ao jogar tênis, ou do taco, no golfe, com a pequena bola branca, temos certeza de que conseguimos. É empolgante! Vibra. É um bom sentimento. Sem mais esforço do que de costume, a conexão com o centro libera um surto de força e a bola vai muito mais longe e rápido. É outra forma de falar da força que é liberada quando "encontramos nossa própria voz" como pessoas, equipes ou organizações.

---

* Mais informações sobre como alcançar um desempenho superior sustentado por meio do desenvolvimento das três formas de grandeza podem ser encontradas no Apêndice 8.

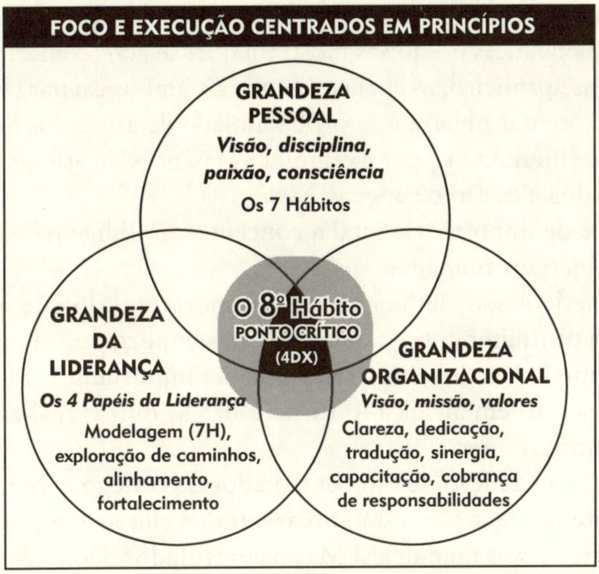

FIGURA 14.3

AS 4 DISCIPLINAS DA EXECUÇÃO (4DX)

Há quatro disciplinas que, se praticadas coerentemente, podem fechar essas lacunas da execução e aprimorar grandemente a capacidade de focar e executar as principais prioridades de equipes e organizações. Denominamo-las as *4 Disciplinas da Execução*. Obviamente, há um grande número de fatores que influencia a execução. Contudo, nossa pesquisa sugere que essas quatro disciplinas representam os 20% de atividades que geram 80% dos resultados, já que elas estão relacionadas à execução consistente, com excelência, das principais prioridades. Podemos observar que estas quatro disciplinas são coerentes com as três áreas de grandeza, das quais fluem. Elas são o ponto crítico (ver 4DX) no centro do diagrama, o ponto de contato que libera energia, o conjunto de práticas avançadas, "onde podemos ver a ação", focadas a laser, que permitirão à equipe e à organização obter resultados.

A seguir, apresentamos um sumário destas quatro disciplinas (4DX).

Disciplina 1: Concentrar-se no mais importante

Há um princípio-chave que muitos não entendem a respeito do foco nas organizações: **as pessoas estão naturalmente prontas para concentrar-se, com excelência, apenas em uma coisa por vez (ou, na melhor das hipóteses, em muito poucas).**

Imaginemos que temos 80% de chances de alcançar qualquer objetivo dado com excelência. As pesquisas mostram que, se acrescentarmos um segundo objetivo a esse primeiro, as chances de atingir ambos cai para 64%. Se continuarmos a acrescentar objetivos, a probabilidade de atingi-los despenca. Com cinco objetivos simultâneos, por exemplo, as chances de atingir excelentes resultados em todos eles são de apenas 33%.

Portanto, é de importância vital a concentração diligente e intensa em alguns poucos objetivos fundamentais.

Alguns objetivos são claramente mais importantes do que outros. Temos que aprender a distinguir entre o que é "apenas importante" do que é "crucialmente importante". Um "objetivo crucialmente importante" traz sérias conseqüências. O fracasso em alcançá-lo torna todas as outras realizações relativamente pouco importantes.

Imaginemos a situação de um controlador de tráfego aéreo. Em qualquer momento, centenas de aviões estão no ar e todos eles são importantes – especialmente se estivermos num deles! Mas o controlador não pode concentrar-se em todos eles simultaneamente. Sua tarefa é *pousar um deles de cada vez*, e fazê-lo sem falhas. Toda organização está em posição parecida. Poucas podem se dar ao luxo de "dividir a atenção"; alguns objetivos simplesmente *precisam* pousar agora mesmo.

E como sabemos quais os objetivos que são "crucialmente importantes" e que melhor contribuirão para que executemos nosso plano estratégico? Às vezes, isso é imediatamente claro e óbvio. Em outras ocasiões, é preciso fazer uma análise. A Tela da Importância é uma ferramenta de planejamento estratégico

A TELA DA IMPORTÂNCIA

Instruções	Tela dos principais envolvidos	Tela da Estratégia	Tela da Economia	
1. Liste os objetivos potenciais de sua equipe 2. Em cada tela classifique os objetivos numa escala de – 1 a 4, onde 4 = GRANDE IMPACTO POSITIVO 0 = NENHUM IMPACTO –1 = IMPACTO NEGATIVO 3. Totalize os pontos 4. Faça um teste intuitivo. "Estamos enfrentando realidades brutais?" 5. Com base na totalização e no teste intuitivo, assinale os objetivos que são realmente importantes.	*ESCALA –1 a 4* **Critérios a considerar:** ■ Aumento da fidelidade do cliente ■ Desperta a paixão e a energia de nosso pessoal ■ Tem impacto favorável nos fornecedores, parceiros, investidores ■ Outros critérios	*ESCALA –1 a 4* **Critérios a considerar:** ■ Dá apoio direto aos objetivos organizacionais ■ Alavanca as competências essenciais ■ Aumenta o poder de mercado ■ Aumenta a vantagem competitiva ■ Outros critérios	*ESCALA –1 a 4* **Critérios a considerar:** ■ Aumenta a receita ■ Reduz os custos ■ Melhora o fluxo de caixa ■ Aumenta a lucratividade ■ Outros critérios	
Objetivos potenciais:				TOTAL DE PONTOS

FIGURA 14.4

muito importante para nos ajudar a atribuir prioridades a nossos objetivos, passando-os pelos filtros econômico, estratégico e dos principais envolvidos. Em outras palavras, ela nos ajudará a avaliar quais entre todos os objetivos potenciais nos trará maior alavancagem em termos de benefícios econômicos, estratégicos e dos principais envolvidos. Podemos usar a Tela da Importância para determinar nossos principais objetivos. Isso é a *descoberta de caminhos* de ponta em termos de ação.

A Tela dos Principais Envolvidos. Quais são as coisas mais importantes que temos que fazer para atender as necessidades de nossos principais envolvidos? Os clientes, os empregados, os fornecedores, os investidores e todos os outros que têm um interesse nesses objetivos. Consideremos como os objetivos potenciais poderiam:

- aumentar a fidelidade do cliente
- despertar a paixão e a energia de nosso pessoal
- ter impacto favorável nos fornecedores, parceiros, investidores

A Tela da Estratégia. Verificar como os objetivos potenciais afetam a estratégia da organização, considerando se isso:

- dá apoio direto aos objetivos organizacionais
- alavanca as competências essenciais
- aumenta o poder de mercado
- aumenta a vantagem competitiva

Temos que nos perguntar: qual é a coisa mais relevante a fazer para levar adiante nossa estratégia?

A Tela da Economia. O objetivo crucialmente importante tem que contribuir para o resultado econômico geral da organização de alguma maneira direta ou indireta. Cabe perguntar: de todos os nossos objetivos potenciais, quais os poucos que nos trariam os retornos econômicos mais significativos? Consideremos os seguintes pontos:

- aumento da receita
- redução dos custos
- melhoria do fluxo de caixa
- aumento da lucratividade

Mesmo para as organizações sem fins lucrativos, os aspectos econômicos são cruciais, já que toda organização precisa de um fluxo de caixa para sobreviver.

A FILTRAGEM DOS OBJETIVOS pelas telas dos principais envolvidos, da estratégia e da economia nos mostra um claro "por que" por trás do "que" de cada objetivo.

Acredito que um plano estratégico permanecerá vago e aéreo a menos que seja desdobrado em duas ou três altas prioridades ou objetivos "crucialmente importantes". Grupos interessados de todos os níveis da organização deveriam ser engajados na identificação desses objetivos cruciais de modo que eles também passassem a ter grande dedicação e compreensão da lógica que está por trás de cada um.

Para alcançar resultados com excelência, precisamos nos concentrar em alguns poucos objetivos crucialmente importantes e deixar de lado aqueles que são apenas importantes. Como os seres humanos só são capazes de fazer com excelência uma coisa de cada vez (ou, na melhor das hipóteses, algumas poucas), temos que estreitar nosso foco. A realidade é que muitos de nós tentamos fazer coisas demais. Como o controlador de tráfego aéreo, precisamos aprender a pousar um avião de cada vez – fazer menos coisas com excelência e não muitas coisas de forma medíocre.

Para praticar essa disciplina, precisamos deixar claros os dois ou três objetivos "crucialmente importantes" e alinhá-los atentamente com as altas prioridades da organização.

FILME: *Não é apenas importante, é crucialmente importante!*

Para ilustrar a subjacente necessidade de foco nos "poucos aspectos vitais", convido o leitor a assistir ao filme chamado *Não é apenas importante, é crucialmente importante!* Ele está embasado em entrevistas conduzidas com nossos clientes, não com atores. Ilustra o desalinhamento e a falta de clareza dos objetivos que predominam na maioria das organizações. Embora bem-humorado, revela os problemas de foco e execução tão freqüentes. Coloque o DVD em seu aparelho, selecione o título e sente para ver se não reconhece nele um pedacinho da organização em que trabalha.

Disciplina 2: Criar um placar convincente

Um Placar nos permite promover um princípio básico: **as pessoas jogam de modo diferente quando acompanham o placar.**

Já observou um jogo de rua de qualquer tipo – basquete, hóquei, futebol – quando os jogadores não acompanham o placar? Os jogadores fazem o que querem, param por alguma brincadeira, e não há grande concentração no jogo.

Mas quando começam a acompanhar o placar as coisas mudam. Há mais garra. Há embates. Improvisam-se jogadas. Os jogadores se adaptam rapidamente a qualquer novo desafio. E a velocidade e o ritmo do jogo aumentam de modo impressionante.

O mesmo acontece no trabalho. Sem mensurações de sucesso de clareza cristalina, as pessoas nunca estão certas de qual é o verdadeiro objetivo. Sem mensurações, o mesmo objetivo é interpretado por centenas de pessoas diferentes de centenas de modos diferentes. Em conseqüência, os integrantes da equipe perdem o rumo dedicando-se a coisas que podem ser urgentes, mas são menos importantes. Trabalham em ritmo incerto. A motivação diminui.

É por isso que é tão fundamental contar com um Placar convincente, visível, acessível para nossos planos estratégicos e objetivos essenciais. A maioria dos grupos no trabalho não conta com medidas claras de sucesso nem tem qualquer maneira de acompanhar seu desempenho em relação a suas prioridades principais.

De acordo com nossa pesquisa Qx, apenas um em cada três trabalhadores conta com medições exatas para avaliar seu progresso ou sucesso quanto a objetivos importantes. E apenas três de cada dez acreditam que as recompensas ou conseqüências têm algo a ver com o desempenho relativo a objetivos mensuráveis. Obviamente, poucos trabalhadores contam com o sistema de feedback necessário para executar com precisão.

Podemos imaginar o grande poder motivador do Placar. É uma imagem inescapável da *realidade*. O sucesso estratégico depende disso. Os planos devem adaptar-se a ele. O ritmo também tem que se ajustar a ele. A menos que possamos acompanhar a pontuação, nossas estratégias e nossos planos não passam de abstrações. De modo que precisamos elaborar um Placar atraente e atualizá-lo de modo consistente. Isso é combinar a *descoberta de caminhos* e o *alinhamento* na ponta da ação.

COMO SE CRIA UM PLACAR CONVINCENTE?

Temos que identificar, por meio do envolvimento e da sinergia (*modelando* os 7 Hábitos), as medidas-chave para os objetivos de nossa organização ou equipe e apresentá-los visualmente. O Placar tem que deixar três coisas absolutamente claras: *Do quê? Para quê? Para quando?*

1. Listar as principais prioridades ou "objetivos crucialmente importantes" – aqueles que nossa equipe tem que alcançar mesmo.
2. Criar um placar para cada um deles com estes elementos:

- O resultado atual (onde estamos agora)
- O resultado almejado (onde precisamos estar)
- O prazo final (para quando)

O Placar pode tomar a forma de um gráfico de barras, de uma linha de tendência, um gráfico de pizza ou um gráfico de Gantt. Ou pode ter a aparência de um termômetro, ou de um velocímetro ou de uma escala. Somos nós que decidimos – mas tem que estar visível, ser dinâmico e acessível. É preciso também lembrar que, como os fins preexistem aos meios, podemos incluir no Placar medidas relativas a valores centrados em princípios.

3. Depois de colocar o Placar no computador, pedir às pessoas que o observem todos os dias ou semanas, conforme seja o caso. Depois se fazem reuniões em torno dele, se examinam e se resolvem os problemas à medida que forem aparecendo.

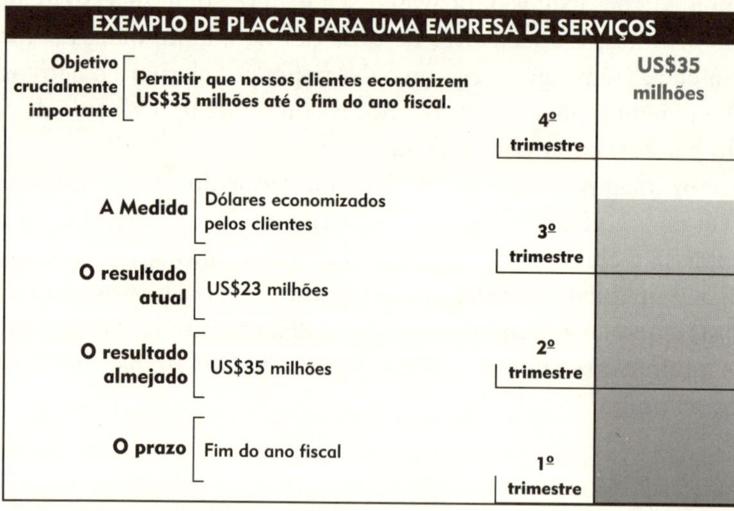

FIGURA 14.5

Todos os integrantes da equipe devem poder ver o Placar e acompanhar as mudanças, momento a momento, dia a dia ou semanalmente. Devem discuti-lo permanentemente. Nunca devem esquecê-lo. O Placar convincente tem como efeito contar os pontos num jogo de rua. De repente, o ritmo muda. As pessoas trabalham mais rápido, as conversações mudam, as pessoas se adaptam rapidamente a novas realidades. E alcançamos o objetivo com maior exatidão e rapidez.

Disciplina 3:
Traduzir objetivos vagos em ações específicas

Uma coisa é formular um novo objetivo ou estratégia. Outra bem diferente é transformá-lo em ação, desdobrá-lo em novos comportamentos e atividades em todos os níveis, incluindo a linha de frente. Há uma grande diferença entre a estratégia declarada e a estratégia real. A primeira é a comunicada, a segunda é a soma das ações cotidianas do pessoal. Para alcançar objetivos nunca alcançados antes, precisamos começar a fazer coisas que nunca fizemos. Só porque os líderes sabem quais são os objetivos não quer dizer que o pessoal da linha de frente, que é onde as coisas realmente acontecem, saiba o que fazer. Os objetivos nunca serão alcançados até que toda a equipe saiba exatamente o que *deve fazer* em relação a eles. Em última análise, a linha de frente é a responsável pelos resultados finais. São os criativos trabalhadores do conhecimento. A liderança, tenhamos sempre presente, é uma escolha, não uma posição; pode estar distribuída em todo lugar – em todos os níveis da organização. E também não esqueçamos que não podemos cobrar resultados das pessoas se supervisionamos seus métodos. *Nós*, então, nos tornamos responsáveis pelos resultados e as regras substituem o juízo, a criatividade e a responsabilidade humanos.

Para praticar esta disciplina, nossa equipe tem que se tornar criativa, deve identificar comportamentos *novos* e *melhores*, necessários para alcançar os objetivos propostos e traduzi-los em tarefas semanais e diárias em todos os níveis da organização. Isto é *fortalecimento* na ponta da ação.

Disciplina 4:
Cobrança mútua de responsabilidades – contínua

Nas equipes mais eficazes, as pessoas se reúnem com freqüência – todo mês, toda semana e até todo dia – para se comunicar, examinar o Placar, resolver problemas e ver como podem se apoiar mutuamente. A menos que todos na equipe cobrem responsabilidades uns dos outros – *o tempo todo* –, o processo não funcionará. O prefeito Rudolph Giuliani, a quem muitos atribuem o renascimento da cidade de Nova York, fazia regularmente "reuniões matinais" com sua equipe. A idéia era acompanhar cotidianamente o progresso dos principais objetivos. Quando os encontros da equipe têm um intervalo maior do que uma semana, há uma perda de rumo e uma redução da concentração.

Uma equipe que se fortalece se concentrará e reconcentrará em freqüentes sessões de cobrança de responsabilidades. Essas reuniões não são como as típicas reuniões de equipe em que as pessoas falam de tudo o que ocorre no mundo e não podem esperar que a reunião acabe para voltar ao trabalho real. O propósito de uma sessão de cobrança efetiva é fazer avançar os principais objetivos.

Três práticas caracterizam este tipo de reunião:

- Relatórios de triagem
- Busca de Terceiras Alternativas
- Clareamento do caminho

Relatórios de triagem. Nos pronto-socorros dos hospitais é comum encontrar um grande cartaz onde se pode ler algo assim: OS PACIENTES SERÃO ATENDIDOS POR ORDEM DE GRAVIDADE, NÃO DE CHEGADA. A equipe médica procede então a um processo chamado "triagem", em que se verifica qual a queixa do doente e se estabelece a prioridade dos atendimentos. É por isso que alguém com um braço quebrado tem que esperar enquanto os médicos cuidam de um enfartado, mesmo que este tenha chegado depois.

Nos relatórios de triagem, todos os presentes falam dos problemas vitais, deixando as questões menos importantes para outra ocasião. Eles se concentram em resultados-chave, grandes problemas e questões de alto nível. Isso não quer dizer que só sejam examinadas questões "urgentes". Significa que só aquelas que são "importantes" serão tratadas, embora algumas destas não sejam "urgentes". O quadro a seguir contrasta a típica reunião de equipe com uma sessão de cobrança eficaz:

SESSÕES DE COBRANÇA DE RESPONSABILIDADES EFICAZES (RELATÓRIO DE TRIAGEM)	REUNIÕES DE EQUIPE TÍPICAS
Informes sintéticos sobre poucas questões vitais	"Marcha fúnebre" em torno da sala, onde as pessoas se sentem pressionadas a falar enquanto os outros se retiram
Revisão do placar	Nenhuma medição dos progressos feitos
Acompanhamento	Falta de acompanhamento
Cobrança mútua de responsabilidades	Só o gerente cobra responsabilidades dos participantes
As pessoas falam francamente de brigas e fracassos	As pessoas escondem suas brigas e fracassos
Comemoração de sucessos	Só se fala de problemas

QUADRO 7

Busca de Terceiras Alternativas. Nas sessões de cobrança eficazes, as pessoas estão concentradas na maneira de atingir seus objetivos principais. Neste caso, o princípio é que um novo objetivo nunca alcançado antes exige que façamos coisas que nunca foram feitas antes. Isto quer dizer que estamos constantemente em busca de novos e melhores comportamentos que nos levem ao objetivo. É por isso que temos que encontrar "Terceiras Alternativas" – cursos de ação melhores do que aquele que pensei ou o que você pensou e que resultam de nossas melhores idéias. Lembremos novamente: geramos sinergia respeitando a diversidade ou a diferença – isto é, as diferenças individuais no contexto da unidade da missão, dos valores, da visão e dos objetivos crucialmente importante.

Em tais sessões, vemos muito *brainstorming* e muito tempo dedicado ao diálogo criativo. O quadro a seguir contrasta a típica reunião de equipe com uma sessão de cobrança eficaz:

SESSÕES DE COBRANÇA DE RESPONSABILIDADES EFICAZES (BUSCA DE TERCEIRAS ALTERNATIVAS)	REUNIÕES DE EQUIPE TÍPICAS
Cheias de energia, sinergia e solução de problemas	**Muita conversa, pouca ação**
São geradas novas e melhores idéias (1 + 1 = 3, 10, 100 ou mais)	**Não há tempo ou ambiente para o diálogo criativo**
Sabedoria do grupo	**O "gênio solitário"**

QUADRO 8

Clareando o caminho. Em grande medida, a liderança efetiva consiste em afastar os obstáculos do caminho e alinhar os objetivos e sistemas de modo que os outros possam alcançar seus objetivos. Num verdadeiro processo de "acordo ganha-ganha", cabe ao gerente clarear o caminho, fazer coisas que só ele pode e capacitar o trabalhador para que ele tenha sucesso. Obviamente, não é apenas o gerente que clareia o caminho para os outros. É uma tarefa de cada um.

Assim, numa sessão de cobrança eficaz, ouviremos alguém perguntar: "Como posso abrir o caminho para você?" ou "Estou tendo dificuldade com isto e preciso de ajuda", ou "O que podemos fazer para ajudá-lo a fazer isto?". O quadro a seguir contrasta os dois tipos de sessão:

SESSÕES DE COBRANÇA DE RESPONSABILIDADES EFICAZES (RELATÓRIO DE TRIAGEM)	REUNIÕES DE EQUIPE TÍPICAS
Uma penada minha elimina horas de trabalho suas	**Ficamos atolados porque há obstáculos que não podemos eliminar sozinhos**
Estamos no mesmo barco	**Estamos sozinhos**
Admitimos que precisamos de ajuda e a pedimos	**Receamos admitir que precisamos de ajuda**

QUADRO 9

Isso é *alinhamento* na ponta da ação.

EXECUÇÃO INSTITUCIONALIZADA

Como vemos, as 4 Disciplinas representam uma metodologia para atacar o que em geral é considerado um fator variável praticado por poucos grandes executores – a execução consistente – e transformá-lo em algo previsível, que pode ser ensinado e replicado. Aprendemos nas pesquisas e na prática que quando equipes, unidades ou organizações põem em prática essas quatro disciplinas, elas demonstram uma habilidade muito maior de executar altas prioridades uma e outra vez.* A execução então passa a ser institucionalizada e não mais uma questão de sorte ou da influência de uns poucos líderes-chave. O segredo da institucionalização de uma cultura de execução é medi-la com regularidade.

O QUOCIENTE DE EXECUÇÃO (Qx)

As organizações precisam encontrar uma nova forma de exprimir e medir sua habilidade coletiva de "focar e executar". Chamamos a isso Qx – o "Quociente de Execução". Assim como um teste de QI revela lacunas na inteligência, uma avaliação Qx mede a "lacuna da execução" – a diferença entre estabelecer um objetivo e alcançá-lo de fato. A pontuação do Qx é um indicador antecedente da capacidade da organização em relação à execução de seus objetivos mais importantes. Não é preciso mais esperar que os indicadores *ex post* nos digam se fomos ou não bem-sucedidos. Ao fazer aos trabalhadores 27 perguntas cuidadosamente elaboradas, que podem ser respondidas em cerca de 15 minutos, obtém-se esse indicador antecedente.**

Dá para imaginar o poder da aplicação de um teste Qx desde a base da organização até seu topo a cada três ou seis meses para obter um retrato exato do seu grau de foco e execução? Isso pode ser feito formal ou informalmente. Na verdade, quanto mais a cultura amadurece, menor a diferença entre a coleta formal ou informal de informações. Então, com base no Questionário Qx, poderemos obter um grande ímpeto cultural na base da organização para alinhar os objetivos dos departamentos e divisões, de modo que as prioridades estraté-

---

* Para mais informações relativas ao modo de institucionalizar as 4 Disciplinas da Execução em sua equipe ou organização, ver Apêndice 5.

** Um sumário mais pormenorizado dos resultados do estudo da Harris Interactive junto a 23 mil trabalhadores, gerentes e executivos aos quais foi aplicado o Questionário Qx é encontrado no Apêndice 6.

gicas fundamentais sejam constantemente focadas e executadas. Isso levaria o modelo da Era do Trabalhador do Conhecimento para a Era da Sabedoria.*

ESPERAMOS QUE O LEITOR COMECE a ver como o 8º Hábito – Encontre a sua Voz Interior e Inspire os Outros a Encontrar as Deles – é outra forma de dizer "Utilize o fortalecedor modelo do trabalhador do conhecimento, da pessoa integral. Aplique os 7 Hábitos (grandeza pessoal), os Quatro Papéis do Líder (grandeza da liderança) e os seis princípios ou forças motrizes da execução (grandeza organizacional) a esse modelo".

Passaremos agora ao píncaro do 8º Hábito: Usar Nossas Vozes com Sabedoria para Servir os Outros.

PERGUNTA E RESPOSTA

- **Qual é a diferença entre o que o senhor denominava os cinco elementos de um bom acordo ganha-ganha e as 4 Disciplinas da Execução?**

No nível básico, o dos princípios, não há diferença. O que distingue os dois conceitos é a semântica (o modo como as palavras são usadas e definidas) e o contexto geral em que se situam as 4 Disciplinas. Vamos explicar isto mais completamente.

Os cinco elementos de um bom acordo ganha-ganha são:

1. Resultados desejados
2. Linhas mestras
3. Recursos
4. Cobrança de responsabilidades
5. Conseqüências

* O leitor interessado em preencher [em inglês] o Questionário Qx, gratuitamente, para avaliar pessoalmente a capacidade de sua equipe e sua organização em focar e executar as prioridades fundamentais pode procurar www.The8thHabit.com/offers. Depois de se cadastrar, ele receberá orientações relativas ao modo de fazer o teste. Depois de preenchido, o leitor receberá um Relatório Qx, que resume sua avaliação e a compara com a pontuação média do agregado de milhares de outras respostas. O leitor receberá também maiores informações sobre como medir toda sua equipe ou organização.

Os *resultados desejados* e as *linhas mestras* estão basicamente englobados nas duas primeiras disciplinas da execução – estabelecimento de Objetivos Crucialmente Importantes e elaboração de um Placar convincente. Como já foi mencionado anteriormente, os fins e os meios são inseparáveis, portanto a concretização dos resultados desejados e o atingimento dos objetivos crucialmente importantes podem ser entrelaçados quando isso é feito de modo centrado em princípios.

O terceiro elemento de um acordo ganha-ganha, os *recursos*, está implícito na terceira disciplina da execução – tradução de objetivos vagos em ações específicas. Os quarto e quinto elementos do acordo de desempenho ganha-ganha – a *cobrança de responsabilidades* e as *conseqüências* – estão explicitamente envolvidos na quarta disciplina: cobrança mútua de responsabilidades todo o tempo. Como as conseqüências são o resultado natural da cobrança de responsabilidades, elas também estão implicitamente envolvidas.

A grande vantagem da abordagem das 4 Disciplinas para a execução e o fortalecimento da equipe é que elas decorrem de um estudo, embasado em pesquisas, das lacunas da execução, o contexto mais amplo de como o modelo da Era Industrial cria essas lacunas e como o modelo da Era do Trabalhador do Conhecimento as preenche.

Capítulo 15

USAR NOSSAS VOZES COM SABEDORIA PARA SERVIR OS OUTROS

Não sou mais um jovem cheio de energia e vitalidade. Sou dado à meditação e à prece. Gostaria de sentar numa cadeira de balanço, tomando remédios, ouvindo música suave e contemplando as coisas do universo. Mas essa atividade não oferece desafios nem contribui para nada. Quero estar ativo e fazendo coisas. Quero enfrentar cada dia com resolução e propósito. Quero usar cada hora de trabalho para dar incentivo, para abençoar aqueles cujo fardo é pesado, para fortificar a fé e a força do testemunho. É a presença de pessoas maravilhosas que estimula a adrenalina. É o brilho do amor em seus olhos que me dá energia.[1]

GORDON B. HINCKLEY, 92 ANOS

Dormi e sonhei que a vida era alegria.
Acordei e vi que a vida era servir.
Agi e vi que servir era alegria.

RABINDRANATH TAGORE

Acredito que a prestação de serviços úteis é o dever comum da humanidade e que a escória do egoísmo é consumida no fogo purificador do sacrifício, liberando a grandeza da alma humana.[2]

JOHN D. ROCKEFELLER, JR.

O IMPULSO INTERIOR PARA 1) Encontre sua voz interior e 2) Inspire os outros a encontrar as deles, é alimentado por um grande propósito abrangente: atender as necessidades humanas. Sem ir além e atender as necessidades humanas, nós não expandimos nem desenvolvemos realmente nossa liberdade de escolha como poderíamos. Crescemos mais, pessoalmente, quando nos doamos aos outros. Nossos relacionamentos melhoram e se aprofundam quando tentamos juntos servir nossa família, outra família, uma organização, uma comunidade ou outra necessidade humana.

No início, ainda estudante, queria liberdade somente para mim, as liberdades transitórias de poder ficar fora de casa à noite, ler o que quisesse e ir aonde me aprouvesse. Mais tarde, quando jovem em Johannesburg, ansiava pelas liberdades básicas e honrosas de alcançar meu potencial, ganhar minha vida, casar e formar uma família – a liberdade de não enfrentar obstáculos vivendo dentro da lei. Mas fui vendo aos poucos que não apenas eu não era livre, mas que meus irmãos e irmãs não o eram... foi então que a fome por liberdades para mim se tornou uma fome maior pela liberdade de meu povo.

Foi esse desejo de liberdade de meu povo para viver com dignidade e auto-respeito que deu ânimo à minha vida, que transformou o jovem temeroso numa pessoa de coragem, que levou um advogado respeitador da lei a se tornar um criminoso, o marido que amava sua família num homem sem lar... Não sou mais virtuoso ou disposto a me sacrificar do que qualquer outra pessoa, mas descobri que não poderia sequer desfrutar das poucas e limitadas liberdades que me eram concedidas quando sabia que meu povo não era livre.[3]

NELSON MANDELA

As organizações são criadas para atender necessidades humanas. Não há outra razão para sua existência. Robert Greenleaf escreveu um belo ensaio, "The Institution as Servant", que aplica todo o conceito de serviço a uma organização.

Servir é o aluguel que pagamos para viver neste nosso mundo.[4]
NATHAN ELDON TANNER

Willis Harmon, um dos fundadores da World Business Academy, expressou sua convicção a respeito da própria instituição nestas palavras:

> Os negócios se tornaram a mais poderosa instituição do planeta. Em qualquer sociedade, a instituição dominante precisa assumir a responsabilidade pelo todo. Mas a empresa não tinha essa tradição. Este é um novo papel não muito bem entendido ou aceito. Desde o início o conceito de capitalismo e de livre empresa se embasava na pressuposição de que as ações de muitas unidades de empresas privadas, respondendo às forças de mercado e orientadas pela "mão invisível" de Adam Smith, gerariam de alguma forma resultados desejáveis. Mas na última década do século XX ficou claro que a "mão invisível" está falhando. Depende de um conjunto de significados e valores que não estão mais presentes. Assim, a empresa tem que se adaptar a uma tradição que nunca teve durante toda a história do capitalismo: compartilhar a responsabilidade pelo todo. Toda decisão tomada, toda ação empreendida deve ser vista à luz dessa responsabilidade.

A ERA DA SABEDORIA

Acredito que este milênio se tornará a Era da Sabedoria. Isso acontecerá seja pela força de circunstâncias que tornem humildes as pessoas, seja pela força da consciência – ou talvez pelas duas.

Convém recordar as Cinco Eras da Voz da Civilização. A tecnologia da Era da Caça-Coleta era simbolizada pelo arco e flecha; a da Era Agrícola, pelos equipamentos para cultivo da terra; a Era Industrial, pela fábrica; a Era da Informação/Trabalhador do Conhecimento, pelo ser humano; a Era da Sabedoria, pela bússola, que representa o poder para escolher nosso rumo e propósito e obedecer as leis naturais e os princípios (norte magnético), que não mudam nunca e são universais, atemporais e auto-evidentes.

Não podemos esquecer que, com cada mudança na infra-estrutura, mais de 90% das pessoas acabarão desempregadas. Acredito que é o que está agora acontecendo com a passagem da Era Industrial para a da Informação/Trabalhador do Conhecimento. As pessoas ou estão perdendo seus empregos ou estão gradualmente sendo transformadas pelas novas demandas de seus novos empregos. Pessoalmente, acredito que mais de 20% da força de trabalho atual está se tornando obsoleta, e que a menos que eles se redediquem e se reinventem, em poucos anos, outros 20% se tornarão obsoletos.

A Era da Informação está se transformando tão rapidamente na Era do Trabalhador do Conhecimento que se fará necessário um investimento contínuo em nossa formação e treinamento para poder acompanhá-la. Muito disso será resultado dos golpes sofridos, mas as pessoas que vêem o que está acontecendo e que são disciplinadas continuarão procurando adquirir conhecimentos continuamente até imbuir-se da nova mentalidade e do novo conjunto de ferramentas que se fazem imprescindíveis para antecipar e se ajustar às realidades da nova era. Esperamos que isto gradualmente venha a se tornar uma Era da Sabedoria, em que a informação e o conhecimento estejam impregnados de propósito e princípios.

ONDE HÁ SABEDORIA?

Sabemos que a informação não é sabedoria. Também sabemos que o conhecimento não é sabedoria.

Há muitos anos, quando ensinava na universidade e me preparava para o doutorado, fui visitar um amigo que era também meu professor. Disse-lhe: "Gostaria de escrever uma dissertação sobre motivação e liderança – um documento filosófico mais do que um estudo empírico."

O que ele me respondeu basicamente foi: "Stephen, você não sabe o suficiente nem para fazer as perguntas certas." Em outras palavras, meu conhecimento era de dado nível mas eu precisava aprender muito mais se quisesse lidar com as questões com as quais teria que tratar. Isso foi um trauma emocional para mim, porque meu coração e minha mente estavam realmente voltados para o uso de uma abordagem filosófica em lugar daquela científica, que acabei adotando. Acreditava que a combinação de formação filosófica informal que recebera na graduação e na pós-graduação em administração seria suficiente. Só muitos anos mais tarde é que percebi como esse professor estava certo. Foi uma lição de humildade.

Essa lição foi a mãe de muitos aprendizados e percepções que vivenciei nos anos que se seguiram. Finalmente, aprendemos que, *quanto mais conhecemos, mais sabemos que não sabemos*. Podemos ver isso assim (ver Figura 15.1). Há um círculo que representa nosso conhecimento. Nossa ignorância está do lado externo de sua circunferência.

Quando nosso conhecimento aumenta, o que acontece com nossa ignorância? Obviamente se torna maior, ou pelo menos a percepção dela aumenta (ver Figura 15.2), de modo que, quanto mais sabemos, mais estamos cientes de que

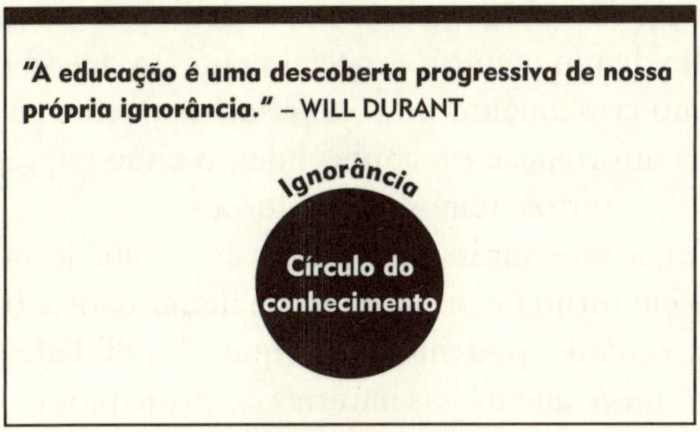

FIGURA 15.1

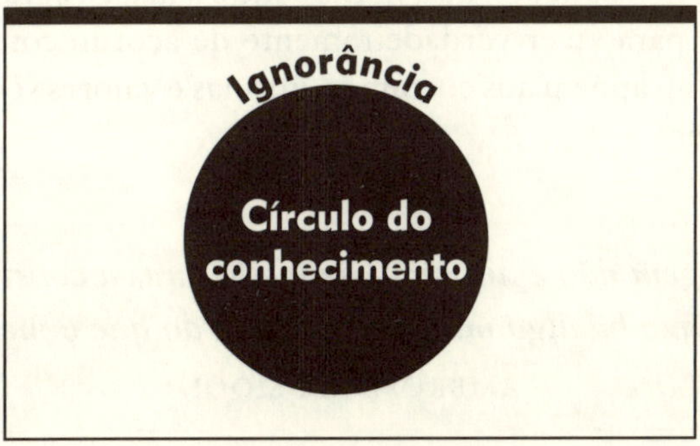

FIGURA 15.2

não sabemos. E se estivéssemos tentando servir propósitos maiores do que nosso conhecimento – maiores do que nossa zona de conforto? Isso geraria uma autêntica humildade e um desejo de pedir ajuda aos outros – parceiros ou equipe. Trabalhar bem com outras pessoas torna nossos conhecimentos e habilidades produtivos e exige a criação de uma equipe complementar de pessoas com conhecimentos e habilidades capazes de compensar nossa ignorância e nossas fraquezas individuais e torná-las irrelevantes. É assim que deveria ser.

> *Em certo sentido, o conhecimento encolhe à medida que a sabedoria aumenta, pois detalhes são tragados pelos princípios. Os detalhes do conhecimento, que são importantes, serão recuperados* ad hoc *nas ocupações da vida, mas o hábito de utilização ativa de princípios bem compreendidos é a posse final da sabedoria.*[5]
>
> ALFRED NORTH WHITEHEAD

Esta consciência deveria aumentar nossa dedicação a um contínuo aprendizado com auxílio de um mentor, especialmente no que se refere a coisas tão fundamentais como crescimento pessoal, relacionamentos e lideranças. Acredito que, quando a informação e o conhecimento estão impregnados de propósitos e princípios meritórios, temos a sabedoria.

Outra maneira de mostrar isso seria dizer que a sabedoria é filha da integridade – integração em torno de princípios. E a integridade é filha da humildade e da coragem. Na verdade, podemos dizer que a humildade é mãe de todas as virtudes, pois reconhece que há leis naturais ou princípios que regem o universo. Eles estão no comando. Não nós. A humildade nos ensina a entender e viver de acordo com *princípios*, porque são eles que em última instância regem as conseqüências de nossas ações. Se a humildade é a mãe, a coragem é o pai da sabedoria. Porque, para viver verdadeiramente de acordo com esses princípios quando eles se contrapõem aos costumes, normas e valores sociais, é necessário ter grande coragem.

> ***A coragem não é ausência de medo, mas a constatação de que há algo mais importante do que o medo.***
>
> AMBROSE REDMOON

O quadro a seguir descreve visualmente essas três gerações – observe também seus opostos em cada uma das três gerações (ver Figura 15.3).

Podemos observar que a integridade tem duas filhas – a sabedoria e a mentalidade da abundância. A sabedoria cabe às pessoas que se educam e obedecem as suas consciências. A mentalidade da abundância é cultivada porque a integridade propicia segurança interior. Quando a pessoa não depende de juízos e comparações externos para sentir seu valor pessoal, ela pode regozijar-se verdadeiramente com o sucesso dos outros. Mas aqueles cuja identidade se embasa em comparações não podem ficar felizes quando os outros são bem-sucedidos porque são movidos por uma deficiência emocional. A sabedoria e a mentalidade da abundância geram o tipo de paradigmas de que fala este livro – paradigmas que nos levam a acreditar nas pessoas, afirmar seu valor e potencial e pensar em termos de liberação em vez de controle. Tal combinação de sabedoria e mentalidade da abundância respeita o poder e a capacidade de escolha das pessoas. Ela também respeita o fato de que a motivação é interna e portanto as pessoas que têm essa combinação não tentam gerenciar, controlar ou motivar outras pessoas. Esses líderes inspiram em vez de exigir. Eles controlam as coisas, mas conduzem (fortalecem) as pessoas. Elas não pensam em soma zero, buscam

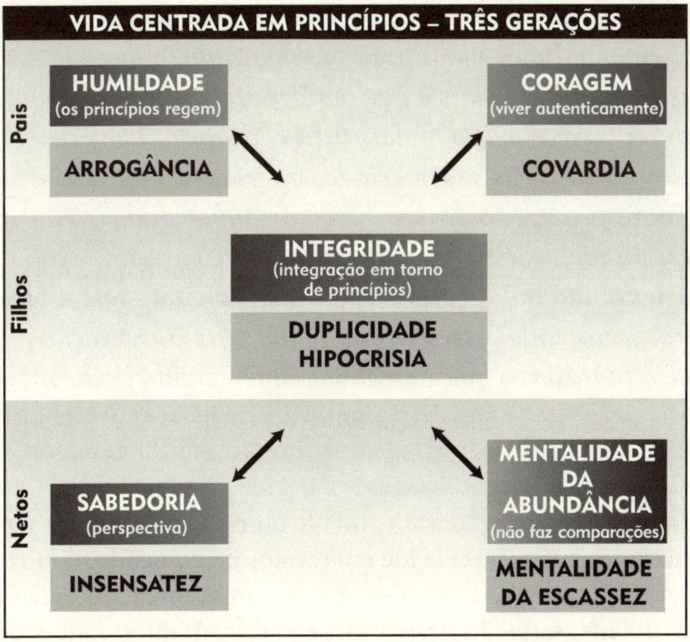

FIGURA 15.3

Terceiras Alternativas – caminhos intermediários mais elevados. Eles são cheios de gratidão, reverência e respeito por todas as pessoas. Vêem a vida como uma cornucópia de recursos – especialmente recursos humanos de oportunidade e crescimento contínuo.

AUTORIDADE MORAL E MENTALIDADE DE SERVIÇO

> Não teremos feito o suficiente enquanto ainda houver a possibilidade de que tenhamos algo de valor com que contribuir.[6]
>
> DAG HAMMARSKJÖLD

Sabedoria é o uso benéfico do conhecimento; sabedoria é informação e conhecimento impregnados de propósitos e princípios mais elevados. A sabedoria nos ensina a respeitar todas as pessoas, a celebrar suas diferenças, a ser conduzidos por uma única ética – o *servir acima do eu*. A *autoridade moral* é a grandeza primordial (força de caráter); a *autoridade formal* é a grandeza secundária (posição, riqueza, talento, fama, popularidade).

Hoje, quando volto os olhos para meu passado, o que faço às vezes, o que me impressiona mais é que o que parecia à época significativo e sedutor parece agora o mais fútil e absurdo. Por exemplo, o sucesso em todas as suas variadas aparências; ser conhecido e elogiado; os prazeres ostensivos, como ganhar dinheiro ou seduzir mulheres ou viajar, percorrendo o mundo como Satã, explicando e experimentando tudo o que a Feira das Vaidades tem a oferecer. Em retrospecto, todos esses exercícios de autogratificação parecem pura fantasia, o que Pascal chamava "lamber a terra".[7]

MALCOLM MUGGERIDGE

O interessante em relação à autoridade moral é o quanto ela é paradoxal. O dicionário apresenta a autoridade em termos de comando, controle, poder, influência, regra, supremacia, dominação, domínio, força, potência. Mas o antônimo é civilidade, servidão, fraqueza, seguidor. A autoridade moral é a obtenção de influência por meio do seguimento de princípios. O domínio moral é alcançado servindo, sendo prestimoso, contribuindo. O poder e a supremacia moral emergem da humildade, em que o maior se torna servidor de todos. A autoridade moral ou grandeza primordial é alcançada mediante o sacrifício. Robert K. Greenleaf, o moderno fundador do movimento da liderança servidora, disse o seguinte:

> Um novo princípio moral está surgindo. Segundo ele, a única autoridade que merece nossa lealdade é aquela que é concedida livre e conscientemente pelos liderados ao líder em resposta, em proporção, à sua estatura clara e evidente de servidor. Os que optam por seguir este princípio não aceitarão despreocupadamente a autoridade das instituições existentes. Antes, eles responderão livremente apenas às pessoas que são escolhidas como líderes porque comprovaram ser servidores nos quais confiar. À medida que este princípio prevalecer no futuro, as únicas instituições de fato viáveis serão aquelas que forem predominantemente lideradas por servidores.[8]

Em minha experiência, em geral as pessoas que estão no topo de organizações realmente grandes são líderes-servidores. Eles são os mais humildes, os mais reverentes, os mais francos, os mais abertos aos ensinamentos, os mais respeitosos, os mais atentos. Como já mencionei anteriormente, Jim Collins, um dos autores do influente livro *Feitas para durar* e, mais recentemente, de *Empresas feitas para vencer*, conduziu um projeto de pesquisa que levou cinco anos em torno da pergunta: "O que leva uma organização a passar do meramente bom ao verdadeiramente grande?" Sua conclusão profunda deveria mudar a maneira como pensamos sobre a liderança. Eis como ele descreve a "Liderança de nível 5":

> Os executivos com maior capacidade de transformação possuem uma paradoxal combinação de humildade pessoal e vontade profissional. Eles são tímidos e ferozes. Encabulados e sem medo. São raros – e não podem ser detidos... as transformações do bom para o grande não acontecem sem líderes do nível cinco à frente, é impossível.[9]

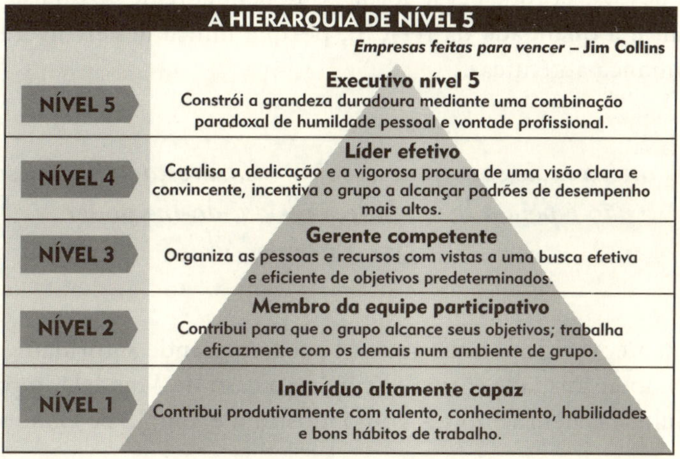

FIGURA 15.4[10]

Quando as pessoas com autoridade formal ou em posição de poder (grandeza secundária) se recusam a usar essa autoridade e poder, exceto em última instância, sua autoridade moral aumenta porque é óbvio que elas subordinaram seu ego e seu poder de posição e usam a razão, a persuasão, a bondade, a empatia e, em resumo, a confiabilidade. No seu livro *Leading Beyond the Walls*, Jim Collins põe esse princípio no contexto de um ambiente institucional mais amplo:

> Primeiro, os executivos devem definir o interior e o exterior da organização reforçando os valores e o propósito essenciais, e não pelos limites tradicionais. Segundo, de-

vem criar mecanismos de conexão e compromisso enraizados na liberdade de escolha, ao invés de depender de sistemas de coerção e controle. Terceiro, os executivos devem aceitar o fato de que o exercício da verdadeira liderança é inversamente proporcional ao exercício do poder. Quarto, precisam aceitar a realidade de que os muros tradicionais estão se desmanchando e que essa tendência deverá acelerar-se.[11]

Há momentos de grande caos, confusão e ameaça à sobrevivência em que a mão forte da autoridade formal precisa ser usada para pôr as coisas novamente no rumo, num novo nível de ordem e estabilidade ou numa nova visão. Contudo, na maioria dos casos, quando as pessoas recorrem à sua autoridade formal cedo demais, sua autoridade moral será reduzida. Mais uma vez, convém lembrar que, quando usamos nossa posição como instrumento de força, enfraquecemos três coisas: nosso eu, porque não desenvolvemos nossa autoridade moral; a outra pessoa, porque ela se torna co-dependente de nosso uso da autoridade formal; e a qualidade da relação, porque nunca desenvolveremos franqueza e confiança autênticas.

> *A maneira mais segura de revelar o caráter de uma pessoa não é pela adversidade, mas dando-lhe poder.*
>
> ABRAHAM LINCOLN

Geralmente, verifica-se que aqueles que têm grande autoridade moral acabam *recebendo* autoridade formal – como no caso de Mandela, o pai da nova África do Sul. Mas nem sempre – como mostra o exemplo de Gandhi, o pai da nova Índia.

Também verificamos, quase sempre, que aqueles que têm autoridade formal e a usam de modo centrado em princípios vêem sua influência aumentar exponencialmente – como George Washington, o pai dos Estados Unidos da América.

Por que a autoridade moral aumenta exponencialmente a efetividade da autoridade formal e do poder? As pessoas dependentes são extremamente sensíveis até a mais ligeira sugestão de arrogância e prepotência ou ao uso de paciência, bondade, gentileza, empatia e persuasão delicada. Essa força de caráter ativa a consciência dos outros e propicia uma identificação com o líder e a causa ou os princípios que ele representa. Então, quando a autoridade formal ou o poder decorrente da posição são usados, as pessoas seguem o líder pelas razões certas, por autêntica dedicação, e não por medo. Esta é outra modalidade de Terceira Alternativa.

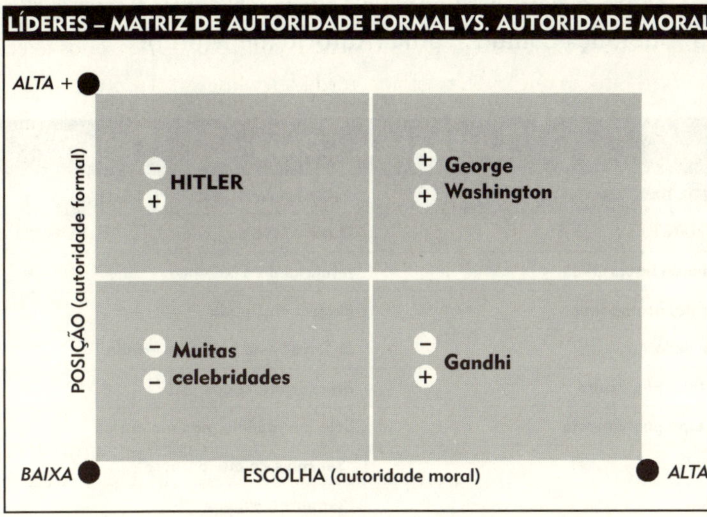

FIGURA 15.5

Este é o parâmetro realmente fundamental para nossa função na criação dos filhos, provavelmente nossa mais alta responsabilidade em termos de "voz" – a combinação de altos padrões e fortes valores, bem como disciplina constante, com amor incondicional, empatia profunda e muita alegria. É por isso que o grande teste para os pais – e a chave da constituição de uma cultura familiar saudável e carinhosa – é a maneira como tratamos os que mais nos desafiam.

Em períodos de dificuldades e problemas econômicos, a tendência natural é reverter ao modelo de comando e controle da Era Industrial, porque as pessoas temem pela sua segurança financeira. Parece mais seguro. As pessoas também tendem a mostrar-se mais dependentes e a responder ao estilo de comando e controle. Mas é justamente nesses momentos que o modelo do trabalhador do conhecimento é mais efetivo e poderoso – pois é em tempos difíceis que temos que produzir mais com menos.

A capacidade de produzir mais com menos se embasa na liberação do potencial humano de *toda* a organização, em vez de voltar a cair na armadilha de deixar que o pessoal do topo tome todas as decisões importantes enquanto o resto aperta os parafusos. Esta abordagem simplesmente não funciona nos duros tempos modernos.

Em resumo, num período de dificuldades econômicas, podemos voltar à cenoura e ao chicote, à teoria do burro para a motivação humana, porque ela funciona. Mas, embora possa permitir a sobrevivência, não otimizará os resultados.

Observe agora o contraste entre a Liderança como Posição (Autoridade Formal) e a Liderança como Escolha (Autoridade Moral):

LIDERANÇA COMO ...	
POSIÇÃO (AUTORIDADE FORMAL)	ESCOLHA (AUTORIDADE MORAL)
O poder está certo	O certo leva ao poder
Lealdade acima da integridade	Integridade é lealdade
Para ir em frente, acompanhe	Recusa obstinada
O "erro" é ser pego	O "erro" está em fazer errado
O pessoal do topo não aceita	Etos, Patos, Logos
O pessoal do topo não vivencia	Seja um modelo, não um crítico
A imagem é tudo	"Ser mais do que parecer"
"Ninguém falou"	Perguntar, sugerir
Fiz o que mandaram, não funcionou. E agora?	"Pretendo fazer"
Só há pouco	Há o suficiente e ainda sobra

QUADRO 10

Passemos agora a algumas ilustrações práticas de como comunidades e pessoas – algumas sem autoridade formal, algumas apenas com autoridade moral e outras *com* autoridade moral *e* formal, incluindo um grande líder militar e outros líderes e chefes de Estado de várias partes do mundo – exerceram suas sábias "vozes" para atender necessidades humanas.

POLICIAMENTO COMUNITÁRIO

Nos Estados Unidos e em outros lugares do mundo, muitas comunidades reduziram a criminalidade em até 60% por meio da sociedade civil – a Terceira Alternativa. A primeira alternativa é deixar à polícia a tarefa de fazer cumprir a lei. A segunda é rebaixar os padrões de comportamento, convivendo com o "enfraquecimento da fibra moral da sociedade". A Terceira Alternativa é usar a autoridade moral para fortalecer os cidadãos (sociedade civil) e dar-lhes a força para tomar parte ativa na prevenção do crime, ajudando a encontrar e levar à justiça os criminosos. Quem proporciona este tipo de liderança? O policial que faz a ronda.

A menos que esses policiais sejam "pessoas convincentemente boas" (como o Xerife Baca, de L.A. County, descreve seus elevados critérios de seleção e recrutamento) por que os vizinhos, os pais, as mães, os professores e outros cidadãos comuns se tornariam parceiros da polícia na *prevenção* do crime e na identificação dos criminosos? Como levar as normas e costumes sociais aos guetos e conjuntos habitacionais para implantar a tolerância zero para com o desrespeito à lei (até quando as pessoas atravessam a rua fora do sinal) se as pessoas no fundo do coração não se sentem emocionalmente conectadas a confiáveis policiais que fazem a ronda? Lembremos da brilhante observação do grande sociólogo Emile Durkheim: "Quando os costumes são suficientes, as leis são desnecessárias. Quando os costumes são insuficientes, é impossível fazer respeitar a lei."

Um colega meu que se dedica em tempo integral ao treinamento da polícia freqüentemente pergunta a seu público, constituído principalmente de líderes formais (xerifes, capitães, tenentes): "Quem são os verdadeiros líderes do policiamento comunitário?" Torna-se óbvio que os verdadeiros líderes são os policiais da ronda. Cabe a eles envolver as famílias e estabelecer com elas relações de confiança, visando prevenir crimes e "pôr a boca no trombone" – muitas vezes com grande risco para eles mesmos – em vizinhanças cheias de gangues, traficantes e usuários de drogas e freqüentes surtos de violência. Em tais situações, a autoridade formal não funciona – na verdade, pode até ser contraproducente e polarizar ainda mais as culturas. Somente a autoridade moral permite a prevenção e as normas de identificação de criminosos. Como na parábola do pastor, eles devem conhecer suas ovelhas e ser por elas reconhecidos (comunicação autêntica). Os pastores se preocupam tanto com suas ovelhas que estão dispostos até a sacrificar suas vidas por elas. É por isso que eles vão na frente e as ovelhas os seguem. Pastores contratados declaram estar preocupados, mas só estão interessados "na sua parte" (seu salário) e abandonam as ovelhas quando o "lobo" aparece. É por isso que os contratados conduzem a partir da retaguarda, usando a cenoura e o chicote.

Os líderes formais são realmente gerentes ou, ainda melhor, líderes servidores. Ele podem usar o COMSTAT ou outras tecnologias de computador para identificar problemas potenciais, para que os verdadeiros líderes – os policiais da ronda – possam arrancar as ervas daninhas antes que elas se espalhem.

Que conceito! Que advertência para os que pensam que a posição confere liderança! Este novo modelo vê os policiais com autoridade moral como sendo os verdadeiros líderes e o resto dos "superiores" como gerentes de sistemas alinhados, líderes servidores dos que estão na base. Não é uma mudança de paradigma, especialmente numa área tradicional, hierárquica, autoritária e conduzida por meio do comando e do controle?

> *A missão básica da polícia é PREVENIR o crime e a desordem. O público é a polícia e a polícia é o público e os dois dividem a mesma responsabilidade pela segurança da comunidade.*[12]
>
> SIR ROBERT PEEL, FUNDADOR DA POLÍCIA MODERNA

Quando assim pensamos, este caso do policiamento comunitário é exatamente isso: uma ilustração do que é verdadeiro e válido em todos os campos do comportamento humano. As pessoas que estão na ponta, lá onde se encontram os dois lados, têm que influenciar seus clientes, seus fregueses ou qualquer outra pessoa. Eles são os que têm que exercer realmente a liderança, estabelecendo relações de confiança e tornando-se criativos solucionadores de problemas.

JOSHUA LAWRENCE CHAMBERLAIN

Os anais da história militar não apresentam histórias mais inspiradoras de homens com autoridade moral do que a deste herói da Guerra Civil, o comandante da 20ª Companhia de Voluntários da União, no Maine. Chamberlain, um professor do Bowdoin College, tinha conseguido uma licença sabática para responder ao apelo de Abraham Lincoln, que precisava de mais voluntários para as forças da União. Homem de grande caráter e profundas convicções morais foi aceito pelo governador do Maine e se alistou. Embora tivesse poucos conhecimentos das artes militares, ele foi rapidamente promovido.

O feito pelo qual sua bravura e liderança ficaram mais conhecidas talvez tenha sido o episódio de Little Round Top, na batalha de Gettysburg. Suas ordens eram as de guardar o extremo esquerdo da linha da União e impedir que as forças confederadas o flanqueassem. Ele e suas tropas mantiveram a linha até que a munição acabou. Recusando-se a ceder, ele ordenou "calar as baionetas" a seu regimento. Nas palavras do próprio Chamberlain:

> Nesse momento de crise ordenei que as baionetas fossem caladas. A palavra foi suficiente. Correu as fileiras como fogo, de homem para homem, e transformou-se num grito quando eles avançaram sobre o inimigo, agora a quase 30 metros de distância. O efeito foi surpreendente: muitos dos que estavam na primeira linha do inimigo jogaram fora suas armas e se renderam. Um oficial atirou, com uma mão, sua pistola para minha cabeça e com a outra mão me entregou sua espada. Nossa direita se manteve firme e avançando pela esquerda, fizemos um extenso "movi-

mento circular" ante o qual a segunda linha do inimigo se dispersou e recuou, lutando de árvore para árvore, muitos deles sendo capturados, até que varremos o vale e abrimos a frente para quase toda nossa brigada.[13]

Muitos afirmam que foi esta vitória da pura coragem que permitiu a virada da Batalha de Gettysburg e da Guerra Civil. Chamberlain teve a honra de receber as armas da primeira unidade confederada a se render em Appomattox. No fim da guerra ele já tinha sido promovido a major-general e, mais tarde, recebeu do Congresso a Medalha de Honra por seu desempenho em Little Round Top.

Anos depois, em agradecimento pelo que tinha feito, amigos e antigos camaradas de armas o presentearam com um magnífico cavalo cinza, com manchas brancas. Com sua característica humildade, ele aceitou o presente, mas disse: "Nenhum sacrifício ou serviço meu requer qualquer outra recompensa do que aquela que a consciência dá a todo homem que cumpre seu dever."[14]

PRESIDENTE KIM DAE-JUNG

Tive o privilégio de fazer palestras para este ex-presidente da Coréia do Sul e seus assessores na Blue House, em Seul, Coréia. Perto do fim, o presidente Kim me perguntou:

– Doutor Covey, o senhor acredita realmente nas coisas que ensina?

Fiquei surpreendido pela pergunta. Depois de uma pausa breve, respondi:

– Sim, acredito.

– E como o senhor sabe que acredita? – indagou.

– Tento viver esses ensinamentos. Sei que nem sempre consigo, tropeço muitas vezes. Mas sempre volto a eles. Acredito neles, eles me inspiram e continuo fazendo o possível para segui-los.

– Isso não é suficiente para mim – disse o presidente.

– Então quero ouvir o senhor.

– Está preparado para morrer por eles? – perguntou.

– Acho que o senhor está querendo me dizer alguma coisa.

Ele *estava* tentando me dizer algo. Ele então contou sua história de muitos anos de banimento, do longo exílio, de sua prisão e das várias tentativas de assassinato sofridas, incluindo uma ocasião em que foi posto dentro de um saco com pesadas pedras no fundo que foi jogado no mar da China e como foi resgatado por um helicóptero da CIA. Contou-me de como fora pressionado para cooperar com a junta militar do Norte. Chegaram a oferecer-lhe a presidência, mas ele a recusou, sabendo que acabaria sendo o fantoche de uma ditadura.

Ameaçaram matá-lo se ele não aceitasse. E ele respondeu, "podem me matar, porque só vou morrer uma vez, mas, se cooperar com os senhores, morrerei cem vezes por dia, o resto de minha vida".

> *Agora sei isto. Todo homem dá sua vida pelo que acredita. Toda mulher dá sua vida pelo que acredita. Às vezes, as pessoas acreditam em pouca coisa ou em nada e então dão sua vida por pouco ou nada...*[15]
>
> JOANA D'ARC

Ele me contou a história da fidelidade e do apoio de sua família durante essas longas e duras provações e de sua fé de cristão convertido e de sua profunda crença nas pessoas e no magnífico poder da democracia. Ele comunicou-me sua crença no valor e no potencial de cada pessoa e no direito à auto-expressão. Ele me deu um livro muito especial de cartas que escrevera na prisão para seus seres queridos, onde estavam suas crenças, suas convicções e seus compromissos mais profundos.

A AUTORIDADE MORAL COMO UM ECOSSISTEMA

Trabalhei uma vez com o presidente de um país do Terceiro Mundo cheio de corrupção, violência, insurgências e guerras que se estendiam há anos e anos. O novo presidente era um homem de grande coragem. Defendia a importância do domínio da lei e da constituição e se recusava, corajosamente, a negociar com terroristas e organizações terroristas. Ele estava se tornando cada vez mais popular e ganhava a confiança da população. Perguntei-lhe qual o legado que queria deixar para que seu trabalho pudesse continuar, tornando-se institucionalizado. Enquanto estávamos falando, ia se tornando cada vez mais claro que a autoridade moral não era suficiente. Ele podia ver tanto a significativa necessidade de uma autoridade moral *visionária* quanto a de uma autoridade moral *institucionalizada,* para que as pessoas pudessem se identificar com sua visão de paz pelo domínio da lei e da prosperidade, mediante uma comunicação sinérgica de Terceiras Alternativas, e que os princípios subjacentes teriam que estar imbricados nas estruturas e sistemas do governo. Então, gradualmente, a sociedade civil poderia desenvolver sua própria autoridade moral *cultural* – em que as normas e os costumes da sociedade sustentariam o domínio da lei, propiciariam o pensamento preventivo e o policiamento comunitário e atenderia as necessidades de bem-estar e educação da população em geral. Ele podia sentir como o modelo básico que está por trás do 8º Hábito (Encontre a sua Voz Interior e Inspire os Outros a Encontrar as Deles) ilustra essas quatro formas de autoridade moral.

A autoridade moral cultural sempre se desenvolve com extrema lentidão, como se viu em todo o mundo, incluindo os Estados Unidos. Ainda assim, é útil ver que os quatro tipos de autoridade moral formam um ecossistema que, como o ecossistema físico, são inter-relacionados e interdependentes. A essência da sabedoria é ver a conexão entre as coisas.

FILME: *Gandhi*

Gostaria que o leitor agora visse uma cena maravilhosa do filme *Gandhi*. Nela, que está também no DVD que acompanha este livro, podemos observar uma pessoa fraca e orgulhosa, mas também uma pessoa que usou os dons recebidos ao nascer para desenvolver a humildade, a coragem, a integridade, a disciplina e a visão. Veremos uma pessoa que subordinou todas as suas inteligências à sua consciência, à sua inteligência espiritual. Veremos uma pessoa que teve que obter uma vitória no relacionamento com sua mulher antes de desenvolver a liberdade, a força e a autoridade moral para levar uma multidão de indianos revoltados a uma Terceira Alternativa, fazendo-os se mostrar dispostos a sacrificar a própria vida pela causa que abraçavam. Veremos uma pessoa cuja vida exemplifica o poder da seqüência da antiga sabedoria grega: "conhece-te, controla-te, doa-te".

Embora imperfeito, Gandhi é um belo exemplo de pessoa que desenvolveu uma imensa autoridade moral mediante a visão, a disciplina e a paixão regidas pela consciência – e o mundo é diferente por sua causa. A Índia, a segunda maior nação do mundo, com mais de um bilhão de habitantes, é uma democracia independente por causa dele. Não é impressionante que ele nunca tenha sido eleito nem tenha tido autoridade formal? Ele mesmo dizia que qualquer pessoa comum que usasse seus poderes poderia fazer a mesma coisa.

Quando assistir a esta cena do filme *Gandhi*, que recebeu da Academia o prêmio de Melhor Filme do Ano, observe as nuances das palavras e das expressões faciais, das iniciativas e das reações, do desenvolvimento de costumes, normas, valores, objetivos e visão. Vale a pela comprar ou alugar o filme completo e estudá-lo com sua família e seus colegas de trabalho.

DONS DE NASCENÇA, NOSSA CAPA CULTURAL E SABEDORIA

O fio que se tece a si mesmo quando Encontramos a nossa voz interior e inspiramos outros a encontrar as deles revela como, pouco a pouco, apesar de nossos divinos dons recebidos ao nascer, se forma uma capa cultural que, usando a metáfora do computador, chamamos de software. Tal como um computador extremamente poderoso não pode operar fora dos limites de seu programa, as pessoas, as organizações e as sociedades não podem operar fora de seus costumes, normas e crenças culturais – a menos que sejamos como Muhammad Yunus (ver Capítulo 1), cuja visão das pessoas, sua disciplina e paixão foram moldadas e conduzidas por sua consciência até que finalmente o velho software foi substituído – não apenas em cabeças individuais, mas também nas noções rígidas e limitantes das cabeças coletivas das famílias, das instituições e da sociedade. Esta é uma bela ilustração da superação de preconceitos ou prejulgamentos. Podemos sentir como a humildade e a coragem de Yunus foram pais de sua integridade e avôs de sua sabedoria e de sua mentalidade da abundância.

Nós também podemos fazer a mesma coisa. Podemos tornar o Encontrar a nossa voz interior e inspirar outros a encontrar as deles um hábito profundamente arraigado de CONHECIMENTO, ATITUDE e HABILIDADE. Basta ouvir nossa consciência, nossa fonte de sabedoria e veremos como é possível ver, por meio de nossa imperfeita capa cultural, ou software, os vários níveis da necessidade humana mencionados anteriormente. Cada um virá na forma de um dilema.

No nível pessoal, não estamos de acordo em que *as pessoas querem paz de espírito e bons relacionamentos*, mas também consideramos que *as pessoas querem preservar seus hábitos e seu estilo de vida?* O que diria a consciência, saturada de *sabedoria*? Não concordaríamos que uma pessoa, de algum modo, precisaria conquistar uma vitória privada sacrificando o que deseja por um propósito mais elevado, mais importante, pelo que é certo?

Vejamos o dilema em termos de relacionamentos. Não concordamos que os relacionamentos se *embasam na confiança*? E não concordamos também que *a maioria das pessoas pensa mais em termos de "eu"* – meus desejos, minhas necessidades, meus direitos? O que determinaria a sabedoria – não nos estimularia a buscar os princípios da confiança, sacrificando o "eu" pelo "nós"?

Agora passemos ao nível organizacional. Não é comum que *os gerentes queiram mais por menos*, isto é, mais produtividade a um custo menor, e que *os empregados queiram mais do que ganham por menos tempo e esforço*? Não é um fenômeno comum? O que determinaria a *sabedoria*? Quem sabe o comissionamento, isto é, o desenvolvimento de Terceiras Alternativas na forma de acordos de desempenho ganha-ganha, sacrificando o controle ou cedendo-o em troca do fortalecimento, de modo que gerentes e empregados fiquem sintonizados para liberar o potencial humano e produzir mais por menos?

Outro dilema organizacional – pense bem sobre isso – é o seguinte: *as empresas não são conduzidas segundo as regras econômicas do mercado?* Mas também podemos pensar: *as organizações não são conduzidas pelas regras culturais do local de trabalho?* Em outras palavras, há dois conjuntos diferentes de regras em operação – as econômicas e as culturais. O que determinaria a *sabedoria*? Seria possível levar o mercado para a cultura do local de trabalho de modo que cada pessoa e cada equipe, recorrendo a critérios centrados em princípios, teriam acesso a informações em 360° e/ou um Placar equilibrado? Essas informações, combinadas com recompensas intrínsecas *e* extrínsecas, não criariam um incentivo natural para que elas se concentrassem completamente em atender as necessidades humanas do mercado e as necessidades de todos seus principais envolvidos?

Poderíamos até aplicar esta *sabedoria* à própria sociedade ao lidar com seu dilema fundamental, que, resumidamente, é: não concordamos que a *sociedade opera segundo seus valores sociais dominantes?* Mas também *a sociedade não tem que conviver com as conseqüências da operação implacável das leis naturais e princípios?* Seria possível alinhar os valores, os costumes e as leis sociais com os princípios, sacrificando interesses específicos pelo bem-estar geral?

Não fica visível como o contexto mais amplo da sabedoria ao serviço das necessidades humanas resolve esse tipo de dilema? Não fica claro por que o sacrifício é imperativo? Sacrifício significa abrir mão de algo bom em favor de algo melhor, de modo que, num sentido muito real, quando temos uma forte visão sobre o atendimento de uma necessidade específica, não chamaríamos isso de sacrifício, mesmo que o observador de fora o fizesse. Esse tipo de sacrifício feito com o coração é a essência da autoridade moral.

SOLUÇÃO DE PROBLEMAS POR MEIO DE UM MODELO CENTRADO EM PRINCÍPIOS

Já mencionei neste livro que se, o Paradigma da Pessoa Integral para a natureza humana for acurado, ele devia nos proporcionar uma capacidade incomum de explicação, previsão e diagnóstico dos maiores problemas das organizações. Acredito realmente que o modelo simples da pessoa integral e o processo de desenvolvimento simples *são* a simplicidade, que está muito além da complexidade.

No correr dos anos, pedi a centenas de milhares de pessoas de todo o mundo para identificar seu maior desafio pessoal (apenas um) – o tipo de coisa que não deixa a pessoa dormir de noite. Então lhes pedi para dizer qual tinha sido seu maior problema *profissional* ou *organizacional*. A seguir, apresento um sumário das respostas mais freqüentes (note-se a semelhança com o sofrimento e os desafios mencionados no início deste livro).

DESAFIOS PESSOAIS	DESAFIOS PROFISSIONAIS (ORGANIZACIONAIS)
1. Finanças, dinheiro	1. Carga de trabalho, prazos – incapacidade de atingir metas
2. Equilíbrio na vida, falta de tempo	2. Falta de tempo e de recursos
3. Saúde	3. Sobrevivência financeira
4. Relacionamentos – cônjuge, filhos, amigos	4. Falta de confiança
5. Criação e disciplina dos filhos	5. Falta de autonomia
6. Dúvidas sobre si mesmo	6. Mudanças e incertezas
7. Incerteza, mudanças	7. Manter-se a par da tecnologia
8. Falta de qualificação, instrução	8. Confusão – falta de visão e valores compartilhados
9. Falta de sentido	9. Satisfação com o trabalho – não gosta do que faz
10. Falta de paz	10. Falta de integridade do chefe/alta direção

QUADRO 11

Repito, tenho confiança em que podemos pegar qualquer destes desafios pessoais ou organizacionais e, dentro do marco de referência dos princípios aqui expostos nos três modelos de grandeza, saberíamos como começar a resolver o problema. O leitor pode pegar o desafio que enfrenta e pensar no que poderia fazer a seu respeito por meio *da visão, da disciplina, da paixão e dos 7 Hábitos*, do lado pessoal, e da *modelagem, da descoberta de caminhos, do alinhamento e do fortalecimento*, como líder, e da *clareza, dedicação, tradução, sinergia, capacitação e cobrança de responsabilidades*, no contexto *da missão, da visão e dos valores* da organização. Tal como a relação ecológica entre as quatro dimensões a autoridade moral, encontraremos uma profunda ecologia e seqüência entre os modelos de grandeza e seus vários elementos ao resolver nossos desafios. Veja novamente o modelo do foco e da execução embasados em princípios que se segue (Figura 15.6).

Também é interessante ver como é prático o marco de referência da liderança deste livro voltando ao filme *Max & Max* e pensando no compensador. O Apêndice 7 mostra como Max e o senhor Harold podem usar a lente dos Quatro Papéis do Líder para transformar seu modo de trabalhar e resolver seus maiores desafios.

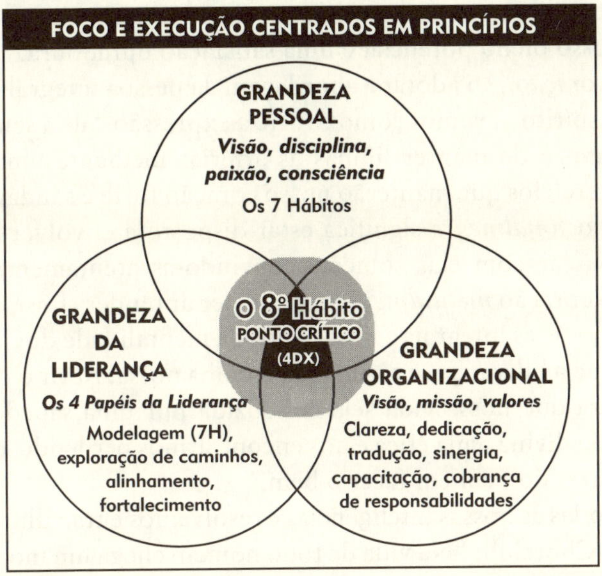

FIGURA 15.6

Consideremos ainda a força abrangente desse modelo da pessoa integral (corpo, mente, coração e espírito). Ele lida com as quatro inteligências/capacidades – QI, QE, QF, e QS. Representa as quatro motivações/necessidades da vida – viver, amar, aprender, deixar um legado. Representa também os quatro atributos da liderança pessoal – visão, disciplina, paixão governada pela consciência. Finalmente, representa esses quatro atributos em termos da organização (incluindo as famílias) na forma dos quatro papéis – modelar, descobrir caminhos, alinhar e fortalecer (ver Figura 15.7).

Encontrar a sua voz interior é um conceito sinérgico do todo que é maior do que a soma das partes, de modo que, quando respeitamos, desenvolvemos,

	4 INTELIGÊNCIAS	4 ATRIBUTOS	4 PAPÉIS	
CORPO (VIVER)	Inteligência espiritual	Consciência	Modelar	FOCO
MENTE (APRENDER)	Inteligência mental	Visão	Descobrir caminhos	
CORAÇÃO (AMAR)	Inteligência física	Disciplina	Alinhar	EXECUÇÃO
ESPÍRITO (DEIXAR UM LEGADO)	Inteligência emocional	Paixão	Fortalecer	

FIGURA 15.7

integramos e equilibramos as quatro partes de nossa natureza, somos levados a concretizar nosso pleno potencial e uma satisfação duradoura.

Abra seu coração. Ao adotar a abordagem da pessoa integral – corpo, mente, coração e espírito –, vemos como é forte a expressão "abra seu coração". *Fisicamente*, trata-se de manter limpas as artérias mediante uma alimentação adequada e exercícios que manterão nosso coração forte e saudável. Abrir nosso coração *emocionalmente* significa estar disposto a envolver as pessoas no problema e buscar com elas soluções, ouvindo-as atentamente para entendê-las. Abrir o coração *mentalmente* para poder aprender constantemente, ver as pessoas como seres integrais e liberar-nos da mentalidade dos "remendos rápidos", para que a liderança se torne uma escolha nossa. Abrir o coração *espiritualmente*, para que nossa vida seja conduzida por uma sabedoria superior, pela consciência divina, cuja ética é nos encontrarmos perdendo-nos no serviço ao próximo, fazendo bem em fazer o bem.

Unamos todas as nossas inteligências e resolvamos e trabalhemos no espírito de Winston Churchill: "Na vida de todo homem chega um momento em que alguém bate no seu ombro, figurativamente, e oferece uma chance de fazer algo muito especial, única para ele e adaptada a seus talentos. Que tragédia se esse momento o encontra despreparado ou sem as qualificações para o trabalho que deveria ser seu melhor momento."

CONCLUSÃO

Este livro procurou principalmente ensinar um paradigma básico: o de que as pessoas são *seres inteiros* – corpo, mente, coração e espírito. À medida que a pessoa se engaja no *processo seqüencial*, o *8º Hábito*, de encontrar a sua voz interior, escolhendo expandir sua influência e inspirar outros a encontrar as deles, ela aumenta sua liberdade e poder de escolha para resolver os maiores desafios e atender as necessidades humanas, ela aprende como a *liderança acaba tornando-se uma escolha* e não uma posição, de modo que a liderança – a arte da capacitação – passa a estar amplamente distribuída pelas organizações e pela sociedade e, portanto, embora gerenciemos ou controlemos as coisas, lideramos (fortalecemos) as pessoas.

Em relação ao paradigma da pessoa, vimos que todo ser humano é precioso por direito próprio, dotado de um potencial e uma capacidade imensos e quase infinitos. Aprendemos que o caminho para ampliar essa capacidade é aumentar nossos atuais dons e talentos. Então, quase como uma flor que desabrocha na primavera, os dons e talentos adicionais nos são dados ou revelados e nossa capacidade "inata", nas quatro áreas, é liberada para levar uma vida equilibrada, integrada, poderosa. Também se verifica o contrário. Se negligenciarmos nossos dons e talentos, eles, como músculos não-utilizados, se atrofiarão e definharão.

Também vimos que a cultura em que vivemos e trabalhamos nos "programou" para a mediocridade ou, em outras palavras, para ficar aquém de nosso potencial. Qualquer coisa menos do que a pessoa integral é uma coisa, e as coisas têm que ser controladas e gerenciadas. Esse software de comando e controle da Era Industrial levou o local de trabalho a acreditar que a maior fonte de riqueza está no capital e no equipamento, não nas pessoas. Também vimos que temos o poder inato de reescrever esse software e que esse poder nos inspira a *liderar* (fortalecer) pessoas, que têm poder de escolha e que *gerenciam* coisas, que não têm esse poder.

O paradigma do processo de desenvolvimento responde às perguntas "como" e "quando" e nos ensina a nos conquistar subordinando primeiro o que queremos *agora* ao que queremos para *mais tarde*. Esse processo é cada vez mais empolgante porque nos leva a expandir cada vez com mais força nossas escolhas e capacidades. Se seguirmos princípios (simbolizados pela bússola) que sempre apontem para o norte, desenvolveremos gradualmente uma autoridade moral; as pessoas confiarão em nós e, se nós as respeitarmos verdadeiramente, vendo seu valor e seu potencial, e as envolvermos, chegaremos a uma visão comum. Se, por nossa autoridade moral (grandeza primária), obtivermos autoridade formal, ou posição (grandeza secundária), poderemos institucionalizar esses princípios de modo que o corpo e o espírito sejam constantemente alimentados, levando a tipos incríveis de liberdade e poder para expandir e aprofundar nosso serviço. Em resumo, o tipo de liderança que inspira seguidores só surge quando pomos o servir acima do eu.

As organizações, tanto públicas quanto privadas, verificam que só são sustentáveis quando atendem necessidades humanas. Mais uma vez, o servir acima do eu. Esse é o verdadeiro DNA do sucesso. Não se trata de "o que eu ganho com isso", mas de "que contribuição posso dar?".

Busquei meu Deus e não o pude encontrar.
Busquei minha alma e ela me fugiu.
Busquei meu irmão para atendê-lo em sua necessidade,
e encontrei os três – meu Deus, minha alma e tu.

ANÔNIMO

ALGUMAS PALAVRAS FINAIS

Leitor, afirmo seu valor e potencial. Espero sinceramente que os princípios deste livro tenham sido comunicados com suficiente clareza, para que possa não apenas ver o valor e o potencial que há em você, mas também que Encontre a sua Voz Interior e viva uma vida de grandeza inspirando muitas outras pessoas, organizações e comunidades a encontrar a voz deles.

Mesmo se estiver vivendo em circunstâncias terríveis, é nesses momentos que será chamado a escolher sua resposta. É então que a "vida nos chama" a servir os que estão à nossa volta e de cujas necessidades tomamos consciência. E ao fazê-lo, encontramos nossa "voz" autêntica. Haddon Klingberg Jr., autor de uma perspicaz biografia de Viktor e Elly Frankl, *When Life Calls Out to Us* (um dos dois projetos em que trabalhava antes de falecer), articulou esse tema central da vida de Frankl da seguinte maneira:

> Para Frankl, já que a espiritualidade é em sua essência autotranscendência, ela traz consigo a liberdade humana. Mas não é tanto liberdade de quanto liberdade *para*. Não estamos livres de nossa natureza biológica, sejam impulsos instintivos, herança genética ou funções e defeitos de nossos cérebros e corpos. Nem estamos livres das influências da sociedade, do desenvolvimento e do ambiente. Mas somos livres para tomar uma posição em relação a esses fatores e até contra eles. Somos livres para fazer o que queremos com as cartas que nos foram dadas, para escolher como reagir aos eventos que se apresentam, para decidir que causas ou pessoas merecerão nossa devoção.
>
> E esta *liberdade para* traz consigo *obrigações para com*. Cada um de nós é responsável por algo, ante alguém. Ao usar nossa liberdade para agir com responsabilidade no mundo, revelamos o sentido de nossas vidas. Somente quando nossa vontade de fazer sentido é frustrada é que nós nos conformamos com a busca de prazeres pessoais (Freud) ou com o sucesso financeiro e social (Adler).
>
> Quando uma pessoa exerce a liberdade e a responsabilidade espiritual, seguem-se vários efeitos: paz de espírito, boa consciência e contentamento. Mas eles ocorrem naturalmente – como subprodutos, poderíamos dizer. Mas buscar qualquer desses efeitos diretamente diminui a probabilidade de alcançá-los ou até os torna impossíveis. Não há nada como lutar pela paz de espírito para nos manter irascíveis. Centrar nossos esforços em alcançar uma boa consciência pode nos levar à hipocrisia ou à culpa – ou a ambas. Fazer da saúde nosso principal objetivo pode nos levar a algo próximo da hipocondria. Para Frankl, esses não são fins a serem buscados por si mesmos ou até para nosso bem. Antes, eles decorrem naturalmente de uma vida dedicada a outra coisa, a algo grande.[16]

Com a mais profunda convicção, afirmo a meus leitores, usando as palavras do General Joshua Lawrence Chamberlain:

> A inspiração de uma causa nova que envolve o interesse humano em um sentido amplo permite aos homens fazer coisas que eles antes não se sonhavam capazes de realizar, as não seriam capazes de fazer sozinhos. O sentimento de pertencer, vitalmente, a algo além da individualidade, de ser parte de uma personalidade que chega não sabemos aonde, no espaço e no tempo, engrandece o coração até o limite ideal das almas e se fortalece embasado no caráter.[17]

MEU AVÔ, Stephen L. Richards, foi um de meus mais influentes mentores. O amor, o respeito e a admiração que sinto por ele não têm limites. Sua vida foi totalmente dedicada a servir os outros. Os que o conheceram o consideravam uma das pessoas mais sábias que havia. Fecho, com gratidão, citando o lema de vida que ele me passou:

> A vida é uma missão e não uma carreira, e o propósito de toda nossa formação e conhecimento é que possamos melhor representá-lo e desempenhar essa missão de vida em Seu nome e segundo Seus propósitos.

PERGUNTAS E RESPOSTAS

- **Por que o sacrifício ocupa um lugar tão central quando se trata de autoridade moral?**

Sacrificar significa abrir mão de algo bom em favor de algo melhor. Poderíamos até dizer que é um nivelamento pelo alto. Quando uma pessoa tem uma visão que a transcende, que se concentra numa causa importante ou num projeto com o qual ela está emocionalmente conectada, então o verdadeiro caminho de menor resistência é pôr o serviço acima do eu. Para essa pessoa, não se trata de um sacrifício. Para um observador externo, pode parecer que é um sacrifício porque há a recusa de algum bem presente. A felicidade é essencialmente um subproduto da subordinação do que queremos agora em favor do que queremos finalmente. Em lugar de ser o caminho de maior resistência, o sacrifício é a trajetória de menor resistência para quem está profundamente conectado, espiritual e emocionalmente, a uma causa ou chamado ou ao serviço de outro. O servir acima do eu é a ética de todas as grandes religiões e de toda filosofia ou psicologia duradoura. Albert Schweitzer disse: "Não sei qual será seu destino, mas sei uma coisa: os únicos dentre nós que serão realmente felizes são aqueles que buscaram e encontraram um modo de servir."

- **Só se falava de TQM e qualidade; então veio o *empowerment* e agora o novo modismo é a inovação. Qual será o de amanhã?**

Acho que será a sabedoria. A menos que os princípios reinem no coração e na alma das pessoas e nas relações e na cultura da organização, não poderemos estabelecer uma grande confiança. E sem grande confiança não há fortalecimento. Quando as regras tomam o lugar do raciocínio humano, não podemos alimentar um ambiente de inovação e de criatividade; só teremos uma cultura da bajulação. Sem grande confiança e estruturas e sistemas alinhados embasados num paradigma da abundância, não conseguiremos a TQM ou a qualidade. Em minha opinião, a Era da Sabedoria se seguirá necessariamente à Era da Informação, e a essência da liderança será o líder servidor.

- **Gosto do conceito de organização centrada em princípios. É possível levá-lo para uma comunidade?**

Sem dúvida. Podemos reunir um número suficiente de pessoas preocupadas, que sejam líderes naturais e formais nas áreas de educação, negócios, governo e outras profissões e até pessoas sem autoridade formal mas que têm muita autoridade moral e grande interesse, e podemos envolvê-las no processo de aprendizado dos 7 Hábitos e dos quatro papéis da organização e da família e estendê-los a toda a comunidade; é surpreendente quantas coisas boas podem surgir daí. Fizemos isso num número muito grande de comunidades espalhadas pelo mundo.

VINTE PERGUNTAS COMUNS

- **1. Acho quase impossível mudar meus hábitos. Será realista? Sou o único?**

O leitor não está sozinho. Explicarei o porquê.

Talvez você se lembre dos clipes que mostraram a viagem da Apolo 11 à Lua – ou a tenha visto num vídeo ou filme mais recente. Nós que a testemunhamos ficamos totalmente pasmos. Mal podíamos acreditar em nossos olhos ao ver o homem pisando na Lua.

Em que momento você acha que foram necessárias mais força e mais energia nesta jornada ao espaço? Para percorrer um quarto de milhão de milhas até a Lua? Na viagem de regresso? Percorrendo a órbita da Lua? Na separação e no reengate dos módulos de comando? Na decolagem da Lua?

Nenhuma dessas alternativas. Nem todas elas em conjunto. Foi na decolagem da Terra. Foi gasta mais energia nos primeiros minutos da saída da Terra – nas primeiras milhas do trajeto – do que na viagem de um quarto de milhão de milhas, que durou vários dias.

A força da gravitação nessas primeiras milhas foi imensa. Foi necessária uma força contrária interna maior do que a soma da atração da gravitação e da resistência atmosférica para permitir que a nave finalmente entrasse em órbita. Mas, uma vez conseguido isso, a força necessária para o resto foi ínfima. Quando perguntaram a um dos astronautas quanta força tinha sido necessária para separar o módulo lunar do módulo de comando para descer na lua, ele respondeu, "Menos do que a respiração de um neném".

Essa viagem lunar nos oferece uma poderosa metáfora para descrever o que é preciso para quebrar velhos hábitos e formar outros novos. A força gravitacional da Terra poderia ser comparada a hábitos profundamente arraigados, a tendências programadas pela genética, pelo ambiente, pelos pais e por outras figuras significativas. O peso da atmosfera terrestre poderia ser comparado às culturas social e organizacional mais amplas de que fazemos parte. Essas são duas forças poderosas e é preciso ter uma força interior mais forte do que a soma delas para poder decolar.

Mas depois que o conseguimos é surpreendente a liberdade que sentimos. Na decolagem os astronautas têm muito pouca liberdade ou força; só podem é seguir o programa. Mas, logo que se afastam da gravitação da Terra e da atmosfera que a envolve, eles sentem uma incrível sensação de liberdade. E eles têm muitíssimas opções e alternativas.

Se o leitor deseja começar agora a trajetória para Encontrar a sua Voz Interior e Inspirar os Outros a Encontrar as Deles e se manter nela, precisará desenvolver a força desse novo hábito para crescer e mudar neste nosso mundo de grandes desafios, complexidade e oportunidades.

- **2. Em certo sentido, estou muito empolgado e curioso por seus ensinamentos. Mas também me pergunto se realmente serei capaz de pô-los em prática.**

Sua indagação é muito honesta, mas sugiro que se faça duas outras perguntas antes de tentar lidar com a questão da competência. A primeira é: *Devo* fazê-lo? É uma pergunta relacionada aos valores. A segunda pergunta é: *Quero* fazê-lo? Esta se relaciona à motivação e cuida de sua voz e sua paixão específicas. Se a resposta às duas perguntas for afirmativa, então pode passar à terceira: Posso fazê-lo? Aqui se trata da competência e da aquisição da formação e do treinamento adequados. Não confunda as três perguntas. Não tente responder a pergunta do valor com uma resposta de treinamento, a da motivação com uma resposta de valor ou a pergunta da competência com uma de motivação. Pense com clareza e atenção nas três perguntas: Posso? Quero? Devo? Mantenha-as separadas para identificar o melhor ponto de partida.

- **3. Por que a liderança é um assunto que está na ordem do dia?**

A nova economia se alicerça principalmente no trabalho do conhecimento. Isso significa que a riqueza migrou do dinheiro e das coisas para as pessoas – como capital intelectual e social. Na verdade, nosso maior investimento financeiro está nos trabalhadores do conhecimento. O potencial da contribuição do trabalho do conhecimento não é mais aritmético, mas exponencial e geométrico, e este tipo de capital intelectual e social é a chave para a alavancagem ou otimização de todos os outros investimentos. Além disso, o estilo de controle gerencial da Era Industrial e os sistemas de “pessoas como despesa” estão se tornando cada vez mais obsoletos e/ou disfuncionais, em decorrência das forças concorrenciais do mercado. Há também uma crescente percepção de que a dimensão humana, especialmente o nível de confiança, está na raiz de todos os problemas. Os fatores que controlam o sucesso são os relacionados às pessoas e não à tecnologia e todos estão começando a perceber isso. É por isso que a liderança é a mais elevada entre todas as artes; é a arte *capacitadora*.

• 4. Tudo isto me parece muito idealista e moralista. Do jeito que as coisas são, não sei se alguma destas coisas é realmente possível.

A pergunta mais profunda a ser feita é: Há algum espaço entre estímulo e resposta? Em outras palavras, temos realmente o poder da escolha em quaisquer circunstâncias? Se é possível responder, honestamente, de modo afirmativo, então o leitor perceberá que o idealismo é realismo. Não podemos "enxergar" as maravilhas eletrônicas de hoje, mas podemos depender delas e sabemos que são reais. Antes que fossem descobertas ou inventadas, elas não eram "reais", mas apenas ideais. Quando o leitor diz que essas coisas são muito moralistas, está desenvolvendo a noção de certo e errado. No fundo de seu coração, ele sabe que há diferença entre o certo e o errado, e que se escolher o certo se seguirão conseqüências diferentes das que ocorreriam se o errado tivesse sido escolhido. É por isso que estas idéias são idealistas e moralistas, duas coisas que são muito realistas.

• 5. O senhor diz que a autoridade moral cultural é a forma mais avançada de autoridade moral – o que significa isso?

Vejamos, por exemplo, a Declaração da Independência dos Estados Unidos. Os sentimentos expressos nesse documento representam uma autoridade moral visionária. A Constituição procurou institucionalizar valores como "todos os homens foram criados iguais" e, portanto, "receberam do Criador certos direitos inalienáveis, dentre os quais a Vida, a Liberdade e a Busca da Felicidade".

A Constituição estava alinhada com a visão e o sistema de valores da Declaração da Independência. A Declaração dizia "todos" os homens. Contudo, as mulheres não tiveram durante décadas o direito ao voto, muitos dos fundadores eram proprietários de escravos, a lei que os libertou demorou 80 anos para ser aprovada e ainda hoje há profundos bolsões de preconceito racial. A autoridade moral *cultural* sempre se desenvolve mais lentamente do que a autoridade moral institucionalizada ou visionária. Mas, em última análise, é a chave para o desenvolvimento de uma sociedade harmoniosa. O segredo não está no governo, que representa a força ou a lei, nem nos indivíduos ou nas empresas privadas, que representam a liberdade. Está nas pessoas e nos grupos que adotam significados e valores comuns conectados diretamente a seus corações e mentes. Este nível de esforço voluntário gera uma sociedade *civil* que é a Terceira Alternativa superior, situada entre a lei e a liberdade. Esta é a pressuposição subjacente do pensamento e dos escritos de Adam Smith, autor de *A ri-*

queza das nações. Bem antes de escrever esse clássico, ele escreveu outro livro intitulado *A teoria dos sentimentos morais*. Esse trabalho, que serviu de alicerce para seu trabalho posterior, incluindo *A riqueza das nações*, se embasava na idéia de que a virtude e a boa vontade intencionais são a base tanto de um sistema econômico de livre empresa quanto do sistema político da democracia representativa. Ele reconheceu que, se a virtude individual se deteriorasse, nem o livre mercado nem a democracia poderiam sobreviver por muito tempo.

- **6. O senhor diz que um dos problemas básicos é que estamos aplicando o modelo industrial à Era do Trabalhador do Conhecimento, mas os EUA não são ainda uma nação industrializada? Para onde quer que voltemos o olhar há indústrias.**

É verdade, mas a natureza do trabalho *que agrega valor* feito nessas indústrias está sendo feita cada vez mais pelos trabalhadores do conhecimento, não pelos trabalhadores manuais. Assim, não estamos falando de acabar com a indústria. Estamos falando sobre o uso de um paradigma de liderança diferente dentro das indústrias. Na verdade, aquele paradigma pode recuar até a Era da Agricultura. Fora das cidades, encontramos estabelecimentos agrícolas por todo lugar. Elas agregam um maior valor usando a força das Eras Industrial e da Informação. Estamos falando mais de mentalidade do que de ambiente físico.

- **7. Como é que as culturas autoritárias geram co-dependência?**

Vejamos. Se há um líder autoritário que controla, o que fazem os seguidores? A maioria obedece passivamente; as pessoas esperam até ser mandadas e fazem o que mandam. Esse comportamento confirma a percepção do líder autoritário, que continua comandando e controlando, o que, por sua vez, justifica a passividade dos seguidores. Em outras palavras, torna-se uma profecia auto-realizável. Isso enfraquece as capacidades e as inteligências das pessoas. Subutiliza-as. Transforma-as em coisas a serem gerenciadas ou controladas. O ciclo da co-dependência acaba estimulando uma cultura de bajulação, cheia de politicagem, onde o certo é definido pela obediência ou a lealdade, e o erro está em ser pego.

Esta dinâmica também promove um acordo disfuncional em que as pessoas dizem sim quando na verdade quereriam dizer não. Elimina os conflitos saudáveis e acaba espalhando o ressentimento, a raiva, a obediência mal-intencionada, a falta de confiança, a baixa qualidade e um desempenho fraco. Esses sentimentos não manifestados nunca morrem de verdade – permanecem enterrados vivos e mais tarde vêm à tona de modo mais deletério.

O chefe autoritário então assume a responsabilidade pelos resultados e se concentra na eficiência – isto é, em métodos, processos e etapas, de modo que as regras tomam o lugar do julgamento humano. Isso tudo reforça a idéia de liderança como posição, não escolha; torna-se parte do DNA cultural. Pouco a pouco, vemos a verdade da afirmação de Lorde Acton, "o poder corrompe e o poder absoluto corrompe absolutamente". Todos então passam a se voltar para seus próprios interesses e a subordinar a integridade à necessidade de agradar o chefe.

O problema é que, na nova economia, culturas co-dependentes institucionalizadas só podem sobreviver ignorando o mercado, com subsídios artificiais, pelo terror ou por uma pesada tradição que só se sustenta porque a concorrência também é co-dependente.

O círculo pode ser rompido por uma pessoa que vê a liderança como uma escolha e começa a agir como um compensador, formando um Círculo de Influência maior, apoiando-se nos elementos pragmáticos de um mercado concorrencial para romper a espiral descendente, que se auto-alimenta. Essa liderança representa a autoridade moral, que deriva de uma vida orientada por princípios e que quase sempre envolve alguma forma de sacrifício. Mas, numa economia de livre mercado, ela acaba prevalecendo simplesmente porque é pragmática – funciona, produz mais com menos.

• 8. Como tudo isso funciona numa conjuntura econômica adversa ou, digamos, num ramo de atividades em declínio, mesmo que a conjuntura, mais geral seja favorável?

É ainda mais importante, simplesmente porque o principal recurso é a capacidade criativa das pessoas que encontram soluções embasadas numa Terceira Alternativa nos momentos desfavoráveis. Contudo, a tendência natural das pessoas é voltar ao modelo transacional de comando e controle do modelo industrial, que não se sustenta no longo prazo. Numa situação de crise de curto prazo, quando a cultura tem um propósito comum de sobrevivência, a abordagem autoritária pode funcionar. Como disse certa vez Eisenhower: "Não se fala em democracia para quem caiu no fundo do poço." Mas chega um momento em que se faz necessário um profundo envolvimento de todos para fazer mudanças significativas sustentáveis. Isto exige uma liderança confiável com autoridade moral.

• 9. Como os 7 Hábitos se encaixam nos Quatro Papéis do Líder? Investimos tempo e dinheiro substanciais no treinamento dos 7 Hábitos.

Devemos recordar que os 7 Hábitos se embasam em princípios. Os 7 Hábitos são princípios de caráter que moldam o *quem e o que somos*; os quatro papéis são *o que fazemos* para exercer uma liderança que influencie a organização. Quando pomos os 7 Hábitos no contexto dos quatro papéis, eles são o papel de modelar. Isto torna os 7 Hábitos estratégicos porque eles são a modelagem que promovemos ao exercer os outros três papéis. Os princípios que estão por trás dos 7 Hábitos são como um poço profundo ou um aqüífero que alimenta todos os outros poços na superfície, como a GQT, o fortalecimento das equipes, a inovação etc.

• **10. Os escândalos corporativos muitas vezes tornam todas as empresas "culpadas por associação". Isso põe a questão do caráter sob um foco intenso. Como desenvolver um caráter pessoal e cultural? Como evitar esse tipo de problema?**

Tive oportunidade de trabalhar nos rescaldos do desastre de Three Mile Island, da revolta que se seguiu ao caso Rodney King e do vazamento do *Exxon Valdez*, e verifiquei basicamente que os três desastres eram manifestações agudas de um fenômeno cultural profundo, a ponta de um iceberg, em que as pessoas faziam coisas erradas, escondiam-nas, destruíam provas, ignoravam problemas, eram pegas e a mídia divulgava tudo.

Penso que foram lições valiosas para todas as organizações. É interessante examinar tudo o que é importante para nós – nossa visão e nosso sistema de valores. Reexaminar procedimentos e práticas, estruturas e sistemas, verificar se eles institucionalizam aquela visão e aqueles valores. O feedback deveria refletir a avaliação honesta de conselheiros, fornecedores, clientes e toda a cadeia de valor. Não podemos fugir dos problemas que criamos. Em algum momento, as galinhas voltam ao galinheiro para dormir. A lealdade não deve estar acima da integridade; na verdade, integridade é lealdade. Queremos que o médico seja fiel à sua profissão como a forma mais elevada de ser fiel a nós. Também na organização, temos que nos ver como profissionais cuja lealdade mais alta é para com os princípios morais e profissionais, não para com nossa instituição. Essa é a forma mais clara de sermos fiéis à instituição.

A melhor maneira que conheço para desenvolver o caráter numa instituição não é fazer uma lista de verificação para que as pessoas julguem outras, mas torná-las responsáveis por resultados, medidos por um Placar equilibrado que exija o desenvolvimento de um nível mais alto de caráter. Desse modo, não estaremos julgando o caráter de alguém; estaremos apenas dando-lhe responsabilidades que exigem o aprimoramento do caráter.

• 11. Como manter uma cultura positiva, de grande confiança, depois de um *downsizing*?

Por que as culturas se deterioram após um *downsizing*? Porque os princípios não são seguidos, as pessoas não são envolvidas, informadas, e ficam sem saber quando haverá um novo corte. Elas não entendem os critérios das decisões que serão tomadas; não lhes são passados conhecimentos econômicos, sobre o ramo de atividade, sobre a empresa, sobre a conjuntura. Vi pessoalmente muitas organizações que passaram por momentos extremamente difíceis que exigiam decisões duras, mas que conseguiram agir segundo princípios. Por meio de uma comunicação franca e transparente, de um envolvimento sincero e significativo, de participação, aderindo a um conjunto de valores embasados em princípios e fazendo esforços adicionais, as pessoas que foram negativamente afetadas e suas famílias perceberam que a empresa tinha feito todo o possível em seu favor e sua reputação na comunidade acabou aumentando.

• 12. Muitas vezes fazemos oficinas de desenvolvimento de liderança, reuniões fora da sede, sessões especiais, trazemos gente de fora. São coisas muito úteis, muito empolgantes e inspiradoras, mas em poucos dias tudo volta ao normal. O que o senhor nos aconselha?

Conhecer e não fazer é não saber. Podemos nos inspirar e entusiasmar temporariamente com conhecimentos novos e empolgantes, mas, a menos que os apliquemos, não os sabemos realmente. Se as estruturas e sistemas do ambiente não nos oferecem incentivo para pô-los em prática, não *podemos* aplicá-los e não os *conheceremos*. Com o tempo, esse tipo de situação será prejudicial e alimentará o cinismo em toda a cultura. Os esforços de mudança e todos os novos modismos gerenciais serão como algodão-doce, que é gostoso por um segundo e logo se evapora. O fundamental é pegar o material, ensiná-lo, discuti-lo e tentar institucionalizá-lo incorporando os princípios fundamentais aos processos cotidianos, ao que faz parte do trabalho do dia-a-dia e aos sistemas de recompensa. Então funcionará. Não será apenas um acessório, mas parte do básico.

• 13. E se essa abordagem não funcionar?

Se as pessoas não a aplicarem, não funcionará. Não é uma fórmula mágica. Exige dedicação profunda, paciência e persistência, especialmente para fazer a mudança ou transição de uma atitude mental e um conjunto de ferramentas para outro. O conjunto de ferramentas associado ajudará grandemente, mas, em última análise, as pessoas devem pôr mãos à obra.

• 14. Qual é a melhor maneira de iniciar essas mudanças, supondo que já as tenhamos feito dentro de nós?

Se você estivesse dirigindo um carro com o pé no freio, qual seria a maneira mais rápida de ir para a frente – pisar fundo ou soltar o freio? Obviamente seria soltar o freio. De forma semelhante, nas culturas organizacionais há forças que movem e outras que freiam. As forças que movem são, em geral, as realidades econômicas, lógicas, que seriam equivalentes a se pisar no acelerador. As forças que freiam são em geral culturais e emocionais. Por meio de Terceiras Alternativas e comunicação sinérgica, as forças que freiam podem ser transformadas em forças aceleradoras. Assim, não apenas fazemos progressos significativos mas também os tornamos sustentáveis em termos culturais, já que são fruto do envolvimento e da dedicação. A teoria do campo de força de Kirk Lewin tem a ver com esta resposta.

• 15. Há algo novo nestas idéias? Ouço isso desde minha juventude. Vejo-as em todos os momentos de nossa história.

É verdade. E para aprofundar a questão, diria que é por ter uma constituição centrada em princípios e um livre mercado que vemos dentro dos Estados Unidos uma liberação do potencial humano que faz com que, com apenas 4,5% da população mundial, o país produza quase um terço dos bens mundiais. A evidência do poder deste paradigma e desses princípios está nesses resultados significativos. Não devemos esquecer que os princípios são universais e atemporais. Talvez sejam os agricultores os que melhor entendam, ou melhor, aufiram, os princípios, porque eles estão muito próximos da natureza e das leis naturais ou princípios. Eles sabem que não é possível correr com as coisas na fazenda, como as pessoas tentam fazer em instituições organizadas socialmente, como as escolas. O esporte competitivo, de alto nível, é outra excelente metáfora, porque também nesse caso não há como acelerar o processo. É preciso pagar um preço para poder participar.

O senso comum não é uma prática comum. É por isso que há uma necessidade de renovação e de restauração dos compromissos com uma ética do caráter e da liderança centrada em princípios.

• 16. Este conteúdo é embasado em pesquisas?

Se estiver pensando em estudos empíricos, do tipo duplo-cego, não – isto é, com exceção de nossos estudos científicos da lacuna da execução. Se estiver pensando em análise histórica, revisão de literatura e resultados de extensas observações de ação, sim.

• 17. Que organizações são modelos para este tipo de idéias?

Encontram-se esses modelos em todos os tipos de atividade. São organizações como a A. B. Combs School e o submarino *USS Santa Fe*. O teste para identificá-las é o seguinte: até que ponto sua força de trabalho é fortalecida? Até que ponto elas se concentram nas prioridades mais altas da organização e as executam? As empresas pesquisadas por Jim Collins em seu trabalho *Empresas feitas para vencer* são organizações fortalecidas com líderes humildes, grandemente determinados e com altos níveis de fortalecimento. Isto, porém, não é tudo. A maioria das organizações do topo adotou ou está em vias de adotar um boletim equilibrado. O alinhamento das operações com a estratégia e o mercado exige muita ponderação. Muitas organizações que já foram bem-sucedidas entraram em declínio. É necessária uma vigilância constante para atrair e desenvolver as melhores pessoas, incorporar uma ética da liderança ao DNA cultural, bem como muita autoridade moral pessoal, visionária, institucional e cultural para se manter firmemente na rota da grandeza.

• 18. Este conteúdo é basicamente religioso?

Sem dúvida, os princípios têm um embasamento moral e espiritual, mas eles não são exclusivos de qualquer religião em particular. Eu mesmo já os difundi em vários lugares do mundo, no contexto de diferentes religiões, e citei seus diferentes textos sagrados. Os princípios são verdadeiramente universais e atemporais. Ficava espantado, mas hoje não mais, ao ver o que acontece quando pessoas de qualquer lugar do mundo, em qualquer organização, se envolviam significativamente no desenvolvimento de seus sistemas de valor. Quando o espírito da verdadeira franqueza e da sinergia está presente, e quando as pessoas estão de fato informadas, todos os valores selecionados acabam sendo essencialmente os mesmos. Usam-se diferentes palavras, diferentes práticas, que refletem esses valores, mas o sentido subjacente sempre tem a ver com as quatro dimensões de que viemos falando neste livro – a física/econômica, a relacional ou social, a de desenvolvimento mental ou de talentos e a espiritual, a qual tem a ver com sentido e integridade. Para ver isso por si mesmo, examine as declarações de missão de algumas organizações que as tenham elaborado ao longo do tempo mediante envolvimento e identificação. As palavras serão diferentes, mas elas dirão basicamente o mesmo, ainda que não o vivenciem.

• 19. Estou desencorajado e impaciente. Será que é tarde demais para mudar a mim mesmo?

Ótima pergunta. Na verdade, acho que o problema fundamental que as pessoas têm, ao duvidar da validade destas idéias, não são as próprias idéias. Elas fazem sentido para quase todo o mundo. É que as pessoas duvidam delas mesmas. Tudo o que posso dizer é: comece devagar, com coisas pequenas e persevere. Deixe que sua consciência seja seu guia ao determinar o que fazer. Uma vez tendo decidido, mantenha-se na rota. Pouco a pouco, seu senso de honra será maior do que suas mudanças de humor. À medida que for adquirindo autocontrole, autodomínio, segurança e competência, será capaz de dar passos maiores e perseverar neles, entrar em novas áreas, sair da zona de conforto e tomar mais iniciativas. Lembre mais uma vez a história do bambu chinês. Há certas espécies de bambu chinês que, quando plantadas, não vemos nada durante quatro anos. Apenas um pequeno broto, e é só. Aguamos, adubamos e fazemos tudo para que vingue. No quinto ano, o bambu dessa espécie atinge dois metros e meio. Nos estágios iniciais, todo o crescimento da planta se dá embaixo da terra, nas raízes. Então, quando estas se consolidam, o crescimento se dá na parte superior e mostra aos céticos que durante todo o tempo a planta estivera crescendo. É por isso que o nível pessoal do desenvolvimento do caráter sempre precede o estabelecimento de confiança nas relações interpessoais, que precede a criação da cultura na organização que realmente executa suas prioridades mais altas. Nunca é tarde demais. A vida é uma missão, não uma carreira.

• 20. Como sabemos que isto funciona?

Só podemos saber realmente na prática. Saber e não fazer na realidade é não conhecer. Outra fonte de evidências comprobatórias é a obtenção de resultados pragmáticos que vêm dos que estão sendo atendidos – clientes, proprietários, empregados, cidadãos –, das boas informações que vão surgindo de toda a cadeia de suprimento e da própria cultura. Em última instância, ponho mais fé no *discernimento* mediante a consciência, combinado com *observações* e *medições*, do que nestas sem discernimento. Acho que a maioria das pessoas sabe no seu íntimo o que deveria fazer e o que não deveria fazer. Se elas agem de acordo com esse conhecimento, suas outras perguntas são meramente acadêmicas. Mas elas acabarão sendo respondidas, não apenas aprendendo as respostas, mas também *ganhando*-as.

APÊNDICES

Apêndice 1

DESENVOLVIMENTO DAS 4 INTELIGÊNCIAS/CAPACIDADES – UM GUIA PRÁTICO PARA A AÇÃO

DESENVOLVIMENTO DA INTELIGÊNCIA FÍSICA (QF)

Comecemos pelo corpo, a Inteligência Física (QF), porque o corpo é o instrumento da mente, do coração e do espírito. Se pudermos subordinar o corpo ao espírito – isto é, nossos apetites e paixões à consciência –, nos tornamos mestres de nós mesmos. As pessoas cujas vidas são uma função de seus apetites e paixões mais do que de sua consciência não podem se doar. Para elas, o espaço entre o estímulo e a resposta se estreita – perdem sua liberdade pessoal, embora pensem que a estão exercendo. O corpo é um bom servo, mas um mau senhor.

> ***As pesquisas mostram claramente que a incapacidade de gerenciar a si mesmo de modo eficiente conduz ao envelhecimento prematuro, à redução da clareza mental, e até bloqueia o acesso à nossa inteligência inata. O oposto também é verdadeiro: o aumento da coerência interna leva a uma maior eficiência de todos os aspectos psicológicos e a uma maior criatividade, adaptabilidade e flexibilidade.***[1]
>
> DOC CHILDRE E BRUCE CRYER

A expressão grega da fórmula do autodomínio da vida – "conhece-te, controla-te, doa-te" – é uma seqüência magnífica. Considero que há três modos fundamentais de desenvolver nossa inteligência física. Primeiro, *alimentação sábia*; segundo, *exercícios regulares equilibrados*; terceiro, *repouso adequado, relaxamento, gerenciamento do estresse* e *pensamento preventivo*.

Esses três aspectos são entendidos e aceitos pela maioria das pessoas no mundo civilizado. São, na verdade, senso comum. Mas o senso comum não é uma prática comum. Muito poucas pessoas põem em prática esses três elementos.

QF — DESENVOLVIMENTO DOS TRÊS PRINCIPAIS COMPONENTES DA INTELIGÊNCIA FÍSICA (QF)
Alimentação sábia
Exercício regular equilibrado
Repouso adequado, relaxamento, gerenciamento do estresse e pensamento preventivo.

FIGURA A1.1

Em seu livro, *The Power of Full Engagement*, Jim Loehr e Tony Schwartz dizem que o gerenciamento da energia, e não do tempo, é a chave para o alto desempenho e a renovação pessoal. Eles, sem dúvida, respeitam o gerenciamento do tempo, mas sugerem que o critério mais alto a ser empregado para essa finalidade é o modo como gerenciamos nossa energia. Pelo estudo da natureza e das leis naturais que regem toda a humanidade, eles destacam a importância de se respeitar o ciclo que oscila entre atividade/desempenho e repouso/renovação. Adotam a abordagem da pessoa integral, corpo, mente, coração e espírito. Focalizam a importância dos hábitos, a que chamam de rituais, para aumentar nossa energia e nossa capacidade de desempenho.

Alimentação sábia

A maioria de nós sabe o que deveria e o que não deveria comer. O segredo é o equilíbrio. Admito que não sou um especialista em nutrição, mas, como a maioria de nós, estudei o suficiente para saber que nossos corpos e seus sistemas, incluindo o imunológico, são fortalecidos quando ingerimos mais cereais integrais, legumes e verduras, frutas e proteínas com pouca gordura. As carnes ingeridas (de preferência com moderação) devem ser magras. As pesquisas vêm mostrando os benefícios da ingestão regular de peixe. Os alimentos (incluindo muitos lanches rápidos, alimentos processados e doces) com alto conteúdo de gorduras saturadas e de açúcar deveriam ser ingeridos com muita parcimônia ou até evitados. Mas, recordemos novamente, o segredo está no equilíbrio e na moderação. Devemos aprender a nos controlar e a não nos exceder. Em outras palavras, é preciso aprender quando parar de comer – quando estamos satisfeitos mas nosso estômago ainda não está desconfortavelmente cheio. Finalmente, devemos beber muita água – de seis a dez copos ao dia. Isso otimiza o funcionamento de nosso organismo e contribui *significativamente* para nossos esforços em prol da manutenção de uma boa forma física e de um peso saudável por meio da dieta e de exercícios regulares.

Convenci-me da eficácia e da sabedoria do jejum ocasional, quando pulamos uma ou duas refeições a fim de promover o repouso de todo o processo digestivo e sua limpeza. Contudo, em minha experiência, o principal benefício não é físico, mas antes mental e espiritual. O princípio do jejum é ensinado por todas as grandes religiões do mundo como um meio para desenvolver um nível mais elevado de autodomínio e de autocontrole, e também uma maior consciência de nossa dependência.

Estou plenamente convicto de que, quando controlamos adequadamente nossos apetites, nossa capacidade de controlar nossas paixões e de purificar nossos desejos aumenta. Passamos a ter um verdadeiro sentimento de humildade e podemos auferir uma melhor perspectiva do que é realmente importante em nossa vida.

Também já experimentei as conseqüências negativas dos excessos alimentares, das dietas extremas e do consumo irrefletido de doces e salgadinhos.

Minha maior tentação surge quando estou viajando, e exausto, ao fim do dia, ao chegar ao hotel peço um lanche no apartamento. Verifico que quando relaxo e me empanturro de bobagens, isso afeta minha mente e meu espírito e até a qualidade de meu sono. O lendário treinador Vince Lombardi gostava de dizer: "O cansaço nos torna covardes." Sem dúvida, esse é meu caso, porque quando estou cansadíssimo tendo a exagerar e isso afeta minha mente e meu espírito por um dia ou dois. Quando subordinamos nosso corpo à nossa mente e ao nosso espírito, a paz e a confiança que fluem desse tipo de disciplina e autodomínio são imensas. No meu caso, quando sinto uma fome que na verdade não está associada à falta de alimento mas antes à falta de doces, digo para mim mesmo: "Nada é tão gostoso quanto estar magro." Também visualizo essa espécie de fome como algo que vai absorvendo meu estoque de gordura. Quando subordinamos o sabor à nutrição, gradualmente vamos reeducando nossas papilas gustativas, dando voz a trilhões de células que clamam por nutrição adequada.

Mas, na verdade, tudo isto é uma questão pessoal e cada um deve decidir o que é alimentação sábia para si mesmo. Contudo, acredito que quase todos podemos experimentar os imensos benefícios de vencer um combate privado sobre nosso corpo. Essa vitória também influencia nossa capacidade de obter vitórias públicas em nosso relacionamento com outras pessoas e nossa reorientação para uma vida de serviço e contribuição.

Exercícios regulares e equilibrados

Os exercícios regulares – aeróbicos, de força e de alongamento – aumentam significativamente tanto a qualidade quanto a expectativa de vida. Mais uma vez, o segredo é o equilíbrio. Nossa sociedade adotou um estilo de vida cada vez mais sedentário e inativo. Mas há muitas formas de fazer exercícios regularmente. É preciso começar modestamente, com algo que possamos dar continuidade. Devemos fazer alguma coisa todos os dias, ou pelo menos de três a cinco dias por semana. É interessante escolher algo que nos agrade e que se adapte às nossas necessidades e condições específicas. Devemos consultar o médico. Os exercícios devem ser variados para fortalecer diferentes partes do corpo e não nos entediar ou esgotar em apenas uma atividade. Muitas pessoas gostam de andar vigorosamente, se possível. Outros correm, nadam, fazem jardinagem ou andam de bicicleta. Muitos aproveitam os equipamentos das academias, onde podem praticar várias atividades aeróbicas, importantes para o sistema cardiovascular, como esteiras, bicicletas estacionárias, step, aparelhos de remar e outros.

O levantamento de pesos e outros exercícios de força trazem grandes benefícios para pessoas de todas as idades, incluindo o aumento da força, melhoria da postura, energia, redução da perda de massa óssea e aumento da queima de calorias.

Não tenho palavras para falar dos benefícios que me trazem os exercícios regulares e equilibrados. Para mim, esses benefícios são principalmente mentais e espirituais, mais do que físicos, embora fique impressionado com as pesquisas que mostram os benefícios físicos dos exercícios regulares. Os exercícios aeróbicos, onde usamos os grandes músculos da perna para fortalecer o coração e o sistema circulatório de modo a processar o oxigênio de modo mais eficiente, foram sempre a base de meu programa de exercícios.

Meu exercício aeróbico preferido é a corrida, mas prejudiquei meus joelhos com a prática de vários esportes e agora recorro à bicicleta estacionária. E verifiquei que, enquanto estou nela, posso fazer várias outras coisas. Posso falar ao telefone e levar adiante negócios mesmo quando estou respirando como um frenético Darth Vader. Posso assistir a programas educativos ou de entretenimento na televisão. Posso conversar com minha mulher ou meus filhos e até com amigos que estejam se exercitando na mesma hora. Assim nos incentivamos mutuamente ou trocamos idéias sobre o que funciona e o que não funciona.

Também acredito firmemente na importância de exercícios de alongamento e de flexibilidade. Lembro que uma vez um treinador me viu fazendo um exercício no aparelho de musculação e me disse para fazer quantas repetições conseguisse e mais uma. Perguntei por que e ele respondeu que os maiores benefícios são obtidos no fim do exercício, quando a fibra muscular está exausta e sentimos dor, e que em cerca de 48 horas ela se renova e fortalece. Fiquei fascinado com a informação, porque sempre queria parar quando estava cansado e as dores começavam. Mas ele ficou do meu lado e falou: "Quando o senhor não conseguir fazer mais um levantamento, eu pego a barra." Isso foi uma ótima metáfora para as outras três dimensões da vida. Quando estamos chegando ao fim de nossas forças, nossa capacidade de fazer aumenta. Emerson disse o seguinte: "Quando aquilo que persistimos em fazer se torna mais fácil, não é a natureza da coisa que muda, mas nossa habilidade de fazer que aumenta."

No meu caso, faço exercícios aeróbicos de cinco a seis vezes por semana, três vezes pratico musculação e seis dias por semana faço alongamento ou ioga para manter a flexibilidade. Também obtive benefícios com a prática de Pilates, para fortalecer as camadas mais profundas. Cada pessoa precisa considerar a própria situação e determinar o que é mais adequado. Mas repito: estou convencido de que os exercícios aumentam nosso senso de autocontrole e autodomínio, o que aprimora a totalidade de nossas vidas e amplia verdadeiramente o espaço entre o estímulo e a resposta.

Quando lecionava cursos regulares na universidade, incentivava os estudantes a traçar objetivos específicos para o semestre. A grande maioria deles incluía a alimentação adequada e a prática regular de exercícios físicos entre suas metas. Isso é o que eu chamaria de um "acordo ganha-ganha" com os estudantes, e uma vez aprovado eles passavam a ser responsáveis e eram cobrados. Eles também dividiam suas percepções e o aprendizado obtido nessas experiências para se auto-avaliar em relação aos objetivos selecionados. Como essa avaliação representava uma parte significativa da nota final do curso, eles tinham motivação tanto externa quanto interna. Alguns estudantes não estavam inclinados a lidar com este lado físico, o que não era problema – eles teriam que estabelecer e se responsabilizar pelos outros objetivos a que se propuseram.

É difícil imaginar os benefícios obtidos pelos que venceram seu vício de comer doces ou salgadinhos e que faziam pelos menos meia hora de exercícios três vezes por semana. O cultivo destes novos hábitos e o abandono dos antigos teve um impacto impressionante, já que afetaram todos os seus relacionamentos. Também sua energia, sua acuidade mental, seus estudos e seu senso de autodomínio foram afetados. No final do semestre aqueles que não tinham selecionado objetivos físicos desejavam tê-lo feito ao ouvir o testemunho daqueles que o fizeram e alcançaram as metas de domínio físico propostas.

Reflita nisso por alguns momentos. A semana tem 168 horas. Mas, se afinarmos o instrumento físico com exercícios regulares e equilibrados por, digamos, duas ou três dessas 168 horas, experimentaremos tamanho efeito positivo dessas duas horas sobre as 166 restantes, incluindo a profundidade e a qualidade de nosso sono, que começaremos a sentir a grande força e a energia que se espraiam em nossas vidas, em decorrência desse tipo de autodomínio.

Reflita antes de dormir.

Repouso adequado, relaxamento, gerenciamento do estresse e pensamento preventivo

O trabalho do grande pioneiro e líder dos estudos do estresse, Dr. Hans Selye, sugere que há dois tipos de estresse: o distresse e o eustresse. O *distresse* ocorre quando odiamos o trabalho, nos ressentimos com as múltiplas pressões da vida e nos sentimos vítimas. O *eustresse* decorre da tensão positiva entre o ponto em que estamos agora e o que queremos atingir – algum objetivo significativo ou uma causa que nos empolga e aproveita nossos talentos e paixões; em resumo, nossa voz. Por meio de estudos empíricos, o Dr. Selye verificou que o eustresse protege o sistema imunológico e prolonga a vida e suas alegrias. Em suma, não deveríamos evitar o estresse. Se for do tipo certo, o eustresse, ele nos fortalecerá e ampliará nossas capacidades. Obviamente, tudo deve ser equilibrado e temperado por repouso e relaxamento adequados, ou o que se denomina "gestão do estresse" ou, mais propriamente, "gestão do eustresse". Selye explica que as mulheres vivem em média até sete anos mais do que os homens por razões psicológicas/espirituais. "O trabalho de uma mulher nunca termina."

Nos círculos profissionais é geralmente aceito que pelo menos dois terços de todas as doenças são provocados pelo estilo de vida que as pessoas adotam. São escolhas relativas à alimentação, ao fumo, à insuficiência de repouso e relaxamento, numa tentativa de queimar a vela nas duas extremidades, e muitos outros abusos do corpo. Muitos atribuem várias doenças a fatores genéticos, mas, como mencionamos anteriormente, sempre há um espaço entre o estímulo e a resposta e quando as pessoas estão conscientes desse espaço e de sua própria capacidade de fazer escolhas embasadas em princípios, elas não precisam ser necessariamente afetadas pelas doenças às quais a genética as predispõe. Até a maioria dos cânceres podem ser curados se forem detectados no primeiro ou no segundo estágio antes de se tornarem agressivos.

A moderna medicina ocidental está muito mais concentrada no tratamento do que na prevenção, e o tratamento em geral se enquadra numa de duas categorias, ou química ou cirurgia. Gostaria de ver os paradigmas da medicina se alargando, se aprofundando e se tornando mais complementares com terapias alternativas empiricamente validadas.

Penso que é muito importante fazer exames freqüentes, pelo menos uma vez ao ano, para que as várias tendências ou os sintomas de doenças possam render escolhas sábias. Pessoalmente, tenho um médico para os tratamentos e outro para os exames preventivos e respeito muito os dois. Aprendi que o princípio mais fundamental é que precisamos assumir a responsabilidade por nossa saúde. Precisamos perguntar, nos envolver bastante, estudar, procurar outras opiniões e procurar terapias alternativas, em lugar de jogar toda a responsabilidade por nossa saúde e bem-estar numa outra pessoa ou profissão.

Negligência do desenvolvimento e da saúde do corpo

Basta pensar o que acontece com as outras três dimensões quando o corpo é negligenciado. Podemos perder não apenas a saúde, mas, do ponto de vista *mental,* podemos também perder a concentração, a criatividade, a resistência, a força, a coragem, a capacidade de aprendizado, a memória. E pelo contrário, quando praticamos exercícios, descansamos e nos alimentamos adequadamente, mantemos nossa concentração e nossa resistência, bem como a sede de aprender.

O que acontece com nossa inteligência *emocional*, nosso coração, quando negligenciamos o corpo – quando nos tornamos uma função de nossos apetites e paixões? A paciência, o amor, o entendimento, a empatia, a capacidade de escutar e a compaixão estão subordinados – tornam-se palavras vazias, sem carne nem sangue para movê-las.

Descobri que, se assumo um compromisso comigo mesmo em relação a dietas ou exercícios (ou qualquer outra coisa) e não o mantenho, me torno menos sensível às necessidades e aos sentimentos dos outros. Fico mais perturbado e zangado comigo mesmo e posso sentir que minha integridade se esvai. Só quando me recupero, volto a meu compromisso, me decido e cumpro o que prometi a mim mesmo que eu posso esquecer de mim e mostrar autêntica empatia pelos outros.

> *Um homem que cede à tentação em cinco minutos simplesmente não sabe o que aconteceria uma hora mais tarde. É por isso que as pessoas más, em certo sentido, sabem muito pouco da maldade. Elas viveram uma vida protegida ao ceder sempre.*[2]
>
> C. S. LEWIS

O que acontece com nosso *espírito*, com nossa paz de espírito? Ele afeta nosso desejo de servir, de contribuir, nossa propensão ao sacrifício, a nos subordinar a um bem maior; nossa consciência fica amortecida, cedendo quase que a todas as tentações. Qualquer perda de integridade pessoal nos faz ficar mais voltados para nós mesmos, mais egoístas. Contudo, verifiquei que, quando estou decidido a viver de acordo com os princípios e a consciência, minha determinação para servir e contribuir de maneira significativa retorna.

O autodomínio físico e seu desenvolvimento são fundamentais. E também muito concretos, algo de que podemos cuidar quase imediatamente. Temos um acesso mais direto, podemos controlá-los. À medida que dominamos nossos apetites e fortalecemos nossa inteligência, começamos a ver que o espaço entre estímulo e resposta se alarga, com todos os desdobramentos emocionais, mentais e espirituais positivos que o acompanham.

Vejo que a maioria das pessoas reconhece que de tanto em tanto se desvia da rota. Mas, se essas pessoas ouvirem sinceramente o feedback de seu corpo, mente, coração e espírito e fizerem as correções necessárias, poderão voltar à rota traçada. É como o vôo de um avião. A maioria das aeronaves está fora da rota a maior parte do tempo, mas, como o piloto recebe um feedback constante dos vários instrumentos para ajudá-lo a voltar à rota, a maioria dos vôos chega ao destino estabelecido no plano de vôo.

A nossa consciência, se lhe dermos ouvidos, nos orientará em todas as três áreas. E quanto mais a seguirmos, mais forte se torna, de modo que podemos avançar cada vez mais no sentido da doação. Alimentando-nos com sabedoria, praticando exercícios, descansando e relaxando, aprofundamos nossa capacidade e fortalecemos o sistema imunológico de nosso organismo e sua capacidade de se reconstruir, e, mais importante, liberamos as outras três inteligências contidas na mente, no coração e no espírito.

DESENVOLVIMENTO DA INTELIGÊNCIA MENTAL – QI

Sugiro três modos de desenvolver o QI, ou capacidade mental: primeiro, *estudo e formação disciplinados e sistemáticos*, incluindo temas fora de nosso campo de atividade; segundo, o *cultivo da autoconsciência* para explicitar as pressuposições e pensar de modo original, saindo de nossa zona de conforto; e, terceiro, *aprender ensinando e fazendo*.

QI	DESENVOLVIMENTO DOS TRÊS ELEMENTOS PRINCIPAIS DA INTELIGÊNCIA MENTAL (QI)
Estudo e formação contínuos, disciplinados e sistemáticos	
Cultivo da autoconsciência (explicitar as pressuposições)	
Aprender ensinando e fazendo	

FIGURA A1.2

Estudo e formação contínuos, disciplinados e sistemáticos

As pessoas que se dedicam ao aprendizado, crescimento e aprimoramento contínuos são as que têm a capacidade de mudar, se adaptar, se ajustar às cambiantes realidades da vida e adquirirem um equipamento fundamental para produzir em todas as áreas da vida. Nossa única segurança econômica real está em nossa capacidade de atender necessidades humanas. Portanto, quanto piores as condições, mais evidentes se tornam as necessidades humanas. Nossa segurança não está nas organizações ou em nossos empregos, tecnologias revolucionárias podem torná-los irrelevantes. Mas, se temos mentes fortes, ativas, alertas, que crescem e aprendem, seremos capazes de "dar o pulo-do-gato". O conceito de como QI mental algo fixo há muito foi desmentido. Quanto mais usamos a mente, mais forte ela se torna; quanto mais a mente acompanha a consciência, mais sábia se torna.

Acredito firmemente que deveríamos pôr de lado a televisão e voltar a ler – ler de tudo, profundamente, fora de nossa zona de conforto e de nosso campo profissional. Por exemplo, dentre as revistas, gosto de ler *Scientific American, The Economist, Psychology Today, Harvard Business Review, Fortune* e *Business Week*. Minha mulher sempre me incentiva a ler mais ficção, biografias e autobiografias, que são seus principais interesses. Penso que seus conselhos são sábios. Também recebo muitos livros para comentar e aprendi a ler conceitualmente, examinando o sumário e verificando o estilo do autor, a fim de descobrir onde as principais idéias estão. Desse modo, posso captar a essência de muitos livros em um dia ou pouco mais.

Outra forma interessante e útil de aprender é desdobrar as apresentações a que assistimos ou os livros que lemos em quatro áreas: primeiro, *objetivo*; segundo, *ponto principal*; terceiro, *validação* – em outras palavras, provas; e, quarto, *ilustração* – em outras palavras, exemplos e histórias. Verifiquei que, treinando nossa mente para pensar assim enquanto ouvimos ou lemos, podemos captar e entender o conteúdo de uma forma surpreendentemente boa – a ponto de quase poder reproduzir a apresentação que acabamos de ouvir, como se tivéssemos passado muito tempo adquirindo esse conhecimento.

Basicamente, cada pessoa deve decidir qual o melhor meio de manter uma formação continuada. Na Era do Trabalhador do Conhecimento, isto é vital. As pessoas devem examinar atentamente onde gastam seu tempo e quanto dele é desperdiçado, e então adquirir uma disciplina mental. É algo que paga altos dividendos. Muitas pessoas dizem que são ocupadas demais para ler – ou até para se ocupar de seus filhos. Contudo, há grandes evidências de que as pessoas passam metade de seu tempo fazendo coisas que não são importantes, embora sejam urgentes. Mas quanto mais disciplinada for a pessoa quanto a se *concentrar* nas coisas realmente importantes, quanto mais tiver dentro de seu coração um forte sentimento de "sim", tanto mais fácil lhe será dizer um "não" sorridente, feliz, alegre, a todas as muitas distrações que inevitavelmente surgem.

Cultivo da autoconsciência (explicitar as pressuposições)

A autoconsciência envolve todas as quatro inteligências e é um dom humano singular. É essencialmente outra forma de falar do espaço entre estímulo e resposta – o espaço em que podemos fazer uma pausa e, depois, escolher ou decidir.

Cultivar a autoconsciência tentando entender e explicitar nossas pressuposições, teorias e paradigmas subjacentes é sem dúvida uma das atividades mais produtivas a que podemos nos dedicar. Como estamos sempre fazendo pressuposições e porque elas são muito *implícitas* (não temos consciência de que as estamos fazendo), ao *explicitá-las* podemos dar grandes saltos quânticos. Podemos aprender a pensar originalmente.

Vou ilustrar esta idéia com uma experiência. É chamada de Exercício dos 9 Pontos. Mesmo que o leitor já a tenha feito antes, seria interessante repeti-la para reforçar a importância de tornar explícitas as pressuposições e pensar de modo original.

Una, sem levantar o lápis do papel, os nove pontos abaixo (ver Figura A1.3) com quatro linhas retas que passem por todos eles

Difícil? Tente novamente, mas desta vez procure não pensar de modo "quadrado". Provavelmente terá pressuposto que as linhas têm que ficar dentro do "quadrado". Observe o que está fazendo agora. Você está pensando sobre seu pensamento. Nenhum animal pode fazer isso. É por isso que nenhum animal pode se reinventar. O leitor e eu podemos. Por quê? Porque podemos examinar nossas premissas. Agora tente novamente.

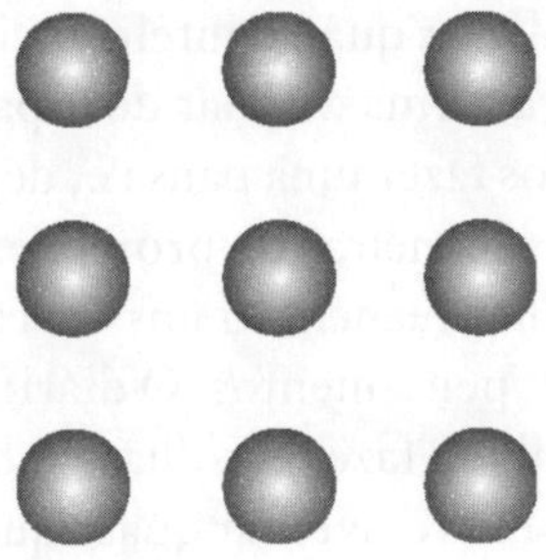

FIGURA A1.3

VEJAMOS o que acontece quando nossas idéias não são quadradas. Podemos traçar a primeira linha na parte externa do quadrado (ver Figura A1.4).

E depois continuamos com a segunda, a terceira e a quarta (ver Figura A1.5).

Ok. Vamos ver outra possibilidade. Trace uma reta que passe pelos nove pontos. Agora examine sua mente. O que está pressupondo? Uma reta passando pelos nove pontos. Não podemos rearrumá-los. Precisamos passar por aqueles mesmos nove pontos. O que está presumindo?

A largura da linha (ver Figura A1.6).

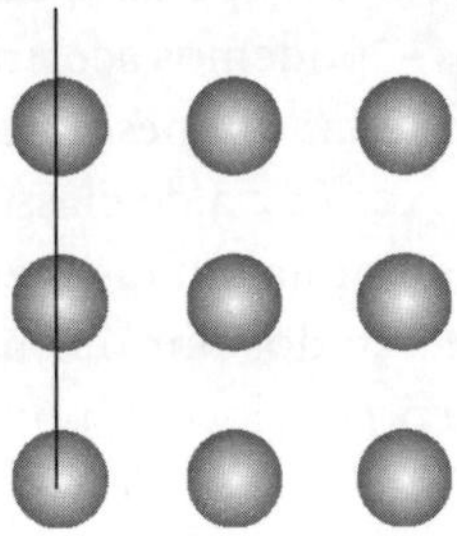

FIGURA A1.4

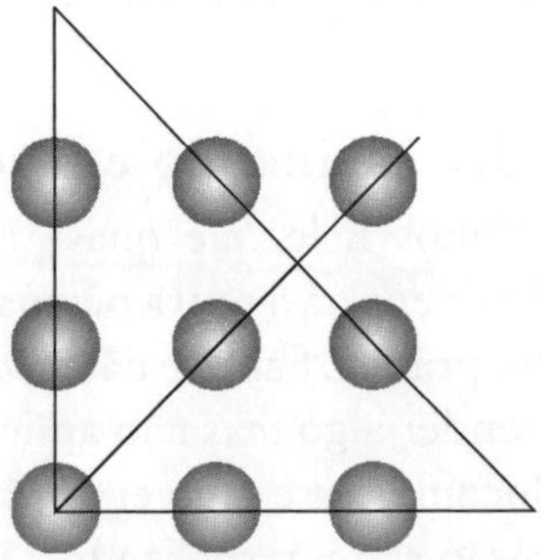

FIGURA A1.5

A autoconsciência envolve as quatro inteligências e é um dom humano singular. É essencialmente outra forma de falar do espaço entre estímulo e resposta – o espaço em que podemos fazer uma pausa e, depois, escolher ou decidir.

Vejamos algumas outras maneiras de promover a autoconsciência. Minha filha, Colleen, talvez já tenha preenchido uns 70 cadernos com um diário em que anota para si mesma seus pensamentos. O diário lhe permitiu observar seus envolvimentos na vida e também fazer escolhas embasadas nessas observações. Desenvolveu a capacidade de se reinventar quase que instantaneamente porque sua autoconsciência é muito profunda e forte. Já a vi tomando decisões fundamentadas nas diretivas de sua consciência, ou inteligência espiritual, subordinando a QI e a QE, e verificando depois que todas as três estavam em harmonia.

A disciplina de passar para o papel os pensamentos é massacrante, mas poderosa e esclarecedora. O que aprendemos com um fracasso se torna um sucesso. De modo que, neste sentido, não há verdadeiros fracassos, apenas experiências de aprendizado que podemos aproveitar bem.

Outra maneira de desenvolver o conhecimento de nós mesmos e dos outros, bem como de explicitar as pressuposições, é buscar o feedback de outras pessoas. Todos nós temos pontos cegos. Alguns deles prejudicam realmente nossa eficácia. Mas, se cultivarmos, formal ou informalmente, o hábito de buscar o feedback dado por outras pessoas – pessoas de quem gostamos e que vivem ou trabalham próximo de nós –, podemos acelerar nosso crescimento e desenvolvimento. É análogo ao que se faz em pesquisa de mercado e em análise comparativa com parâmetros de excelência de classe mundial, mais do que de concorrentes locais. Isso nos proporciona muitas vezes informações sobre pontos cegos que também não são percebidos por outras pessoas.

Muitos, e eu mesmo, vemos a prece sincera, ponderada, atenta, como uma forma de sentir as diretivas da consciência e de ver a vida como uma missão, uma oportunidade de servir e contribuir. A prece também pode nos dar força e coragem para recuar, admitir erros e nos desculpar perante os outros, e voltar aos trilhos com nossos compromissos renovados.

Aprender ensinando e fazendo

Voltemos ao Capítulo 3. Vimos nele que quase todos reconhecem que se aprende algo melhor quando se ensina a outra pessoa e que o aprendizado é internalizado quando posto em prática. Saber e não fazer é realmente não conhecer. Em outras palavras, entender algo mas não aplicá-lo equivale a não entendê-lo. Somente quando colocamos esse algo em prática, o aplicamos, é que o conhecimento e a compreensão são internalizados.

Negligenciar o desenvolvimento da mente

Vivemos num mundo que se torna cada vez mais complexo e que se move com velocidade digital. Os mercados e a tecnologia se globalizam. Um novo tipo de terrorismo – com conseqüências potencialmente devastadoras em nível mundial – está alimentando o medo em quase todos os corações. Comunidades inteiras passam por momentos de confusão e vertigem quanto a seus valores. As famílias estão estressadas como em nenhuma outra época. Nosso meio para enfrentar esses desafios é a mente, a capacidade de pensar. Quando a negligenciamos, o próprio *corpo* é afetado. Como já disse alguém: "se você acha que a educação é cara, experimente a ignorância". O imperativo moral da vida é crescer ou morrer. A meia-vida de muitas profissões é de poucos anos. Se transferirmos a responsabilidade por nosso desenvolvimento mental para a organização que nos emprega, nos tornamos cada vez mais co-dependentes e podemos ficar profissionalmente obsoletos. Isso reduz nossa capacidade de ganhar a vida, e até pode nos custar o emprego. O corpo se deteriora mais rápido, morremos mais cedo.

Qual é o impacto da negligência da mente e de seu constante desenvolvimento sobre o *coração*, sobre os relacionamentos? Passamos a ser regidos cada vez mais pela ignorância, pelo preconceito, pela estereotipagem e pelos rótulos. Isto pode levar-nos a pensar de modo provinciano, ou até narcisista e paranóico; toda nossa maneira de ver a vida se torna míope, estreita e autofocada.

E o que acontece com o *espírito* quando paramos de aprender? A consciência fica entorpecida, embotada e finalmente silencia, porque constantemente nos diz para aprender e crescer. Perdemos tanto o senso de visão na vida quanto a luta para encontrar a nossa voz, porque ambos são as fontes originárias de nossa paixão. Passamos a achar as leituras sábias tediosas e pouco inspiradoras, até irrelevantes.

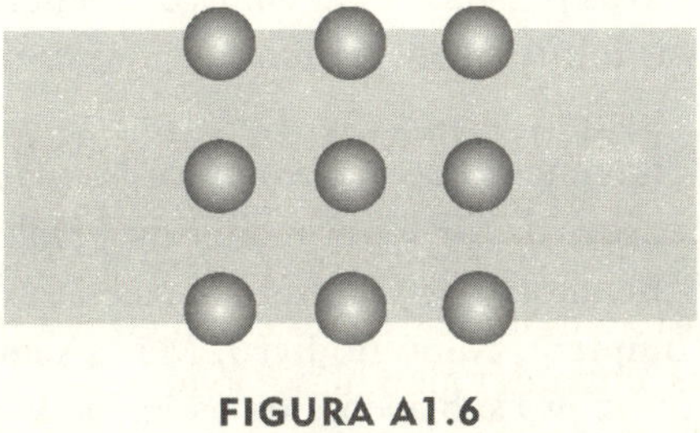

FIGURA A1.6

DESENVOLVIMENTO DA INTELIGÊNCIA EMOCIONAL – QE

Se estudarmos atentamente a literatura relativa à inteligência emocional, veremos que ela sugere primeiro a importância transcendente da QE para a eficácia no longo prazo e, segundo, que ela *pode* ser desenvolvida. Mas é interessante notar que não fala de como ela pode ser desenvolvida.

QE	OS CINCO PRINCIPAIS ELEMENTOS DA INTELIGÊNCIA EMOCIONAL (QE)
	Autoconsciência
	Motivação pessoal
	Auto-regulação
	Empatia
	Habilidades sociais

FIGURA A1.7

Os cinco elementos comumente aceitos da inteligência emocional são: primeiro, a *autoconsciência*, isto é, a capacidade de refletir sobre a própria vida, aumentar o autoconhecimento e usar esse conhecimento para nos aprimorar e até superar ou compensar fraquezas; segundo, a *motivação pessoal*, que lida com o que realmente empolga as pessoas – a visão, os valores, os objetivos, as esperanças, os desejos e as paixões que formam suas prioridades; terceiro, a *auto-regulação*, ou a capacidade de gerenciar-nos no sentido de atingir nossa visão e nossos valores; quarto, a *empatia*, a capacidade de ver como outras pessoas vêem e sentem as coisas; e quinto, *habilidades de comunicação social*, que lidam com a forma como as pessoas resolvem as diferenças, os problemas, chegam a soluções criativas e interagem de modo satisfatório para alcançar seus objetivos comuns.

Estou totalmente convencido de que a melhor forma sistemática de desenvolver essas cinco dimensões da QE é por meio dos 7 Hábitos das Pessoas Altamente Eficazes. Como mencionei no Capítulo 8, os Hábitos não podem ser tratados aqui de forma completa, como no livro. Mas a seguir apresentamos um quadro que mostra o princípio subjacente ou essência de cada um dos 7 Hábitos. E o leitor pode voltar ao sumário dos 7 Hábitos no Capítulo 8.

DESENVOLVIMENTO DAS QUATRO DIMENSÕES DOS 7 HÁBITOS

Vejamos os cinco elementos da inteligência emocional e sua relação com os 7 Hábitos:

PRINCÍPIOS INCORPORADOS AOS 7 HÁBITOS	
Hábito	*Princípio*
❶ Seja Proativo	**Responsabilidade/iniciativa**
❷ Comece com o Objetivo em Mente	**Visão/valores**
❸ Primeiro o Mais Importante	**Integridade/execução**
❹ Pense Ganha-Ganha	**Respeito mútuo/benefício**
❺ Procure Primeiro Compreender para Depois Ser Compreendido	**Entendimento mútuo**
❻ Crie Sinergia	**Cooperação criativa**
❼ Afine o Instrumento	**Renovação**

FIGURA A1.8

QE	DESENVOLVIMENTO DOS CINCO ELEMENTOS PRINCIPAIS DA INTELIGÊNCIA EMOCIONAL (QE) POR MEIO DOS 7 HÁBITOS
Autoconsciência	**❶ Seja Proativo**
Motivação pessoal	**❷ Comece com o Objetivo em Mente**
Auto-regulação	**❸ Primeiro o Mais Importante** **❼ Afine o Instrumento**
Empatia	**❹ Procure Primeiro Compreender para Depois Ser Compreendido**
Habilidades sociais	**❹ Pense Ganha-Ganha** **❺ Procure Primeiro Compreender para Depois Ser Compreendido** **❻ Crie Sinergia**

FIGURA A1.9

Autoconsciência

A *consciência do eu*, de nossa liberdade e capacidade de escolha é o núcleo do Hábito Seja Proativo – em outras palavras, estamos conscientes do espaço entre estímulo e resposta, de nossa herança genética, biológica, de nossa criação e das forças ambientais que estão em torno de nós. Diferentemente dos animais, podemos fazer escolhas sábias em relação a esses elementos. Sentimos que somos, ou podemos nos tornar, a força criativa de nossa própria vida. Essa é nossa decisão mais *fundamental*.

Motivação pessoal

A *motivação pessoal* é a base dessas escolhas – isto é, decidimos quais são nossas prioridades mais elevadas, nossos objetivos e nossos valores; é disso que trata essencialmente o Hábito 2, Comece com o Objetivo em Mente. Essa decisão de conduzir nossa vida é nossa decisão *primária*.

Auto-regulação

A *auto-regulação* é outra forma de expressar os Hábitos 3, Primeiro o Mais Importante, e 7, Afine o Instrumento. Em outras palavras, decidimos quais são nossas prioridades, e então vivemos de acordo com elas; é o hábito da integridade, do autodomínio, do fazer o que pretendemos fazer, de viver segundo nossos valores. Então nos renovamos constantemente. A execução estratégica e as decisões táticas são nossas decisões *secundárias*.

Empatia

A *empatia* é uma das metades do Hábito 5, Procure Primeiro Compreender para Depois Ser Compreendido. É aprender a transcender nossa autobiografia e alcançar a mente e o coração das outras pessoas. É tornar-se muito sensível aos aspectos sociais, e ter consciência da situação, antes de tentar ser entendido, influenciar pessoas e tomar decisões ou fazer avaliações.

Habilidades de comunicação social

A combinação dos Hábitos 4, 5 e 6 representa as habilidades de comunicação social. Pensamos em termos de benefícios e respeito mútuos (Hábito 4, Pense Ganha-Ganha), almejamos obter o entendimento mútuo (Hábito 5, Procure Primeiro Compreender para Depois Ser Compreendido), a fim de obter uma cooperação criativa (Hábito 6, Crie Sinergia).

Admito novamente que apresentei as conexões entre o Hábito 7 e o desenvolvimento destas cinco dimensões da inteligência emocional de modo muito resumido. Recomendo ao leitor que tiver maior interesse em aumentar sua QE o estudo e a aplicação dos princípios contidos em *Os 7 Hábitos das Pessoas Altamente Eficazes*. Faço isto não para promover meu livro, mas porque estou convencido da força dos princípios universais, atemporais, auto-evidentes, ali contidos – princípios cuja autoria não posso reivindicar, já que pertencem a toda a humanidade e estão presentes em todas as nações, religiões ou comunidades que resistiram e prosperaram.

Negligência da inteligência emocional

Doc Childre e Bruce Cryer descrevem os efeitos que a ignorância da inteligente voz do coração tem sobre o *corpo*: "A capacidade da inteligência diminui quando há frustração, ansiedade ou tumulto interior. Esses estados emocionais provocam incoerência nas atividades rítmicas e elétricas do coração, diminuindo a eficiência neurológica. É uma das razões que levam pessoas perspicazes a fazer coisas estúpidas. Quando tornamos a coerência interior uma prioridade diária, poupamos tempo e energia." Eles também explicam: "Nosso sistema imunológico se enfraquece quando agimos em contradição com nossos valores mais profundos e nossa consciência, e se fortalece quando sentimos e exprimimos amor ou atenção sinceros. A organização HeartMath demonstrou cientificamente essa conexão tanto no nível da imunidade pessoal – quem já não ficou doente depois de uma grande discussão ou ao saber do cancelamento de um programa importante ao qual tenha dedicado meses de trabalho – quanto até no nível organizacional, quando um vírus emocional suga o espírito, a vitalidade e o moral da organização."[3]

Se negligenciarmos o desenvolvimento de nossa inteligência emocional não permitindo que nossa autodisciplina vença as vitórias privadas, que levam às vitórias públicas, experimentaremos traumas emocionais, estresse e emoções negativas e perturbadoras como raiva, inveja, cobiça, ciúme e culpa irracional. Quando uma relação profunda é abalada, rompida ou violada, há efeitos que atingem o corpo e enfraquecem o sistema imunológico. As pessoas sofrem de dores de cabeça e enfermidades psicossomáticas de vários tipos. Suas mentes muitas vezes ficam deprimidas, incapazes de se concentrar e distraídas e perdem a capacidade de pensar de modo abstrato, atento, analítico e criativo. O espírito também se deprime e perde a coragem. As pessoas muitas vezes passam a se sentir impotentes, desesperançadas, vitimizadas e às vezes chegam a pensar no suicídio. É por isso que é importantíssimo alimentar constantemente relações com outras pessoas e com nós mesmos.

DESENVOLVIMENTO DA INTELIGÊNCIA ESPIRITUAL – QS

> *A finalidade da educação é tornar as pessoas integrais, em competência e em consciência. Pois criar o poder da competência sem dar uma direção que oriente o uso desse poder é má-educação. Além disso, a competência acabará se desintegrando quando longe da consciência.*
>
> JOHN SLOAN DICKEY

Sugiro três modos de desenvolver a inteligência espiritual: primeiro, a *integridade* – a fidelidade aos nossos mais altos valores, convicções e consciência, bem como uma conexão com o Infinito; segundo, *sentido* – um senso de contribuição com pessoas e causas; e, terceiro, *voz* – o alinhamento do nosso trabalho com nossos talentos ou dons específicos e nossa vocação.

QS	DESENVOLVIMENTO DOS TRÊS PRINCIPAIS ELEMENTOS DA INTELIGÊNCIA ESPIRITUAL (QS)
Integridade (fidelidade aos nossos valores superiores e à nossa consciência)	
Sentido (contribuição a pessoas e causas)	
Voz (alinhamento do trabalho com nossa vocação e nossos dons específicos)	

FIGURA A1.10

Integridade – fazer e cumprir promessas

A melhor forma de desenvolver a integridade é começar modestamente a fazer e cumprir promessas. Faça uma promessa que possa parecer pequena e insignificante para os outros, mas que represente um esforço sincero para você – praticar exercícios físicos por dez minutos, não comer aquela sobremesa, reduzir em uma hora o tempo que passa frente à televisão e aproveitar esse tempo para ler um livro, agradecer alguém por carta ou pessoalmente, rezar todos os dias, pedir perdão ou ler livros religiosos dez minutos por dia.

O importante é que, ao cumprir a promessa feita, sua capacidade de fazer e cumprir promessas maiores aumenta. Continue fazendo isso, e logo seu senso de honra será mais forte do que as variações do seu estado de ânimo. Desse modo, é possível desenvolver a integridade pessoal – significando que estamos integrados –, o que nos dará grande força. Isto sem dúvida significa acender uma pequena chama que se torna um grande fogo interior.

Integridade – educar a nossa consciência e obedecer a ela

Talvez a forma mais convincente de desenvolver a inteligência espiritual seja educar a nossa consciência e obedecer a ela. Madame de Stael disse o seguinte: "A voz da consciência é tão delicada que é fácil abafá-la, mas também é tão clara que é impossível confundi-la." Ao começar a estudar a literatura espiritual de nossa tradição, ou ao estudar a vida de pessoas inspiradoras, sentimos a voz da consciência nos guiando e orientando; ainda é uma voz pequena. E o que C.S. Lewis disse se aplica literalmente: "Quanto mais obedecemos à nossa consciência, mais ela exige de nós." Ela não só faz exigências mas também amplia nossas capacidades, nossa inteligência e nossas contribuições. Nossos talentos dobram quando usamos sabiamente os que nos foram dados.

Encontrar nosso sentido e nossa voz

Este tema é obviamente o ponto principal deste livro e se superpõe a tudo o mais. Mas uma maneira simples de encontrar a própria voz, como já mencionado, é perguntar o que minha situação na vida pede de mim agora? O que deveria fazer dadas as responsabilidades, os deveres, as obrigações que tenho agora? Qual seria a ação sábia a empreender? Quando somos fiéis às respostas dadas por nossa consciência, o espaço se torna maior e a consciência mais sonora.

> *Meu objetivo na vida é unir*
> *Minha ocupação e minha vocação*
> *Tal como meus dois olhos se unem na vista.*
> *Só onde o amor e a necessidade são um*
> *E o trabalho é jogo por lances mortais,*
> *A obra foi realmente concluída*
> *Para o Céu e o futuro.*[4]
>
> ROBERT FROST

Outra forma significativa de encontrar nosso senso de voz ou vocação ocorre quando estamos escolhendo uma carreira, um emprego ou uma causa a que nos dedicar. Não devemos esquecer de fazer perguntas fundamentais relativas às quatro inteligências – corpo, mente, coração e espírito. Do que realmente gosto e o que faço bem? Posso ganhar a vida com isso? Posso aprender a fazê-lo melhor? Estou disposto a pagar o preço desse aprendizado? Jim Collins, em seu interessante livro *Empresas feitas para vencer* incentiva as pessoas e as organizações a perguntar: Em que posso ser o melhor do mundo? Sei pelo menos uma resposta correta a essa pergunta, que se aplica a todos nós que somos pais. Se nos propusermos, podemos criar nossos filhos da melhor maneira. Ninguém quer isso tanto quanto nós.

> *Daqui a cem anos, não importará o tipo de carro que dirigi, o tipo de casa em que morei, quanto tinha depositado no banco, nem que roupas vesti. Mas o mundo pode ser um pouco melhor porque eu fui importante na vida de uma criança.*
>
> ANÔNIMO

Negligência, ignorância ou violação de nossa inteligência espiritual

O que acontece com o *corpo* quando nossa consciência e nossa integridade são desrespeitadas? Geralmente, percebemos isso na fisionomia da pessoa, em seus olhos. Em geral, elas negligenciam seus corpos e muitas vezes estão totalmente esgotadas, se já não estiverem destruídas. Suas *mentes* em geral estão cheias de racionalizações, o que significa que estão mentindo racionalmente para si mesmas. Sentem-se culpadas, o que é uma emoção muito salutar quando há uma autêntica violação da integridade e da consciência. Falta-lhes paz, seu julgamento está embotado. A Universidade da Califórnia, em Berkeley, resumiu algumas de suas pesquisas com a seguinte expressão publicada em um de seus boletins: "Estar bem por fazer o bem."

O que acontece com o *coração*? Essas mesmas pessoas perdem o controle de suas emoções, a capacidade de entender os outros, de sentir empatia. Sua capacidade de compaixão e amor é reduzida significativamente.

Quando um homem se torna melhor, ele entende mais e mais claramente o mal que ainda resta nele. Quando um homem se torna pior, ele entende menos e menos sua própria maldade. Um homem moderadamente mau sabe que não é muito bom; um homem completamente mau pensa que está certo. Na verdade, isto é senso comum. Entendemos o sono quando estamos acordados, não quando dormimos. Podemos ver erros aritméticos quando nossa mente funciona adequadamente; não os percebemos quando os estamos cometendo. As pessoas boas conhecem o mal e a maldade; as pessoas más não conhecem nenhum dos dois.[5]

C. S. LEWIS

Apêndice 2

REVISÃO DA BIBLIOGRAFIA RELATIVA A TEORIAS DA LIDERANÇA

NO SÉCULO XX encontramos cinco abordagens amplas à teoria da liderança; elas incluem traços, comportamento, influência-poder, situação e integração. As teorias do grande homem na liderança que dominaram as discussões antes de 1900 deram lugar às teorias dos traços da liderança. Em resposta, os teóricos começaram a dar grande destaque aos fatores situacionais e ambientais. Finalmente, as teorias da integração se desenvolveram em torno de pessoas e situações, psicanálise, papéis, mudanças, objetivos e contingências. A partir de 1970, as teorias se desenvolveram em torno de um desses conceitos fundamentais.

TEORIAS DA LIDERANÇA: REVISÃO DA BIBLIOGRAFIA

Teoria	Autor representativo/ano	Resumo
Teorias do grande homem	Dowd (1936)	As instituições históricas e sociais são moldadas pela liderança de grandes homens e mulheres (como Moisés, Maomé, Joana d'Arc, Washington, Gandhi, Churchill etc.). Dowd (1936) afirma que "não existe liderança pelas massas. Em todas as sociedades, as pessoas têm diferentes graus de inteligência, energia e força moral, e qualquer que seja a direção para a qual as massas sejam influenciadas a seguir, sempre serão lideradas por algumas poucas pessoas superiores".
Teorias dos traços	L. L. Barnard (1926); Bingham (1927); Kilbourne (1935); Kirkpatrick & Locke (1991); Kohs & Irle (1920); Page (1935); Tead (1929)	O líder é dotado de traços e características superiores que o diferenciam dos seguidores. As pesquisas desta linha tentam responder duas perguntas: O que distingue o líder das outras pessoas? Qual a extensão dessas diferenças?

Teoria	Autor representativo/ano	Resumo
Teorias situacionais	Bogardus (1918); Hersey & Blanchard (1972); Hocking (1924); Person (1928); H. Spencer	A liderança é resultado de demandas situacionais: os fatores situacionais, mais do que os fatores hereditários, determinam quem emergirá como líder. O surgimento de um grande líder é conseqüência da época, do local e das circunstâncias.
Teorias pessoais-situacionais	Barnard (1938); Bass (1960); J. F. Brown (1936); Case (1933); C. A. Gibb (1947, 1954); Jenkins (1947); Lapiere (1938); Murphy (1941); Westburgh (1931)	Representam uma combinação das três linhas teóricas anteriores. As pesquisas sugerem que o estudo da liderança deveria incluir traços afetivos, intelectuais e de ação, bem como as condições específicas em que a pessoa opera. As condições incluem: (1) traços de personalidade, (2) natureza do grupo e de seus integrantes, e (3) eventos com os quais o grupo se confronta.
Teorias psicanalíticas	Erikson (1964); Frank (1939); Freud (1913, 1922): Fromm (1941); H. Levison (1970); Wolman (1971)	O líder funciona como uma figura paterna: uma fonte de amor ou medo, como a corporificação do superego, o meio para dar vazão às frustrações e à agressão destrutiva dos seguidores.
Teorias humanistas	Argyris (1957, 1962, 1964); Blake & Mouton (1964, 1965); Hersey & Blanchard (1969, 1972); Likert(1961, 1967); Maslow (1965); McGregor (1960, 1966)	Lidam com o desenvolvimento da pessoa em organizações efetivas e coesas. Os que adotam esta perspectiva teórica pressupõem que os seres humanos são por natureza seres motivados e que as organizações são por natureza estruturadas e controladas. De acordo com eles, a liderança existe para modificar restrições organizacionais, visando proporcionar liberdade para que as pessoas realizem seu pleno potencial e contribuam para a organização.
Teoria do papel do líder	Homans (1950); Kahn & Quinn (1970); Kerr & Jermier (1978); Mintzberg (1973); Osborn & Hunt (1975)	Características da pessoa e exigências da situação interagem de modo a permitir que uma ou algumas poucas pessoas surjam como líderes. A estrutura dos grupos se embasa nas interações dos integrantes do grupo e o grupo se organiza de acordo com diferentes papéis e posições. A liderança é um desses papéis diferenciados e se espera que a pessoa que ocupa essa posição se comporte de modo diferente em relação a outras pessoas do grupo. Os líderes se comportam de acordo com sua percepção do papel e das expectativas dos outros. Mintzberg considera os seguintes papéis do líder: figura de proa, líder, agente de ligação, monitor, disseminador, porta-voz, empreendedor, encarregado de lidar com as perturbações, alocador de recursos e negociador.

Teoria	Autor representativo/ano	Resumo
Teoria da trajetória-meta	M. G. Evans (1970); Georgopoulos, Mahoney & Jones (1957); House (1971); House & Dessler (1974)	Os líderes reforçam as mudanças dos seguidores ao mostrar os comportamentos (trajetórias) que levam às recompensas. Os líderes também esclarecem os objetivos e incentivam os seguidores a obterem um bom desempenho. Os fatores situacionais determinam o modo como os líderes atingem esses propósitos de trajetória-meta.
Teorias da contingência	Fiedler (1967); Fiedler, Chemers & Mahar (1976)	A eficácia de um líder voltado para tarefas ou relações depende da situação. Os programas de treinamento de lideranças embasados nestas teorias ajudam o líder a identificar sua orientação e a ajustar-se melhor aos aspectos favoráveis ou desfavoráveis da situação.
Liderança cognitiva: o grande homem do século XX	H. Gardner (1995); J. Collins (2001)	Os líderes são "pessoas que, por palavras e/ou exemplos pessoais, influenciam de modo significativo os comportamentos, pensamentos e/ou sentimentos de um número representativo de outros seres humanos". Entender a natureza da mente humana, tanto do líder quanto dos seguidores, nos permite perceber a natureza da liderança. A pesquisa de Collins conclui que uma diferença entre as organizações que geram bons resultados de modo sustentado e as que não os obtêm é que as primeiras são lideradas pelo que denomina Líderes de Nível 5 – os que apresentam uma paradoxal combinação de humildade e determinação obstinada.
Teorias e modelos dos processos interativos: modelo de múltiplos vínculos; modelo de múltiplas telas; modelo de vínculo duplo vertical; teorias da troca, teorias do comportamento e teorias da comunicação	Davis & Luthans (1979); Fiedler & Leister (1977); Fulk & Wendler (1982); Graen (1976); Greene (1975); Yuki (1971)	A liderança é um processo interativo. Os exemplos incluem teorias relativas à estrutura de iniciação dos líderes; a relação entre a inteligência do líder e seu desempenho ou o de seu grupo; a relação do líder com cada pessoa, em vez do grupo; e a interação social como uma forma de troca ou contingência comportamental.
Poder-influência: liderança participativa, lógica dedutiva	Coch & French (1948); J. Gardner (1990); Lewin, Lippitt & White (1939); Vroom & Yetton (1974)	A abordagem voltada a poder-influência inclui a liderança participativa. As pesquisas nesta linha examinam o quanto de poder é detido e exercido pelo líder. A abordagem também pressupõe uma causalidade unidirecional. A liderança participativa trata do compartilhamento do poder e do fortalecimento dos seguidores. Vroom & Yetton propuseram uma teoria prescritiva da liderança que sustenta que os líderes assumem as diretivas e os subordinados são seguidores passivos.

Teoria	Autor representativo/ano	Resumo
		Quando os subordinados têm mais conhecimentos, porém, seu papel deveria ser mais participativo. Gardner acredita que "liderança é o processo de persuasão ou exemplo pelo qual uma pessoa (ou uma equipe) induz um grupo a seguir os objetivos estabelecidos pelo líder e por seus seguidores". Considera que a liderança é um papel a ser preenchido e, portanto, os líderes desempenham um papel integral no sistema que presidem.
Atribuição, processamento da informação e sistemas abertos	Bryon & Kelley (1978); Katz & Kahn (1966); Lord (1976, 1985); Lord, Binning, Rush & Thomas (1978); Mitchell, Larsen & Green (1977); Newell & Simon (1972); H. M. Weiss (1977)	A liderança é uma realidade construída socialmente. De acordo com Mitchell et al., "As atribuições de liderança pelos observadores e pelos integrantes do grupo são viesadas por suas realidades sociais individuais". Além disso, nos estudos de liderança as variáveis individuais, processuais, estruturais e ambientais são fenômenos mutuamente causais, isto é, é difícil apontar causa e efeito entre essas variáveis.
Integrativas: transforma-cionais; embasadas em valores	Bass; Bennis (1984, 1992, 1993); Burns (1978); Downton (1973); Fairholm (1991); O'Toole 1995); DePree (1992); Tichy & Devanna; Renesch	De acordo com Burns, a liderança transformacional é um processo em que "os líderes e os seguidores se elevam mutuamente a níveis mais altos de moralidade e motivação". Supõe-se que os seguidores transcendam seus próprios interesses pelo bem do grupo, levem em conta objetivos de longo prazo e desenvolvam uma consciência daquilo que é importante. De acordo com Bennis, os líderes eficazes desempenham três funções: alinham, criam e fortalecem. Os líderes transformam as organizações alinhando os recursos – humanos e outros –, criando uma cultura organizacional que promove a livre expressão de idéias e fortalece os outros, visando levá-los a contribuir com a organização. Bennis é conhecido pela distinção que faz entre gerência e liderança; sua visão pode ser melhor resumida em suas próprias palavras: "Os líderes são pessoas que fazem a coisa certa, os gerentes são os que fazem certo as coisas."
Liderança carismática	Conger & Kanungu (1987); House (1977); Kets se Vries (1988); J. Maxwell (1999); Meindl (1990); Shamir, House & Arthur (1993); Weber (1947)	A liderança carismática, por outro lado, pressupõe que os líderes são detentores de qualidades excepcionais na percepção dos subordinados. A influência de um líder na realidade não se embasa na autoridade ou na tradição, mas nas percepções de seus seguidores. Dentre as explicações para a liderança carismática, temos a atribuição, as observações objetivas, a teoria do autoconceito, a psicanalítica e a do contágio social.
Liderança embasada na competência	Bennis (1993); Boyatizis; Cameron; Quinn	É possível aprender e aprimorar competências fundamentais que tendem a prever as diferenças entre pessoas com desempenho destacado (líderes) e as que só terão desempenho médio.

Teoria	Autor representativo/ano	Resumo
Liderança visionária e de aspirações	Burns; Kouzes & Posner (1995); Peters; Waterman (1990); Richards & Engle (1986)	De acordo com Kouzes e Posner, a liderança "acende" a paixão dos subordinados e serve de bússola pela qual se orientam os seguidores. Eles definem liderança "como a arte de mobilizar outros a quererem lutar por aspirações compartilhadas". O destaque é dado ao desejo dos seguidores de participar e à habilidade do líder para chamar outros à ação. Os líderes respondem aos clientes, formulam a visão, energizam os empregados e prosperam em ambientes "caóticos". A liderança é uma questão de articular visões e propiciar o ambiente em que as coisas podem ser atingidas.
Liderança gerencial e estratégica	Drucker (1999); Jacobs & Jaques (1990); Jaques & Clement (1991); Kotter (1998, 1999); Buckingham & Coffman (1999); Buckingham & Clifton (2001)	A liderança representa a integração entre parcerias internas e externas. Drucker destaca três elementos dessa integração: o financeiro, o desempenho e o pessoal. Acredita que os líderes são responsáveis pelo desempenho de suas organizações e pela comunidade como um todo. Os líderes desempenham papéis e possuem características especiais. De acordo com Kotter, os líderes comunicam a visão e o rumo, alinham as pessoas, motivam, inspiram e energizam seus seguidores. Além disso, os líderes são agentes de mudança e fortalecem seu pessoal. A liderança é o processo de dar propósito (um rumo significativo) ao esforço coletivo, e estimula a realização de maiores esforços para que o propósito seja alcançado. A liderança gerencial eficaz também promove trabalho gerencial eficaz. Estes autores acreditam em requisitos de liderança que dependem da época e do lugar, bem como das pessoas e das situações.
Liderança embasada em resultados	Ulrich, Zenger & Smallwood (1999); Nohria, Joyce & Robertson (2003)	Ulrich et al. propõem uma marca de liderança que "descreve os resultados específicos que os líderes obtêm". Os líderes são detentores de caráter moral, integridade e energia, além de conhecimentos técnicos e pensamento estratégico. Além disso, os líderes revelam comportamentos eficazes para a promoção do sucesso organizacional. Como os resultados da liderança podem ser medidos, no que chamaram de Projeto Evergreen, Nohria et al. examinaram mais de 200 práticas gerenciais no transcurso de um período de dez anos para determinar quais geram resultados verdadeiramente superiores. As quatro práticas primárias são estratégia, execução, cultura e estratégia. As empresas com resultados superiores também adotam duas das quatro práticas secundárias: talento, inovação, liderança e fusões e aquisições.

Teoria	Autor representativo/ano	Resumo
O líder como mestre	DePree (1992); Tichy (1998)	Os líderes são mestres. Os líderes estabelecem o "ponto de vista a ser ensinado". A liderança trata de motivar os outros ensinando narrativas. Tichy afirma que a liderança efetiva se equaciona ao ensino efetivo.
Liderança como arte cênica	DePree (1992); Mintzberg (1998); Vaill (1989)	A liderança é oculta no sentido de que os líderes não desempenham abertamente ações de liderança (como motivação, orientação etc.), mas empreendem ações discretas que abrangem tudo o que o líder ou o gerente faz. Uma metáfora comum para a liderança como arte cênica são os maestros e os conjuntos de jazz.
Liderança cultural e holística	Fairholm (1994); Senge (1990); Schein (1992); Wheatley (1992)	A liderança é a capacidade de sair da cultura para iniciar processos de mudança evolutiva mais adaptativos. A liderança é a habilidade de incluir grupos interessados importantes, evocar companheirismo e fortalecer outros. A abordagem holística de Wheatley pressupõe que a liderança é contextual e sistêmica. Os líderes criam relações sinérgicas entre pessoas, organizações e o ambiente. Os líderes promovem organizações que aprendem por meio da aceitação das cinco disciplinas. De acordo com Senge, os líderes desempenham três papéis: formuladores, responsáveis e mestres.
Liderança servidora	Greenleaf (1996); Spears & Frick (1992)	Esta linha de pensamento pressupõe que os líderes lideram principalmente servindo outros – empregadores, clientes e comunidade. As características de um líder-servidor incluem escuta, empatia, cura, atenção, persuasão, conceitualização, previsão, responsabilidade, compromisso com o crescimento dos outros e formação de uma comunidade.
Liderança espiritual	DePree (1989); Etzioni (1993); Fairholm (1997); Greenleaf (1977); Hawley (1993); Keifer (1992); J. Maxwell; Vaill (1989)	A liderança implica influenciar as almas das pessoas mais do que controlar suas ações. Fairholm acredita que a liderança envolve a conexão com outros. Além disso, "à medida que os líderes se comprometem com o cuidado da pessoa integral, eles devem incluir a atenção espiritual em sua prática... No novo século, os líderes precisam considerar e se engajar ativamente em fazer essas conexões e ajudar então os outros a fazê-las". A influência do líder nasce de seu conhecimento da cultura da organização, seus costumes, valores e tradições.

Bibliografia consultada

BASS, B. M. *Bass and Stogdill's Handbook of Leadership: Theory, Research, and Managerial Applications*. 3ª ed. Londres: Coller Macmillan, 1990.

BENNIS, W. G. *An Invented Life: Reflections on Leadership and Change*. Reading, Mass.: Addison-Wesley, 1993.

FAIRHOLM, G. W. *Capturing the Heart of Leadership: Spirituality and Community in the New American Workplace*. Westport, Conn.: Praeger, 1997.

FAIRHOLM, G. W. *Perspectives on Leadership: From the Science of Management to Its Spiritual Heart*. Westport, Conn.: Quorum Books, 1998.

GARDNER, H. *Leading Minds: An Anatomy of Leadership*. Nova York: BasicBooks, 1995.

GARDNER, J. W. *On Leadership*. Nova York: Collier Macmillan, 1990.

JAQUES, E. e CLEMENT, S. D. *Executive Leadership: A Practical Guide to Managing Complexity*. Arlington, Va.: Cason Hall, 1991.

KOUZES, J. M. e POSNER, B. Z. *The Leadership Challenge: How to Keep Getting Extraordinary Things Done in Organizations*. San Francisco: Jossey-Bass, 1995.

RENESCH, J. (org.) *Leadership in a New Era: Visionary Approaches to the Biggest Crisis of Our Time*. San Francisco: New Leaders Press, 1994.

SENGE, P. M. *The Fifth Discipline: The Art and Practice of the Learning Organization*. Nova York: Currency Doubleday, 1990.

ULRICH, D. et al. *Results-Based Leadership: How Leaders Build the Business and Improve the Bottom Line*. Boston: Harvard Business School Press, 1999.

VAILL, P. B. *Managing as a Performing Art: New Ideas for a World of Chaotic Change*. San Francisco: Jossey-Bass, 1989.

WHEATLEY, M. J. *Leadership and the New Science: Learning about Organization from an Orderly Universe*. San Francisco: Berrett-Koehler, 1992.

WREN, J. T. *Leader's Companion: Insights on Leadership through the Ages*. Nova York: The Free Press, 1995.

YUKI, G. *Leadership in Organizations*. 4ª ed. Upper Saddle River, N.J.: Prentice-Hall, 1998.

Apêndice 3

DECLARAÇÕES REPRESENTATIVAS SOBRE LIDERANÇA E GERÊNCIA

Autores e referência bibliográfica	Declarações: gerência *versus* liderança
Warren Bennis Bennis, W. G. (1994). "Leading Change: The Leader as the Chief Transformation Officer". In J. Renesch (Ed.), *Leadership in a New Era: Visionary Approaches to the Biggest Crisis of Our Time* (pp. 102-110). San Francisco: New Leaders Press.	"Gerenciar é fazer com que as pessoas façam o que tem que ser feito. Liderança é levar as pessoas a desejarem fazer o que tem que ser feito. Os gerentes empurram. Os líderes puxam. Os gerentes comandam. Os líderes comunicam."
Bennis, W. G. (1993). *An Invented Life: Reflections on Leadership and Change*. Reading, MA: Addison-Wesley.	"Os líderes são pessoas que fazem a coisa certa; os gerentes são pessoas que fazem as coisas de modo certo."
In Carter-Scoff, C. (1994). "The Differences Between Management and Leadership". *Manage*, 10+	"Os líderes conquistam o contexto – o entorno volátil, turbulento, ambíguo, que às vezes parece conspirar contra nós e que sem dúvida nos sufocaria se o permitíssemos – enquanto os gerentes se rendem a ele. O gerente administra, o líder inova. O gerente é uma cópia; o líder, um original. O gerente mantém; o líder desenvolve. O gerente se concentra em sistemas e estruturas; o líder se concentra nas pessoas. O gerente depende do controle; o líder inspira confiança. O gerente tem uma visão de curto alcance; o líder tem uma perspectiva ampla. O gerente pergunta como e quando, o líder pergunta o quê e por quê. O gerente está de olho nos resultados; o líder tem o olhar no horizonte. O gerente imita; o líder cria. O gerente aceita o *status quo*; o líder o contesta. O gerente é o clássico bom soldado; o líder é dono de si. Os gerentes fazem as coisas de modo certo; os líderes fazem a coisa certa."

Autores e referência bibliográfica	Declarações: gerência *versus* liderança
John W. Gardner Gardner, J. W. (1990). *On Leadership*. Nova York: Collier Macmillan.	"Os líderes e os líderes/gerentes se distinguem dos gerentes comuns em pelo menos seis aspectos: 1. Estão atentos ao longo prazo... 2. Ao pensar na unidade que chefiam, eles apreendem sua relação com realidades mais amplas... 3. Alcançam e influenciam pessoas que estão além de sua jurisdição, além das fronteiras... 4. Põem grande ênfase nos aspectos intangíveis da visão, dos valores e da motivação e entendem intuitivamente os elementos não-racionais e inconscientes da interação líder-outras pessoas. 5. Têm a habilidade política para lidar com as exigências conflitantes de múltiplos grupos de interesse. 6. Pensam em termos de renovação..." "O gerente está ligado de modo mais estreito com a organização do que o líder. Na verdade, o líder pode não ter organização alguma."
James Kouzes e Barry Posner Kouzes, J. M. & Posner, B. Z. (1995). *The Leadership Challenge: How to Keep Getting Extraordinary Things Done in Organizations*. San Francisco: Jossey-Bass.	"... [A] palavra liderar, em sua raiz, quer dizer 'ir, viajar, orientar'. A liderança é uma questão de sentimento cinestésico, um sentido de movimento... [os líderes] começam a busca de uma nova ordem. Eles se aventuram em territórios inexplorados e nos guiam na procura de destinos novos e pouco familiares. Já na raiz da palavra gerenciar [*manage*, em inglês] está uma palavra que significa 'mão'. Essencialmente, o gerenciamento tem a ver com 'manejar' coisas, com manter a ordem, com organização e controle. A diferença fundamental entre gerenciamento e liderança se reflete no sentido da raiz das duas palavras – a diferença entre manusear coisas e ir a lugares."
In Carter-Scott, C. (1994). "The Differences between Management and Leadership". *Manage, 10+*.	Kouzes: "Uma das grandes diferenças entre gerenciamento e liderança se reflete no sentido da raiz das duas palavras – a diferença entre o que significa manusear coisas e ir a lugares."
Abraham Zaleznik Zaleznik, A. (1977). "Managers and Leaders: Are They Different?". *Harvard Business Review*, 55(5), 67-78.	Os gerentes se preocupam com a maneira como as coisas são feitas e os líderes com o que as coisas significam para as pessoas. "Líderes e gerentes diferem em suas concepções. Os gerentes tendem a ver o trabalho como um processo de capacitação que envolve alguma combinação de pessoas e idéias interagindo para estabelecer uma estratégia e tomar decisões." "...Onde os gerentes agem para limitar as escolhas, os líderes trabalham no sentido oposto: desenvolver novas abordagens para problemas antigos e abrir espaço para novas opções... Os líderes trazem empolgação ao trabalho."

Autores e referência bibliográfica	Declarações: gerência *versus* liderança
John Kotter Kotter, J. (1990). "What Leaders Really Do". *Harvard Business Review*, 68, 103+.	"O gerenciamento trata de lidar com a complexidade. Suas práticas e seus procedimentos são em grande parte a resposta a um dos mais significativos fatos do século XX: o surgimento da grande organização. Sem uma boa gestão, os empreendimentos complexos tendem a se tornar caóticos, o que ameaça sua própria existência. Uma boa gestão propicia um grau de ordem e de coerência a dimensões fundamentais, com a qualidade e a lucratividade dos produtos." "A liderança, em contraste, trata de lidar com a mudança. Parte da razão pela qual ela se tornou tão importante nos anos recentes é que o mundo dos negócios se tornou mais competitivo e volátil. A mudança tecnológica mais acelerada, a maior concorrência internacional, a desregulamentação dos mercados, o excesso de capacidade de produção nos ramos de atividade intensivos em capital, a instabilidade do cartel do petróleo, os investidores agressivos e seus títulos podres, e as mudanças demográficas da força de trabalho estão entre os muitos fatores que contribuem para essa situação. O resultado líquido é que fazer o mesmo que se fazia ontem, ou fazê-lo 5% melhor, já não é a fórmula do sucesso. Cada vez são mais necessárias as grandes mudanças para sobreviver e concorrer efetivamente nesse novo ambiente. Mais mudanças sempre exigem mais liderança."
James M. Burns Burns, J. M. (1978). *Leadership*. Nova York: Harper and Row.	[Gerenciamento] transacional *versus* [liderança] transformacional. Liderança transacional: acontece quando uma pessoa toma a iniciativa de entrar em contato com outras para propor uma troca de coisas prezadas. Liderança transformadora: ocorre quando uma ou mais pessoas se engajam com outras de forma a que líderes e seguidores se elevem mutuamente a patamares mais altos de motivação e de moralidade. Seus propósitos, que no início podem ter sido separados embora relacionados, como no caso da liderança transacional, se fundem.
Peter Drucker In Galagan, P. A. (1998). *Peter Drucker: Training & Development*, 52, 22-27.	"O teste, para qualquer líder, não é se ele realiza. É o que acontece depois que sai de cena. O teste está na sucessão. Se a empresa entra em colapso no momento em que esse líder maravilhoso, carismático, sai, então não é liderança. É, dito de maneira muito crua, embuste." "... sempre destaquei que liderança é responsabilidade. Liderança é dar conta das ações. Liderança é fazer..."

Autores e referência bibliográfica	Declarações: gerência *versus* liderança
	"... [quanto] a separar gerenciamento de liderança, isso não tem sentido – é tão sem sentido quanto separar gerenciamento de empreendedorismo. As duas coisas são parte integrante do mesmo trabalho. Há diferenças, ninguém contesta, mas são diferenças como a que há entre a mão direita e a mão esquerda, ou entre o nariz e a boca. Pertencem ao mesmo corpo."
Richard Pascale In Johnson, M. (1996). "Taking the Lid Off Leadership". *Management Review*, 59-61.	"Gerenciar é o exercício de autoridade e influência para atingir níveis de desempenho coerentes com os níveis previamente alcançados... Liderar é fazer acontecer o que não aconteceria de qualquer modo... [e que] sempre envolverá trabalhar no limite do que é aceitável."
George Weathersby Weathersby, G. B. (1999). "Leadership versus Management". *Management Review*, 88, 5+.	"Gerenciar é alocar recursos escassos visando aos objetivos da organização; é o estabelecimento de prioridades, o planejamento do trabalho e a obtenção de resultados. Ainda mais importante, é controlar. Liderar, por outro lado, se refere à criação de uma visão comum, significa motivar as pessoas para que contribuam para essa visão e incentivá-las a alinhar seus próprios interesses com os da organização. Significa persuadir, não comandar."
John Mariotti Mariotti, J. (1998). "Leadership Matters." *Industry Week*, 247, 70+.	"As pessoas que são bem 'gerenciadas' podem não ter a inclinação para despender os esforços necessários para o sucesso – a menos que tenham bons líderes. Os grandes líderes obtêm resultados extraordinários de pessoas comuns. Os grandes gerentes simplesmente obtêm resultados bem planejados e às vezes bem executados, mas raramente os imensos sucessos que decorrem da paixão e da dedicação entusiástica inspiradas pela verdadeira liderança. Os líderes são os arquitetos. Os gerentes são os construtores. Ambos são necessários, mas sem o arquiteto nada especial será construído."
Rosabeth Moss Kanter Kanter, R. M. (1989). "The New Managerial Work". *Harvard Business Review*, 85+.	"As velhas bases da autoridade gerencial estão sendo erodidas e as novas ferramentas da liderança estão tomando seu lugar. Os gerentes cujo poder derivava da hierarquia e que estavam acostumados a uma área limitada de controle pessoal estão aprendendo a mudar suas perspectivas e a ampliar seus horizontes. O novo trabalho gerencial é olhar para fora de uma área definida de responsabilidade, para detectar oportunidades e formar equipes de projetos com pessoas de qualquer área relevante à sua consecução. Envolve comunicação e colaboração entre funções, entre divisões e entre empresas cujas atividades e cujos recursos se superpõem. Assim, posto, título ou mandato oficial serão fatores menos importantes para o sucesso do novo trabalho gerencial do que o conhecimento, as habilidades e a sensibilidade para mobilizar as pessoas e motivá-las a dar o melhor de si."

Autores e referência bibliográfica	Declarações: gerência *versus* liderança
Tom Peters Peters, T. (1994). *Thriving on Chaos*. Nova York: Alfred A. Knopf.	Peters se embasa nas concepções de liderança e gerência de Bennis e de Kouzes e Posner mencionadas acima. Peters acredita que "Desenvolver uma visão e, ainda mais importante, vivê-la com vigor são elementos essenciais da liderança... A visão ocupa um lugar de honra igualmente importante no mundo do supervisor ou do gerente médio".

Já mencionei neste projeto que muitas vezes aprendemos mais ao ver os contrastes. Vejamos então um resumo das diferenças entre liderança e gerência (ver Figura A3.1):

Liderança	Gerência
Pessoas	Coisas
Espontaneidade, serendipidade	Estrutura
Liberação, fortalecimento	Controle
Eficácia	Eficiência
Programador	Programa
Investimento	Despesa
Princípios	Técnicas
Transformação	Transação
Poder centrado em princípios	Utilidade
Discernimento	Medição
Fazer a coisa certa	Fazer as coisas do modo certo
Direção	Rapidez
Linha superior	Resultados
Propósitos	Métodos
Princípios	Práticas
Acima dos sistemas	Dentro dos sistemas
"A escada está junto da parede certa?"	Subir rapidamente a escada

FIGURA A3.1

Apêndice 4

O ALTO CUSTO DA POUCA CONFIANÇA

MAHAN KHALSA, autor, colega e consultor, concebeu uma das formas mais simples de levar uma equipe de altos executivos a querer mudar. Se desejamos que uma organização tenha a humildade necessária para levar seu pessoal a iniciar e sustentar a mudança, é preciso levá-lo a sentir a força das circunstâncias. É possível recorrer a uma série de perguntas que criem a força de circunstâncias adequadas à preparação da mente das pessoas para a mudança.

O processo envolve dois tipos de pergunta que vão ao centro da questão: 1) *perguntas comprobatórias* (como, que, onde, qual, quem e quando... específicas) que evidenciem os fatos necessários, mesmo que sejam periféricos; e 2) *perguntas de impacto* que cheguem ao centro do problema – sendo que uma das mais fortes é "E então, o que acontece?".

A conversa hipotética a seguir entre o leitor e um colega profissional, gerente ou executivo, é um exemplo de como usar esta ferramenta de diagnóstico para chegar ao alto custo da falta de confiança (o mesmo processo poderia ser adotado por pessoas de qualquer nível que tenham acesso às informações necessárias):

Colega: "As pessoas aqui na empresa desconfiam umas das outras."

Neste ponto, o leitor poderia fazer perguntas comprobatórias adicionais como: "Quais são as pessoas específicas que não confiam nas outras? Quando fica clara essa falta de confiança mútua? Como você sabe que o nível de confiança é baixo?" Finalmente, se o leitor desejar descobrir o impacto da falta de confiança sobre a organização, será necessário fazer uma pergunta de impacto.

Leitor: "E quando as pessoas não confiam umas nas outras, o que acontece?"
Colega: "Não passam informações."

Novamente, o leitor poderia fazer mais perguntas comprobatórias como: "Quais as pessoas que não passam/não querem passar informações? Que informações não querem passar? Como você sabe que não estão passando as informações?" Em algum ponto, contudo, é preciso chegar mais perto do impacto e então o leitor perguntará:

Leitor: "E quando as pessoas não passam as informações, o que acontece?"
Colega: "Seus projetos e atividades não ficam alinhados com os objetivos empresariais da organização."

Mais uma vez, o leitor poderia fazer mais perguntas comprobatórias como: "Com quais dos objetivos elas não estão alinhadas? Poderia especificar os projetos e atividades? Como sabe que não estão alinhadas?" E volta às perguntas de impacto.

Leitor: "E quando as pessoas não estão alinhadas com os objetivos da empresa, o que acontece?"
Colega: "Os custos de desenvolvimento do novo produto aumentam."

Agora, seu colega lhe deu uma informação cuja relação com a falta de confiança pode ser medida – o aumento dos custos de desenvolvimento do novo produto. Ao ver ou ouvir uma percepção mensurável, cabe ao leitor fazer cinco perguntas de ouro:

1. Como você mede isso?
2. Quanto é agora?
3. Quanto gostaria que fosse?
4. Qual é o montante da diferença?
5. Em quanto tempo (o cronograma gerencial adequado)?

Portanto, quando seu colega diz "Aumenta o custo do desenvolvimento do novo produto", o leitor pode fazer essas cinco perguntas.

Leitor: "Como você mede o custo do desenvolvimento de novos produtos?"
Colega: "Dólares gastos por projeto de novos produtos lançados."
Leitor: "E qual é esse montante agora?"
Colega: "US$500 mil."
Leitor: "E de quanto deveria ser?"
Colega: "Acho que deveria ficar próximo de US$350 mil."

Leitor: "Então, temos uma diferença de US$150 mil. Quantos novos produtos você está produzindo por ano?"
Colega: "Vinte."

Agora, o leitor fará os cálculos com seu colega ou com a equipe.

Leitor: "Quer dizer que são US$150 mil por novo produto multiplicado por 20 novos produtos... seria algo em torno de US$3 milhões por ano. Concorda?"
Colega: "Por baixo."
Leitor: "Então, imaginando que os custos se mantêm nesse patamar, nos próximos três anos nosso problema alcançará os US$9 milhões?"
Colega: "Certo."

Ao fazer perguntas de impacto, descobrimos que apenas uma dimensão da "falta de confiança" pode estar custando para a empresa cerca de US$9 milhões em três anos. Será necessário pesquisar mais para confirmar esse número, mas pelo menos estamos com algo mensurável para analisar e a pesquisa se concentrará em um aspecto específico. Quando os outros executivos virem o problema em termos de custo monetário, eles se convencerão de que há necessidade de fazer mudanças.

Observe que é necessário combinar perguntas comprobatórias com outras de impacto até que o processo leve as duas pessoas ao núcleo do problema. Então se aplicam as perguntas de impacto. Durante todo o tempo, o interlocutor, ou a equipe mais ampla, fornece a inteligência. O leitor age apenas como um guia, um mentor. Na verdade, o leitor está oferecendo a seus colegas, que permanecem sendo a força central, um aprendizado não-ameaçador. É um conjunto de perguntas muito poderoso, profundo, que permite que as pessoas cheguem objetivamente aos custos pessoais e organizacionais associados a desafios organizacionais que as preocupam muito.

E mais importante: este processo não apenas estabelece uma cultura de franqueza dentro de sua equipe e da organização, mas também fortalece os laços de confiança entre os envolvidos.

Para mais informações, ver [em inglês] *www.franklincovey.com/letsgetreal*.

Apêndice 5

IMPLEMENTAÇÃO DAS QUATRO DISCIPLINAS DA EXECUÇÃO

AS QUATRO DISCIPLINAS DA EXECUÇÃO é uma sessão de trabalho que dura de um a três dias e atinge toda a organização. As sessões de trabalho podem ser feitas com equipes de liderança sênior, com equipes operacionais, gerentes ou participantes individuais. Elas são facilitadas por consultores da FranklinCovey ou por clientes licenciados e certificados que conduzem eles mesmos as sessões. Nelas, os participantes são orientados dentro de um processo de esclarecimento de seus principais objetivos, formulam indicadores e Placares para esses objetivos, desdobrando-os em novas atividades e novos comportamentos, e tomando conhecimento de um processo de cobrança de responsabilidades para manter a dedicação aos objetivos. Auxiliamos as organizações em seus esforços de implementação da estratégia e de levá-la rapidamente a todos os níveis da organização, o que permite um maior entendimento desses objetivos e estratégias e a dedicação a eles. Auxiliamos organizações de todos os tipos e tamanhos a implementar esta metodologia, incluindo as 100 maiores de *Fortune*. Para mais informações, entre em contato pelos telefones 1-888-868-1776 ou 1-801-817-1776 ou visite nosso site *www.franklincovey.com*.

Apêndice 6

RESULTADOS DA PESQUISA QX

O TESTE QX mede a capacidade da organização para executar objetivos-chave. Do mesmo modo que um teste de QI revela lacunas na inteligência, uma avaliação Qx mede a "lacuna da execução" – o hiato entre o estabelecimento do objetivo e a sua obtenção. A expressão "Qx" é uma abreviação de "quociente de execução".

Depois de realizar uma pesquisa com cerca de 2,5 milhões de pessoas a respeito da eficácia de seus gerentes, e associado à Harris Interactive (criadores da Harris Poll), a FranklinCovey elaborou um método para medir a capacidade de execução.

Os resultados do estudo Qx são impressionantes e perturbadores; há de fato uma grave lacuna de execução, como estes percentuais revelam:

Problema na execução	**Percentual de pessoas que concordam**
LINHA DE VISÃO ORGANIZACIONAL: todos os empregados estão concentrados nos objetivos organizacionais?	22%
QUALIDADE DOS OBJETIVOS DA EQUIPE: as equipes de trabalho têm objetivos claros, mensuráveis?	9%
PLANEJAMENTO EM EQUIPE: as equipes de trabalho planejam em conjunto a forma de alcançar seus objetivos?	16%
COMUNICAÇÃO DAS EQUIPES: as equipes de trabalho têm um entendimento mútuo e um diálogo criativo?	17%
CONFIANÇA DAS EQUIPES: as equipes de trabalho funcionam num ambiente seguro, ganha-ganha?	15%
FORTALECIMENTO DAS EQUIPES: as equipes contam com recursos adequados e liberdade para fazer seu trabalho?	15%

Problema na execução	Percentual de pessoas que concordam
COBRANÇA NAS EQUIPES: os integrantes da equipe se cobram mutuamente o cumprimento de suas obrigações?	10%
MEDIÇÃO DA QUALIDADE NAS EQUIPES: os indicadores de sucesso são acompanhados acurada e francamente?	10%
OBJETIVOS DE TRABALHO INDIVIDUAIS: as pessoas têm objetivos de trabalho claros, mensuráveis, com prazo de conclusão?	10%
ENGAJAMENTO INDIVIDUAL: os trabalhadores estão motivados? Sentem-se valorizados?	22%
PLANEJAMENTO INDIVIDUAL: as pessoas estabelecem sistematicamente suas prioridades?	8%
INICIATIVA INDIVIDUAL: as pessoas tomam iniciativas individuais e se responsabilizam pelos resultados?	13%
DIREÇÃO DA ORGANIZAÇÃO: a estratégia e os objetivos organizacionais são entendidos com precisão por todos?	23%
COLABORAÇÃO ORGANIZACIONAL: as equipes trabalham harmoniosamente entre funções?	13%
CONFIABILIDADE ORGANIZACIONAL: a organização respeita seus valores e compromissos?	20%
APRIMORAMENTO DO DESEMPENHO ORGANIZACIONAL: há uma abordagem coerente, sistemática?	13%
COMPROMISSO INDIVIDUAL: as pessoas estão comprometidas com a direção da organização?	39% dizem muitíssimo ou muito
APOIO ORGANIZACIONAL: a alta direção apóia ativamente os objetivos das equipes de trabalho?	45% dizem muitíssimo ou muito
FOCO DA EQUIPE: meu grupo de trabalho está concentrado de modo total e diligente em seus principais objetivos?	14%
ALOCAÇÃO INDIVIDUAL DO TEMPO: quanto tempo nosso pessoal dedica de fato aos principais objetivos?	60%

QUADRO 14

DESTAQUES DO ESTUDO QX DA FRANKLINCOVEY

Principais resultados	**Como foi calculado**
Somente algo em torno de um terço dos informantes dizem entender claramente o que sua empresa está tentando alcançar.	A opção selecionada por 37% dos informantes foi: "Entendo claramente as razões da orientação estratégica de minha empresa."
Apenas 1 em cada 6 informantes foca diligentemente os objetivos mais importantes.	A opção selecionada por 14% dos informantes foi: "Estamos diligentemente focados em nossos objetivos mais importantes."
Os líderes comunicam seus objetivos mais importantes?	44% disseram que sua organização comunica claramente os objetivos mais importantes.
Os trabalhadores têm uma clara "linha de visão" entre suas tarefas e os objetivos da empresa? Cerca de 1 em 10 acredita que sim.	22% informaram que têm uma clara "linha de visão" entre seus objetivos e os da organização.
As pessoas estão totalmente energizadas e dedicadas aos objetivos da empresa? Cerca de 1 em cada 10 informantes diz que sim.	9% selecionaram a opção "Muito energizados e dedicados".
Somente 1 em cada 3 tem objetivos de trabalho claramente definidos.	33% informaram que seus objetivos de trabalho "estão no papel".
Os trabalhadores gastam uma hora em cada quatro horas com tarefas urgentes mas irrelevantes.	Os informantes estimaram que 23% de seu tempo são gastos em atividades que têm pouca relevância para os objetivos principais, mas exigem atenção imediata.
Os trabalhadores desperdiçam cerca de uma hora em cada cinco lidando com politicagem e burocracia.	Os informantes estimaram que 17% de seu tempo são destinados a atividades contraproducentes como lidar com a burocracia interna, brigas internas, encobrir mancadas etc.
Apenas metade dos trabalhadores sente que seus empregos lhes permitem aplicar tudo o que têm para dar.	48% concordam com esta declaração: *A maioria das pessoas em minha organização tem mais talento, inteligência e criatividade do que é necessário, ou até permitido, para a execução das tarefas atuais*.
Somente metade sente que pode se expressar francamente no trabalho.	52% concordam com esta afirmativa: *Sinto segurança para expressar minhas opiniões francamente sem medo de retaliações*.
Um terço diz trabalhar num ambiente "ganha-ganha".	33% concordam que "vivemos segundo o princípio de que 'meu sucesso é seu sucesso'".
Quase um quarto se encontra pelo menos mensalmente com seus gerentes para examinar o progresso em relação a seus objetivos de trabalho.	26% disseram que não.
Menos de um terço diz que é cobrada por suas responsabilidades orçamentárias.	31% concordaram com esta afirmação: somos responsáveis por nos manter dentro do orçamento.

Principais resultados	**Como foi calculado**
As três maiores barreiras à execução são carga de trabalho excessiva, falta de recursos e prioridades pouco claras.	Ao serem perguntados quais eram as três principais barreiras à execução, 31% selecionaram "a excessiva carga de trabalho", 30% selecionaram "a falta de recursos" e 27% "prioridades de trabalho pouco claras ou inconstantes".
Cerca de 3 em cada 5 informantes acreditam que seus empregadores mantêm os compromissos assumidos com os trabalhadores.	43% afirmaram que seu empregador "honra consistentemente os compromissos com seu pessoal".
As equipes trabalham em silos; há pouca cooperação ativa entre diferentes funções.	Ao serem perguntados sobre outros grupos da organização, 28% concordaram com a declaração: nós nos ajudamos ativamente a alcançar nossos respectivos objetivos.
Somente um terço dos informantes contam com indicadores claros para avaliar o sucesso em relação a seus objetivos.	35% concordaram com a afirmação: os indicadores são claros.

QUADRO 15

O leitor interessado em experimentar a Pesquisa Qx para avaliar pessoalmente *sua capacidade individual ou a de sua equipe e organização para focar e executar as principais prioridades* pode fazê-lo em *www.The8thHabit.com/offers*. Depois de se cadastrar, é só seguir as instruções [em inglês]. O leitor poderá fazer o teste uma vez sem qualquer ônus. Depois de completado o questionário, o leitor receberá um Relatório Qx que resume sua avaliação e a compara com uma média dos resultados dos muitos milhares de organizações pesquisadas. Maiores informações serão dadas em relação a como aplicar o teste a toda a equipe ou organização.

Apêndice 7

MAX & MAX REVISITADO

DEMONSTRAREMOS como é prático o marco de referência da liderança apresentado neste livro voltando ao filme *Max & Max* e raciocinando como um compensador. *Talvez seja interessante o leitor rever agora o filme* para examiná-lo sob a ótica de resolução de problemas dos Quarto Papéis do Líder.

O QUE MAX PODE FAZER de forma realista? Seu chefe, o senhor Harold, é fanático por controle. Tem a mentalidade da escassez, vive com medo do seu chefe e não conhece outra forma de mudar as coisas exceto recorrendo ao modelo de controle, às regras e à motivação do tipo cenoura e chicote da Era Industrial, centrada no chefe.

Max é uma pessoa desiludida – frustrada e enfraquecida. Ele poderia continuar co-dependente – seria a primeira alternativa. Ele poderia brigar ou até organizar a resistência ou poderia fugir (procurar outro emprego) – a segunda alternativa. Ou ele poderia sabiamente tomar a iniciativa dentro de seu círculo de influência – a Terceira Alternativa.

Uma abordagem do tipo Terceira Alternativa seria usar o método compensador *etos-patos-logos* com o senhor Harold (recomendada – quarto nível de iniciativa). No filme, Max só usou o *logos* (lógica) em sua recomendação e o fez no pior momento possível – pouco depois que o senhor Harold tinha sido "arrasado" por seu chefe. Em resumo, Max estava totalmente fora de seu Círculo de Influência, de modo que também foi arrasado pelo senhor Harold, mesmo depois de ter "salvo" com criatividade proativa um cliente. Isso acabou por desiludir completamente Max e o ciclo reativo co-dependente se acelerou.

Seu círculo de influência se reduziu. (Ver Figura A7.1.)

Então, como é que Max poderia pôr em prática o *etos-patos-logos*? O *etos* implicaria que ele fizesse seu trabalho de modo proativo, entusiástico e excelente, bem como ajudasse os outros de todas as maneiras possíveis. Sem dúvida, ele está tolhido por normas pouco amigáveis para com o cliente, mas ele pode agir de modo tão positivo e criativo quanto possível para gerar negócios. Nada de falar mal do senhor Harold. Ele teria que fazer o melhor possível nas circunstâncias para ser visto como uma fonte de ajuda para os outros – *dentro* de seu Círculo de Influência e *fora* das atribuições de seu cargo. Em vez de criticar, complementar.

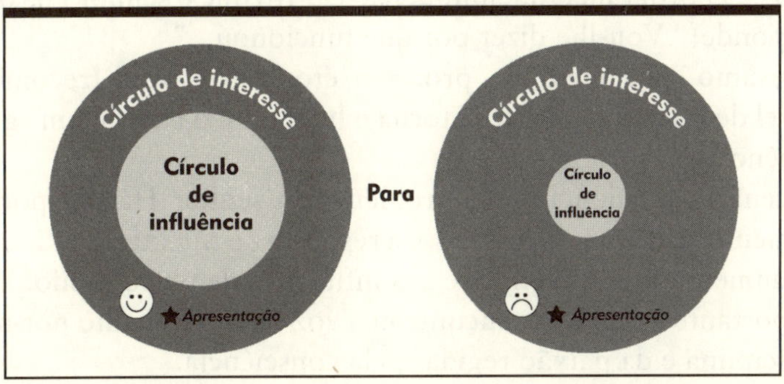

FIGURA A7.1

Então, ele pode pedir outra entrevista com o senhor Harold e desta vez escutar, ouvir mesmo, e ser influenciado pelo que passa a entender. Quem sabe o senhor Harold talvez tenha sido queimado por alguma tentativa criativa mas inexperiente em que "as promessas maiores do que os resultados" acabaram num processo judicial contra a empresa – uma confusão em que o senhor Harold teve que assumir toda a culpa. Para evitar novas confusões, ele estabelece regras inflexíveis, microgerencia todo o mundo e enfraquece a cultura inteira.

Uma vez que o senhor Harold se sente compreendido, boa parte da energia negativa, defensiva, se dissipa. Não se pode brigar com alguém que está tentando sinceramente entender. Esse é o fruto do *patos*, ou alinhamento emocional. Depois de repetir exatamente as objeções e preocupações do senhor Harold, Max poderia então recorrer ao *logos* – talvez sugerindo um programa-piloto experimental a ser executado por uma pessoa (Max) durante três meses, dando oportunidade a que fossem feitas novas coisas criativas para conseguir novos clientes e aumentar as vendas feitas aos atuais clientes. Sentindo-se entendido e confiando mais em Max, em virtude de sua atitude cooperativa e sua diligência (*etos*) e empatia (*patos*), o senhor Harold estaria disposto a aplicar a idéia-piloto (*logos*), que tem poucos aspectos negativos e muito potencial de sucesso.

Digamos que Max aumente suas vendas em 25% nesses três meses. Ele volta ao senhor Harold e sugere a continuação do programa-piloto, desta vez com a participação de três outros vendedores em quem Max confia muito. O senhor Harold concorda. Eles também aumentam suas vendas em 25%. Então, os quatro vendedores voltam e sugerem a elaboração de um programa de treinamento para todos os vendedores, com rigorosos critérios de certificação, que possam detectar potenciais criadores de problemas. O senhor Harold aprova – empolgado com o aumento das vendas. O chefe parabeniza o senhor Harold com estas palavras: "O programa funcionou, não é?" Ao que o senhor Harold ousadamente responde: "Vou-lhe dizer por que funcionou..."

Em resumo, por meio do processo etos-patos-logos (recomendação – quarto nível de iniciativa), Max se torna o líder de seu chefe e uma grande fonte de influência em sua empresa.

Este cenário foi fictício, e o problema do senhor Harold pode ter sido completamente diferente. Nesse caso, a resposta de Max teria refletido essa diferença e aumentado suas vendas e sua influência de outro modo.

O importante é que Max encontrou a voz de seu trabalho por meio da visão, da disciplina e da paixão regidas pela consciência.

Também verifiquei que a maioria dos "maus chefes" é em geral parte de culturas co-dependentes. Eles modelam comportamentos que lhes foram transmitidos. O ciclo pode ser rompido por alguém que seja a força criativa de sua própria vida.

Vejamos agora o que o senhor Harold – um senhor Harold esclarecido – poderia fazer pelo desiludido Max. A primeira alternativa seria "manter o rumo" – continuar pressionando, agradando, ameaçando, fazendo festa, elogiando Max quando faz coisas certas – em resumo, usando a cenoura e o chicote (o modelo da Era Industrial).

A segunda alternativa seria "ceder", capitular, deixando que Max faça as coisas do seu jeito. Contudo, poderia haver conseqüências imprevistas. O senhor Harold poderia ser dispensado ou repreendido por seu chefe, por não intervir e por exercer uma liderança tão fraca e permissiva. Além disso, essa abordagem poderia estimular pessoas irresponsáveis a fazer mais promessas unilaterais, pouco realistas, a fim de "cumprir as metas".

A Terceira Alternativa seria reconhecer totalmente o grande erro cometido ao punir Max por usar da criatividade para salvar a relação com um cliente – e desculpar-se sinceramente por isso. Max – ainda co-dependente – poderia não confiar nessa abordagem "mole" e continuaria a bajular. O senhor Harold teria que revelar francamente o que estava se passando e dizer com sinceridade e diretamente: "Veja, Max, descontei minhas frustrações em você. Você fez muito bem em se esforçar para agradar esse cliente. Mas tenho sido pressionado a produzir 'mais com menos' e também ansioso para que irresponsáveis não façam bobagens e me criem problemas, e não vi outro jeito senão impor regras. Mas errei em seu caso. Naquele momento não tinha outro jeito. Mas agora, que tive tempo de refletir, gostaria de aproveitar suas sugestões. Espero que a gente possa fazer alguma coisa sem abrir outra caixa de Pandora. Poderia me ajudar a entender como você vê as coisas?"

A profundidade da sinceridade e da autenticidade do senhor Harold pode estimular Max a ser, ele próprio, mais autêntico. A verdadeira comunicação – mais horizontal do que vertical – entre dois seres humanos que se deparam com o mesmo problema pode levar à Terceira Alternativa sinérgica descrita antes, quando estávamos examinando a pergunta: "O que Max pode realmente fazer?"

Nos dois casos, observe-se o processo seqüencial, a abordagem de dentro para fora e o embasamento na pessoa integral. Observe-se o movimento do *pessoal* para uma autêntica *relação* de confiança e finalmente a formalização de um arranjo *organizacional* (programas-piloto que se expandem com o aumento da confiança e da confiabilidade).

Esta é, na verdade, uma solução de Terceira Alternativa que ninguém teria imaginado no início. Surgiu da comunicação criativa e firmará o relacionamento. Também criaria um "sistema imunológico" que pode lidar com outros problemas difíceis e até perturbadores que possam surgir no futuro.

Mais uma vez, reconheço que inventei estes cenários e que os acontecimentos podem seguir um rumo completamente diferente. Mas não estou tentando ensinar *práticas* – o que fazer – mas *princípios* – princípios universalmente aplicáveis que podem fundamentar muitas práticas possíveis. Só estou usando *Max & Max* como uma ilustração de possíveis práticas embasadas em princípios que podem funcionar.

Agora, voltemos à teoria. Primeiro, o caso de Max. No processo de tornar-se líder do senhor Harold, Max desempenhou quatro papéis. Eles estariam presentes em qualquer cenário viável. Primeiro, *modelar*, Max modelou uma iniciativa criativa e alcançou o *etos*. Ele modelou empatia ao alcançar o *patos* e coragem para o *logos*. Quando os dois interagiram de modo franco, deu-se uma comunicação sinérgica que permitiu o surgimento da Terceira Alternativa, bem melhor do que a abordagem ganha-perde e a atitude de comando e controle que o senhor Harold adotara no passado e infinitamente melhor do que uma situação em que Max se tornasse apático e simplesmente se curvasse ante o chefe.

Novamente, a essência da modelagem, seja de uma pessoa, ou seja de uma equipe, se encontra em *Os 7 Hábitos das Pessoas Altamente Eficazes*.

O segundo papel – *descobrir caminhos* – representado pelo programa-piloto ganha-ganha colocou em sintonia Max e o senhor Harold no que tange a aumentar os negócios por meio de serviços adicionais de atendimento ao cliente, dentro de uma orientação de valores honestos e bom julgamento. A modelagem da confiabilidade e da comunicação autêntica resultou na confiança necessária à descoberta de caminhos. Assim, a voz de Max se superpôs à voz da organização no que se refere ao programa-piloto.

O terceiro papel – *alinhar* – teve lugar quando o senhor Harold aprovou formalmente o programa-piloto de descoberta de caminhos, primeiro com Max, depois com mais três vendedores e então com toda a força de vendas. Alinhar significa estabelecer a estrutura, os sistemas e os processos necessários para atingir os propósitos da descoberta de caminhos dentro das linhas mestras acordadas. As vozes sobrepostas se alimentam e fortalecem.

Esses três papéis, modelar, descobrir caminhos e alinhar, permitem que o *fortalecimento* tenha lugar, primeiro no caso de Max, depois nos outros, e assim estes podem recorrer a seu julgamento e à sua criatividade para fazer o que for necessário para conquistar e reter clientes dentro das linhas mestras previamente acordadas. Desse modo, as regras deixam de ocupar o lugar do julgamento. Não podemos responsabilizar as pessoas pelos resultados se supervisionamos seus métodos e impomos regras rigorosas. O fortalecimento propicia uma *autonomia direcionada*, de modo que a voz de cada pessoa é respeitada e manifestada.

Agora, vejamos a resposta do trabalhador do conhecimento esclarecido ao senhor Harold. Ele exerceu os mesmos Quatro Papéis do Líder – recorrendo à Terceira Alternativa, para não continuar controlando nem ceder de modo permissivo.

Tudo começou de dentro para fora com a *modelagem*. O senhor Harold reconheceu sinceramente seu erro e começou a se comunicar de modo sinérgico. Com a confiança que foi se desenvolvendo e se tornando "mais real", a solução *descobrir caminhos* foi adotada (programa-piloto limitado). A autoridade formal do senhor Harold se juntou a uma autoridade moral evoluída e ele formalizou ou institucionalizou o programa-piloto para uma pessoa. Este *alinhamento* o legitimou na cultura e permitiu que Max tivesse autonomia e usasse sua criatividade e sua flexibilidade para obter novos negócios. Em resumo, o papel de *fortalecer*.

Com o progresso bem-sucedido (*modelar* uma equipe complementar), outros foram envolvidos no novo caminho (*descobrir caminhos*), foram apoiados por estruturas, sistemas e processos *alinhados*, o que finalmente capacitou todos os que atendiam aos critérios a serem *fortalecidos*.

Apêndice 8

A ABORDAGEM DA FRANKLINCOVEY

DESEMPENHO SUSTENTÁVEL, SUPERIOR...

Essa é a parte difícil dos negócios e de quase toda organização. Sem dúvida, não há qualquer problema em apresentar bons resultados em um ou dois trimestres. Mas o verdadeiro desafio é criar uma cultura organizacional que possa apresentar resultados firmes ano após ano.

Surpreendentemente, poucas organizações conseguem isso. Pense nas seguintes estatísticas encontradas em publicações especializadas:

- *Lucro gerado pelas atividades essenciais*: apenas 111 dentre 1.854 empresas (13%) conseguiram gerar um crescimento sustentável dos lucros durante um período de dez anos.
- *Feitas para vencer*: apensas 125 de 1.435 empresas (9%) conseguiram superar as médias do mercado de papéis durante uma década ou mais. Além disso, apenas 11 dentre essas 1.435 empresas (menos de 1%) atenderam aos critérios do estudo para um desempenho superior sustentável.
- *Destruição criativa*: apenas 160 dentre 1.008 empresas (16%) estudadas durante um período de 30 anos conseguiram manter-se em funcionamento.
- *Pontos de destaque*: somente 5% das 50 maiores empresas de *Fortune* foram bem-sucedidas na sustentação de seu crescimento.

Gerar um desempenho superior ao tempo em que se constrói a capacidade de repetir esses resultados é a definição de uma grande organização. Contudo, a maior parte das organizações e de seus líderes não consegue fazê-lo. As raízes de seu fracasso estão em sua abordagem.

UMA FÁBULA DE ESOPO

Certo dia, um pobre camponês descobriu no ninho de sua galinha preferida um brilhante ovo de ouro. Primeiro, ele pensou que se tratasse de alguma brincadeira. Mas depois refletiu melhor e resolveu levar o ovo para ser avaliado.

O camponês não podia acreditar em sua boa sorte. O ovo era de ouro puro! Ele ficou ainda mais empolgado no dia seguinte, quando a galinha botou outro ovo de ouro. E assim nos dias seguintes; mal acordava, corria para o ninho, onde encontrava mais um ovo de ouro. Logo, ele se tornou imensamente rico.

Mas, com a riqueza, vieram a cobiça e a impaciência. Incapaz de esperar até o dia seguinte para encontrar outro ovo de ouro, o camponês resolveu matar a galinha para tirar logo todos os ovos. Mas, quando abriu o animal, verificou que em seu interior não havia qualquer ovo de ouro. O camponês acabara de destruir a própria fonte de sua riqueza.

Nesta fábula, encontramos o princípio fundamental do desempenho organizacional. O desempenho sustentável, superior, é uma função de dois elementos: o que é produzido (os ovos de ouro) e a capacidade de gerá-los (a galinha).

Se as organizações se concentrarem apenas na produção de ovos de ouro (alcançar resultados hoje) e negligenciarem a galinha (criar a capacidade para o dia de amanhã), elas logo se verão sem o ativo que gera os ovos de ouro. Por outro lado, se as organizações só se preocuparem com a galinha, sem visar aos ovos de ouro, elas logo ficarão sem ter com o que alimentá-la. A chave está no equilíbrio.

Talvez sua organização seja assim:

Ao ser confrontados com a pressão para gerar resultados, puxamos todas as alavancas. Criamos programas para posicionar as tropas e incitamos todos a alcançarem o objetivo mais urgente. Pode ser um objetivo de vendas. Na próxima crise, pode ser o corte de custos. E em outro momento, qualquer outra coisa. Estamos reagindo constantemente, à espreita do "objetivo crítico" ou do "programa de emergência" da hora. O problema é que sempre parece que estamos investindo menos do que o necessário nas pessoas, nos processos ou nos equipamentos de que realmente precisamos para melhorar nossos negócios. Em conseqüência, nunca atingimos um ritmo de desempenho coerente.

Ou talvez a organização seja como esta:

Investimos pesadamente nas pessoas e na cultura durante muitos anos. Nossa teoria era que pessoas talentosas, com os melhores sistemas e tecnologias, gerariam automaticamente um desempenho superior sustentado. Era um lugar ótimo para se trabalhar, até que fomos atingidos por tempos difíceis. Verificamos que não tínhamos uma capacidade firme de executar quando a concorrência se mostrou acirrada e o ambiente econômico, desfavorável. Fomos forçados a cortar todos os investimentos a que as pessoas se acostumaram na época de ouro. As pessoas se desiludiram, o moral despencou e muitos de nossos melhores funcionários estão indo embora.

A FranklinCovey aprendeu esta lição pelo caminho difícil porque nós, também, fomos submetidos a esse movimento pendular entre desempenho e capacidade de desempenho. Portanto, isso se tornou um aprendizado "conquistado" e nossa abordagem tem mais do que convicção teórica por trás.

Na FranklinCovey tratamos o objetivo do desempenho superior sustentável pelos dois lados da equação. Ajudamos as organizações a focar e obter resultados específicos. Também as ajudamos a aumentar sua capacidade – líderes e pessoas cuja capacidade de desempenho atinja novos patamares.

Sob estas duas áreas (Obtenção de Resultados e Aumento da Capacidade), a FranklinCovey trabalha com seus clientes em três "tarefas a fazer" diferentes. Elas representam as três áreas centrais da grandeza incorporada no 8º Hábito: *grandeza organizacional*, *grandeza na liderança* e *grandeza pessoal*.

Obtenção de resultados
Tarefa nº 1. Execução das principais prioridades. Ajudamos os clientes a atingir resultados específicos – como aumento de vendas, implementação de programas específicos ou aprimoramento da qualidade –, aumentando a dedicação e esclarecendo as prioridades mais altas e formulando processos de execução em torno dessas prioridades. Isto gera *grandeza organizacional*.
Aumento de capacidade
Tarefa nº 2. Desenvolvimento de liderança e gerência. Ajudamos nossos clientes a aumentar de forma duradoura a capacidade de liderança com base no caráter, na formação de equipes e na capacidade de atingir resultados com excelência. Isto gera *grandeza na liderança*.
Tarefa nº 3. Eficácia individual. Ajudamos as organizações a aumentar os conhecimentos e o desempenho pessoal de sua força de trabalho, obtendo resultados melhores das pessoas e equipes. Isto gera *grandeza pessoal*.

Considere por um momento o que seria necessário para formar uma equipe esportiva para um campeonato. Ao investir na qualidade e no condicionamento dos atletas, sua equipe melhorará – jogadores melhores formam equipes melhores. Ao mesmo tempo, por melhores que sejam os jogadores individuais, a equipe só ganhará se ela puder buscar em conjunto objetivos específicos e "jogar" repetidamente, sempre com excelência.

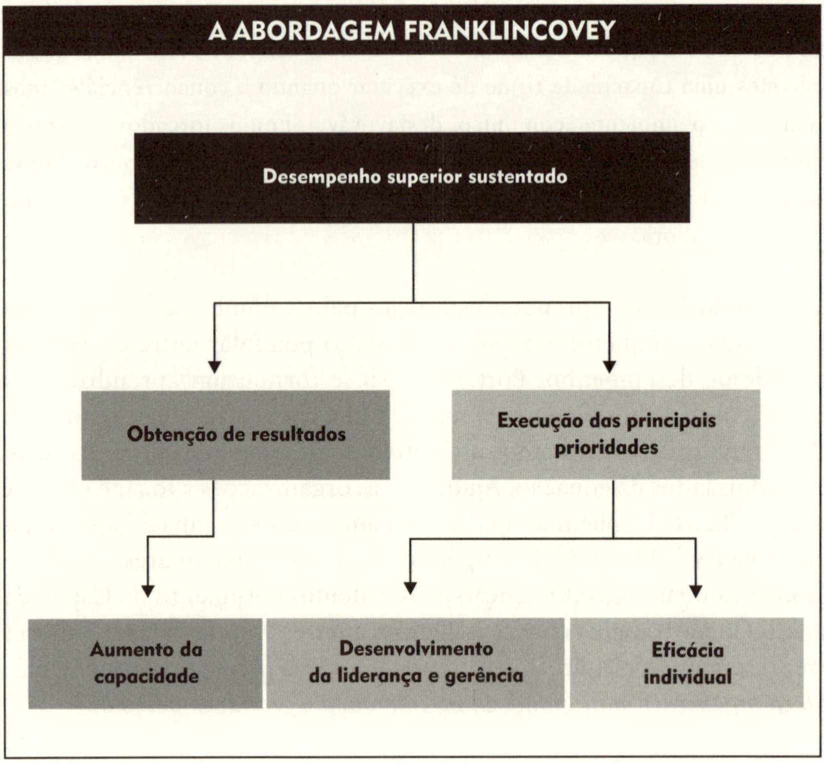

FIGURA A8.1

Na verdade, precisamos de grandes jogadores e uma ótima execução. Uma equipe que pode jogar de forma consistente, temporada após temporada – um conjunto vencedor. Esta é a essência da abordagem FranklinCovey: traduzir capacidades organizacionais em resultados específicos, repetidamente, o que gera uma organização vencedora.

NOTAS

Capítulo 1

1. Rogers, C.R., *On Becoming a Person* (Boston: Houghton Mifflin, 1961), p. 26.
2. Rick Levine, Christopher Locke, Doc Searls e David Weinberger, *The Cluetrain Manifesto* (Cambridge, MA: Perseus Books Publishing, 2000), pp. 36,39.
3. Antony Jay, *The Oxford Dictionary of Political Quotations* (Oxford: Oxford University Press, 1996), p. 68.

Capítulo 2

1. Citação a partir de uma palestra feita por Stanley M. Davis num evento, na Ásia, do qual nós dois participamos.
2. Drucker, Peter F., "Managing Knowledge Means Managing Oneself". *Leader to Leader;* 16 (primavera 2000), pp. 8-10.
3. Drucker, Peter F., *Management Challenges for the 21st Century* (Nova York: Harper Business, 1999), p. 135.

Capítulo 3

1. Henry David Thoreau, *Walden* (Boston: Beacon Press, 1997), p. 70.
2. Robert Frost, Elizabeth Knowles (coord.) *The Oxford Dictionary of Quotations.* 5ª ed. "The Road Not Taken", (1916) (Oxford: Oxford University Press, 1999).

Capítulo 4

1. Daniel Ladinsky, *The Gift: Poems by Hafiz the Great Sufi Master* (Nova York: Penguin Compass, 1999), pp. 67-68.

2. Marianne Williamson, *A Return to Love: Reflections on the Principles of a Course in Miracles* (Nova York: Harper Collins, 1992), pp. 190-191.

3. Michael C. Thomsett, palestra, 9 de outubro de 1956, in *War' and Conflict Quotations* (North Carolina: McFarland & Company, 1997), p. 50.

4. *Munsey's Magazine* (fevereiro de 1897), 554. Encontrado no site da Ella Wheeler Wilcox Society, visitado em 15 de maio de 2004: http://www.ellawheelerwilcox.org.

5. C. S. Lewis, *Mere Christianity* (Nova York: Simon & Schuster, 1980), pp. 19-21.

6 oc Childre e Bruce Cryer, *From Chaos to Coherence* (Boston: Butterworth-Heinemann, 1999), p. 23.

7 bid., p. 29.

8. Daniel Goleman, *Working with Emotional Intelligence* (Nova York: Bantam Books, 1998), p. 31.

9. Richard Wolman, *Thinking with Your Soul* (Nova York: Harmony Books, 2001), p. 26.

10. The Holy Bible, King James Version.

11. Danah Zohar e Ian Marshall, *SQ: Connecting with Our Spiritual Intelligence* (Nova York e Londres: Bloomsbury, 2000).

12. William Bloom, *The Endorphin Effect* (Reino Unido: Judy Piatkus Publishers Ltd., 2001), p. 12.

13. Anwar el-Sadat, *In Search of Identity: An Autobiography* (Nova York: Harper and Row Publishers, 1978), p. 303.

14. "The Speaker's Electronic Reference Collection", AApex Software, 1994.

15. YMCA of the USA, Dartmouth Medical School, The Institute for American Values, *Hardwired to Connect: The New Scientific Case for Authoritative Communities,* A Report to the Nation from the Commission on Children at Risk (2003), p. 6.

16. Dee Hock, "The Art of Chaordic Leadership", *Leader to Leader*; 15 (inverno 2000), pp. 20-26.

17. Warren G. Bennis e Robert J. Thomas, *Geeks and Geezers: How Era, Values and Defining Moments Shape Leaders* (Boston: Harvard Business School Publishing, 2002).

18. Jim Loehr e Tony Schwartz, *The Power of Full Engagement* (Nova York: Simon & Schuster, 2003).

Capítulo 5

1. Philip Massinger, Timoleon, in *The Bondman,* primeiro ato, cena 3 (1624), *Poems of Philip Massinger;* P. Edwards e C. Gibson (coords.), (1976).
2. Susana Wesley, carta a seu filho, com data de 8 de junho de 1725. Encontrada no site da Igreja Wesleyana, *www.wesleyan.org.*, visitado em 14 de maio de 2004.
3. Polly LaBarre, "Do You Have the Will to Lead?", *Fast Company Magazine 32* (março de 2000), p. 222. Encontrado no site da revista, visitado em 27 de maio de 2004: http://www.fastcompany.com/online/32/koestenbaum.html.
4. Lucinda Vardey. A Simple Path, Introduction to Mother Teresa, Lucinda Vardey (ed.) (Nova York: Ballantine, 1995), p. xxxviii.
5. osef Hell, *Aufzeichnung,* (Institut für Zeitgeschichte, 1922) ZS 640, p. 5.
6. Dag Hammarskjöld, *Markings* (Nova York: Alfred A. Knopf, 2001), p. 124.
7. Albert E. N. Gray Essay "The common denominator of success" (Philadelphia: NALU annual convention, 1940).
8. Harold B. Lee, *Teachings of Harold B. Lee.* Clyde J. Williams ed. (Salt Lake City: Bookcraft, 1996), p. 606.
9. Charles Moore, introdução a *Washington's School Exercises: Rules of Civility and Decent Behavior in Company and Conversation,* Charles Moore (coord.) (Boston: Houghton Mifflin Company, 1926), pp. xi-xv.
10. Elizabeth Knowles (coord.). *The Oxford Dictionary of Quotations,* 5ª ed. (Oxford: Oxford University Press, 1999.), p. 396.
11. JoAnn C. Jones, "Brockville". *Ontario-Guide Posts*, janeiro de 1996.
12. David O. McKay, *Conference Report,* The Church of Jesus Christ of Latter-day Saints, abril de 1964, p. 5.

12\. John G. Whittier, *Maud Muller* (Boston: Riverside Press, 1866), p. 12.

Capítulo 6

1. Peter F. Drucker, *Management Challenges for the* 21st *Century* (Nova York: Harper Collins, 1999), p. 8.
2. Philip Evans e Thomas S. Wurster, *Blown to Bits* (Boston: Harvard Business School Press), p. 13.
3. Dave Ulrich, Jack Zenger e Norm Smallwood, *Results Based Leadership* (Boston: Harvard Business School Press, 1999), p. 7.

Capítulo 7

1. Del Jones, "What would Attila the Hun do?". *USA Today* (6 de abril de 2003). Encontrado no site do jornal *USA Today*, visitado em 27 de maio de 2004: http://www.usatoday.com/money/companies/management/2003-04-06-warleaders_x.htm.
2. Tom Peters, *The Project 50* (Nova York: Alfred A. Knopf, 1999), pp. 48-49.

Capítulo 8

1. American Museum of Natural History, encontrado em visita ao site em 15 de maio de 2004: http://www.amnh.org/common/faq/quotes.html.
2. Eknath Easwaran, *Gandhi, the Man*. 2ª ed. (Nilgin Press, 1978), p. 145.
3. Tenente-General Dave R. Palmer '56 (reformado), "Competence and Character: Schwarzkopf's Message to the Corps". *Assembly Magazine,* May 1992.

Capítulo 9

1. Gordon B. Hinckley, "The True Strength of the Church", *Ensign Magazine*, julho de 1973, p. 48.
2. Rick Pitino, *Lead to Succeed* (Nova York: Broadway Books, 2000), p. 64.
3. Elizabeth Knowles (coord.) *The Oxford Dictionary of Quotations,* 5ª ed. (Oxford: Oxford University Press, 1999), p. 503.
4. Dag Hammarskjöld, *Markings* (Nova York: Alfred A. Knopf, 2001), p. 197.
5. C. S. Lewis, *Mere Christianity* (Nova York: Simon & Schuster, 1980), pp. 165-166.

Capítulo 10

1. Warren Bennis, *Why Leaders Can't Lead* (San Francisco, Jossey-Bass Publishers, 1989), p. 158.
2. Arun Gandhi, "Reflections of Peace," *BYU Magazine*, vol. 54, nº 1 (primavera 2000), pp. 1-6. Encontrado no site da revista, visitado em 14 de maio de 2004: http://magazine.byu.edu/bym/2000sp/pages/peace1.shtml#.
3. Ralph Roughton, M.D., uso autorizado.

Capítulo 11

1. J. A. Belasco, *Teaching the Elephant to Dance: The Manager's Guide to Empowering Change* (Nova York: Plume, 1991), p. 11.
2. Clayton M. Christensen, *The Innovators Dilemma* (Boston: Harvard Business School Press, 1997), pp. xviii-xix.
3. Jim Collins, *Good to Great* (Nova York: HarperCollins, 2001), p. 96.

Capítulo 12

1. Martin H. Manser, *The Westminister· Collections of Christian Quotations* (Louisville: Westminister John Knox Press, 2001), p. 76.
2. Randall Rothenberg e Noel M. Tichy: "The Thought Leader Interview", *Strategy + Business Magazine* (primavera de 2002), pp. 91-92.

Capítulo 13

1. Marcus Buckingham e Donald O. Clifton, *Now Discover Your Strengths* (Nova York: Simon & Schuster, 2001), p. 5.
2. Ibid.
3. homas Stewart, *Intellectual Capital: The New Wealth of Organizations* (Nova York: Doubleday Books, 1997).
4. Stuart Crainer, *The Management Century* (San Francisco: Jossey-Bass Publishers, 2000), p. 207.
5. Peter F. Drucker, *Managing for the Future: The 1990's and Beyond* (Nova York: Truman Tally Books, Dutton, 1992), p. 334.
6. Max De Pree, *Leadenhip* Is an Art (Nova York: Dell Publishing, 1989), pp. 28, 38.

Capítulo 14

1. Larry Bossidy e Ram Charan, *Execution: The Discipline of Getting Things Done* (Nova York: Crown Business, 2002), pp. 19, 34.
2. Louis V. Gerstner, *Who Says Elephants Can't Dance?* (Nova York: HarperCollins Publishers, 2002), p. 230.
3. Charles Hummel, *Tyranny of the Urgent* (Downers Grove, IL: Inter Varsity Christian Fellowship of the United States of America, 1967), pp. 9-10.

Capítulo 15

1. Gordon B. Hinckley, "Testimony", *Ensign Magazine* (May 1998), p. 69.
2. Gravado num monumento no Rockefeller Center, Nova York.
3. Nelson Mandela, *Long Walk to Freedom* (Boston: Little, Brown and Company, 1994), pp. 543-544.
4. Gravado num monumento na entrada do edifício Nathan Eldon Tanner, Marriott School of Management, Brigham Young University, Provo, Utah.
5. Alfred North Whitehead, "The Rhythmic Claims of Freedom and Discipline", *The Aims of Education and Other Erays* (Nova York: New American Library, 1929), p. 46.
6. Dag Hammarskjöld, *Markings* (Nova York: Alfred A. Knopf, 2001), p. 158.
7. Muggeridge, Malcolm, "A Twentieth Century Testimony", *Malcolm Muggeridge,* Thomas Howard (ed.) (Londres: Collins, 1979).
8. Robert K. Greenleaf, "The Servant as Leader", *Servant Leadership: A Journey into the Nature of Legitimate Power and Greatness,* edição comemorativa do 25º aniversário. (Mahwah, New Jersey: Paulist Press, 2002), pp. 23-24.
9. Jim Collins, "Level Five Leadership: The Triumph of Humility and Fierce Resolve", *Harvard Business Review,* vol. 79, nº 1 January 2001), p. 67.
10. Jim Collins, *Good to Great* (Nova York: HarperCollins Publishers, 2001), p. 20.
11. Jim Collins, "And the Walls Came Tumbling Down", *Leading Beyond the Walls,* The Peter F. Drucker Foundation for Nonprofit Management; Frances Hesselbein, Marshall Goldsmith and Iain Somerville (coords.) (Jossey-Bass Publishers, 1999).
12. Peel's Principles of Modern Policing, 1829.
13. Relatório do coronel Joshua L. Chamberlain, Twentieth Maine Infantry Field Near Emmitsburg-6 de julho de 1863.
14. Alice Rains Trulock, *In the Hands of Providence: Joshua L. Chamberlain and the American Civil War* (Chapel Hill: The University of North Carolina Press, 1992), p. 5.
15. Maxwell Anderson, *Joan of Lorraine,* (Washington, D.C.: Anderson House, 1947).
16. Haddon Klingberg Jr., *When Life Calls Out to* Us (Nova York: Doubleday 2001), p.8.
17. Trulock, p. 154. Extraído da inauguração dos Monumentos de Gettysburg na tarde de 3 de outubro de 1889.

Apêndice 1

1. Doc Childre e Bruce Cryer, *From Chaos to Coherence* (Boston: Butterworth-Heinemann, 1999), p. 23.
2. C. S. Lewis, *Mere Christianity* (Nova York: Simon & Schuster, 1980), pp. 124-125.
3. Childre and Cryer, p. 69.
4. Robert Frost, "Two Tramps in Mud Time", *The Poetry of Robert Frost*, Edward Connery Lathem (coord.) (Nova York: Henry Holt and Co., 1969).
5. Lewis, p. 88.

O AUTOR

Stephen R. Covey é uma autoridade em liderança internacionalmente reconhecida. Especialista em família, professor, consultor organizacional e autor que dedica sua vida a ensinar a famílias e organizações a viver e liderar baseadas em princípios. Formou-se como MBA pela Universidade de Harvard e obteve seu doutorado na Brigham Young University, onde lecionou comportamento organizacional e administração de empresas e exerceu os cargos de diretor de relações universitárias e assistente da presidência.

Dr. Covey é autor de vários livros de sucesso, incluindo o best-seller internacional *Os 7 Hábitos das Pessoas Altamente Eficazes*, que foi considerado o livro de negócios mais influente do século XX e um dos dez mais importantes livros de administração de todos os tempos: vendeu mais de 15 milhões de exemplares em 38 idiomas de todo o mundo. Outros de seus best-sellers são *Primeiro o Mais Importante, Liderança Baseada em Princípios* e *Os 7 Hábitos das Famílias Altamente Eficazes*, que em conjunto somam mais de 20 milhões de exemplares vendidos.

Pai de 9 filhos e avô de 43 netos, recebeu em 2003 o Fatherhood Award da National Fatherhood Initiative, que considera o prêmio mais significativo que já recebeu.

Outras premiações concedidas ao Dr. Covey incluem a Medalha da Faculdade Thomas More pelos contínuos serviços prestados à humanidade, foi Palestrante do Ano em 1999, o Prêmio Internacional Homem de Paz de 1998 do Sikh, o Prêmio Empresário Internacional do Ano, em 1994, e o Prêmio de Empresário Nacional do Ano na categoria de Liderança Empresarial.

Dr. Covey também foi considerado pela revista *Time* um dos 25 americanos mais influentes e foi agraciado com sete títulos de doutor *honoris causa*. É co-fundador e vice-chairman da FranklinCovey Company, a empresa de consultoria com liderança mundial e escritórios em 123 países que compartilham da visão, disciplina e paixão do Dr. Covey visando inspirar, elevar e oferecer ferramentas para a mudança e o crescimento de pessoas e organizações de todo o mundo.

ÍNDICE

Os números em itálico se referem a figuras e quadros.

SOBRE A FRANKLINCOVEY

DECLARAÇÃO DE MISSÃO

Libertar o grande potencial que existe nas pessoas e nas organizações, onde quer que elas estejam.

VISÃO

Impactar profundamente o modo como bilhões de pessoas por todo o mundo vivem, trabalham e alcançam seus grandes propósitos.

CRENÇAS FUNDAMENTAIS

Acreditamos que:

1. **As pessoas** são naturalmente capazes, aspiram à grandeza e têm a capacidade de escolha.
2. **Os princípios** são atemporais, universais e também a base da eficácia duradoura.
3. **Liderança** é uma escolha, construída de dentro para fora tendo como base o caráter. Grandes líderes libertam o talento coletivo e a paixão das pessoas, rumo a meta certa.
4. **Os hábitos da eficácia** só são gerados pelo uso dedicado de processos e ferramentas integrados.
5. **O desempenho superior sustentável** exige o P/CP® – foco no alcance de resultados e no aprimoramento das habilidades.

VALORES

1. **Compromisso com Princípios.** Temos paixão por nosso conteúdo e lutamos para ser modelos dos princípios e práticas que ensinamos.
2. **Influência Duradoura sobre o Cliente.** Somos incansáveis em nossa preocupação de cumprir as promessas feitas ao cliente. Nosso sucesso só existe se eles forem bem-sucedidos.
3. **Respeito pela Pessoa Inteira.** Valorizamos todas as pessoas e consideramos todos aqueles com quem trabalhamos como verdadeiros parceiros.
4. **Crescimento Lucrativo.** Consideramos a lucratividade e o crescimento como o sangue de nossa organização; eles nos dão a liberdade para preencher nossa missão e nossa visão.

A FranklinCovey (NYSE:FC) é líder global no treinamento em eficácia, em ferramentas de produtividade e serviços de avaliação para organizações, equipes e pessoas. Entre nossos clientes, estão 90% das 100 maiores empresas de *Fortune*, mais de 75% das 500 maiores de *Fortune*, milhares de pequenas e médias empresas, bem como numerosos órgãos governamentais e instituições de ensino. Organizações e pessoas têm acesso aos produtos e serviços da FranklinCovey mediante treinamento corporativo, facilitadores licenciados, *coaching* um a um, seminários públicos, catálogos, mais de 140 lojas de varejos e nosso site www.franklincovey.com.

A FranklinCovey conta com dois mil associados que oferecem serviços profissionais, produtos e materiais em 28 idiomas, em 39 escritórios e em 95 países.

Programas e serviços

- xQ Survey and Debrief *(to help leaders assess their organization's "Execution Quotient")*
- The 7 Habits of Highly Effective People workshop
- The 4 Disciplines of Execution worksession
- FOCUS: Achieving Your Highest Priorities workshop
- The 4 Roles of Leadership workshop
- The FranklinCovey Planning System

SOBRE A FRANKLINCOVEY BRASIL

A FRANKLINCOVEY BRASIL é uma sólida organização voltada para a melhoria da eficácia corporativa e pessoal. Suas soluções baseiam-se no desenvolvimento da alta produtividade, gerenciamento de tempo, projetos e excelência nos relacionamentos interpessoais. Desde 2000, a Franklin-Covey Brasil já aplicou treinamentos em cerca de 130 das maiores empresas do país, utilizando uma metodologia baseada em princípios, que transformam estas organizações de dentro para fora, tornando-as altamente eficazes.

Programas*

Os 4 Papéis do Líder
Os 7 Hábitos das Pessoas Altamente Eficazes
Os 7 Hábitos dos Adolescentes Altamente Eficazes
Foco – Atingindo sua Maior Prioridade
Habilidade de Apresentação
Habilidade para Reuniões
Construindo Confiança
Gerenciamento de Projetos
Como Trabalhar com Sinergia
xQ – Quociente de Execução
As 4 Disciplinas da Execução
Perfil 360°
Habilidades de Escrita

Produtos

Franklin Planner Starterkit
Franklin Planner Software

* Muitos dos programas citados estão disponíveis como Treinamento On-line em Inglês.

Franklin Planner Software For Ms Outlook
Refis Diários e Semanais Para o Franklin Planner
Capas em Couro com e sem Zíper
Capas Sintéticas com e sem Zíper
Folhas em Branco e Folhas Pautadas
Furadores de Papel Modelos de Mesa e Portátil
Arquivos Fichários
Linha Masculina e Feminina de Bolsas e Pastas para notebook

Livros

Em português

Os 7 Hábitos das Pessoas Altamente Eficazes
Os 7 Hábitos das Famílias Altamente Eficazes
Os 7 Hábitos dos Adolescentes Altamente Eficazes
Vivendo os 7 Hábitos
Liderança Baseada em Princípios
Primeiro o Mais Importante
O que Mais Importa
Business Think
O Gladiador Moderno
Power Principle
Os 7 Hábitos Compactos (7 livretos)
Princípios Essenciais das Pessoas Altamente Eficazes

Em inglês

The 7 Habits of Highly Effective People
The 7 Habits of Highly Effective Families
Living The 7 Habits
The 10 Natural Laws of Successful Time and Life Management
What Matter Most
The Modern Gladiator
First Think First
Life Matters
Principle Centered Leadership
To Do, Doing, Done
Let's Get Real or Let's Not Play

Vídeos (português)

VCD – Deixe um Legado
VCD – O Valor do Tempo
VCD – Águas Turbulentas
DVD – Palestra com Dr. Covey "Liderança não é uma Posição e sim uma Escolha".

Áudios (inglês)

Beyond the 7 Habits (4 CD set)
First Thing First (3 CD set)
Life Matters (4 CD set)
Mastering the 7 Habits (12 CD set)
Principle Centered Leadership (3 CD set)
The 7 Habits of Highly Effective People (3 CD set)

Outras soluções focalizadas

Consultoria Organizacional
Certificação FranklinCovey
Soluções Formatadas para empresas
Soluções Eletrônicas e Aprendizado on-line
Simpósio Internacional sobre Liderança e Produtividade
Soluções Organizacionais
Personal Coaching
Palestras Especiais

FranklinCovey Brasil Ltda.

Rua Flórida, 1568.
São Paulo – SP – Brasil – 04565-001
Telefone: 11 5105-4400
E-mail: info@franklincovey.com.br
Site: www.franklincovey.com.br

8 O Desafio do 8º Hábito

UM: **Leia o capítulo**

DOIS: **Ensine o capítulo para pelo menos duas pessoas, incluindo colegas de trabalho, pessoas da família, amigos, etc.**

TRÊS: **Faça um esforço sincero e concentrado para viver os princípios constantes do capítulo durante um mês.**

QUATRO: **Relate os resultados e seu aprendizado na busca da vivência das idéias do capítulo a uma pessoa em quem confia, colega, parente ou amigo.**

1/ A dor

2/ O problema

3/ A solução

4/ Encontre a sua voz interior – presentes de nascença não-abertos

5/ Expresse a sua voz interior – visão, disciplina, paixão e consciência

6/ Inspire os outros a encontrar as vozes deles – o desafio da liderança

7/ A voz da influência – ser um compensador

8/ A voz da confiabilidade – modelando caráter e competência

9/ A voz e a rapidez da confiança

10/ Combinando vozes – a busca da terceira alternativa

11/ Uma voz – descobrir caminhos para chegar a visão, valores e estratégias compartilhadas

12/ A voz e a disciplina da execução – alinhar objetivos e os sistemas para a obtenção de resultados

13/ A voz fortalecedora – liberação do talento e da paixão

14/ O 8º Hábito e o ponto crítico

15/ Usar nossas vozes com sabedoria para servir os outros

A-1/ Desenvolvimento das 4 inteligências/capacidades – um guia prático para a ação

Encontre sua voz interior e inspire os outros a encontrar as deles

❶ LEIA	❷ PASSE PARA DUAS PESSOAS	❸ VIVA OS PRINCÍPIOS	❹ RELATE OS RESULTADOS
☐	☐ ☐	☐ 30 dias	☐
☐	☐ ☐	☐ 30 dias	☐
☐	☐ ☐	☐ 30 dias	☐
☐	☐ ☐	☐ 30 dias	☐
☐	☐ ☐	☐ 30 dias	☐
☐	☐ ☐	☐ 30 dias	☐
☐	☐ ☐	☐ 30 dias	☐
☐	☐ ☐	☐ 30 dias	☐
☐	☐ ☐	☐ 30 dias	☐
☐	☐ ☐	☐ 30 dias	☐
☐	☐ ☐	☐ 30 dias	☐
☐	☐ ☐	☐ 30 dias	☐
☐	☐ ☐	☐ 30 dias	☐
☐	☐ ☐	☐ 30 dias	☐
☐	☐ ☐	☐ 30 dias	☐
☐	☐ ☐	☐ 30 dias	☐

www.The8thHabit.com/challenge

Sistema CTcP,
impressão e acabamento
executados no parque gráfico da
Editora Santuário
www.redemptor.com.br - Aparecida-SP